527 36 /1 /17 C D5E

Georg Hensel

Theater der Zeitgenossen

Stücke und Autoren

Propyläen

VERLAG ULLSTEIN GMBH FRANKFURT/M · BERLIN · WIEN

© 1972 by Verlag Ullstein GmbH, Frankfurt/M — Berlin — Wien
Alle Rechte, auch das der photomechanischen Wiedergabe, vorbehalten
Printed in Germany 1972
Alle Rechte, auch das der photomechanischen Wieder-
gabe, vorbehalten · Printed in Germany 1972
Gesamtherstellung: Druck und Buchbinderei-Werkstätten
May & Co Nachf., Darmstadt

ISBN 3 549 058 38 1

Einmalige Sonderausgabe in der Reihe
»Die Bücher der Neunzehn«, Band 205, Januar 1972

INHALT

Vaclav Havel, Harold Pinter, James Saunders, Tom Stoppard. – Jean Genet: Verbrechen, Schönheit und Hochmut – Fernando Arrabal: Das Komplexikon – Peter Handke: die Sprache der Sprache – Dieter Forte: das dämonisierte Portemonnaie

Register

1. DAS SPRECHZIMMER DER SEELENKENNER
oder: Dramatiker, die man Naturalisten nennt

Die Kunst, aus der Natur Theater zu machen · Ödön von Horvath: die Komik der Tragödien · Martin Sperr: kulinarische Kritik · Wolfgang Bauer: Sittenbilder · Ansätze: Sommer, Henkel, Kroetz · Sean O'Casey: die irische Realität, kritisch · Brendan Behan: der robuste Spaßvogel · Britisches: Zorn über die Wirklichkeit · John Osborne: AYM 1 · Arnold Wesker: der skeptische Idealist · John Arden: die Menschen und die Macht · Edward Bond: alltäglicher Terror · Tennessee Williams: Neurosen und Poesie · Edward Albee: Gelächter in Haß und Trauer

Die Kunst hat die Tendenz, wieder die Natur zu sein.

Arno Holz

Realismus, Naturalismus: Das erste Wort hat für mich eine leidliche Farbe, das zweite sieht sumpfgrün aus, sehr dunkel, sehr trostlos. ›Der Realismus soll...‹ ›Der Naturalismus soll...‹ Ja, sind denn die beiden Begriffe Tiere, die man dressieren kann, oder was denn sonst? Ja, was ist Realismus, was ist Naturalismus? Wenn meine Auffassung die rechte ist, so sind es Schilder in einem Magazin. Aber was darin steckt, bezeichnen sie nicht — und nun gar noch Idealismus. Wenn ich das Wort Idealismus höre, so habe ich die Vorstellung von dilettantischen Künstlern, die an Krücken gehen und borgen. Wenn ich das Wort Realismus höre, so denke ich etwa an eine grasende Kuh. Spricht jemand von Naturalismus, so sehe ich Emile Zola vor mir mit einer dunkelblauen großen Brille.

Gerhart Hauptmann

Sosehr sie sich unterscheiden mögen, durch Absicht und Temperament, durch Schreibweise und Talent — einige entscheidende Grundzüge haben sie gemeinsam.

Wenn der Vorhang aufgeht, erblickt man auf ihrer Bühne ein Stück sorgfältig nachgebauter ›Natur‹, sei es einen Bach mit Kopfweiden, sei es eine Kutscherkneipe mit klaren Schnäpsen. Der Bühnenbildner und die Techniker sind vollbeschäftigt: wenn der Regen auf Mansardenfenster prasselt, dann muß es veritables Wasser sein, und wenn Hühner gackern, dann kann man sich nicht mit ungefähren Geräuschen zufrieden geben. Der Regisseur muß beispielsweise wissen, daß ein Strafgefangener die aufgelesene Zigarettenkippe nach einem heftigen Zug in der hohlen Hand verbirgt, und wie sich ein Mann mit Vollbart das Plastron bindet, ohne dabei komisch zu wirken.

Der Schauspieler tut so, als sei er nicht mehr er selbst, sondern seit jeher ein buckliger Forstgehilfe gewesen: er versucht, sich zu wandeln, ganz und gar in der Bühnenfigur aufzugehen — im Extremfall wird der Darsteller zum Versteller. (Moderne Schauspieler wahren zwar ihre Persönlichkeit noch, doch verlieren auch sie sich mehr als in allen anderen Arten von Bühnenstücken in der vom Autor geforderten Figur.) Der Zuschauer schließlich hat das Gefühl, er könne, falls er auf die Bühne gebeten werde, ohne weiteres von der dort gereichten Kohlsuppe essen und den schmatzenden Personen die üblichen Fragen nach dem Wetter und dem Wohlergehen stellen. Kurz: die Bühne verschafft die Illusion, es gehe auf ihr genauso zu wie in dem Leben, das der Zuschauer aus seinem Alltag kennt oder doch wenigstens kennen könnte.

Man ist übereingekommen, Dramatiker, die solche ›Natur‹-Stücke schreiben, Naturalisten zu nennen, und es gehört zum Sport der Theaterkritiker, nach der Aufführung eines Naturalisten nachzuweisen, daß er eigentlich doch mehr sei als ein Naturalist, weil er sich einer besonderen, ganz unnatürlichen Technik oder bestimmter Symbole und poetischer Wendungen bediene. Die wenigsten Naturalisten sind überdies ihr ganzes Leben lang Naturalisten geblieben, sie haben Ausflüge in andere Bereiche gemacht oder sich in anderer Richtung entwickelt. Trotzdem werden sie in diesem Kapitel zusammengebracht; auf Abweichungen vom großlinigen und notgedrungen groben Ordnungsbegriff ›Naturalismus‹ wird im einzelnen hingewiesen.

Außer ihrem Versuch, ein Stück dramatisierter Alltagswirklichkeit auf der Bühne wiederzugeben, haben die Naturalisten gemeinsam, daß sie als Beobachter ihres Alltags, als geborene Provinzler mit Provinzmenschen und Provinzproblemen die Welt erobert haben. Mietstreitigkeiten und Tuberkulose, Lohnstreik und Wohnküchenenge, Unlust am Ehepartner und Lust am Alkohol, die Kümmernisse bürgerlicher Damen in norwegischen Kleinstädten, die Eheschlachten schwedischer Offiziere, die religiöse Inbrunst russischer Bauern, die hungernden Mägen schlesischer Weber, Familienkräche in den amerikanischen Südstaaten, die Tränen Wiener Vorstadt-Mädl, die Sauf- und Prahl-Orgien Dubliner Proletarier, die Hysterien frigider Frauen in New Orleans, die miese Laune junger Männer in mittelenglischen Industriestädten — lauter provinzielle Angelegenheiten, doch Ibsen, Strindberg, Tolstój, Hauptmann, O'Neill, Schnitzler, O'Casey, Tennessee Williams, John Osborne haben sie ans Herz der Welt gedrückt und sie zu Gegenständen der Debatten und des Mitleids in den Theater-Metropolen rund um den Globus gemacht. Manche scheuten sich nicht, bis in die Sprache bewußt provinziell zu sein: bei Hauptmann wird Schlesisch, bei Schnitzler Wienerisch, bei Synge Anglo-Irisch geredet, und es hat ihrer aller Grenzen durchstoßenden Wirkung nichts geschadet, denn ›Welt‹ ist auch in der Seele des Provinzmenschen – die Naturalisten haben sie darin entdeckt.

So ist den Naturalisten ferner gemeinsam: ihre intime Kenntnis der menschlichen Seele und ihre Liebe zu allen Menschen, besonders aber zu den Armen und Unterdrückten. Manche haben sich mit der Wissenschaft verbündet, mit den Theorien über die Zwänge von Vererbung und Umwelt, mit Soziologie, Psychologie und Psychoanalyse; manche haben ihre Gestalten solche Theorien predigen lassen, die so veränderlich sind wie der jeweilige Stand der Forschung, und manche haben versucht, durch Zeitkritik die Veränderung bestimmter gesellschaftlicher Verhältnisse zu bewirken – auch dies ist ein provinzieller Zug, denn mit ihren zeitgebundenen Problemen rutschen sie ab in eine historische Provinz. Überlebt haben diese Belastung mit rasch vergänglichem Stoff nur diejenigen Naturalisten, denen die unter ihren Schreibhänden wachsenden Menschen wichtiger gewesen sind als ihre Ansichten über diese Menschen und auch als ihre redlichen Absichten, die Menschen und die gesellschaftlichen Verhältnisse zu bessern. Die großen Naturalisten lieben auch ihre Bösewichter; sie sind groß nicht durch ihre Gedanken, sondern durch ihre Gestalten. Sie sind – vom Theater her gesprochen – nicht groß durch ihre provinzielle Tendenz, so wichtig diese als Auslöser der Produktion gewesen sein mag, sie sind groß durch ihre Rollen.

Naturalismus ist keine Erfindung des 19. Jahrhunderts. Als Euripides im 5. vorchristlichen Jahrhundert die Götter nur noch in Prolog und Epilog seiner Dramen zeigte, als Zitate eines sich auflösenden Glaubens, als er seine einsamen, klagenden Menschen aus vielfältigen, unauflösbaren seelischen Motiven handeln ließ, soziale Probleme debattierte und den religiösen Kult durch weltliche Kunst ablöste, hatte er schon die Szene für die Naturalisten bereitet, die ihren Zuschauern das Vergnügen machen, sich selbst und ihre Alltagswelt, samt ihren Zahnschmerzen, auf der Bühne wiederzufinden. Die Theater der Welt beherrschte der Naturalismus in den drei letzten Jahrzehnten des 19. Jahrhunderts. Schon 1905 hatte Karl Kraus an Frank Wedekind gerühmt: »Alle Natürlichkeitsschrullen sind wie weggeblasen. Was über und unter den Menschen liegt, ist wichtiger, als welchen Dialekt sie sprechen.« Dialekt aber sprachen sie schon wieder bei Horvath, und in den sechziger Jahren ist er durch Bond, Sperr und Bauer Mode geworden.

Der Naturalismus ist nicht tot. Im Theater ist er zwar nur noch eine Provinz, doch ein großer Teil des Films und des Fernsehens zehrt von ihm. Auf der Bühne steht ein lebendiger Mensch; auf der Leinwand erscheint nur sein Bild. Der Mensch auf der Bühne ist immer in der Gesamtansicht, der ›Totalen‹; der Mensch auf der Leinwand wird in Nah- und Großaufnahmen gezeigt, total und zerstückelt. Auf der Bühne fallen die Entscheidungen durch die Sprache, im Dialog; im Film muß alles Entscheidende im Bild gezeigt werden, und der Dialog hat nur eine unterstützende Funktion. Sehen wir einmal von diesen fundamentalen Unterschieden zwischen Bühne und Film ab, so lebt der Film fast ausschließlich von einer einzigen Absicht des Bühnen-Naturalismus: dem Zuschauer die Illusion zu verschaffen, er habe ein Stück Natur vor Augen, Menschen, die ihm verwandt sind und mit denen er sich, mitlebend, gleichsetzen kann. In diesem Punkt ist der Naturalismus die Erfindung des Films vor der Erfindung des Films.

Die Uraufführung der ›Nora‹ von Ibsen am 21. Dezember 1879 im Hoftheater Kopenhagen ist ein markantes Datum des Bühnen-Naturalismus; die ersten siebzehn Meter Film führten die Brüder Lumière sechzehn Jahre später, am 22. März 1895, in Paris vor, ›La Sortie des Usines‹, ›Arbeiter verlassen die Fabrik‹ — noch war der Film nur Reportage, doch schon ein Stück der Natur, und abermals sechzehn Jahre später, 1911, war ›Nora‹ in den Vereinigten Staaten als ›A Doll's House‹, ›Ein Puppenheim‹, bereits verfilmt, wenn auch unzulänglich. Bei aller Phantastik und absoluten Unwirklichkeit, deren der Film fähig ist, hat er sich seine Liebe zum Naturalismus, auch zum naturalistischen Theaterstück, bewahrt; nach dem zweiten Weltkrieg hat er durch die erneuerte naturalistische Technik, den ›Neorealismus‹ der Italiener, einen außergewöhnlichen künstlerischen Aufschwung genommen.

Die Ibsen-Technik beherrscht noch immer das Fernseh-Spiel, das auf der formlosen Röhre eher eine Bühnen-Illusion der Wirklichkeit als den furiosen Bildzauber eines optisch raffinierten Films vermitteln kann.

Der naturalistische Stil amerikanischer Schauspieler, die scheinbar durch ihr bloßes Vorhandensein alles auszudrücken vermögen, was auch immer ausgedrückt werden muß, hat eine lange Ahnenreihe. Sie wird erlernt im New Yorker ›Actor's Studio‹, das Lee Strasberg 1948 gegründet hat; seine weltberühmte ›Methode‹ ist eine Weiterentwicklung der Methode des russischen Naturalisten-Regisseurs Stanislawski. Strasberg ist Mitbegründer (und war von 1930 bis 1937 Direktor) des New Yorker ›Group Theatre‹; es übernahm 1931 die Arbeitsweise Stanislawskis und seines Moskauer Künstlertheaters; viele Schauspieler und Dramatiker — wie William Saroyan und Clifford Odets — sind aus ihm hervorgegangen. Stanislawski, auf den sich auch der »sozialistische Realismus« beruft, ist von der Theatertruppe des Herzogs von Meiningen bei ihrem ersten Moskauer Gastspiel 1885 entscheidend angeregt worden – die Meininger haben nicht nur die verspottete ›Meiningerei‹, die Gamaschenknopf-Genauigkeit, erfunden, sie haben zwischen 1874 und 1890 mit ihren Gastspielen in 38 europäischen Städten (rund 2600 Aufführungen) die naturalistische Bühne vorbereitet und sind schon mit Ibsens ›Gespenstern‹ auf Tournee gegangen.

Ödön von Horvath: die Komik der Tragödien

Es soll gezeigt werden, wie tragische Ereignisse sich im Alltagsleben oft in eine komische Form kleiden ... Alle meine
Stücke sind Tragödien ... sie werden nur komisch, weil sie
unheimlich sind. Ödön von Horvath

Ernst Josef Aufricht, der Berliner Theater-Producer und Direktor des Theaters am Schiffbauerdamm, erinnert sich in seinen Memoiren »Erzähle, damit
du dein Recht erweist« an das Jahr 1931: »An einem Tisch in dem langge-
streckten Nachtlokal Schwannecke saß ein großer, dicklicher, jungenhafter
Mann mit schönen braunen Augen und fixierte mich jedesmal, wenn ich
vorbeiging. Er hatte eine Rolle schreibmaschinenbeschriebener Blätter in der
Hand. Ich blieb stehen: ›Wollen Sie mir etwas sagen?‹ — ›Ja! Ich habe ein
Stück geschrieben: Italienische Nacht! Eine aktuelle politische Komödie. Vielleicht gefällt sie Ihnen.‹ — Ich nahm die Papierrolle an mich und notierte
seinen Namen, Ödön Horvath, und seine Telefonnummer. Ich fing nachts an
zu lesen und las das ganze Stück zu Ende. Ich bat ihn am nächsten Morgen
in mein Theater und machte mit ihm einen Vertrag, seine Komödie sofort zu
spielen.«

Die »Italienische Nacht« war keineswegs Horvaths erstes Stück, sie war
eher der Abschluß eines halben Dutzends Stücke mit direkten zeitkritischen
und politischen Absichten. Davon waren in Berlin schon uraufgeführt worden
›Die Bergbahn‹ (1929 durch die Volksbühne) und *Sladek, der schwarze Reichs-
wehrmann*, eine ›Historie aus dem Zeitalter der Inflation‹ (1929, Matinee
im Lessing-Theater; danach erst wieder am 18. September 1968, Staatstheater Kassel): Sladek, eine Art Woyzeck, der, indem er seine Selbständig-
keit im Denken behauptet, gerade seine Unselbständigkeit offenbart, tritt
im Inflationsjahr 1923 in die illegale Organisation der »Schwarzen Reichs-
wehr« ein, weil er meint: »Der einzelne zählt nämlich nichts, man darf nur
an das Ganze denken«; dieser Sladek, der die Ermordung seiner Geliebten
geduldet hat, muß sich am Ende fragen, wo denn der Sladek bleibt, wenn er
für das Ganze geopfert wird, und kommt, von den Geschossen regulärer Truppen getroffen, zum Schluß: »Ich bitte, mich als Menschen zu betrachten und
nicht als Zeit.« — Eklatante politische Wirkungslosigkeit hat Horvath gemeinsam mit den Stückeschreibern, die den direkten politischen Effekt wollten,
während er mit seinen »Tragödien« andere Wirkungen im Sinn hatte. Er
nannte sie »Komödien« und bediente sich für sie der Form des ›Volksstücks‹,
dessen idyllische Heimeligkeit er — in der Nachkommenschaft Nestroys —
ins Unheimliche verkehrte, indem er die Brutalität in der scheinbaren Gemüt-

lichkeit, die Herzensroheit in der scheinbaren Herzlichkeit, die Bestialität in der scheinbaren Sentimentalität spürbar macht, und dies in einer präzise getroffenen Atmosphäre. Seine Arbeitslosen, Proletarier, Kleinbürger, Angestellten benutzen in ihrer dialektgefärbten Umgangssprache die verstiegenen Banalitäten und nichtssagenden Klischees ›höherer‹ Gesellschaftsschichten, was eine ebenso komische wie erschreckende Wirkung hat. Auf diese Weise kommt es zur angestrebten ›Demaskierung des Bewußtseins‹: »Ich habe nur zwei Dinge, gegen die ich schreibe, das ist die Dummheit und die Lüge. zwei, wofür ich eintrete, das ist die Vernunft und Aufrichtigkeit.«

Ödön von Horvath wurde geboren am 9. Dezember 1901 als Sohn eines Ungarn im kroatischen Bezirk der italienischen Enklave Fiume an der Adria. Er nannte sich eine ›typisch altösterreichisch-ungarische Mischung‹ mit den Ingredienzen ›madjarisch, kroatisch, deutsch und tschechisch‹. In einer ›Autobiographischen Notiz auf Bestellung‹ (aus dem Nachlaß) schildert er seine Kindheit: »Als ich zweiunddreißig Pfund wog, verließ ich Fiume und trieb mich teils in Venedig, und teils auf dem Balkan herum und erlebte allerhand, u. a. die Ermordung S. M. des Königs Alexanders von Serbien samt seiner Ehehälfte. Als ich 1,20 Meter hoch wurde, zog ich nach Budapest und lebte dort bis 1,21 Meter. War dortselbst ein eifriger Besucher zahlreicher Kinderspielplätze und fiel durch mein verträumtes und boshaftes Wesen unliebenswert auf.« Horvath machte 1919 Abitur in Wien, studierte anschließend Philosophie und Germanistik in München und ließ sich 1924 nach einer längeren Paris-Reise in Berlin nieder. Über seinen ersten Roman ›Der ewige Spießer‹ schrieb Anton Kuh im ›Querschnitt‹: »Dieser Ödön Horvath, dessen Name so eigenartig nach Mord-Chronik, Steckbrief, k. k. Armee-Überbleibsel klingt, ist ein Ausnahmefall unter den Exzedenten seines Geschlechts. Ein amorphes Stück Natur; vulgär wie ein Noch-nicht-Literat, souverän wie ein Nicht-mehr-Literat; aus Elementarem und Dilettantischem gemengt. So könnte die Rohschrift eines großen satirischen Erzählers aussehen; aber auch die Reinschrift eines genialen Abenteurers, der sich für einen Schriftsteller ausgibt.«

Die Nationalsozialisten zwangen 1933 Heinz Hilpert, die vorgesehene Uraufführung des Horvath-Stückes ›Glaube Liebe Hoffnung‹ abzusetzen, Horvath reiste nach Salzburg und Wien, schrieb dort ›Die Unbekannte aus der Seine‹. Ein Auftrags-Stück ›Mit dem Kopf durch die Wand‹ fiel 1935 in Wien durch. Im folgenden Jahr schrieb er die Stücke ›Don Juan kommt aus dem Krieg‹, ›Figaro läßt sich scheiden‹, ›Ein Dorf ohne Männer‹, ›Der jüngste Tag‹ und ›Pompeji‹. Er lebte nun bei Salzburg und in Wien, das er 1938 verließ, jetzt endgültig ein Emigrant. Bei keinem Dramatiker erfährt man über Inflation und Wirtschaftskrise und über das, was sie mit den Menschen finanziell und seelisch angerichtet haben, mehr als bei Horvath. Seine frühen Stücke waren tendenziöse Zeitkritik, seine letzten Komödien mühten sich um christliche Metaphysik, dazwischen liegen seine besten Stücke, seine ›Volksstücke‹. In der Emigration kommen seine Bühnengestalten nicht mehr aus der erlebten Gegenwart, sondern aus der Erinnerung und aus der Literatur; seine Stücke werden zeitloser, symbolischer und damit schwächer.

Sein Tod und sein Begräbnis könnten aus einem seiner Stücke stammen: er wurde am 1. Juli 1938 in Paris durch einen im Gewittersturm niederstürzenden Ast eines hohlen Baumes getötet, gegen 19.30 Uhr, gegenüber dem Théâtre Marigny, und der Leichenbestatter, der Horvaths Eltern seine Dienste anbot, stellte sich als Betrüger heraus — ein Betrüger freilich, der zu aller Überraschung gleichwohl ein Begräbnis erster Klasse bereitete, kostbarer als abgesprochen, und dies aus eigener Tasche bezahlte, um den ›grand poète‹ gebührend zu ehren. Da er die eigene Tasche zuvor aus fremden Taschen gefüllt hatte, war er eine Woche später im Gefängnis (nachzulesen in der Studie ›Brecht, Horvath, Dürrenmatt‹ von Joseph Strelka, Wien-Hannover-Bern, 1962). Die Totenrede hielt Carl Zuckmayer, der Horvath 1931 den Kleist-Preis verliehen hatte.

Meinungen. »Nicht im Bau steckt sein Vorzug, sondern in der Fülle. Einwände sind haufenweis möglich: keiner gegen die Grundkraft eines lachenden Könners. Keiner gegen die Art, Gestalten zu sehen und zu säen. Keiner gegen das Verhältnis zwischen Bauwerk und Beiwerk. (Das Beiwerk schafft hier das Bauwerk)!: Alfred Kerr. — »Kein Wunder also, daß den Zuschauer aus den Theaterstücken dieses glänzenden Desillusionisten das ziemlich Trostlose einer entzauberten, in ihrem schnöden Mechanismus bloßgelegten Welt kalt anweht. Zum Ersatz freilich auch die ganze Komik einer solchen. Nichts ist witziger als die Wahrheit. Und kein skurrilerer Anblick als jener, den sie bietet, wenn sie sich nackt unter die Leute mischt«: Alfred Polgar.

Italienische Nacht. ›Volksstück‹. Uraufführung durch Ernst Josef Aufricht am 20. März 1931, Theater am Schiffbauerdamm, Berlin. — Die mit Vereinsmeierei und Streitigkeiten beschäftigten Republikaner in einer süddeutschen Kleinstadt feiern 1930 ihre »›Italienische Nacht‹ heut nacht«, und wenn die radikalen jungen Sozialisten nicht wären, die gerade von den alten Sozialisten hinausgeschmissen worden sind, so bezögen die Alten von den braunen Faschisten die Prügel, die sie sich durch ihre selbstgewollte Blindheit eigentlich verdient haben. Die Nationalsozialisten veranstalten am gleichen Tag einen ›deutschen Tag‹ mit SA-Kapelle und Nachtübung, und der Wirt wartet ungeduldig, daß sie abziehen, damit er von national auf italienisch umdekorieren kann: »Und wenn ich jetzt den schwarzweißroten

Fetzen nicht raussteck, verderben mir sechzig Portionen Schweinsbraten, das war doch ein furchtbarer Blödsinn, die Reichsfarben zu ändern!« Der rote Stadtrat ist gegenüber den jungen Sozialisten so tyrannisch und zu seiner unterdrückten Frau so überheblich gemein, wie er feige ist, wenn er an die Faschisten nur denkt, und die einzige Person, die am Ende Mut hat, ist seine endlich aufbegehrende Frau: ihrem Mann sagt sie »Draußen Prolet, drinnen Kapitalist! Die Herren hier sollen dich nur mal kennenlernen! Mich beutet er aus, mich! Dreißig Jahr, dreißig Jahr!« und den faschistenfreundlichen Major in seiner Kolonialuniform fährt sie an: »Halten Sie Ihr Maul! Und ziehen Sie sich mal das Zeug da aus, der Krieg ist endlich vorbei, Sie Hanswurscht! Verzichtens lieber auf Ihre Pension zugunsten der Kriegskrüppel, und arbeitens mal was Anständiges, anstatt arme Menschen in ihren Gartenunterhaltungen zu stören, Sie ganz gewöhnlicher Schweinehund!« Der junge Sozialist Martin geniert sich nicht, seine Braut Anna zum Spionieren bei den Faschisten anzusetzen, und die Anna bemüht sich so rührend wie komisch, mit kühner Verworfenheit einen SA-Mann auszuhorchen. Der Musiker Karl ist ein Schlurf oder wenigstens ein Schlieferl, eine Figur, die Horvath immer wieder variiert hat: opportunistisch, resigniert, intelligent, ein Meister der halbhochdeutschen angelesenen Phrase und ein Vorstadt-Casanova dazu: »Denkst du jetzt an eine Ehegemeinschaft? Nein, dazu bist du mir zu schad!... Ich hab ja schon immer von der Erlösung durch das Weib geträumt, aber ich habs halt nicht glauben können — — ich bin nämlich sehr verbittert, weißt du?« Die Blindheit der Republikaner wird zur Schlußpointe: Wenn der Stadtrat, gerade herausgehauen von Martin und seinen jungen Sozialisten, dennoch meint, die Republik könne ruhig schlafen, dann gilt Martins höhnisches »Gute Nacht!« ebendieser Republik — als Zeit der Handlung hatte Horvath »1930 — ?« angegeben, und schon 1933 war's mit der Republik zu Ende. — Horvath ist spezialisierter Zoologe für die Schicht, die für den Nationalsozialismus am anfälligsten gewesen ist, für das Kleinbürgertum, von dem Bertolt Brecht wenig zu berichten weiß. So ist bei Horvath mehr und Genaueres über den Aufstieg Adolf Hitlers zu erfahren (obwohl nicht einmal dessen Name erwähnt wird) als im gesamten Œuvre Brechts. Doch gibt Horvath nicht nur historische Aufschlüsse: seine Republikaner, seine Sozialisten, seine unpolitischen Kleinbürger gebrauchen in ihrem Streit die gleiche Gruppe von Argumenten, die noch in der zweiten Hälfte des 20. Jahrhunderts üblich ist, und die Phrasen seiner Nationalisten und Faschisten sind auch nicht im Zweiten Weltkrieg untergegangen. Dies alles wird nicht an politisch präparierten Popanzen vorgeführt, sondern an höchst lebendigen kleinen Leuten. Horvath bringt sogar das Kunststück fertig, einen SA-Mann als recht sympathischen Menschen und einen jungen Sozialdemokraten als recht unsympathischen Tyrannen vorzuführen, ohne dabei jemals daran zweifeln zu lassen, daß seine, des Autors Sympathien und seine Vernunft gegen den schüchternen SA-Mann und für den rabiaten Sozialisten sprechen.

Geschichten aus dem Wiener Wald. ›Volksstück‹. Uraufführung 2. November 1931, Deutsches Theater Berlin, durch Heinz Hilpert. — Eine der herkömmlichen verlogen sentimentalen ›G'schichten aus dem Wiener Wald‹ wird in ihr striktes, höchst ungemütliches, brutal realistisches Gegenteil verkehrt. Marianne, das liebe Mädel aus der Vorstadt, läuft ihrer Verlobung mit dem Fleischhauer Oskar davon (der das sprichwörtliche Gemüt eines Fleischerhundes hat: in aller Naivität ordinär und brutal, aber immer lieb und großzügig gemeint), sie bekommt ein Kind von Alfred, dem Schlurf (dem weiterentwickelten Karl aus der ›Italienischen Nacht‹), und sie werden todunglücklich im Wiener achtzehnten Bezirk, Alfred aber gibt das Kind zu seiner Großmutter in die schöne frische Luft der Wachau, und das Großmutterl sorgt dafür, daß das Kind stirbt, und triumphiert über seinen Tod

›Geschichten aus dem Wiener Wald‹ von Ödön von Horvath; Szene ›Stille Straße im achten Bezirk‹. Bühnenbildskizze von Günther Schneider-Siemssen für die Inszenierung von Otto Schenk, Münchner Kammerspiele, 1966

auf ihrer Zither. Zauberkönig, der hartherzige Vater Mariannes, muß sein verstoßenes Kind im »Maxim« als nackte allegorische Figur bei ›lebenden Bildern‹ wiedererkennen, und »der Mister«, ein aus Amerika heimgekehrter Wiener mit heurigenseliger, verkitschter Heimatliebe, der mit Geld nur so um sich wirft, wird ausgerechnet bei Marianne knauserig und bitterböse und sorgt dafür, daß sie ins Gefängnis kommt. Die Tabak-Trafikantin Valerie hat den Alfred an Marianne verloren und tröstet sich mit dem zackigen Jurastudenten Erich, mit dem sich das Deutschland Adolf Hitlers so grotesk wie energisch ankündigt. Wenn Marianne schließlich doch noch vom Fleischhauer Oskar geheiratet wird, so deshalb, weil ja das störende Kind nun tot ist, und während Marianne von Oskar geküßt wird, spielt die Großmutter, die am Tod des Kindes schuld ist, auf ihrer Zither ›G'schichten aus dem Wiener Wald‹ von Johann Strauß: nicht die Wendung zum Guten wird am Ende markiert, sondern die Fortsetzung trostloser Brutalitäten besiegelt. – Sogar ein so kluger Kritiker wie Herbert Jhering hat nach der Uraufführung die Qualitäten dieses Stücks verkannt und nicht begriffen, daß sein »Kalenderdeutsch« ein Mittel der Entlarvung ist; Jhering schrieb: »Eine Operettenwelt verträgt keinen Kindesmord, und wenn es die Welt gegen die Operette ist. Eine Kitschwelt verträgt nicht eine Auflehnung gegen Gott und Kirche, und wenn es eine Welt gegen den Kitsch ist«; erst nach dem Zweiten Weltkrieg und nach der Wiederentdeckung des schwarzen Humors ist es zum Allgemeingut geworden, daß ein Kindesmord nirgendwo grauenhafter ist als in einer Kitschwelt und eine Auflehnung gegen Gott und Kirche nirgendwo verzweifelter und niederschmetternder als in einer Kitschwelt, da sie doch nichts anderes als die schiere Harmonie verspricht.

Kasimir und Karoline. ›Volksstück‹. Uraufführung durch Ernst Josef Aufricht im Schauspielhaus Leipzig, 18. November 1932. – Das dritte der Meisterstücke Horvaths. Auf dem Münchener Oktoberfest, das mit Achterbahn und Abnormitäten, mit Zeppelin und Liliputanern stets aufdringlich, wenn auch melancholisch vorhanden ist, gehen die Beziehungen zwischen Kasimir, der arbeitslos ist, und Karoline, der Kasimir nicht glauben kann, daß sie ihn trotzdem liebt, endgültig entzwei. »Sie hat kein schlechtes Herz«, schrieb Alfred Polgar über Karoline, »man kann sie vielmehr einen guten Kerl nennen: nur fehlen ihr die sittlichen Grundsätze. Eine negative Eigenschaft, die sie mit sämtlichen Versuchspersonen des Horvathschen Laboratoriums teilt.« Trauer über verlorene Liebe und Lachen über die hanebüchenen Klischees, in denen sich diese Trauer ausdrückt, fallen zusammen. Karoline bringt das Kunststück fertig, echte Gefühle durch falsche Worte auszudrücken, und wenn sie sich mit Phrasen rechtfertigt, so drücken diese Phra-

sen doch auch ihren speziellen Fall genau aus: »Ich habe es mir halt ein-
gebildet, daß ich mir einen rosigeren Blick in die Zukunft erringen könnte –
und einige Momente habe ich mit allerhand Gedanken gespielt. Aber ich
müßt so tief unter mich hinunter, damit ich höher hinauf kann.« Mit dem
Leutnant Schürzinger, der ihr die Selbsthypnose nach der Methode Coué
beibringt »Es geht immer besser, besser, immer besser . . .«, begibt sie sich
am Schluß auf den Weg, der sie tief unter sie hinunter führen wird, während
Kasimir mit seiner neuen Freundin Erna singt »Nur der Mensch hat alleinig
einen einzigen Mai« – bei Horvath entsteht Poesie aus der Satire auf
pseudopoetischen Kitsch.

Glaube Liebe Hoffnung. ›Ein kleiner Totentanz‹. Geschrieben ›unter Mitarbeit von Lukas Kristl‹. Uraufführung 13. November 1936 unter dem Titel
›Liebe, Pflicht und Hoffnung‹ im ›theater für 49 am Schottentor‹ in Wien.
– Elisabeth, die in der Anatomie ihren Körper verkaufen will, weil sie 150
Mark für einen Wandergewerbeschein braucht, werden von einem mitleidi-
gen Präparator, der sie darüber aufklärt, daß die Anatomie keine Körper
lebender Menschen bezahlt, die 150 Mark geliehen. Der Präparator bringt sie
ins Gefängnis, als er erfährt, daß sie nur ein bißchen geschwindelt hat: sie
braucht die 150 Mark dringend, um die Geldstrafe zu bezahlen, die sie dafür
erhalten hat, daß sie ohne Wandergewerbeschein ertappt worden ist. Auch
mit dem Wandergewerbeschein, den ihr eine Firma vorgestreckt hat, ist sie
eine erfolglose Vertreterin. Als ein Schupo, der sie heiraten will und ihr als
seiner Braut wöchentlich zwanzig Mark gibt, erfährt, daß sie vorbestraft ist,
verläßt er sie, und sie geht ins Wasser. – Horvath schrieb diesen ›kleinen
Totentanz‹ nach einem alltäglichen Fall, den ihm der Gerichtsreporter Lukas
Kristl erzählt hatte, und so mannhaft Horvath im Vorwort versichert: »Ich
habe und werde niemals Juxspiegelbilder gestalten, denn ich lehne alles
Parodistische ab«, seine Personen wirken wie Juxspiegelbilder des Egoismus,
als seien sie parodistisch kraß überzeichnet. Aufdringlich klappert der Mechanismus der Kontraste von scheinbarem Edelmut und rüdem Zynismus.
Sollte sich hier Horvath nicht der billigen satirischen Übertreibung schuldig
gemacht haben, so zumindest das Leben, das ihm den Rohstoff geliefert hat.

Die *Unbekannte aus der Seine.* ›Komödie‹. 1933. Uraufführung 2. Dezember 1949, Wien, Studio in der Kolingasse. – Das Stück, in der Emigration
geschrieben, verzichtet auf Dialekt und ist lokal nicht festgelegt: es spielt »in
einer großen Stadt, durch die ein Fluß fließt«, doch abermals in kleinbürger-
lichem Milieu, in einer Seitengasse mit Uhrmacherladen und Blumenhand-
lung. Die rätselhafte Unbekannte versucht, den arbeitslosen Speditionsbeam-

ten Albert von einem Einbruch in den Uhrmacherladen abzubringen, aber Albert hört nicht auf sie; er schlägt den erwachenden Uhrmacher mit einem Wecker nieder, und der Uhrmacher stirbt. Die Unbekannte lenkt den Verdacht auf sich und geht ins Wasser, aus dem sie — eine Art Undine — gekommen ist. Im Epilog, Jahre später, kauft die Blumenhändlerin Irene, die den Albert geheiratet hat, in einer Buchhandlung die Totenmaske der Unbekannten aus der Seine, die Albert irgendwie an seine Unbekannte erinnert, und dazu ein Kochbuch. — In dieser in Sprache und Milieu vergleichsweise blassen und elegischen Komödie gelingt es Horvath doch, dem Kitschsymbol der Totenmaske zwei scheinbar unvereinbare Qualitäten abzugewinnen: die Ironisierung der Kleinbürgersehnsucht und die scheue Poesie des Märchens vom rettenden Engel. Undine ermöglicht Albert das kleine Glück.

Hin und Her. ›Posse in zwei Teilen‹. Uraufführung 13. Dezember 1934, Schauspielhaus Zürich, durch Gustav Hartung. Deutsche Erstaufführung 29. Dezember 1965, Hessisches Staatstheater Wiesbaden. — Ferdinand Havlicek auf einer Brücke zwischen zwei Zollhäuschen: abgeschoben aus dem Staat, in dem er ein halbes Jahrhundert gelebt hat, weil seine Drogerie in Konkurs gegangen ist, und nicht aufgenommen von dem Staat, in dem er geboren ist, weil er vergessen hat, alle fünf Jahre seine Staatsangehörigkeit zu erneuern — er müßte den Rest seines Lebens auf dieser Brücke zwischen den zwei Staaten verbringen, könnte er nicht durch Zufall bei der Festnahme eines berüchtigten Schmugglerpaars helfen, was ihm eine Belohnung, eine Einreisegenehmigung und eine Einheirat verschafft. — Der Einfall zu diesem Stück kam Horvath, als er 1933 nach Budapest reiste, um seine ungarische Staatsbürgerschaft zu erneuern. Allzu harmlos, märchenhaft. operettenhaft überspielt er hier die Ausbürgerung, die bald für Millionen Menschen zu einer Tragödie geworden ist.

Himmelwärts. 1934. Uraufführung 5. Dezember 1937, eine einmalige Matineevorstellung der Freien Bühne in der Komödie, Wien. — Eine dreigeteilte Mysterienbühne mit — übereinander — Hölle, Erde, Himmel. In der Hölle werden die Verdammten vom Vizeteufel in ihrem Kessel umgerührt, und der Himmel hängt wörtlich voller Geigen. Luise Steinthaler will Sängerin werden und verkauft für eine große Karriere dem Teufel ihre unsterbliche Seele. Der Himmelspförtner philosophiert über irdische Politik, auch über »unseren Herrn und Führer, den Teufel in persona«. Luise schafft es, bei allen Enttäuschungen, die ihr das (ironisierte) Theaterleben bringt, schließlich doch noch mit dem Hilfsregisseur Leuterbach in gewissen Grenzen glücklich zu werden, und dies vor allem dadurch, daß der Satan auf wienerische Weise ein bißl schlampert ist. — Ein kabarettistisches Mysterienspiel, in dem Horvath Wiener Volkstheater-Traditionen aufnimmt und weiterführt.

Don Juan kommt aus dem Krieg. ›Schauspiel‹. 1935. Uraufführung 12. November 1952, Theater der Courage, Wien. Deutsche Erstaufführung 13. Januar 1967, Ulm. — Horvaths Don Juan ist, wie der Autor kommentiert, »der große Verführer, der immer wieder von Frauen verführt wird«; angezogen werden sie von der »ausgeprägten metaphysischen Bindung« seiner Sexualität: in jeder neuen Frau sucht er seine tote Braut. So erlebt er — während der Inflation — eine Inflation von 35 Frauen, Varianten von neun Grundtypen (gespielt von neun Schauspielerinnen), doch gibt es keine Liebesszene, denn »wirklich geliebt wird er von keiner«; er sucht die Vollkommenheit, die es auf Erden nicht gibt, »und die Frauen wollen es ihm, und auch sich selbst, immer wieder beweisen, daß er alles, was er sucht, auf Erden finden kann«; die Vollkommenheit gibt es nur im Tod, nach dem sich Don Juan sehnt und den er, als ›Schneemann‹ vereist, finden wird. — Durchbruch Horvaths zur Metaphysik, die sich in der »Unbekannten aus der Seine« schon angedeutet und in »Himmelwärts« possenhaft aufgeführt hat — sie wird ihn bis zu seinem letzten Stück *Pompeji* nicht mehr verlassen (Uraufführung 6. Januar 1959, Tribüne, Wien): diese ›Komödie eines Erdbebens in sechs Bildern‹ spielt in einer ironisierten Antike und endet mit Vesuvausbruch und christlicher Jenseitshoffnung.

Figaro läßt sich scheiden. ›Komödie‹. 1936. Uraufführung 2. April 1937, Kleine Bühne des Deutschen Theaters, Prag. Das Stück setzt die Komödie ›Ein toller Tag oder Figaros Hochzeit‹ von Beaumarchais fort und zeigt, wie sich die Personen in den sechs Jahren zwischen der Hochzeit und der Revolution verändert haben. Figaro ist mit dem Grafen Almaviva, gegen den er revoltiert hatte, ins Ausland emigriert und dort, wie seine Frau Susanne feststellt, vom ›Weltbürger‹ zum ›Spießer‹ geworden, und die zurückgebliebenen Revolutionäre sind teils korrupt, teils sehnen sie sich nach der vorrevolutionären Zeit: nicht die Zeitläufte sind wichtig, sondern die Menschen, und die wahre Revolution wäre die, die es, wie Figaro zum aus der Emigration heimgekehrten Grafen sagt, »nicht mehr nötig hat, Menschen in den Keller zu sperren, die nichts dafür können, ihre Feinde zu sein«.

Ein Dorf ohne Männer. ›Lustspiel in sieben Bildern‹, geschrieben nach Motiven des Romans ›Die Frauen von Selischtje‹ von Kálmán Mikszáth. Uraufführung 24. September 1937, Neues Deutsches Theater, Prag. — Das Stück spielt während der Türkenkriege, doch ist die Sprechweise wie immer bei Horvath modern. Die Frauen von Selischtje haben keine Männer, denn der Vater des Grafen von Hermannstadt hat sie durch seine Kriege ausgerottet; und sie bekommen auch keine Männer, weil sie so häßlich sind; Männer aber brauchen sie, dies meint auch der Graf von Hermannstadt, denn die Felder müssen bestellt werden, damit er seine Einnahmen hat. Der König, den eine Frauen-Abordnung aus Selischtje gebeten hat, Männer zu schicken, stellt die Bedingung, daß ihm erst drei hübschere Frauen aus dem Dorf vorgeführt werden. Durch Intrigen des Grafen und des Baders erscheinen als angebliche Frauen aus Selischtje im Jagdschloß des Königs: die Braut eines jungen Wirtes; eine Badmagd und die Frau des Grafen von Hermannstadt, die später das Inkognito des Königs durchschaut und ihm einen Vortrag über die Rechtlosigkeit der Frauen in seinem Reich hält. Zum glücklichen Ende führt der gütige König in dieser Märchenkomödie, die bei aller Irrealität aus einem handfesten Realismus der psychologischen Beobachtung und der Sprache lebt: »Es ist wichtig, daß es der Frau gutgehe«.

Der jüngste Tag. ›Schauspiel in sieben Bildern‹. Uraufführung 11. Dezember 1937, Deutsches Theater, Mährisch-Ostrau. Österreichische Erstaufführung 1945, Wien, Theater in der Josefstadt. Deutsche Erstaufführung 1947, Kammerspiele München. — Achtzehn Tote bei einem Zugunglück, an dem der Stationsvorstand Thomas Hudetz schuld ist: er hat vergessen, das Signal zu stellen, weil die Wirtstochter Anna, ein kleines Biest, das seine eifersüchtige Frau ärgern will, ihn geküßt hat. Durch Annas falsche Aussage, er habe das Signal rechtzeitig gestellt, wird er freigesprochen. — Horvath verordnet Nachdenken nicht über die juristische, sondern über die metaphysische Schuld vor einer jenseitigen Instanz. In die Debatte über diese sehr viel schwierigere Schuldfrage läßt Horvath in der letzten Szene sogar die Toten eingreifen, auch den Lokomotivführer, der beim Zusammenstoß getötet worden ist. Hudetz stellt sich am Ende zwar dem Gericht, doch verurteilt er sich selbst nicht; er spricht sich auch nicht frei, er überläßt das Urteil dem Jüngsten Gericht, und wie dies aussehen wird, darüber steht keinem Menschen ein Vorurteil zu: Horvath zeigt, daß der Mensch in ein Gewebe von psychologischen und gesellschaftlichen Zwängen eingesponnen ist, und je weiter er diese Motivketten verfolgt, desto undurchschaubarer werden sie. Stilistisch greift Horvath auf einen (freilich durch Volkstheatertöne gemilderten) Expressionismus zurück, den er schon in seinen ersten Stücken hinter sich hatte — Folgen der Emigration.

Martin Sperr: Kulinarische Kritik

> Das Abbild unserer Zeit – wie immer – muß dem Publikum
> verständlich und lebendig sein. Theater muß also – zumindest
> wie ich es mir wünsche – kulinarisch sein.
>
> Martin Sperr, 1967

Martin Sperr, geboren am 14. September 1944 in Steinberg in Bayern, ist
gelernter Schauspieler; er hat diesen Beruf in Wiesbaden, Bremen, Berlin und
München ausgeübt und sich vorher als Bauhilfsarbeiter, Industriekaufmanns-
lehrling, Nachtportier und Bäcker umgetan. In Berlin hat er den Rovo gespielt, den geistig zurückgebliebenen Halbstarken in seinem Stück »Jagdszenen aus Niederbayern«. Für die Münchener Kammerspiele hat er eine
bayerische Fassung des Stücks »Gerettet« von Edward Bond (1966) und für
das Bremer Theater und den Regisseur Peter Zadek eine Übersetzung und
Neufassung von Shakespeares »Maß für Maß« hergestellt (1967), die der
Humanität Shakespeares so wenig traut wie seiner Sprache und beispielsweise Baudissins Wendung »Holdsel'ge Schöne, Euer Bruder grüßt Euch, und,
daß ich 's kurz meld: er ist im Kerker« in die lapidaren Worte faßt: »Schöne
Schwester, Ihr Bruder ist im Knast und schickt Ihnen durch mich herzliche
Grüße.«

Bezeichnend für seine Stücke ist die etwas unbeholfene, weil sich widersprechende Antwort, die er auf eine Rundfrage der Zeitschrift »Theater
heute« (Sonderheft 1967) gab: »Ich persönlich will nicht zeigen, was gut oder
schlecht ist an unserer Zeit, bzw. – da Theater um Menschen geht – an unserer
Gesellschaft, sondern was zu verändern ist, was man verändern muß und
kann«: einerseits ist aus seinen Stücken zu spüren, wie sehr er unter dem
brutalen Egoismus seiner veränderungswürdigen Gestalten leidet, andererseits ist er Realist genug, diese ordinäre Ichbezogenheit, die zu jeder Lumpe-
rei bereit ist, als unveränderbar zu konstatieren, und dabei zeigt er noch, auf
welch menschliche Weise die Unmenschlichkeiten angerichtet werden. Er haßt
seine Leute nicht; er beobachtet sie nur so genau, daß man dies für Haß halten könnte.

Jagdszenen aus Niederbayern. Uraufführung 27. Mai 1966, Bremen, Kammerspiele in der Böttcherstraße. Erstaufführung einer überarbeiteten »Berliner Fassung« am 27. September 1966, Berlin, Schaubühne am Halleschen
Ufer. – Gejagt werden Menschen: die Außenseiter im niederbayerischen
Dorf Reinöd, im August 1949, kurz nach der Währungsreform, als Arbeit
und Benzin gerade noch knapp waren. Zu den Außenseitern gehört für die

*Martin Sperr, auf einem Bauernhof
fotografiert von Stefan Moses*

Dorfbewohner die Bäuerin Marie, die mit ihrem Knecht zusammenlebt und obendrein die Mutter des geistig zurückgebliebenen Rovo ist, den sie im »Dritten Reich« vor der Ermordung bewahrt hat und dem sie jetzt fremd wird, weil er meint, daß sie seinen im Krieg vermißten Vater mit dem Knecht betrügt. Sie kann sich anpassen und wird vom Dorf akzeptiert, sobald ihr vermißter Mann für tot erklärt ist — eine Nachricht, die sie mit großer Freude begrüßt —, und als sich ihr Sohn Rovo erhängt hat. Außenseiterin ist auch die Tagelöhnerin Barbara, denn ihr Sohn Abram ist aus dem Zuchthaus zurückgekommen, wo er wegen Homosexualität gesessen hat. Und Außenseiter ist selbstverständlich Abram; um diese Rolle loszuwerden, läßt er sich mit dem Mädchen Tonka ein, das prompt von ihm schwanger wird, doch die Dorfbewohner hetzen die beiden auseinander: sie haben Abram mit Rovo ertappt, der seine von niemand gewollte Zärtlichkeit auf diesen Außenseiter übertragen hat, und dies wird zur Ursache für den Selbstmord Rovos. Der gejagte Abram ersticht das Mädchen Tonka — er sieht weder für sie beide noch für das Kind eine Zukunft. Die Bauern jagen ihn und liefern ihn der Polizei aus; der Fahndungslohn hilft, die Orgel zu finanzieren. Auch Abrams Mutter kann sich nun, da ihr Sohn lebenslang ins Zuchthaus kommt, dem Dorf anpassen. — Die Gejagten sind, wenn sie erst zu den Jägern gehören, genau so schlimm wie die Jäger, und die Jäger — dies ist das schlimmste — hat Sperr nicht als besonders schlimm, sondern als brave durchschnittliche Leute porträtiert. Nichts ist einfacher, als bei diesem Erstling an Büchners »Woyzeck«, an Hauptmanns »Vor Sonnenaufgang« und an Horvaths ungemütliche Selbstentlarvungen naiver Gemüter zu erinnern, Sperr aber ist zu all dem nicht über die Lektüre, sondern spürbar über die Beobachtung gekommen, und daß sein Haupttalent auf der Horvath-Linie liegt, zeigt sein nächstes Stück.

Landshuter Erzählungen. Uraufführung 3. Oktober 1967, Kammerspiele München, durch August Everding. – Landshut 1958, Baukonjunktur in der Kleinstadt, Kampf zweier Giganten: des Baugeschäftsinhabers Otto Laiper, der traditionsstolz ist und zu wenig moderne Maschinen besitzt, gegen den Baugeschäftsinhaber Robert Grötzinger, der ein Emporkömmling ist und durch seine modernen Maschinen die besten Aufträge und Bauarbeiter für sich gewinnt. Kampfverschärfung durch die Tatsache, daß Laipers Sohn Sorm die Tochter Grötzingers, die Sieglinde, heiraten möchte, weil dadurch schließlich die beiden Unternehmen zusammenkämen und sie auch ein Kind von Sorm erwartet. Laiper bleibt nicht zu erweichen, doch als ihn, diesen kreislaufgeschädigten Biertrinker, sein Sohn Sorm im Zorn nur ein bißchen würgt, ist er schon tot und steht der gemeinsamen Firma »Gebrüder Laiper & Grötzinger« nicht länger im Wege. – Sperr bedient sich zwar grober Mittel, doch so trocken, daß sie ganz selbstverständlich wirken. Er bringt sein Publikum zum Lachen und läßt es dieses Lachens nicht froh werden: man lacht über alltägliche Gemeinheiten, weil man sie jeden Tag für möglich, ja für wahrscheinlich hält. Bierprahlerei und Hausfrauentratsch; Meineid und Antisemitismus; ein neonazistischer Hetzer und ein durch die Bundeswehr vom Bücherleser zum Fußballfan umgeschulter junger Intellektueller; eine Leichenrede mit Bratensoße und Kalkulationen im Paarungsbett – Sperr organisiert seine Themen nicht, er rauft sie zusammen.

Koralle Meier. ›Stück mit Musik‹. Uraufführung 7. Februar 1970, Württembergisches Staatstheater Stuttgart, durch Peter Palitzsch. – Der Wunsch der Koralle Meier, einer alternden Hure, ein Gemüsegeschäft aufzumachen, kommt dem Bäckermeister in die Quere, und so schafft er sie mit Hilfe des Bürgermeisters ins Konzentrationslager; Vorwand: sie hat einem Juden Geld für die Überfahrt nach Amerika geliehen. Der Ortsgruppenleiter, einer ihrer besten Kunden, holt sie wieder raus, doch der Bürgermeister bringt sie abermals hinein, und als sie ihren Mund zu weit aufreißt — kaum aus politischer Einsicht, mehr aus nicht anzupassendem Ärger —, wird sie erschossen. – Sperr versucht, an einem ihm unbekannten Modell zu zeigen, wie leicht Geschäftssinn und Rachsucht unter faschistischen Herrschaftsformen die Politik als Totschläger benutzen können. Atmosphäre und Sprache der Nazi-Zeit trifft Sperr nicht: er hat seine niederbayerischen Kleinstadttypen einfach braun angestrichen und seine Nazis aus den üblichen Klischees gefertigt.

Münchner Freiheit. Uraufführung 20. Februar 1971, Düsseldorfer Schauspielhaus, durch Michael Kehlmann. – An der Sanierung eines Münchner Viertels, 1969, wollen ein paar Leute viel Geld verdienen: ein Architekt, zugleich Stadtverordneter; ein Beamter im Baudezernat; eine Brauereibesitzerin. Ihrem Profit stehen protestierende Studenten im Wege: sie sind von der Tochter der Brauereibesitzerin über die Bodenspekulationen aufgeklärt worden. Ihr bester Mann, der Student Ossi Bock, behält auch dann einen klaren Kopf, wenn seine Anhänger »törichte Aktionen« veranstalten. Zwischen den Gruppen zerrieben wird der »scheißliberale« Ehemann der Brauereibesitzerin, er schneidet sich die Pulsader auf. Silvester-Feuerwerk über dem resignierten Stückschluß: die Hochhäuser sind gebaut und die Mieten so hoch wie die Häuser. – Sperr aber ist in diesem letzten Teil seiner »Bayrischen Trilogie« heruntergekommen auf einen schwachen Ludwig Thoma. Je größer seine Schauplätze geworden sind – Dorf, Kleinstadt, Großstadt –, desto enger seine Themen. Überdies schmarotzt er hier vom possenhaften Sensationswert seiner linken Typen.

Wolfgang Bauer: Sittenbilder

Ich bin naturalistischer als Horvath. Im übrigen ist mir jede Klassifizierung gleichgültig.
Wolfgang Bauer

WOLFGANG BAUER, geboren am 18. März 1941 in Graz, studierte Theaterwissenschaft, Romanistik, Jura und Philosophie. Seine ersten dramatischen Versuche wurden vom literaturträchtigen ›Forum Stadtpark‹ in Graz aufgeführt. Er parodierte konventionelles Theater in winzigen »Mikrodramen« und brachte Angehörige seiner Generation und die Atmosphäre der sechziger Jahre auf die Bühne in ausgewachsenen Stücken, die er »ganz konventionell« nennt. Bei seinem (Jargon-) Dialog sind die Pausen so wichtig wie das, was gesagt wird, und das, was gesagt wird, bildet zwar oft keinen Dialog mehr, doch sind es streng komponierte Realitätspartikel.

Magic Afternoon. Uraufführung 12. September 1968, Landestheater Hannover. – Die vier Personen sind zwischen 22 und 30 Jahre alt. Charly und Birgit öden sich durch Schweigen oder durch Reden an, sie rauchen und legen Platten auf, Wilson Pickett, die Beatles und die Stones. Charly hat's einmal mit der Schriftstellerei versucht, manchmal tippt er noch einen Satz, oder er versucht's bei Birgit, aber die ist immer so müde, da muß er sie schon schla-

gen, und aus ein paar gegenseitigen Ohrfeigen blitzen plötzlich Haß und
Brutalität auf. Ihre Freunde Joe und Monika sind auch rasch bei Gewalttätig-
keiten angelangt. Joe tritt Monika ins Gesicht, sie muß ins Krankenhaus,
Joe raucht mit Charly Haschisch-Zigaretten, Birgit sitzt dabei und beobachtet, wie die beiden in Rausch geraten, wie sie sich küssen und die Welt in
Gestalt eines Globus ins Klo werfen – »Die Wölt ist nämlich unhamlich
schiach« –, die beiden versuchen eine Art Stierkampf mit Birgit, verhöhnen
sie als Kuh und schlagen auf sie ein – Birgit stößt Joe ein Küchenmesser ins
Herz, »das war nur Notwehr«, sagt sie, und jetzt hat sie Lust auf Charly,
der aber hat Angst in seinem Rausch, und als sie davongelaufen ist, versteckt er sich und sein heulendes Elend in einem Schrank. – Das Stück erinnert an Ferdinand Bruckners ›Krankheit der Jugend‹ aus dem Jahr 1924.
Der melodramatische Schluß ist eine Explosion aus der Bewegungslosigkeit,
der Trägheit, der Lustlosigkeit. »Das Leben«, philosophiert Charly, »ist eine
Gewohnheit wie das Zigarettenrauchen«, und wie eine Zigarette wird es hier
inhaliert in der Hoffnung, daß es zwischendurch mal »angenehm« oder
»locker« oder gar »unheimlich klass« sei. Wie ein Zigarettenstummel wird
ein Leben endlich ausgequetscht, und noch dieser Tod soll als Reizmittel
nutzbar gemacht werden. Bauer moralisiert nicht, er stellt eine Diagnose.

Change. Uraufführung 26. September 1969, Volkstheater Wien. – Der Maler Fery hat die Lust am Malen verloren. Als Kritiker Reicher ihm den Blasi
Okopenko vorstellt, einen Autodidakten aus St. Pölten, kommt Fery auf die
Idee, mit Hilfe des Kritikers und seiner Clique aus diesem Freizeitmaler einen
»riesigen Maler« zu machen, ihn »aufzubauen« und ihn dann plötzlich
fallenzulassen, »seine Umwelt so arrangiert, daß er nicht anders kann wie
sich umzubringen«. Blasis Selbstmord wäre dann nicht nur der »eleganteste
Mord aller Zeiten«, sondern auch ein Kunstwerk: »Eine Manipulation des
Fery Kaltenböck«. Blasi aber erweist sich als potenter, brutaler und amoralischer Brocken (von fern grüßt Brechts Baal herüber). Bei einer Party in
seinem Atelier arrangiert er den »Change«, den Wechsel von Kleidern und
Persönlichkeiten: Jeder spielt einen andern – der Blasi spielt den angeblichen Manipulator Fery, und der muß den angeblich manipulierten Blasi
spielen. Die Infamie seines Manipulations-Einfalls wird dem Fery am eigenen Leibe vorgeführt, und das hält er nicht durch; er geht ins Klo und erhängt sich. – Naturalistisch sind die Details, grotesk komisch ist ihre Kom-
bination mit Kolportage und finsterem Humor. Nährboden des Stücks ist
die unendliche Langeweile eines in sich selbst befangenen und absolut ab-
gebrühten Kunstbetriebes. »Die Manipuläschn«, meint Fery, »is a Beschäftigung wie jede andere . . . nur ist sie so schön sinnlos.«

Party for Six. ›Ein Volksstück‹. 1962. Uraufführung 1967, Tiroler Landestheater, Innsbruck. Deutsche Erstaufführung 16. April 1971, Malersaal des Hamburger Schauspielhauses. – Die Party der drei jungen Männer und drei Mädchen findet hinter der Bühne statt. Die Bühne ist das Vorzimmer, in dem man ankommt, sich begrüßt, seine Kleider aufhängt, auf dem Weg zum Klosett ist, auf der Couch einschläft und durch die halboffene Tür zum Wohnzimmer von der Party nicht mehr hört als Musik und Dialogfetzen. – Dieses vor »Magic Afternoon« und »Change«, schon 1962 geschriebene, kurze Stück (in Grazer Dialekt) erfüllt sich darin, daß es kein Stück ist, es sei denn, es entstehe in den Köpfen des Publikums, das sich vorstellt, was auf dieser Party geschehen könnte. Als Spielmaterial für solche Vorstellungen wird ihm geliefert: daß die Verteilung der Jungen und Mädchen offenbar noch nicht fest ist; daß möglicherweise ein Pfänderspiel im Gange ist. Falls diese sechs Personen einen Autor suchten, könnte es nur der Zuschauer sein. Was der Autor Bauer gibt, ist verweigertes Theater: auf der Bühne geschieht nichts, dies aber sehr komisch.

Film und Frau. Uraufführung 16. April 1971, Malersaal des Hamburger Schauspielhauses; Regie: Horst Zankl. – Peter, Gernot und Bruno überlegen, welchen Film sie sich ansehen wollen: ihre Gehirnwindungen sind offenbar nichts anderes als Ablagen konsumierten Kinos. Senta legt sich aggressiv mit Bruno an, einem brutalen Typ in Lederjacke, dessen Halbglatze gleichwohl »an Shakespeare erinnert«. Peter und Gernot gehen ins Kino, um »Shakespeare The Sadist« zu sehen, und dieser Film wird von Senta und Bruno gespielt: hinter einem Gazevorhang; Bruno fesselt die nackte Senta, peitscht sie aus und foltert sie auch durch Shakespeare-Sonette, die er über Megaphon verliest; er führt mit ihr einige Varianten des Lustgewinns vor und sägt ihr schließlich den Kopf ab. Später, bei einer Pokerpartie der drei Männer, wird noch einmal das Theater zum Kino und läuft dort aus: in einer Westernszene schießt Bruno seine Mitspieler nieder und trägt das Mädchen ins Happy End. – Die »Filme« werden englisch gesprochen und sind deutsch untertitelt. Wolfgang Bauer greift Lieblingsmotive auf: die sadistisch geladene Langeweile seines »Magic Afternoon«, die Vertauschung von Wirklichkeit und manipulierter Wirklichkeit seines »Change«. Im Material des erlebnislosen Lebens und des Lebensersatzes im Kino spielt er seine Themen effektvoll durch, ohne dabei zeitkritische Trübsal zu blasen: Porno-Parodie, Manipulations-Mechanismen, Konsum-Klischees sind bei ihm angenehm konsumierbar – noch aus der Daseinslehre macht er einen Theaterspaß. – Dazu der Theaterkritiker Benjamin Henrichs: »Unbekümmert steuert er den jeweils grellsten Theatereffekt an. Die kindische Freude an Extremsituationen, die Liebe zum Theater, besonders zum schlechten Theater, der Mut zu billigen Effekten: Dies alles macht Bauer zum ersten konsequenten Vertreter des Comic-Dramas. Anders formuliert: Bauer ist Deutschlands (und Österreichs) lustigster Trivialautor.«

Ansätze: Sommer, Henkel, Kroetz

In Graz, der steirischen Hauptstadt, wachsen in loser Verbindung mit der Künstlervereinigung »Forum Stadtpark« und ihrer Zeitschrift »manuskripte« die dramatischen Talente, so scheint es, wie anderswo Kartoffel. Peter Handke (Jahrgang 1942), der von 1961 bis 1965 an der Universität Graz Jura studiert hat, ist mit seiner dramatischen Sprachbefragung »Publikumsbeschimpfung« ab 1966 rasch bekannt geworden. Wolfgang Bauer (1941 in Graz geboren) folgte zwei Jahre danach mit seinen Grazer Sittenbildern »Magic Afternoon«, und abermals zwei Jahre danach, 1970, kam Harald Sommer (Jahrgang 1935) mit der Uraufführung seines ersten abendfüllenden Stücks »A unhamlich schtorka Obgaung« in Graz heraus.

Harald Sommer, der älteste, hat am längsten gebraucht, und dies mag sich erklären, wenn man die Kurzfassung seines von ihm geschriebenen Lebenslaufs liest: »1935 geboren. 1942 Lesen und Schreiben gelernt. 1948 Josephine Mutzenbacher gelesen. 1959 *A unhamlich schtorka Obgaung* angefangen. 1969 damit fertig geworden.« Wer daraus schlösse, er habe zehn Jahre am »Obgaung« geschrieben, der freilich irrte, denn dazwischen gibt es Jahre, die in Sommers selbstironischem Lebenslauf so aussehen: »1965 nichts geschrieben, nichts gelesen. 1966 beschlossen, Regisseur zu werden. 1967–1968 damit fortgefahren.« Jedenfalls hat er 1959 den Einakter *Die Leit* geschrieben (Uraufführung am 27. Oktober 1969 in Graz), und 1969 das Schicksal der Sonja aus »Die Leit« weiterentwickelt zum »Obgaung«, uraufgeführt in Abwesenheit des Autors, in Graz, am 31. Oktober 1970; Regie Bernd Fischerauer, von dem sich Sommer schon während der Proben distanziert hatte.

Das im Grazer Dialekt geschriebene Stück wurde in ein dialektgefärbtes Deutsch transponiert: *Ein unheimlich starker Abgang* (Eine schweizerdeutsche Version von Peter Höltschi wurde am 18. November 1970 in der Komödie Basel gespielt): das Schicksal der Hausgehilfin Sonja Pestitschek in neunzehn Bildern; sie ist schwanger und von ihrer Mutter aufgegeben, sie bricht aus Fürsorgeheimen aus und treibt ab, sie geht für den Studenten Manfred auf den Strich, wenn auch ungern, und sie steht Modell für pornographische Photos, sie bricht mit einer Bande von Haschischrauchern in ein

Schlafzimmer ein und terrorisiert das bürgerliche Ehepaar, »damit di si net so sicha fühln«; sie steht als Massenmörderin vor Gericht und wird mit Pauken und Trompeten der Zarathustra-Musik des Richard Strauß von einem berittenen »Deus ex machina« in den Bühnenhimmel getragen. Das Stück beginnt in »Magic Afternoon«-Atmosphäre, es steigert sich in eine Phantastik, die ebensogut surrealistisch wie altwiener Volkstheater sein kann, bis zu jenem »unheimlich starken Abgang«, der ein Abgang aus dem Naturalismus bedeuten könnte. Wolfgang Bauer, der das Stück in der Grazer Zeitschrift »manuskripte« gelesen hatte, meinte dazu: »Das Schöne am Stück ist der Schluß, der Mut, die Lockerheit zum ›Stilbruch‹, zum ironisch Irrationalen, einfach zum Unlogischen (ich hoffe, daß ich recht habe) und zum Verzicht auf theatralische Ökonomie – Basis für Raffinesse und Poesie im Detail.«

Die Einakter *Triki Traki* und *Die Hure Gerhild* freilich, die Sommer 1970 geschrieben hat (uraufgeführt bei der Experimenta 4 in Frankfurt, 5. Juni 1971, durch die Grazer Bühne), beziehen ihre Wirkung wieder aus einem kruden Naturalismus, über den sich gleichwohl laut lachen läßt, wenn auch unbehaglich. In »Triki Traki« verlegen zwei österreichische und ein italienischer Arbeiter ein Kanalrohr, und der komplette Sumpf nazistisch-faschistischer Restbestände dampft in ihren Gesprächen; es geht um Südtirol und Schafskäse, um Fremden- und Rassenhaß, und dazwischen immer wieder um »Triki Traki«, um Sexualneid und Sexualprotzerei. In »Die Hure Gerhild« dampft der Sumpf von Vorurteilen und Infamien an einigen Café-haustischen, bis der plötzlich auftauchende Kino-Gangster »Lino Ventura« mit einem Maschinengewehr alles niedermäht – als Knalleffekt so übertrieben und überflüssig wie der Tod des Italieners in »Triki Traki«. Diese bündige altmodische Sketch-Dramaturgie hat Sommer nicht nötig: bei seiner brillanten Dialog-Technik könnte er sich offene Schlüsse leisten.

Der Hang zum Knalleffekt ist auch bei anderen Autoren aus dem Grazer Umkreis zu konstatieren. So läßt Gerald *Szyszkowitz* (1938 in Graz geboren) im Einakter *Waidmannsheil* (Uraufführung mit Sommers Einakter bei der Experimenta 4) das »Abschießen« politischer Rivalen als »Jagdunfall« mit gelassenem Zynismus praktizieren: die politische Satire wird zur Mordgroteske. *Franz Buchrieser* (geboren 1938) stellt in seinem Einakter *Hanserl* (Uraufführung 7. Januar 1971, Werkstatt des Berliner Schiller-Theaters) einen moralisch empfindsamen Sohn gegen seinen von Vorurteilen vergifteten Vater, er ist Antisemit und schwärmt immer noch von seinen Kriegseinsätzen – Dummheit, Unbelehrbarkeit und Gemeinheit haben beim Vater durch einen musterhaft naturalistischen Dialog eine so erschreckende Unschuld, daß der Schlußschock dagegen ein primitiver Theatertrick ist:

während er verzweifelt »Ich brauch dich, Vater« stammelt, erwürgt der Sohn seinen Vater. Der Kärntner *Peter Turrini* (Jahrgang 1944) läßt in seinem Einakter *Rozznjogd* (Uraufführung 27. Januar 1971, Volkstheater Wien; Regie: Bernd Fischerauer) ein junges Paar auf einer von Ratten bewohnten Müllhalde alle Kleider und alle geistigen Verkleidungen ablegen; bis die beiden sind wie die Ratten, auf die der junge Mann schießt, und bis sie von zwei Fremden erschossen werden. Ihre Leichen scheinen nicht mehr zu sein als Zivilisationsmüll: Menschen als »wandelnde Mistkübel«, dieser Lebensekel hat bei allem Naturalismus schon allegorisches Format.

Der Naturalismus der österreichischen Autoren ist durchweg rezeptfrei und – im Gegensatz etwa zum Vor-Sonnenaufgang-Pathos des jungen Gerhart Hauptmann – ohne Erlösungshoffnungen. Er verzichtet auf Zukunftsvisionen, er konstatiert das Bestehende.

Mit einer kritischen Zustandsschilderung aus dem Alltag, aus der »Arbeitswelt«, wie man sich Ende der sechziger Jahre angewöhnt hat zu sagen, mit *Eisenwichser* (Uraufführung 23. September 1970, Basler Theater) ist *Heinrich Henkel* auf verblüffend viele deutsche Bühnen vorgedrungen. Henkel, 1937 in Koblenz geboren, ein gelernter Malergeselle, hat eigene Erfahrungen verarbeitet. Seine »Eisenwichser« sind Flachmaler; in einem großen Tunnel streichen sie zum Schutz gegen Rost ein System von Rohren an, deren Funktion sie nicht einmal kennen: Lötscher ist 57 Jahre alt, der 20 Jahre alte Volker wird ihm als Gehilfe zugeteilt. Lötscher hat sich eine Lebensphilosophie zurechtgelegt, die ihn seine stumpfsinnige Arbeit als erträglich, ja als angenehm empfinden läßt. Der noch nicht angepaßte Volker dagegen revoltiert ein bißchen und kultiviert seine Freiheitsträume. Ein Monteur taucht auf und entleert seinen Kopf, in dem sich nichts als die Sex- und Kill-Sensationen des letzten Fernsehkrimis befinden. Im zweiten Akt, fünf Monate später, fallen die Ventilatoren aus, die beiden Anstreicher geraten durch Farbausdünstungen in einen Rausch: sie werden »high«, und aus ihrer künstlichen Lustigkeit wird die trostlose Öde ihrer Arbeit auf indirekte Weise noch einmal verdeutlicht. »Zuerst dachte ich an einen dritten Akt, der sozusagen die gesellschaftspolitische Einsicht mitliefert«, sagte 1971 Heinrich Henkel in einem Interview zu Rolf Seeliger, »doch dann fand ich, daß das unerwartete Blackout am ehesten geeignet ist, den Zuschauer zum Nachdenken zu zwingen. Die Bewußtseinswandlung soll im Publikum stattfinden.« Unter »Bewußtseinswandlung« tut's nicht einmal mehr der ehemalige Schiffsmaler Heinrich Henkel, der so sachlich sein kann: »Der Rausch ist Symptom einer schleichenden Berufskrankheit, wie ich sie am eigenen Leib erlebt habe. Die Folgen plagen mich noch heute. Das alles brachte mich zum Nachdenken und zum Schreiben.«

In Hamburg hat Henkel in einem St. Pauli-Spielclub das Thema seines (vor den »Eisenwichsern« geschriebenen) Stücks Spiele um Geld gefunden (Uraufführung 20. September 1971, Basler Theater). In einem Spielcasino für kleine Leute wartet man auf Hasard, einen betuchten Vertreter, den man ausnehmen könnte. Sobald er kommt, steigen die Einsätze, und da er der Mann mit dem Geld ist, kann er die Spielregeln manipulieren und die Mitspieler terrorisieren. Schließlich verliert er dennoch fast zweitausend Mark an den Hafenarbeiter Gilbert. Der wiederum verliert das Geld an den Zuhälter und Berufsspieler Jonny und wird, als er aufmuckt, zusammengeschlagen.

Mit der technischen Präzision, mit der Henkel das »Eisenwichsen« auf der Bühne vorführen läßt, verlangt er den Ablauf der Spiele, es ist »Bayrisch Ramso«, sie füllen fast die gesamte Aufführung. Das zum Kiebitz degradierte Publikum müßte alle Spielregeln kennen, um die Vorgänge ganz zu durchschauen und sich nicht zu langweilen. Beziehen auch die »Eisenwichser« ihre Attraktion aus dem Vergnügen an nachgespielten Arbeitsvorgängen, aus der Verblüffung über Schauspieler, die sich wie gelernte Anstreicher bewegen, so spiegeln sie immerhin Menschen bei einer zentralen Tätigkeit. Das Spielcasino dagegen ist am Rande der Gesellschaft. Überdies ist der exotische Reiz einer imitierten Alltagsprofession größer als der professionelle Exotismus im Hafenviertel.

Was bei Franz Xaver Kroetz geschieht, könnte vom Bauerntheater stammen: Knecht und Bauerstochter; Impotenz, uneheliches Kind, Enterbung; Ehe als Fusion von Besitz und Arbeitskraft; Kindsmord, Vatermord. Sein Engagement am Bauerntheater (rund um den Tegernsee) gehört gewiß zu den entscheidenden Stationen des 1946 geborenen Kroetz, der in München die Schauspielschule besucht, in Fassbinders »antiteater« gespielt, im Max-Reinhardt-Seminar studiert und dort Martin Sperr kennengelernt hat. Was aber am Bauerntheater zum Schauerdrama wird, das nimmt Kroetz ernst: er hat sein Drama im Melodrama entdeckt.

In Wildwechsel (Uraufführung 3. Juni 1971, Dortmunder Schauspiel) erwartet die 13 Jahre alte Hanni vom 19 Jahre alten Hilfsarbeiter Franz ein Kind, und da Hannis Vater nach der Todesstrafe für den Verführer schreit und mit der Polizei droht, erschießen die Jungen den Vater, aber als ihr Kind im Gefängnis stirbt, ist es auch mit ihrer Liebe aus.

In Heimarbeit (Uraufführung 3. April 1971, Werkraum der Kammerspiele München; Regie: Horst Siede) versuchen Willy und seine Frau Martha, das Kind abzutreiben, das Martha von einem anderen Mann erwartet; es mißlingt, das Kind verschärft ihren unablässigen Streit. Martha verläßt Willy, er erwürgt das Kind und holt sie zurück: »Jetzt herrscht wieder Ordnung«.

In *Hartnäckig* (Uraufführung 3. April 1971, Werkraum der Kammerspiele München; Regie: Horst Siede) hat der älteste Sohn eines Gastwirts bei einem Unfall in der Bundeswehr ein Bein verloren. Dies führt zum Verlust seiner Braut und seines Erbes, da er einbeinig und ohne Gastwirtstochter als Frau die Altersversorgung seiner Eltern gefährden würde.

In *Männersache* versucht Martha, die reizlose Inhaberin einer Kuttlerei, einen Eisenflechter zur Heirat zu bewegen, er aber hat durchschaut, daß sie mit ihrem Hund lebt wie mit einem Mann. Mit einem Kleinkalibergewehr schießen sie abwechselnd aufeinander, bis Martha starr liegenbleibt.

In *Michis Blut* (Uraufführung 14. Mai 1971, proT, München; Regie: Kroetz) sitzen sich Marie und Karl regungslos gegenüber, und aus dem, was sie mühsam reden, geht hervor, daß sie gerade ein Kind abtreiben. Sie »spielen« nicht, jegliches »Theater« ist erstarrt und in einen Hörtext eingegangen. Die Abtreibung wird zur Metapher für die Unlust, Leben fortzusetzen, das fremde wie das eigene. »Wer nicht geborn is, si der Best, und wer früh stirbt, der zweitbest, sagt Christus«, sagt Karl, doch Marie setzt dagegen: »Das tät ich aber ned unterschreibn.« Sie bleiben wohl zusammen, obwohl Karl meint, daß es »eh kein gut tut mit uns«.

In *Stallerhof* schwängert der Knecht Sepp die minderjährige und geistig zurückgebliebene Bauerstochter Beppi. Der Stallerbauer jagt Sepp vom Hof und verlangt von seiner Frau, daß sie das Kind abtreibt. Die Stallerin aber täuscht einen Abtreibungsversuch vor, und am Ende erwarten die Alten ein Enkelkind und scheinen damit zufrieden.

Die zur Identifikation einladenden Redensarten und Bibelsprüche des Bauerntheaters sind bei Kroetz distanzierende Kunstmittel: Ausdruck der Sprachohnmacht aller seiner Personen – sie können nicht sagen, was sie fühlen oder denken, sie können nur einen fertigen Satz benutzen, der in der Nähe ihres Fühlens herumliegt und den sie werfen wie einen Stein, oft in der Absicht zu verletzen. Wer wie Martha in »Heimarbeit« sagt: »Ich geh weg von dir Willy, weil ich dich verlasse«, der ist außerstande, sein Weggehen zu begründen. Sie sind in ihrer Sprachlosigkeit gefangen, und jeder ihrer Sätze ist wie ein Gitterstab ihres Kerkers. Ihr Dialekt ist Ausdruck des Schemas, in das sie geboren sind. Auch der immerwiederkehrende Koitus und die Onanie sind Bilder ihrer Ohnmacht, anders als körperlich einander näherzukommen oder noch nicht einmal dies zu vermögen. Zu ihren Schicksalen gehören – anders als in der klassischen Dramaturgie – Gebrechen, Unfälle, Zufälligkeiten und das, was man Pech nennt. Oft scheinen diese Schmerzleider mehr Chiffren für existentielles Unglück zu sein als für gesellschaftliche Zwänge – dies würde ihr Autor, der bei der Experimenta 1971 »so etwas wie einen westlichen sozialistischen Realismus« gefordert hat, sicherlich bestreiten. Manche seiner Personen sind wie Ludwig Thomas *Kleine Verwandte*, gesehen von Beckett. Seine Stücke lesen sich spröde und spielen sich gut: auch durch ihren melodramatischen Kern.

Sean O'Casey: die irische Realität, kritisch

Er wurde geboren in Dublin, am 31. März 1880; nach dem Tod des Vaters verarmte die Familie, und er schrieb bis zu seinem Tod, am 18. September 1964, im englischen Seebad Torquay, bewußt als Proletarier. Er nannte sich einen »Revolutionär von Natur aus«. Die verwitwete Mutter, eine Protestantin, rackerte sich für ihre fünf Kinder ab; die beiden ältesten verdienten den Lebensunterhalt. Er war der Jüngste, und ein Augenleiden, eine Folge der Unterernährung, machte ihm das Lernen schwer. Als er in seiner Verzweiflung das Lineal gegen den Lehrer hob (so behauptet er in seiner Autobiographie), wurde er von der Schule gejagt und mußte sich Lesen und Schreiben selbst beibringen, während er in ungelernten Berufen vom Hafenarbeiter bis zum Portier Geld verdiente.

Seinen Geburtsnamen John Casey änderte er in den gälischen Namen Sean (sprich: Schohn) O'Casey ab, wurde Sekretär einer Gruppe der 1893 gegründeten ›Gälischen Liga‹ und der ›Irischen Transportarbeiter-Gewerkschaft‹, deren niedergeknüppelten Streik im Jahre 1913 er unterstützte, beschrieb und (1942) in seinem Stück »Rote Rosen für mich« auf die Bühne brachte. Daß er während des Osteraufstandes 1916 nur durch Zufall der Hinrichtung durch die Engländer entgangen sei, ist eine Legende. Er schloß sich der kleinen sozialistischen Partei Irlands an.

Im Alter von vierzig Jahren bot er (1920) seine ersten beiden Theaterstücke dem Abbey-Theater in Dublin an, dessen Besuche er sich buchstäblich erhungert hatte; sie wurden abgelehnt. Drei Jahre später hatte er mit ›Der Rebell, der keiner war‹ seinen ersten Erfolg. W. B. Yeats ermutigte und half ihm. Er war Protestant (wie Yeats und Synge), Sozialist und ein scharfer Gegner des Klerus. Am 5. März 1926 fuhr er von Dublin nach London, um eine Aufführung seines Stückes ›Juno und der Pfau‹ zu sehen – er wurde als ein moderner Elisabethaner gefeiert, bezog mit seiner Frau, der Irin Eileen Carey, eine Wohnung in Chelsea, verkehrte freundschaftlich mit Bernard Shaw, und als Yeats sein für das Abbey-Theater geschriebenes pazifistisches Schauspiel ›Der Preispokal‹ ablehnte, betrachtete er England, gegen das er so heftig rebelliert hatte, endgültig als sein ›freiwilliges Exil‹. Hier schrieb er seine poetische, lebensverliebte Autobiographie mit mancherlei übertreibenden Selbststilisierungen. Er war einer jener Kommunisten, denen es gelingt, reinen Herzens an die Heilslehre zu glauben und dabei das Unheil der Praxis zu übersehen.

Stanislaus Joyce erzählt in seinen Erinnerungen über Synge, den sein Bruder James Joyce in Paris kennengelernt hatte:»Seine Lebensgewohnheiten waren puritanisch; und wie alle Puritaner war er auch im Herzen Pessimist und davon überzeugt, daß unser wahres Leben die Phantasie sei, die uns ein reiches, buntschillerndes Land darbietet, wohin wir mit Hilfe der ›Macht der Worte‹ aus der Wirklichkeit entkommen können.« O'Casey ist nicht müde geworden, diese Flucht aus der Wirklichkeit in die Phantasie als eine irische Nationalschwäche zu bekämpfen. Im Exil experimentierte er mit allen möglichen Stilformen, auch mit Agitation, Symbolik und einem gleichnishaften Expressionismus. Er versuchte schließlich, wie in ›Gockel, der Geck‹ (1949) alle Künste im Drama zu vereinigen, »Musik, Architektur, Malerei, Tanz und gesprochenes Wort, entweder als Vers oder schöne Prosa«.

Seine besten, die frühen Stücke sind naturalistisch grundiert, oft mit langen Strecken reiner Milieu-Schilderung, fast ohne äußere Handlung, und ihr Antrieb ist die Gesellschaftskritik, wobei O'Casey freilich die proletarischen Slum-Bewohner, die Sozialisten, Gewerkschaftler, Freiheitskämpfer, die er sehr gut kannte, denn er war ja einer der ihren, keineswegs glorifizierte; im Gegenteil: er zeichnete ihre Schwächen so rücksichtslos, daß in Irland, das 1921 zum Freistaat, zum selbständigen Dominion im Britischen Empire, geworden war, niemand mehr etwas von ihm wissen wollte. Dem Freistaat waren die nationalen Kämpfe und Eigenschaften heilig – O'Casey griff die Heldenverehrung, den Patriotismus, die Frömmigkeit und den katholischen Klerus unermüdlich an. Er trieb seine Bühnengestalten in kritische Situationen, um dann ihre ganze Erbärmlichkeit zu entlarven. Ernüchterung und Poesie, Jux und Trauer, Rülpsen und Lyrik, Tragik und Komik stehen in hartem Kontrast gegeneinander: er zeigt die komische Seite jeder tragischen und die tragische Seite jeder komischen Situation, wobei nicht die verklärende ›Tragikomödie‹ entsteht, sondern die Dissonanz des Tragischen und des Komischen einen Schock hervorruft: Gelächter unter Schmerzen. Irische Haßliebe in tragischen Satiren.

Der Rebell, der keiner war (The Shadow of a Gunman). Untertitel: ›Geschichte einer Opfertat‹. Zwei Akte. Deutsch auch: *Harfe und Gewehr.* Uraufführung 12. April 1923 im Abbey-Theater, Dublin. Deutsche Erstaufführung 26. Mai 1954, Deutsches Theater, Ost-Berlin. – Im Weltkrieg, in dem die Iren aus Englandhaß mit Deutschland sympathisierten, riefen sie Ostern 1916 die Unabhängige Irische Republik aus; ihre bewaffnete Erhebung wurde von den Engländern niedergeschlagen. Nach diesem ›Osteraufstand‹ (bei dem

O'Casey nach einer Legende fast exekutiert worden wäre), während des permanenten Bürgerkrieges, lebt 1920 Donal Davoran bei seinem Freund, dem Hausierer Seumas Shields, einem faulen Frömmler, im sechsten Stock einer verwahrlosten Dubliner Mietskaserne. Davoran produziert minderwertige Lyrik, über die er sich gelegentlich selbst belustigt. Von den Hausbewohnern wird er für einen mutigen Rebellen gehalten, für einen Flüchtling der irischen Revolutionsarmee, der sich bei dem Hausierer vor den Engländern versteckt. Er läßt sich gern als Held feiern, zumal ihm dies die Liebe der jungen Minnie Powell einträgt. Als eine Haussuchung bevorsteht, hat er nichts dagegen, daß Minnie eine Tasche voll Bomben und Handgranaten, die ein Freiheitskämpfer bei dem Hausierer deponiert hat, in ihr Zimmer bringt – sie tut es, weil sie den geliebten, angeblichen Rebellen für Irland retten will. Bei der Haussuchung entpuppen sich alle als Feiglinge, Minnie aber, das »dumme schlampige Ding, das nur Foxtrott, Kino und Kleider im Kopf hat«, wird verhaftet und auf der Flucht erschossen. Ihre Opfertat läutert niemand: die Maulhelden lügen sich sofort prahlend in Helden um, und Davoran wird Minnies Tod in poetische Phrasen verwandeln. – O'Caseys Hauptangriff richtet sich gegen die Flucht in die Phantasie, gegen die ästhetische Verklärung des ethischen Versagens. Bestürzend die ironische Kurve aus der Komik skurriler Typen im ersten Akt in die Tragik des zweiten Aktes, in dem nach Minnies Opfertat die Erbärmlichkeit der Scheinhelden sofort wiederum komisch erscheint.

Juno und der Pfau (Juno and the Paycock). Drei Akte. Uraufführung 3. März 1924 im Abbey-Theater, Dublin. Am 15. Februar 1950 in Basel; am 15. Mai 1953 in München. – 1921 war Irland ein ›Freistaat‹ mit dem Status eines britischen Dominions geworden, hatte zugleich aber den protestantischen Norden, Ulster, an England verloren. Es kam zum Bürgerkrieg zwischen den Gemäßigten, die sich damit zufrieden gaben, und der radikalen Untergrundbewegung, die ganz Irland, die Republik und die völlige Trennung vom Britischen Reich verlangte. Das Stück spielt 1922 in einer Mietskaserne der Dubliner Elendsviertel. Frau Boyle, eine handfeste, fröhliche Proletariermutter, deren wichtigste Lebensdaten im Juni liegen, wird ›Juno‹ genannt; ihr Mann Jack Boyle, ist ein arbeitsscheuer, phantasiebegabter, hochstaplerischer Aufschneider, der ›Pfau‹ — eine Rolle, so saftig wie die seines Kumpans Joxer, eines Phrasendreschers und gierigen Schmarotzers. Die Tochter Mary fällt auf einen theosophischen Schwätzer herein, einen Engländer, der hinter ihrer vermeintlichen Erbschaft her ist und sie schwanger sitzenläßt. Ein Gewerkschaftssekretär, der die Menschlichkeit in dicken Tönen predigt, entpuppt sich bei dieser Gelegenheit als kleinbürgerlicher Versager.

Der neurotische Sohn, der in den Unabhängigkeitskämpfen (gegen die
Polizei) einen Arm verloren hat, verrät seine ehemaligen Untergrund-Kame-
raden und wird von ihnen erschossen. Wer da auch revolutionär oder klas-
senkämpferisch herumtummelt, er erweist sich als virtuoser Schwätzer und
höchst zweifelhafter Charakter. Juno, die Mutter, bleibt mit ihrem Stolz und
ihrer Kraft ein einsames Monument. »Gott« — so spricht sie das Gebet einer
Nachbarin nach — »nimm von uns die steinernen Herzen und gib uns Herzen
aus Fleisch.« — Mit diesem Gewebe von Kontrasten, von Humor und Verzweiflung, einem Schauspiel, das wie ein Volksstück mit dem Schwank einer
vermeintlichen Erbschaft beginnt und als Trauerspiel endet, wurde O'Casey
weltberühmt, von der Sowjetunion bis zu den Vereinigten Staaten.

>Juno und der Pfau< von Sean O'Casey. Vorhang von Hans-Heinrich Palitzsch für
die Aufführung der Städtischen Bühnen Köln, 1965; Regie: Peter Palitzsch

Der Pflug und die Sterne (The Plough and the Stars). Uraufführung 8. Februar 1926 im Abbey-Theater, Dublin. Deutsche Erstaufführung 7. Januar
1931, Osnabrück. — Ein Stück über den Osteraufstand 1916, doch wiederum
keine Glorifizierung des Freiheitskampfes, sondern eine rücksichtslose anti-
heroische Demaskierung irischer Ideale. Es kam zu lautstarken Protesten
nationaler und klerikaler Kreise im Abbey-Theater, zu Skandal und Boykott.
Yeats trat vor den Vorhang: »Soll sich denn ewig das gleiche wiederholen,
wenn sich ein neuer irischer Genius ankündigt?« — O'Casey ging ins >frei-
willige Exil< nach England und widerstand jeder Versuchung, nach Hause
zurückzukehren.

Der Preispokal (The Silver Tassie). ›Tragikomödie in vier Akten‹. 1928. Uraufführung auf Betreiben von Bernard Shaw in London, 11. Oktober 1929, Apollo Theatre. Vom Dubliner Abbey-Theater zur Uraufführung abgelehnt. Deutschsprachige Erstaufführung 8. November 1952, Zürich. Deutsche Erstaufführung (mit Skandal) durch Fritz Kortner im Juni 1953 in Berlin, Schiller-Theater. — 1916, irische Soldaten auf Heimaturlaub: Heegan verhilft seiner Fußballmannschaft zum endgültigen Gewinn des Preispokals; Foran verprügelt seine Frau und demoliert die Wohnung; realistisches Proletariermilieu, Stumpfsinn und Lebensgier. Der zweite Akt setzt das Schlachtfeld in Frankreich als symbolistische Vision dagegen: tote Hände ragen aus Trümmerbergen, ein Kruzifix in der Winternacht; Bruchstücke aus der Liturgie des Requiem und unflätiger Schützengrabenjargon, Angst und Aufschrei, Ekel und Spott, Hohn und Gebet steigern sich zu einer Anklage gegen den Krieg. Die beiden letzten Akte, Lazarett und Kneipe, sind wieder realistisch und voller Späße. Die Urlauber des ersten Aktes sind als Kriegskrüppel heimgekehrt, Foran ist blind, Heegan lahm, beide sind Ausgestoßene, ein Alptraum für ihre lebenshungrigen Freunde im Fußballklub. Der Mensch hat das Ebenbild Gottes im Krieg geschändet: »Der Herr hat gegeben, der *Mensch* hat genommen. Der Name des Herrn sei gelobt.« — Pralle Komödie im Urlaub, visionäre Beschwörung des Krieges, danach eine Posse, die über die Verstümmelten hinwegjagt — ein pazifistisches Anklagestück, nicht ohne Sentimentalität und ranzig gewordenen Expressionismus. — Der Krieg ist eine bitterböse Groteske in der »Wuppertaler Fassung« (1967) von Tankred Dorst und Peter Zadek: »Der Pott« in unsentimentalem Jargon.

Purpurstaub (Purple Dust). Eine ›abwegige Komödie‹ in drei Akten. 1940. Uraufführung 1945, Liverpool, Playhouse. Deutsche Erstaufführung 11. April 1963 in Stuttgart. — In einem zerfallenden Tudor-Landhaus in Irland leben Pokes und Stoke, zwei reiche Engländer (auf der Flucht vor deutschen Bombenangriffen) mit ihren irischen Geliebten und träumen vom paradiesischen Leben irischer Edelleute längst vergangener Zeiten. Die vier irischen Arbeiter, die das Schlößchen renovieren sollen, reißen es ein, bis es wie ein Symbol des Geldes und der Feudalherrschaft nach einem Gewitter von den hereinbrechenden ›grünen Fluten‹ zerstört wird. Die Engländer ertrinken, die Mädchen sind rechtzeitig zu den irischen Arbeitern geflüchtet. — Iren gegen Engländer, Arbeiter gegen Börsenspekulanten, das Land gegen die Stadt, Junge gegen Alte — O'Caseys alten thematischen Gegensätzen, die ohne sein Fünkchen Selbstironie hier unerträglich wären, entsprechen die stilistischen: Volkstheater und Varieté, Sottisen und Sozialkritik, Tänze und Träume, Posse und Poesie.

Rote Rosen für mich (Red Roses for Me). 1943. Uraufführung 26. Februar 1946, London, Embassy Theatre. Deutsch am 2. April 1948 im Stadttheater Basel. — Eine Erinnerung O'Caseys an die Kämpfe in seiner Jugend. Lohnstreik um einen Schilling im Dublin des Jahres 1913. Der malende und dichtende Arbeiter Ayamonn Breydon, der Tagträumer einer besseren Zukunft, fällt auf den Barrikaden im Kampf gegen die Polizei und wird, aufgebahrt in der protestantischen Kirche, mit großer Ausdauer betrauert. Gemischt sind Lyrik und sozialer Protest, Tendenz und Seelenmusik, Pathos und Ziehharmonika — die poetisch verklärten Gestalten des sechzigjährigen Autors sind nicht einmal mehr ein schwacher Abglanz der negativen, aber lebensprallen Helden seiner frühen Stücke. Der tragische Satiriker, noch immer ein Meister der Dubliner Elendsatmosphäre, ist hier zum rührenden Ruhmsänger Gottes und der guten armen Menschen geworden.

Gockel, der Geck (Cook-a-Doodle Dandy). ›Tragische Burleske‹. 1949. Uraufführung 11. Dezember 1949, Newcastle-on-Tyne, People's Theatre. Deutsche Erstaufführung 25. September 1960, Wuppertal. — In dem irischen Dorf Nyadnanave, dessen Name ›Schlupfwinkel der Heiligen‹ und ›Schlupfwinkel der Schurken‹ bedeuten kann, regiert der Aberglaube, der vom Priester und vom Unternehmer, vom Schmarotzer und vom Dorfidioten ausgenutzt wird. Was man dem Mädchen Loreleen nachsagt — daß sie sich, mit dem Teufel verbündet, in einen Hahn verwandeln könne —, führt O'Casey, als glaube er es selbst, auf der Bühne vor, um den priesterlich geförderten Aberglauben tödlich zu treffen. ›Gockel, der Geck‹ tritt mit Donner und Schwefelwolken auf, läßt Whiskyflaschen höllisch aufleuchten und den Frauen beim Tanzen Hörner wachsen. — Eine Hexenjagd aus dem Bilderbuch, zornig gegen den Priester, die Bigotterie verhöhnend, mit Lyrik in Vers und Prosa, mit Gesang und Gockel-Tanz. Dazu der Kritiker Ivan Nagel: »Besessene Attacken einer wutgerittenen Phantasie trüben den Eindruck des Ganzen. In den besten Szenen herrscht aber Poesie — die Poesie eines kraftvollen, dichten, bild- und melodiegeschwängerten Fluches. Auch die Kunst des Fluches blüht nur noch in den katholischsten Ländern; die Iren haben sie im Blut. Ihre Blasphemie ist ein Stiefkind des Glaubens.«

Freudenfeuer (The Bishop's Bonfire). ›Ein trauriges Stück im Polkatakt‹. Uraufführung 28. Februar 1955, Dublin, Gaiety Theatre. Deutsche Erstaufführung 10. Juni 1956, Hannover. — Eine irische Kleinstadt erwartet den Besuch des Bischofs und will ihm zu Ehren Freudenfeuer mit unchristlichen Büchern veranstalten. Der reiche Ratsherr Reiligan, Inhaber der weltlichen Macht, ist entschlossen, vom Besuch der geistlichen Macht zu profitieren. Seine Tochter

Foorawn wird, während die ›Freudenfeuer‹ brennen, von ihrem ehemaligen Geliebten erschossen, als sie ihn dabei ertappt, wie er ihr für die Kirche bestimmtes Geld stehlen will: er ist einst vom Klerus gezwungen worden, Priester zu werden, hat auf diese Weise Foorawn verloren und ist im Krieg zum Säufer geworden. Die sterbende Foorawn, die ihn noch liebt, sorgt dafür, daß man ihren Tod für einen Selbstmord halten wird: von Pater Boheroe hat sie gelernt, daß man in der Not sein eigener Nothelfer sein muß. — Dazwischen Groteskes; so stößt eine Heiligenfigur, der Sankt Tremolo, in seine Posaune, wenn jemand böse Gedanken äußert.

Brendan Behan: der robuste Spaßvogel

Wie Sean O'Casey kam er in den Slums von Dublin zur Welt, rund vierzig Jahre später, am 9. Februar 1923; im Hinterzimmer eines Bordells wuchs er auf. Wie O'Casey war er irischer Freiheitskämpfer und dachte er gleichwohl nicht daran, die Freiheitskämpfer auf der Bühne zu glorifizieren. Er gehörte der I.R.A. an, der verbotenen Irischen Republikanischen Armee, und saß dafür acht Jahre im Gefängnis. Seine Knast-Karriere begann mit drei Jahren Besserungsanstalt in Bristol; man hatte Sprengstoff bei ihm gefunden. In Dublin verurteilte man ihn wegen Mordversuchs an zwei Polizisten zu vierzehn Jahren. Vorzeitig entlassen, wurde er in Manchester abermals ins Gefängnis gesteckt, vier Monate lang, dann nach Frankreich abgeschoben. Dort schrieb er ein Buch über seine Gefängniserlebnisse, ›Borstal Boy‹, und ein Stück gegen die Todesstrafe (The Quare Fellow, 1956). Mit ihm wie mit seinem nächsten Stück (The Hostage, 1958), einer Episode aus dem irischen Untergrundkampf, hatte er Sensationserfolge. Bei der deutschen Erstaufführung des ›Quare Fellow‹ unter dem Titel ›Der Mann von morgen früh‹ torkelte er 1959 betrunken auf die Bühne des Berliner Schiller-Theaters und versuchte eine Ansprache, bis ihm der Vorhang das lallende Wort abschnitt.

Wie der junge O'Casey beherrschte er das Milieu der Dubliner Elendsviertel, stellte er Komik hart neben Tragik, und wie der alte O'Casey durchsetzte er naturalistische Szenen mit Songs und Tänzen. Die Formkraft O'Caseys freilich besaß er nicht, doch überrumpelte er durch seine aus allen Nähten platzende Vitalität.

Er verspottete alles und jeden, auch sich selbst: in ›The Hostage‹ (Die Geisel) fragen seine Personen, »ob dieses Scheißstück überhaupt 'nen Autor hat«, und während sie nach dem Autor brüllen, erscheint er — auf einer Riesenphotographie —, die Maschinenpistole auf das Publikum gerichtet, und die Schauspieler spucken ihn an und taufen ihn mit Whisky. Er liebte aber auch

alles und jeden — sogar die Engländer: ein Bombenwerfer mit der Niere eines
Säufers und dem Herzen eines Kindes. Er starb in Dublin an der Trunksucht
am 20. März 1964, nach dem Empfang der Letzten Ölung. »Ich bin ein
schlechter Katholik«, hatte er geschrieben, »immerhin hoffe ich, daß die Infor-
mationen der Kirche über die andere Welt zutreffender sind als ihre Ansichten
über diese hier.«

Meinungen: »Behan ist eine anarchistische Literaturpistole. Er schießt auf
alles — Kirche, Staat, Polizei, Iren, Engländer, Liebe, Mensch und Welt. Er
vertritt alle Meinungen, und er ist zugleich immer Anti ... ›Er ist so verflucht antibritisch.‹ — ›Sie meinen wohl antiirisch.‹ Dieser Dialogfetzen aus
›Die Geisel‹ zeigt das Janusgesicht des wild um sich schlagenden Dramatikers«: Rolf Michaelis. — »Er nimmt uns, Stück für Stück, die Insignien
unserer Würde ab, um dann uns, Gedemütigten, die Welt auf seine demütige
Weise zu zeigen: als ein verrücktes, aber immerhin unterhaltendes Spektakel.
Brendan Behan hat die Demut des großen Humoristen. Darin ist er, der gern
Gott, Kirche und Bürgertum lästert, ein guter Katholik«: Ivan Nagel. —

Der Spaßvogel (The Quare Fellow). Drei Akte. Uraufführung 1956, London.
Deutsche Erstaufführung unter dem Titel *Der Mann von morgen früh* 1959,
Schiller-Theater, Berlin. Deutsch von Annemarie und Heinrich Böll. — In
einem irischen Gefängnis am Vorabend der Vollstreckung eines Todes-
urteils. Eine Kollektion von Kriminellen, buntscheckige, fragmentarisch skiz-
zierte Typen. Sie unterhalten sich über die Hinrichtung, spielen sich die
Szene der Begnadigung vor, schaufeln das Grab, riechen an der Henkersmahl-
zeit, schließen Wetten über eine mögliche Begnadigung ab, und während
›Seine Herrlichkeit‹ der Henker, ein angetrunkener Gastwirt, an Hand des
Körpergewichts des Verurteilten die Länge des Stricks berechnet, damit er die
Halswirbel durchbricht, doch nicht den Kopf abreißt, singt sein Assistent,
Mitglied eines Kirchenchores, ›Welch ein Freund ist unser Jesus‹. Die Gefan-
genen hinter den Gittern ihrer Zellen verfolgen und beschreiben die Hinrichtung wie einen Sportwettkampf: »... jetzt nimmt unser Vogel alle Kräfte
für den Endspurt zusammen, und jetzt hat er den schwarzen Leinenbeutel
über dem Kopf, nur wenige Längen bis zum Ziel ...« — Behan führt nur
Gefühlsargumente gegen die Todesstrafe vor: die Abscheulichkeit des Hän-
gens und die Todesangst, die indirekt durch die zynischen Reaktionen der
Gefangenen und durch den Ekel eines Wärters spürbar wird (der Delinquent
tritt nicht auf). Er hat so viel Vergnügen am naturalistischen Auspinseln
grotesker Gefängnis-Episoden, an Ausbrüchen von Lebenslust hinter Gittern,
daß darüber die Stoßkraft seines Angriffs auf die Todesstrafe gemindert wird.

›Die Geisel‹ von Brendan Behan. Bühne von Wilfried Minks für die Aufführung der Städtischen Bühnen Ulm, 1961; Regie: Peter Zadek

Die Geisel (The Hostage). Drei Akte. Uraufführung 1958 in London durch Joan Littlewood. Deutsche Erstaufführung (mit Skandal) 27. Oktober 1961 in Ulm. Deutsch von Annemarie und Heinrich Böll. — Da ein Mitglied der I.R.A., der verbotenen Irischen Republikanischen Armee, in Belfast, der Hauptstadt des englischen Nordirland, hingerichtet werden soll, hat die I.R.A. aus Belfast einen jungen englischen Soldaten entführt und als Geisel nach Dublin geschafft, in eine alte Mietskaserne, in der ›Damen männlichen und weiblichen Geschlechts‹ ihrem Gewerbe nachgehen. Geschäftsführer ist ein Veteran der I.R.A. mit Holzbein; seine Frau, ein ordinärer Fetzen mit Herz, ist die Bordellmutter. Strichjungen und Freudenmädchen, irische Veteranen, ein Negerboxer und ein salbungsvoller Küster, der einst eine Kirchenkasse ausgeraubt hat. Mitten in einem Wirbel drastischer Typen, wüster Witze, wilder Tänze, des Fanatismus, der Heuchelei und des versoffenen Gequatsches — eine hauchzarte Liebesromanze des gefangenen Engländers mit seiner Bewacherin, dem Putzmädchen Teresa, einer entlaufenen Klosterschülerin. Durch einen Zufall wird der Engländer erschossen, sinn- und nutzlos: »Niemand wollte ihn töten. Aber er ist tot.« Beim Chor ›Die Hölle macht klingling‹ erhebt sich die Leiche und stimmt den Schlußchoral an: »Trink ein Bier aus meiner Urne.« — Realismus und Revue, Tragödie und Musical sind so fest verzahnt, daß man diese Eruption gelästerten und geliebten Lebens ein Tragical oder eine Musicödie nennen könnte. Seinen Spaß am Dasein läßt sich Behan nicht einmal durch seine eigenen Entlarvungen verderben: er mag noch die Entlarvten.

Britisches: Zorn über die Wirklichkeit

»Zornig werden, heißt beteiligt sein, und da wir von Teil-
nahmslosigkeit, pedantischer Gleichgültigkeit und einem allgemein herrschenden Zustand der Drückebergerei umgeben
sind, kann es nichts schaden, wenn man ein paar Leute dazu
bringt, sich geräuschvoll von ihren Parkettsitzen zu erheben
und das Theater zu verlassen.«   John Osborne

Es läßt sich auf den Tag genau sagen, wann in England eine neue Generation
von Dramatikern ihre Chance bekam: am 8. Mai 1956 mit der Uraufführung
von John Osbornes ›Blick zurück im Zorn‹. Die zur Untertreibung neigenden
Briten sprachen danach von einer Sensation, einer Explosion, einer dramatischen H-Bombe. Der Kontinental-Europäer, der Osbornes Stück sieht, wird
diese Erregung schwerlich begreifen: ein naturalistisches Drama mit gesellschaftlichen Attacken, das ist eine altbekannte, eher schon etwas verstaubte
Sache. Sensationeller noch als das Stück aber wirkte in England die Tatsache,
daß ein solches Stück zum Publikumserfolg werden konnte. Um dies zu verstehen, ist ein kurzer Blick auf britische Theatergewohnheiten unerläßlich.

In England geht man ins Theater, um sich zu unterhalten. Das hat sich seit
Shakespeares Zeiten nicht geändert. Bildung, Belehrung, Aufrüttelung des
Gewissens und der sozialen Verantwortung – all diese Kostbarkeiten, die der
Deutsche von seinem hoch subventionierten Staats- oder Stadttheater, das
früher oft ein Hoftheater gewesen ist, geduldig hinnimmt, wenn nicht gar
energisch fordert – der Brite käme nicht auf den Gedanken, ihretwegen ein
Theater aufzusuchen. Er geht im Straßenanzug, behält den Mantel an und
lutscht Eis, wenn ihm danach ist; er benimmt sich höchst unfeierlich – außer
am Schluß der Vorstellung, wenn die Nationalhymne gespielt wird und den
Beifall abwürgt.

So ist das Theatergebäude als Geschäftshaus im Londoner West End der
Normalfall: es wird von einem Manager gemietet, der die zugkräftigsten
Stars für ein amüsantes Stück sucht, für Musicals, Possen, Revuen, Gesell-
schaftskomödien, Kriminalreißer, damit sie möglichst lange jeden Abend
gespielt werden können und den Geldgebern, die das hohe Risiko der Beteiligung eingegangen sind, möglichst hohe Gewinne bringen. Ausnahmen sind
die wenigen Kunst- oder Experimentier-Theater: sie erhalten Subventionen,
mit denen sie zwar ein wenig besser leben, doch, da die Zuschüsse nicht hoch
sind, noch immer sehr leicht sterben können.

Zu ihnen gehörte das 1833 nach der damaligen Prinzessin (und späteren
Königin) Victoria benannte ›Old Vic‹, das seit 1914 vornehmlich Shakespeare

spielte und als modernste Autoren Tschéchow und Oscar Wilde zu bieten hatte. Aus ihm ist 1963 das ›National Theatre‹ (Intendant: Sir Laurence Olivier) hervorgegangen, staatlich subventioniert, mit gemischtem Spielplan und festem Ensemble — für deutsche Verhältnisse wäre dies eine Selbstverständlichkeit, für britische ist es die denkbar größte Theaterrevolution. Durch Shakespeares immerwährende Anziehungskraft kam das ›Royal Shakespeare Theatre‹ (früher ›Shakespeare Memorial Theatre‹) im Touristenzentrum Stratford-upon-Avon ohne Subventionen aus; 1960 übernahm es als Londoner Filiale das ›Aldwych Theatre‹ dazu (Direktoren: Peter Hall und Peter Brook), dessen Experimente mit neuen Stücken, darunter Brecht und Dürrenmatt, zunächst mit den Stratforder Einnahmen finanziert wurden, doch sehr bald stellte sich heraus, daß staatliche Zuschüsse notwendig waren. Dem ›Mermaid Theatre‹, 1959 in einem ausgebauten ausgebombten Lagerhaus am Themse-Ufer in der Londoner City eröffnet, ist es gelungen, ein Stammpublikum zu gewinnen — auch dies eine Seltenheit, denn der Brite will sich im allgemeinen ein bestimmtes Stück ansehen, nicht aber ein bestimmtes Theater besuchen. Gescheitert mit seinen hohen Plänen ist das ›Theatre Workshop‹, das von 1953 bis 1961 in einem Arbeiterviertel Ost-Londons unter der Leitung von Joan Littlewood versuchte, mit Stücken aus dem Arme-Leute-Milieu einen neuen naturalistisch-gesellschaftskritischen Stil zu entwickeln und ein neues Theaterpublikum, die theaterscheuen Arbeiter, zu gewinnen; die Theaterbesucher, insbesondere die Arbeiter, kamen so spärlich wie die Subventionen, und die Früchte der Pionier-Arbeit Joan Littlewoods ernteten schließlich die Geschäftstheater im Londoner West End: dort wurden Brendan Behan (siehe auch Seite 38), Shelagh Delaney (›Bitterer Honig‹, 1958 als Film ein Welterfolg) und andere ihrer Autoren zu Kassenschlagern.

Das wichtigste dieser unzureichend subventionierten Experimental-Theater ist durch ein einziges Stück vorm finanziellen Zusammenbruch gerettet worden: das von der 1955 gegründeten ›English Stage Company‹ übernommene ›Royal Court Theatre‹, ein victorianischer Bau am Londoner Sloane Square — eben durch Osbornes ›Blick zurück im Zorn‹. Unter der Leitung von George Devine (1911—1966) verließ sich das Theater auf die Stückeschreiber und suchte systematisch neue Autoren — auch dies ist in England keineswegs selbstverständlich. John Osborne, ein sechsundzwanzigjähriger Schauspieler ohne literarischen Ruf, wurde gefunden durch ein Inserat in einer Fachzeitschrift: die English Stage Company hatte sich darin verpflichtet, jedes neue Stück innerhalb von zehn Tagen abzulehnen oder anzukaufen. ›Blick zurück im Zorn‹ war von allen einflußreichen Londoner Theateragenten abgelehnt worden, und nun verschafften allein seine Nebenrechte — Verfilmung, Übersetzungen, Aufführungen im Ausland — dem Theater die finanzielle Grundlage zur Weiterarbeit. Im Jahr 1965 ist William Gaskill künstlerischer Direktor geworden; er hat Edward Bond gefördert und inszeniert. Das kaum mehr als vierhundert Zuschauer fassende Royal Court Theatre, eine Bühne der Avantgarde schon für Ibsen und George Bernard Shaw, hat Autoren wie John Arden, Willis Hall, John Osborne, Norman Frederick Simpson, Angus Wilson, Arnold Wesker ›gemacht‹. Es spielt durchaus nicht nur Dramen des neuen Naturalismus, sondern beispielsweise auch Aristophanes, Samuel Beckett, Brecht, Sartre, O'Casey, doch ist es international berühmt geworden durch Stücke aus dem Arme-Leute-Milieu, aus der ›Wohnküche‹, den beengten Verhältnissen des ›Wohnklosetts mit Kochnische‹.

Der Naturalismus war den Engländern nichts Neues; sie kannten ihn freilich nur von ausländischen Autoren. Neu, daß er nun nicht mehr von Ibsen oder Tschéchow stammte und in seiner Gesellschaftskritik überholt und für das Publikum unverbindlich war, sondern von jungen Landsleuten, die Mißstände der britischen Gegenwart auf die Bühne brachten, ja die sich nicht scheuten, die britische Gegenwart als einen einzigen gewaltigen Mißstand anzuprangern. Neu, daß sie sich nicht nach britischer Tradition untertreibend, indirekt und im Endeffekt so beschwichtigend ausdrückten wie etwa der Kassenfüller und Gentleman Terence Rattigan, sondern offen und lautstark schimpften und den in England besonders verpönten Geruch des Selbstmitleids geradezu wütend auf sich nahmen. Neu, daß sich das zur Unterhaltung ins Theater gehende Publikum dies nicht nur gefallen ließ, sondern darauf versessen war, es zu sehen — auch und gerade in den kommerziellen Theatern. Wobei allerdings zu bemerken bleibt, daß diese zornigen Briten auf die unterhaltsamste Weise zornig sind.

Durch Osbornes ›Blick zurück im Zorn‹ ist 1956 erstmals im Theater erkennbar geworden, wie in einer in Groß-Britannien seit Jahrhunderten unvorstellbaren Weise an den ältesten Traditionen gerüttelt wird: am Klassen-System, diesen Mauern, die den Arbeiter vom Mittelstand, den Mittelstand von der Aristokratie trennen, Mauern, die in der Sprache verankert sind, in der Aussprache, im Wortgebrauch, ja in der Wortbedeutung, die sich danach richtet, von welcher Klasse bestimmte Wendungen gebraucht werden; an den geheiligten Vorrechten der ›Public Schools‹, der höheren Privatschulen, die fast ausschließlich den Angehörigen der wohlhabenden Klassen vorbehalten sind und ihren Absolventen die führenden Positionen garantieren, während den nicht minder intelligenten Schülern der Provinz-Universitäten, der traditionslosen, neu errichteten ›Backstein‹-Schulen, nur der ohnmächtige ›Zorn‹ bleibt; an dem festgefügten Herrschaftssystem, dem durch Banken, Kirche, Aristokratie und Presse zementierten ›Establishment‹. Nicht minderen Grimm erregt der ›Wohlfahrtsstaat‹ der Labour Party.

Die meisten dieser neuen Autoren kamen aus der Arbeiterklasse oder dem ›unteren Mittelstand‹, bestenfalls von einer namenlosen ›Backstein‹-Universität, an der sie meist nicht Literatur studiert hatten, und wurden als ›zornige junge Männer‹ bezeichnet. Die Stabilität und Schroffheit der englischen Gesellschaftsordnung hat diese Spätblüte des sozialkritischen Naturalismus (den es auch im Roman gibt) ebenso ermöglicht wie den nachhaltigen Einfluß Bertolt Brechts. Doch nicht nur dieser Richtung hat Osbornes ›Blick zurück im Zorn‹ die Bühne erobert, sondern neuen Theaterformen überhaupt, von denen man bis dahin behauptet hatte, an ihnen sei das britische Publikum nicht interessiert. So den vom französischen ›absurden‹ Theater und von Samuel Beckett beeinflußten Stücken der N. F. Simpson, Harold Pinter, James Saunders (siehe auch Seite 328), deren pure Unterhaltsamkeit freilich ebenfalls nicht zu bestreiten ist. Das oft als Konkurrenz des Theaters betrachtete Fernsehen hat das Interesse eines breiten Publikums an diesen Theater-Neuheiten erregt, vertieft und wachgehalten. Daß der Theaterkritiker Kenneth Tynan, der Herold Brechts in England und theoretische Wortführer der ›zornigen jungen Männer‹, zum Dramaturgen des ersten britischen National-Theaters geworden ist, beweist die Bedeutung dieses Aufbruchs, den der Theaterkritiker John Russell Taylor 1964 mit einem pointierten Satz charakterisiert hat: »Bis 1956 wußten die Leute, die ein neues englisches Stück im Theater sehen wollten, ziemlich genau, was sie zu erwarten hatten; heute aber wissen sie, daß sie immer auf das Unerwartete gefaßt sein müssen.«

John Osborne: AYM 1

Jimmy Porter in Osbornes Welterfolg ›Blick zurück im Zorn‹ ist zum Inbegriff des ›zornigen jungen Mannes‹ geworden, und Osborne machte diese Redewendung vollends zum Reklame-Slogan, als er, durch sein Zorn-Stück zu Geld gekommen, sich ironisch und clever die Autonummer AYM 1 (= Angry Young Man 1, zorniger junger Mann Nr. 1) besorgte. Bis dahin, 1956, hatte er, der aus dem ›unteren Mittelstand‹ kam, in ärmlichen Verhältnissen und oft in bitterster Armut gelebt: geboren am 12. Dezember 1929 in Chelsea bei London; durch Krankheit ein unregelmäßiger Schulbesucher; Privatlehrer der Kinder der reisenden Schauspieltruppe von Barry O'Brien; Regieassistent und Schauspieler an Provinzbühnen; oft ohne Engagement; als Arbeitsloser stempelnd und Stücke schreibend; 1947 folgenlose Uraufführung seines ersten Stückes ›The devil inside‹ (Der Teufel im Leib) in Huddersfield in Yorkshire; Weltruhm durch ›Blick zurück im Zorn‹ 1956; Aufführungen in New York, Moskau, Rom, Stockholm und Berlin.

Hier ruht George Dillon, auch *Epitaph für George Dillon* (Epitaph for George Dillon). Theaterstück in drei Akten. Geschrieben 1954, zusammen mit Anthony Creighton, dem Leiter einer Wandertruppe, der Osborne angehörte. Uraufgeführt 11. Februar 1958 (nach ›Blick zurück im Zorn‹) im Royal Court Theatre, London, durch die English Stage Company. Deutsche Erstaufführung 1. November 1958 in Stuttgart. – Ein Stück mit autobiographischen Zügen aus Osbornes Hungerjahren. George Dillon, ein meist arbeitsloser Schauspieler und abgelehnter Stückeschreiber, wird von einer mütterlichen Büro-Kollegin in ihre kleinbürgerliche ›Mittelklasse‹-Wohnung aufgenommen. Er ist todunglücklich, daß er »all die scheußlichen Symptome der Begabung besitzt« und doch nicht weiß, »ob die Diagnose stimmt«. Er beutet die Hilfsbereitschaft der Familie aus, schamlos, doch nicht ohne Selbstironie, und berauscht sich an seinen Jammertiraden, und als er schließlich – nach einem Aufenthalt in einem Tuberkulose-Sanatorium – Erfolg hat, so ist es der Erfolg des Kompromisses, der Mittelmäßigkeit: er hat das von ihm verachtete kommerzielle Theater, das Schaugeschäft, beliefert. Während er im verhaßten kleinbürgerlichen Milieu versinkt, bereit, die Tochter zu heiraten, spricht er den ›Epitaph‹, die Grabinschrift für sich selbst: »Hier ruht George Dillon,... der da glaubte, der da hoffte, eines jener geheimnisvoll-lächerlichen Wesen zu sein, die man ›Künstler‹ nennt...« – Die Revolte eines Halbtalents gegen die Mittelmäßigkeit der Umwelt, die in bissigen Dialogen geführt wird, erstickt in der Resignation. Erstaunlich der kritische Abstand, den Osborne von seinem in Haßliebe gezeichneten Selbstporträt George bewahrt: er zeigt so viele abstoßende Züge wie die Kleinbürger um ihn liebenswerte Züge erraten lassen. Schon in diesem frühen Stück ist das Eigenleben der Figuren stärker als ihr gesellschaftskritischer Auftrag.

Blick zurück im Zorn (Look back in anger). Theaterstück in drei Akten. Uraufgeführt am 8. Mai 1956 im Royal Court Theatre, London, durch die English Stage Company (siehe auch Seite 42). Deutsche Erstaufführung 7. Oktober 1957 im Berliner Schloßpark-Theater. – Jimmy Porter, Sohn eines Hafenarbeiters, Staatsstipendiat eines billigen Colleges, bewohnt mit Frau und Freund Cliff eine elende Mansarde in einer mittelenglischen Industriestadt; sie leben von einem Bonbonladen. Jimmys Frau Alison stammt aus der ›gehobenen Mittelklasse‹, sie ist die Tochter eines pensionierten Obersten. Jimmy quält Alison und entlädt dabei seinen Haß auf das Bürgertum. Er gehört – wie sein Autor Osborne – zu den Luftschutzkeller-Jahrgängen des zweiten Weltkrieges, und er macht seinem Zorn – genauer: seinem Mißmut – über die Gegenwart furios Luft; seine zynisch formulierten Hiebe hageln von links nach rechts, von den Sozialisten zu den Monarchisten. Seine Attacken kommen

aus der Qual, die ihm eine begeisterungs- und gefühllos gewordene Welt
bereitet. Er gehört einer Generation an, die nirgendwo hingehört, die zwischen den Gesellschaftsklassen und sämtlichen Stühlen sitzt, aber mit einer
unstillbaren Sehnsucht gesegnet oder auch geschlagen ist, loyal, menschlich
und wirklich lebendig zu sein. Eine geheime Sehnsucht zwar, doch keine
Hoffnung, daß sie sich je erfüllen könnte. Alison sagt zu ihrem Vater, dem
nicht ohne Respekt gezeichneten Vertreter der älteren Generation und einer
höheren Klasse:»Du fühlst dich verletzt, weil sich alles verändert hat. Jimmy
fühlt sich verletzt, weil sich nichts geändert hat. Keiner von euch beiden kann
sich damit abfinden.« Doch auch eine veränderte Gesellschaftsordnung könnte
Jimmy nicht ändern: er glaubt nicht an soziale Utopien, er glaubt an überhaupt nichts; sein Ärger entzündet sich zwar an bestimmten Verhältnissen,
aber er sitzt tiefer — es ist ein Weltekel, in den er sich selbst, sein Selbstmitleid und seine Ohnmacht, mit einbezieht. Alison wagt angesichts der Woh-
nungsmisere nicht, ihm zu sagen, daß sie ein Kind erwartet. Ihre Freundin
Helena, empört darüber, wie schlecht Jimmy seine Frau behandelt, bringt
Alison dazu, Jimmy zu verlassen. Helena haut Jimmy eine Ohrfeige herunter, aber als sie ihn küßt, bleibt sie bei ihm. Ihr Zusammenleben wird nur
eine Variante der qualvollen Ehe, und als Alison, die ihr Kind verloren hat,
zurückkommt, räumt Helena das Feld. Jimmy spiegelt Alison eine künftige
Ehe-Idylle vor, die sich nicht verwirklichen wird:»Das Ende des Stückes ist
nicht sentimental«, kommentiert der Autor, »es soll ironisch sein. Wir sehen
zwei Menschen, die nicht mehr die Qual ertragen können, Menschen zu sein,
sich in eine heilig-unheilige Mönchshöhle flüchten und zu kleinen pelzigen
Geschöpfen mit kleinen pelzigen Gehirnen werden.« — Osborne ist hier so
trostlos wie Strindberg — und oft so witzig wie Shaw. Verzweifelte Resignation ist der Grundzug seines Stückes; selbst das wilde Um-sich-Schlagen
Jimmys und sein mildes Verständnis für den Obersten ist ein Akt der Resignation: nur der schiere Ausbruch des Mißvergnügens, die schimpfende
Rebellion ohne Ziel ist ihm geblieben in einer Welt, die er so haßt wie sich
selbst, weil er nicht weiß, was er in ihr verloren hat.

Der Entertainer, auch *Die Glanznummer* (The Entertainer). Uraufführung am
11. Mai 1957 im Royal Court Theatre, London, mit Laurence Olivier. Deutsche Erstaufführung 29. September 1957 in Hamburg mit Gustaf Gründgens.
— Der ›Entertainer‹ ist ein Unterhaltungskünstler in der englischen Music
Hall, eine Mischung von Conferencier, Sänger und Tänzer. Das Stück ist wie
eine Music-Hall-Produktion in (13) ›Nummern‹ eingeteilt: der Schauplatz
wechselt zwischen der schäbigen Varieté-Bühne, auf der Archie Rice, der
›Entertainer‹, seine patriotischen und ordinären, immer aber abgedroschenen

Laurence Olivier als Archie Rice
bei der Uraufführung des Stückes ›Der Entertainer‹ von John Osborne im Royal
Court Theatre, London, 1957. Zeichnung von Albert Hirschfeld

Späße macht, und der armseligen Wohnung, in der sich seine in Enttäuschungen, verfehlten Entscheidungen und im Suff verkommene Familie quält (als sei sie von O'Neill erfunden). Gesellschaftlicher Hintergrund ist das zerfallende Commonwealth, der Wohlfahrtsstaat, die sich auflösende Kolonialpolitik, der falsche Patriotismus, das mißglückte Abenteuer der Regierung Anthony Edens am Suez (1956), bei dem Archies Sohn fällt. So genau festgelegt und spezifisch britisch Zeit, Ort und Milieu sind, die Rolle des ›Entertainer‹ geht über den Spezialfall hinaus. Dieser abgerissene, unbegabte Spaßmacher mit seinen schmuddeligen Liebesaffären, der immer mit einem Fuß im Gefängnis steht, ein Bankrotteur und Betrüger, ein Versager, der sich mit Starkbier betäubt, macht sich doch keine Illusionen: »Ich bin tot hinter diesen Augen«, sagt er zu seiner Tochter, »ich bin tot wie der ganze faule Haufen da draußen. Es macht nichts, weil ich nichts mehr fühle, und weil auch sie nichts mehr fühlen. Sie sind alle tot, alle, jeder von uns.« Er hat den tiefsten Grund des Zynismus erreicht, indem er nicht einmal mehr seinen Zynismus ernst nimmt, doch hat er am Ende, wenn er in seiner ganzen Leere an der Rampe steht, immerhin die Größe eines Menschen, der sich zu sich selbst, so wie er ist, bekennt. Wie sein Autor Osborne muß man ihn lieben in all seiner Erbärmlichkeit, und wenn er ins Publikum das Schlußwort spricht: »Lassen Sie mich wissen, wo *Sie* morgen abend arbeiten werden — und ich werde zu *Ihnen* kommen und *Sie* mir ansehen. Gute Nacht«, dann muß man ihn fürchten: in jedem steckt ein Stück von diesem scheiternden ›Entertainer‹, doch nicht in jedem die Kraft, das Scheitern auf sich zu nehmen; die Poesie der inneren Wahrhaftigkeit, die keiner poetischen Formulierungen bedarf, hat ihn zu einem Allgemeinfall gemacht. — Dem Schauspieler wird die paradoxe Aufgabe gestellt, mit höchster Kunst einen absolut kunstlosen Bühnen-›Künstler‹ zu spielen: erstklassig zu sein, indem er drittklassig scheint; hinzureißen durch die mimische Vollkommenheit des miserablen Mimen. Laurence Olivier, für den die Rolle geschrieben wurde, hat diese Aufgabe auf der Bühne und im Film so glanzvoll-schäbig gelöst wie Gustaf Gründgens in Hamburg und Martin Held in Berlin.

Luther (Luther). Ein Stück in drei Akten. Uraufführung 1961 in Nottingham durch die English Stage Company, mit Albert Finney. Deutsche Erstaufführung 23. September 1962 in Bremen. — Ein undramatischer Bilderbogen, zusammengeleimt aus historischen Szenen. Luther, ein bäuerlicher, mehr körperlich von seiner Darmverstopfung als geistig schwergeplagter, junger Mann: als Augustinermönch (1506), im Streit mit seinem Vater, vor der Schloßkirche zu Wittenberg, in der Auseinandersetzung mit dem päpstlichen Legaten Cajetan, in der Disputation mit Eck, im Gebet angesichts der im Bauernkrieg Erschlagenen, schließlich als biederer Familienvater in der Resignation (1527). Ein Wechsel von Reden, Gebeten, Disputationen, Massenaufzügen von Mönchen und familiären, leicht rührseligen Genre-Bildern. Über einige Vorgänge der Reformation und des Bauernkrieges eine oberflächliche Unterrichtung, in der Luther durch die Qualen seines Gewissens und seines Leibes, durch eine innere Unsicherheit gelegentlich einen Anflug von der Größe erhält, die ihm Osborne im übrigen schuldig bleibt. Die Reformation als Ergebnis einer psychologisch erklärbaren Revolte gegen den Vater. Osborne als unglückliches Opfer der Theatertheorien Bertolt Brechts, die nur auf einen einzigen Autor passen: auf Bertolt Brecht.

Plays for England (Stücke für England). Uraufführung 1962 im Royal Court Theatre, London. Zwei Einakter. ›Blood of the Bambergs‹ (Das Blut der Bambergs) versucht, mit Kabarettwitzen (Bamberg = Battenberg = Mountbatten) die englische Verehrung des Königshauses als eine Mischung von Sex und Ersatzreligion zu treffen: eine Prinzessin heiratet — als Ersatz für den ihr bestimmten, tödlich verunglückten Mann — einen Pressefotografen, der dem toten Bräutigam ähnlich sieht und von dem sich herausstellt, daß auch in ihm (uneheliches) Bamberg-Blut fließt. ›Under plain cover‹ (In diskreter Verpackung) richtet sich gegen die Sensationspresse: ein Liebespärchen, das sich mit Verkleidungsspielen amüsiert (Arzt und Patientin, Herr und Dienstmädchen, Motorrad-Lederjacke und Pfadfinderin) wird von einem Reporter als Bruder und Schwester erkannt, auseinandergerissen und verfolgt. — In England so durchgefallen wie Osbornes zeitkritisches Musical ›The World of Paul Slickey‹ (1959).

Richter in eigener Sache (Inadmissable Evidence). Zwei Akte. Uraufführung 9. September 1964, London, Royal Court Theatre. Deutsche Erstaufführung 4. September 1965, Deutsches Schauspielhaus, Hamburg. — Dem neununddreißigjährigen Scheidungsanwalt Bill Maitland wird in einer Alptraumszene eine unklare Anklage vorgelesen; er erklärt sich für nicht schuldig und beginnt, sich mit einer verworrenen Rede zu verteidigen. Der Gerichtshof verwandelt sich in Maitlands Anwaltsbüro, der Richter wird zum Partner Maitlands und der Ankläger zu einem jüngeren Anwalt in Maitlands Büro. Wer auch immer nun die Gesprächspartner Maitlands sind und was sie ihm auch sagen, ins Gesicht oder am Telefon, als Kollegen, Geliebte oder Klienten, es wird zum Material für seine Selbstverteidigung, es nährt seinen selbstzerstörerischen Monolog, seinen scheiternden Versuch zur Selbstrechtfertigung. Der Untergang eines mittelmäßigen und reichlich unsympathischen Menschen: er ist verheiratet, hat viele flüchtige Geliebte gehabt, fühlt sich angesichts seiner (schweigenden) siebzehnjährigen Tochter so alt, daß er ihr gereizt sagt, er werde ihren Geburtstag nicht mit ihr und ihrer Mutter, sondern bei seiner Geliebten Liz verbringen; er wird von allen verlassen, auch von Liz: zur Vereinsamung verurteilt, und zum Schluß deutet sich auch noch sein Scheitern im Beruf an. — Rund zehn Jahre nach seinem Jimmy Porter, dem ›zornigen jungen Mann‹, bringt Osborne mit Maitland den scheiternden Vierzigjährigen auf die Bühne, den Enttäuschten und Enttäuschenden, mies gelaunt, angeekelt und zerrüttet, ein mehr privater als repräsentativer Katzenjammer. Zum Zorn reicht es nur noch, wenn die Generation heruntergeputzt wird, die jetzt so alt ist wie vor einem Jahrzehnt die jungen Zornigen.

Ein Patriot für mich (A Patriot for Me). Deutsche Erstaufführung 11. September 1966, Bremen. Uraufführung 30. Juni 1965, London, als geschlossene Klub-Vorstellung im Royal Court Theatre, durch Anthony Page, mit Maxi-

milian Schell als Redl. — Ein pseudohistorischer Bilderbogen in 25 Szenen, die
einen Zeitraum von 15 Jahren umspannen, über die historische Spionage-
Affäre des österreichischen Generalstabschefs Oberst Alfred Redl: er leitete
zwölf Jahre lang die Spionage, wurde als Homosexueller von seinen russischen Gegenspielern zum Landesverrat erpreßt, verriet die österreichisch-
ungarischen Mobilisierungs- und Kriegspläne und wurde im Mai 1913 entlarvt und zum Selbstmord gezwungen. Entgegen der historischen Wahrheit ist
Redl bei Osborne ein Jude. Ein Kostümfest, 1910, in einem Wiener Ballsaal,
bei dem die Frauen verkleidete Männer sind, hat den britischen Zensor zum
Verbot öffentlicher Aufführungen veranlaßt.

Arnold Wesker: der skeptische Idealist

> Lassen Sie mich noch etwas sehr Schmerzliches sagen. Ich be-
> merke, daß die Kunst anfängt, für mich bedeutungslos zu
> werden — sie reicht nicht aus ... Ich habe nichts an die Stelle
> der Kunst zu setzen als die Tat ... Wenn ich überhaupt von
> irgendeiner Bedeutung bin, dann nicht wegen meines Stils,
> sondern um dessentwillen, was ich sage.
>
> Wesker im Februar 1962,
> in der Zeitschrift ›Twentieth Century‹

Als der Naturalismus den Kontinent beherrschte, wurde er von den britischen
Autoren nicht mitgemacht. Arnold Weskers Stücke wirken wie eine späte
Rache für diese Mißachtung. Sie erinnern lebhaft an den jungen Gerhart
Hauptmann und seinen geschwätzigen, allzu schwachen Sozialreformer
Alfred Loth (›Vor Sonnenaufgang‹, 1889). Wesker, geboren 1932 im Londoner East End, entstammt dem jüdischen Kleinbürgertum. Seine Familie ist
vor den osteuropäischen Pogromen geflüchtet, sein Vater war Schneider in
einer Kleiderfabrik. Früh bewunderte Arnold den begeisterten Sozialismus
seiner Schwester Della und ihres Mannes.

Wesker ist ein autobiographischer Dramatiker. Seine Erfahrungen bei der
Royal Air Force sind in ein Anti-Militärstück eingegangen. Das Milieu seines
dramatischen Erstlings ›Die Küche‹ hat er als Angestellter im Bell-Hotel in
Norwich und später als Pastetenbäcker in London studiert; er heiratete eine
Kellnerin, die er in Norwich kennengelernt hatte. In seiner Trilogie hat er
sich als Ronnie selbstironisch porträtiert.

Der britische Gewerkschaftskongreß nahm 1960 als Nummer 42 der Tages-
ordnung eine Resolution an, in der die Bedeutung der Künste für das öffentliche Leben anerkannt wird. Wesker, einer der Initiatoren der Resolution,

gründete daraufhin das ‹Centre 42›, das seit 1962 versucht, durch Festspiele in Industriestädten die Arbeiter mit Literatur, Theater, Malerei und Musik vertraut zu machen. Durch die geringe Resonanz und den finanziellen Mißerfolg ließ Wesker jahrelang sich nicht entmutigen und beschaffte immer wieder Geld; 1970 mußte er den Versuch aufgeben. In seinem Stück *Goldene Städte* (Their very own and golden Cities) verarbeitete er offenbar Erfahrungen, die er beim ›Centre 42‹ gemacht hatte. Das Stück wurde im Juni 1966 im Royal Court Theatre, London, uraufgeführt (Deutsche Erstaufführung 12. November 1967, Nationaltheater Mannheim). Der Architekturstudent Andrew Wadham erlebt im Jahre 1926 in zeitlich bis ins Jahr 1990 vorblendenden Szenen, was aus seinen idealistischen Plänen sozialistischer Mustersiedlungen wird – verwirklichen kann er nur einen kleinen Teil, und dies mit Hilfe von Kapitalisten, während ihn die engstirnigen Gewerkschaften ziemlich im Stich lassen. Das Stück war ebensowenig erfolgreich wie *Die vier Jahreszeiten* (The Four Seasons), uraufgeführt am 8. September 1965 im Saville Theatre, London: die Geschichte einer scheiternden Liebe zwischen Adam, der seine Frau und seine Kinder verlassen hat, und Beatrice, die ihren Mann und ihren Liebhaber verlassen hat. Der Versuch Weskers, einen neuen Stil zu finden, es war aber der alte, ungute Symbolismus, in den er auch den Schluß seines Stücks *Freunde* (1969; siehe Seite 54) taucht.

Der Dramatiker Wesker stellt die Wahrheit seiner Charaktere über die Tendenz, die der Theoretiker Wesker seinen Dramen geben möchte. Bitterer als er kann man die Enttäuschung durch Kommunismus und Sozialismus und das Scheitern idealistischer Lehren kaum darstellen. Bei ihm scheitern die Ideen am Stumpfsinn der kleinen Leute, für die sie bestimmt sind, und an der eigenen Unzulänglichkeit, die der Verwirklichung der Ideen nicht gewachsen ist. Seine dramatischen Angriffe richten sich weniger gegen die bestehende Ordnung, das ›Establishment‹, als gegen die Menschen, deren Resignation, Trägheit und Lieblosigkeit diese Ordnung hervorgebracht haben und sie noch immer ermöglichen. Er ist ein undogmatischer, humaner Sozialist. Trotz seiner Skepsis hat er noch eine Botschaft: die schlichten Tugenden der praktischen Menschenliebe. Er übt sie, wenn er Menschen auf die Bühne stellt, die er theoretisch hassen müßte — er versucht, ihnen gerecht zu werden, ja er scheint sie zu lieben, wie alle großen Naturalisten auch ihre elendesten Geschöpfe geliebt haben.

Als Milieu-Pinseler ist er oft ein arger Langweiler. Seine Stärken sind die kleinen Schwächen der Menschen, ihre leichten Verrücktheiten, an denen sich sein Humor entzünden kann. Er ist ein enttäuschter Idealist, der sich mehr verspottet als bemitleidet. Zu seiner Ratlosigkeit bekennt er sich und verliert dabei doch nicht den Glauben daran, daß es auf irgendeine, ihm nicht genau bekannte Weise besser werden könnte. Befragt, weshalb seine Welt so trübe sei, antwortete er: »Das Bild, das ich gezeichnet habe, ist düster, aber ich schlage keinen Ton des Widerwillens an. Ich fühle mich eins mit meinen Leuten. Ich bin ärgerlich über sie und über mich selbst.«

Die Küche (The kitchen). Weskers erstes Stück, geschrieben 1957 für den Dramenwettbewerb des ›Observer‹. Uraufführung der 2. Fassung 27. Juni 1961, Royal Court Theatre, London. Deutsche Erstaufführung 25. Februar 1967, Freiburg. — Eine große Restaurant-Küche im Londoner Zentrum; Köche vieler Nationalitäten, Serviermädchen, Kellner in der Hetze des Morgens und der Mittagszeit; nach der Pause die Ruhe vor dem Sturm des Abendbetriebs. Der deutsche Koch Peter liebt die Serviererin Monika, die ihn liebt, sich aber von ihrem Mann nicht scheiden lassen will. In der Erregung über sie und über eine ältere Serviererin, die ihn im Streit ›Boche‹ nennt, verfolgt er die ältere Serviererin mit einem Küchenmesser — als er wieder in die Küche geführt wird, hat er sich die Pulsadern durchschnitten, sie bluten durch die Verbände. — Wesker, der eine Zeitlang als Pastetenkoch gearbeitet hat, läßt in der Küche die farbigsten Typen brodeln. Am besten ist ihm Peter gelungen: obwohl er, ein Nazilied singend, im Paradeschritt durch einen Triumphbogen marschiert, den er sich aus Besen und Eimern gebaut hat, meint Wesker diese Szene nicht politisch — sie ist nur ein oberflächlicher Zug in dem widerspruchsvollen Charakter des tüchtigen, streitlustigen, sein Abendessen einem Landstreicher schenkenden, bis zur Raserei verliebten Peter. Er ist so tendenzlos dargestellt wie alle anderen. Erst die Schlußfrage des Restaurantbesitzers »Ich lebe doch in der richtigen Welt, oder?« provoziert im Zuschauer die direkte Antwort, daß diese Welt nicht richtig sein könne.

Hühnersuppe mit Graupen (Chicken soup with barley). Uraufführung 7. Juli 1958, Belgrade Theatre, Coventry. 1. Teil einer Trilogie, die 1960 im Royal Court Theatre durch die English Stage Company aufgeführt wurde. Deutsche Erstaufführung 16. Januar 1963, Heidelberg. — Eine jüdische Arbeiterfamilie im Londoner East End. Während des spanischen Bürgerkrieges, 1936, kämpft die Familie Kahn in der kommunistischen Partei gegen die britischen Faschisten Mosleys für eine bessere Zukunft. 1946, nach dem Sieg über Faschismus und Nationalsozialismus, löst sich die Front des Klassenkampfes auf, die Genossen zeigen sich korrupt oder verspießern; die Regierung der Labour-Party hat die Lebensumstände ein wenig verbessert, doch der Aufstieg aus den Keller-Slums in den sozialen Wohnungsbau hat die Kahns nicht glücklicher gemacht. 1956, der stalinistische Kommunismus hat mit der Niederwerfung des ungarischen Aufstandes moralisch bankrott gemacht; Katzenjammer der Ideologie, allgemeine Resignation; auch Sohn Ronnie, Weskers Bühnen-Doppelgänger, fällt von der kommunistischen Partei ab. Nur Mutter Sarah glaubt noch daran, daß Ideale — obwohl mißbraucht — notwendig seien: »Der Sozialismus ist mein Licht.« Ronnie soll sich nicht — wie sein Vater — ins Privatleben zurückziehen: »Ronnie, wenn du dich nicht kümmerst, stirbst du ab.«

Tag für Tag (Roots). 2. Teil der Trilogie. Uraufführung 25. Mai 1959, Coventry; in Bremen, 12. Oktober 1962. — Zwei Landarbeiter-Familien 1959 im ostenglischen Norfolk; sie vegetieren mit ausgetrockneten Lebenswurzeln (= Roots) Tag für Tag in Gleichgültigkeit und Stumpfsinn dahin. Tochter Beatie Bryan, in London verlobt mit dem intellektuellen Küchengehilfen und Sozialisten Ronnie (aus dem ersten Teil der Trilogie), predigt zu Hause die von ihr nur halbverdauten Ansichten ihres Verlobten (der nicht auftritt, aber als Gegenpol stets gegenwärtig ist), doch niemand will etwas von Sozialismus und abstrakter Malerei wissen. Ronnie, der an sich und seinen Ideen zweifelt (»Wir könnten keine neue Welt aufbauen, selbst wenn man uns die Regierung überließe«), löst brieflich die Verlobung — Beatie, gescheitert in ihrer Mission und in ihrer Liebe, findet in einem Zornesausbruch zu sich selber: sie begreift nun erst ganz, was sie bisher nur nachplappernd gepredigt hat. Mit ihrem Protest gelingt ihr der Ausbruch aus einer Welt, in der weiter gleichmütig der Kuchen in den Tee gestippt wird.

Nächstes Jahr in Jerusalem (I'm talking about Jerusalem). 3. Teil der Trilogie. Uraufführung 28. März 1960, Coventry; in Wuppertal, 17. September 1963. — Ada Kahn (die Tochter der Kahns aus dem ersten Teil der Trilogie), überdrüssig des Stadtlebens und der kleinen Diebstähle, ist mit ihrem Mann Dave Simmonds aufs Land gezogen, um ihr ›neues Jerusalem‹ (die antizivilisatorische Vision William Blakes), das irdische Paradies, in einer Reformsiedlung (nach dem Vorbild des Frühsozialisten William Morris) zu finden. Dave zimmert Norfolk-Stühle, aber sie bringen nicht genug ein; die Flucht vor der Maschine in die Idylle des Handwerks mißlingt; sie gehen zurück nach London. Adas Bruders Ronnie große Reformansprüche scheitern an der Realität: er hat das Gefühl, das Richtige zu sagen, und begreift nicht, wieso dennoch alles schiefgeht. — Die Trilogie, die mit einer Familie in den Maschen der Weltpolitik (1936–1956), mit dem Katzenjammer der kommunistischen Heilslehre begonnen hat, endet (1946–1959) in einer Ratlosigkeit, die zugleich ein mutiger Verzicht auf Patentlösungen ist. Für den Autor Wesker bedeutet Ratlosigkeit nicht Resignation: seine Dramen sind nur ein Teil der praktischen, sozialpädagogischen Arbeit, die ihm die Hauptsache ist.

Der kurze Prozeß (Chips with everything). 1961. Uraufführung 27. April 1962 im Royal Court Theatre, London, durch die English Stage Company. Deutsche Erstaufführung 6. November 1965, Städtische Bühnen Freiburg. – Der Originaltitel (etwa: ›Bratkartoffeln zu allem‹) findet sich auf englischen Speisekarten. Ein Rekrutenlager der Royal Air Force; die Rekruten werden – wie ›Chips‹ – geschnitzelt und geröstet zum genormten Einheitsfraß des Krieges. Rekrut Pip Thompson, Sohn eines reichen Bankiers und Generals außer Dienst, haßt die Offiziere wie seine Familie. Er wird in die Kumpanei seiner Leidensgefährten nicht aufgenommen, mag er noch so überzeugend versichern, daß er ein Feind seines Vaters sei, der hier für die Arbeitersöhne die Macht der Oberklasse repräsentiert, das ›Establishment‹. Die Offiziere, die selbstverständlich ebenfalls zum ›Establishment‹ gehören, schicken einen Leutnant vor, der das Selbstvertrauen Thompsons erschüttern und ihn zur Einsicht zwingen soll, er rebelliere allein aus persönlichen Motiven und sei nur ein machthungriger Mitläufer der Arbeiterklasse. In der Tat versagt Thompson als Anführer der Rekruten-Opposition, und sein seelischer Widerstand wird schließlich gebrochen.

Freunde (Friends). Uraufführung 1969, Stockholm. In London, im Roundhouse, Mai 1970; Regie: Wesker. Deutsche Erstaufführung 5. Dezember 1970, Kassel; Regie: Günter Fischer. – Eine innerlich schon zerfallene Gruppe von »Freunden«, Mitte Dreißig, um 1970 in London. Eine Nacht lang reden sie über ihre gescheiterten Versuche, den richtigen Weg zum Sozialismus zu finden, ihre Enttäuschung über die nicht zu mobilisierende Arbeiterklasse. Ihr politischer Elan hat sich in Geschwätzigkeit aufgelöst; ihre Pop-Boutiquen haben pleite gemacht. Mitten in ihren sterbenselenden Gesprächen stirbt die leukämiekranke Esther. Simone, die nie ganz akzeptiert worden ist, weil sie der bürgerlichen Klasse entstammt, redet zum erstenmal ungehemmt und ermutigt sie, sich zum Lebenswillen Esthers zu bekennen. Sie nehmen die Tote aus dem Bett, küssen sie, setzen sie vor das Lenin-Bild, und Esthers Bruder hebt die Hand der Toten zum Gruß mit der geballten Faust – alle erscheinen von neuem Leben erfüllt. – Kitschige Selbstermutigung oder ironisierter Selbstbetrug? Wie auch immer, es ist der Katzenjammer Weskers: seine sozialpädagogischen Kulturprojekte für Arbeiter (im »Centre 42«) sind gescheitert, seine Variante des Frühsozialismus ist ohne Anhänger, und um sich selbst zu den verschütteten Idealen des Sozialismus zu ermutigen, braucht er schon den Lebensmut einer Toten.

John Arden: die Menschen und die Macht

> Ich versuche, bei der Wahrheit zu bleiben und eine Szene zu
> schreiben, wie sie jeweils vom Standpunkt einer jeden Gestalt
> aussieht – folglich gibt es Auftritte, bei denen die Zuschauer
> mehr mit einer Person sympathisieren als bei anderen Auf-
> tritten. Und warum soll eine Bühnenfigur mir eigentlich einen
> ganzen Abend lang gleich dicht auf der Pelle sitzen?
>
> John Arden

Ossia Trilling erzählt von einem »Happening«, das Arden in seinem Haus
in Kirbymoorside (2 000 Einwohner) in Yorkshire, veranstaltet hat, »ein
freies Entertainment, um wie er sagte, ›die Kräfte der Anarchie, der Erregung
und der expressiven Energie, die auch in allem Anschein nach tristen Persönlichkeiten latent vorhanden sind, freizusetzen‹. Mehrere Tage dauernd,
schloß es freie Kost und Logis, Stück-Lesungen, Film-Vorführungen, Lyrik-
Lesungen, Spiele, Singen, Tanzen und Improvisation ein. Seine drei Kinder
rannten nackt herum, und den amourösen Bedürfnissen der Gäste wurde
freier Lauf gelassen. Alle hatten eine gute Zeit. Kurz danach zog Arden in
ein abgelegenes und verlassenes Dorf in Nordirland . . .« Auch der Dramatiker Arden liebt Menschen mit anarchistischen Neigungen und expressiver
Energie; das hindert ihn freilich nicht, sie scheitern zu lassen: die anarchistischen Außenseiter und Halbzigeuner, die er für sein Stück »Leben und leben
lassen« erfand, als er 28 Jahre alt war, müssen fliehen, werden verhaftet
oder in alle Winde zerstreut; ein Jahr später verurteilt er seinen Sergeanten
Musgrave zum Tode, obwohl der mit expressivster Energie die Belehrung
seiner Landsleute über die Schrecken des gewaltsamen Todes betrieben hatte,
und der 34 Jahre alte Arden läßt seinen doch auch erfreulichen Raubritter
Armstrong hängen, weil er die Anarchie zu weit getrieben. Arden weiß, daß
die Anarchisten immer verlieren, und er zeigt sogar, weshalb sie verlieren
müssen, doch verhehlt er nicht, daß er auf der Seite der Verlierer steht.

John Arden, geboren am 26. Oktober 1930 in Barnsley in Yorkshire,
stammt aus einer Arbeiterfamilie, aber er hat, anders als seine Dramatiker-
kollegen Wesker, Pinter, Saunders, traditionelle, den Wohlhabenden vorbe-
haltene Universitäten besucht, Cambridge und Edinburgh. Eine Zeitlang
arbeitete er als Architekt, und als er einen Hörspielpreis der BBC gewann
(für ›The Life of Man‹), forderte ihn George Devine auf, ein Stück für das
Royal Court Theatre zu schreiben. Devine hielt auch zu ihm, als sein Erstling
»The Waters of Babylon« kaum Resonanz hatte und »Leben und leben
lassen« sowenig ein Publikumserfolg war wie die erste Inszenierung von

»Sergeant Musgraves Tanz« — inzwischen ist »Musgrave« zu einem der schon klassischen Stücke des Royal Court Theaters geworden.

Mit »Leben und leben lassen« hat Arden den Naturalismus der Osborne und Wesker übertrumpft und zugleich begonnen, das Drama aus der Wohnküche herauszuführen. Mehr und mehr hat er sich dabei auch stilistisch vom Naturalismus entfernt und eine Art episches Theater entwickelt mit Musik, Songs und Tanz, mit einem Wechsel von Versen und Prosa, mit Ansprachen des Publikums und allerlei anderen »Verfremdungen«, die ihm den Ruf eingetragen haben, ein Schüler Brechts zu sein. Arden bestreitet dies, doch meint er, daß er der gleichen literarischen Tradition angehöre wie Brecht: »Vieles bei Brecht stammt aus den mittelalterlichen Moralitäten, vieles auch aus dem elisabethanischen Theater«. Als Vorbild für die dramatische Sprache empfiehlt er Ben Jonson: »Er schrieb genau nach den Regeln, und diese Regeln gelten, von gewissen Änderungen der Bühnenpraxis abgesehen, noch heute.« Bei seinem »Packesel« hat er sich auch der Intrigentechnik Ben Jonsons bedient. Für Songs und Conferencen ist nicht Brecht, sondern die englische Music-Hall-Tradition Ardens Vorbild, doch kann dies nichts daran ändern, daß er in Deutschland — zu seinem Nachteil — immer wieder mit dem aggressiveren Brecht verglichen wird.

Dies mag seinen Durchbruch in Deutschland ebenso verhindert haben wie seine oft sehr britischen Themen, Milieus, Witze und seine Übersetzungsschwierigkeiten. Von der künstlichen 16.-Jahrhunderts-Sprache, einem, wie er meint, ›babylonischen Dialekt‹ für die Welt seines Raubritters Armstrong, ist in der deutschen Übersetzung nichts zu bemerken. Mit dieser Sprache hat er sich am weitesten vom Reihenhaus-Naturalismus seiner Anfänge entfernt, immer beibehalten aber hat er eine skeptisch-nüchterne, kühl distanzierte, eminent realistische Betrachtung seiner Charaktere.

Anarchie und Politik, Krieg und Pazifismus, die Menschen und die Macht — das sind seine großen Themen. Da er die Menschen ebenso liebt wie er die Macht für notwendig hält, ist er zu Einsichten in tragischen Situationen gelangt, die keine Revolution und kein Wohlfahrtsstaat ändern könnten. Über die tragischen Befunde bei der Betrachtung des Menschen regt er sich nicht weiter auf, sondern konstatiert sie kühl und souverän — dies gibt ihm etwas von einem Klassiker. Dabei bringt er sein Publikum noch möglichst oft zum Lachen — dies gibt ihm etwas von einem englischen Klassiker.

Leben und leben lassen (Live like pigs). ›Schauspiel‹. Uraufführung 30. September 1958, London, Royal Court Theatre. Deutsche Erstaufführung 4. November 1966, Stuttgart, Württembergische Staatstheater, durch Peter Palitzsch. — In ein Reihenhaus in einer nordenglischen Industriestadt sind zwei

höchst verschiedene Familien eingezogen: die reputierlichen Jacksons, die
gerade aus dem Arbeiterstand ins Kleinbürgertum aufsteigen, und daneben
die asozialen, verluderten Sawneys, die es bald fertigbringen, auch die
Jacksons in ihr verkommenes, aber lustvolles Dasein einzubeziehen. Ober-
haupt der Sawneys ist der alte »Seefahrer«; er lebt zusammen mit Rachel,
einem vitalen Weibsstück; des »Seefahrers« Tochter Rosie muß ihr erstes
Kind, die Tochter Sally, geboren haben, als sie knapp über zehn Jahre alt
war; Rachels Sohn Col scheut vor der Arbeit, doch nicht vorm Diebstahl. Die
Jackson-Tochter Doreen, eine nette, brave Verkäuferin, ist der Überlegenheit
Cols verfallen, und ihr Vater, Mr. Jackson, dringt ins Bett der temperament-
vollen Rachel vor, was ihm sehr viel Ärger verschafft. Noch pittoresker
wird's, als die »alte Krächze« mit Tochter Akelei und dem Halbzigeuner
Schwarzmaul zu den Sawneys kommen — sie stehen gesellschaftlich so weit
unter den Sawneys wie die Sawneys unter den Jacksons. Rachels Sohn Col,
dem Doreen Jackson bald auf die Nerven geht, kämpft mit Schwarzmaul um
Akelei, mit der er schließlich flieht, während Schwarzmaul verhaftet wird.
Rachel geht nach Southampton und läßt den sterbenden »Seefahrer« mit
einem gebrochenen Bein liegen, und hilflos fragt sich ein Inspektor: »Warum könnt ihr Leute nicht anständig leben, ich versteh das nicht.« — Nach
der Uraufführung wurde Arden von Labour-Leuten beschuldigt, er habe
ihren Wohlfahrtsstaat lächerlich gemacht, und es wurde ihm vorgeworfen, er
verteidige Anarchie und Amoral. Arden entgegnete: »Weder die Sawneys
noch die Jacksons finden meine völlige Billigung. Beide Gruppen stützen sich
auf Verhaltensgrundsätze, die miteinander unvereinbar sind, aber in ihrem
richtigen Zusammenhang beide Gültigkeit besitzen.« Schon in diesem Stück,
dessen rüder Realismus genauer beobachtet, kraftvoller und auch saftiger ist
als das Gesamtwerk Weskers, zeigt sich der Hauptvorzug Ardens: die Menschen, die er auf die Bühne bringt, strotzen von Leben und innerer Wahrhaftigkeit, und der Autor identifiziert sich mit ihnen so wenig wie er sie
verurteilt — er läßt höchstens ein wenig Sympathie spüren, und die gilt hier
natürlich den Sawneys.

Der Tanz des Sergeanten Musgrave (Serjeant Musgrave's Dance). ›Eine un-
historische Parabel‹. Uraufführung 22. Oktober 1959, London, Royal Court
Theatre. Deutschsprachige Erstaufführung 27. Februar 1962, Stadttheater
Basel. Deutsche Erstaufführung 13. September 1962, Junges Theater Hamburg. — Drei Soldaten und ihr Sergeant treten — im vorigen Jahrhundert —
in einem nordenglischen Bergarbeiterstädtchen als Rekrutenwerber auf. In
der eingeschneiten Siedlung, die keine Verbindung zur Außenwelt mehr hat,
herrschen Aufruhr und Hunger, denn die Bergarbeiter streiken oder aber

der Besitzer des Bergwerks, der zugleich Bürgermeister ist, hat sie ausgesperrt. Dem Bürgermeister, dem Pastor, dem Konstabler kommen die Rekrutenwerber gerade recht, um ihnen aus ihren Schwierigkeiten zu helfen: der
Bürgermeister bietet jedem, der sich anwerben läßt, ein Pfund in Gold und
will den Sergeanten dazu bringen, daß er es mit der Freiwilligkeit der Rekruten nicht so genau nimmt — er soll die »Agitatoren« des Streiks mit schmutzigen Tricks zur Armee pressen. Sergeant Musgrave jedoch hat insgeheim
andere Pläne; nicht anlocken zum Krieg will er die Leute, sondern abschrek-
ken. Auf dem Marktplatz baut er eine Mitrailleuse auf, richtet sie gegen die
Bevölkerung und läßt das uniformierte Skelett eines Soldaten hissen, der
aus eben dieser nordenglischen Stadt stammt, irgendwo in einem britischen
»Schutzgebiet« erschossen worden ist und die »Strafaktion« der wahllosen
Ermordung eingeborener Männer und Frauen ausgelöst hat. Dieser befohlene
Mord hat den Sergeanten und seine drei Soldaten zu Pazifisten und Deser-
teuren gemacht; sie haben das Skelett ihres toten Kumpels in seine Heimatstadt gebracht, um ihre Einwohner über den Schmutz des Krieges und des
Soldatenhandwerks deutlich zu belehren. Musgrave, davon überzeugt, daß
er im Auftrag Gottes handle, einem religiösen Wahn nahe, will wahllos
fünfundzwanzig Einwohner erschießen, um seine Lektion nachdrücklicher zu
gestalten. Doch rechtzeitig kommen die Dragoner der Königin — Musgrave
und sein letzter Soldat werden in den Kerker geworfen (einen der ihren
haben sie bei einem Streit durch einen Bajonett-Unfall selbst in den Tod
befördert, der andere ist von den Dragonern erschossen worden). Im Kerker,
angesichts des bevorstehenden Todes durch Erhängen, bleibt nur die Hoffnung, daß die Erinnerung an ihren Krieg gegen den Krieg aufgehe wie der
Samen eines Apfelbaums. — Sergeant Musgrave, der in der Patronentasche
eine Bibel mit sich führt und mit martialischer Kasernenhofstimme bellt, er
sei ein religiöser Mann, scheint wie das gesamte Personal des Stückes aus
einem grausamen Bilderbogen zu stammen: ein lebendiger Zinnsoldat; er
ist auf eine etwas künstliche Weise so komisch wie poetisch und wird dennoch in seiner Anklage gegen den Krieg zu einem tragischen Menschen, der
seine Umwelt an den Rand des tödlichen Entsetzens führt. Arden geniert sich
nicht, eine richtige Sache durch eine falsche Methode vertreten zu lassen und
mit dem Vertreter der falschen Methode, eines fanatischen, mörderischen
Heilsplanes, ein wenig zu sympathisieren. »Wenn dieses Stück für den völligen Pazifismus vielleicht nur mit einiger Zaghaftigkeit einzutreten scheint«,
kommentierte Arden nicht ohne Selbstironie, »so rührt das wahrscheinlich
daher, daß ich, wenn man mich schlägt, sehr leicht zurückschlage.« Wenn
am Schluß die alte Ordnung triumphiert und Bürgermeister, Pastor, Konstabler und die Bergleute ums Bierfaß tanzen, so ist dies zwar besser als

fünfundzwanzig Leichen, aber es bedeutet nicht, daß Arden etwa mit dieser Ordnung sympathisiert: »Warum«, so fragte Arden, »kann ein Stück über gesellschaftliche Zustände nicht so geschrieben werden, daß wir die Probleme der Menschen verstehen, aber ihre Reaktionen darauf nicht unbedingt gutheißen?«

Der glückliche Hafen (The happy haven). Uraufführung 14. September 1960, London, Royal Court Theatre. Deutsche Erstaufführung 9. Dezember 1967, Städtische Bühnen Nürnberg, Kammerspiele. — Im Altersheim »Der glückliche Hafen« werden die fünf Alten von jungen Schauspielern mit Halbmasken gespielt. Schwestern und Pfleger sind stumme Rollen und durch Mundschutz maskiert; die Ehrengäste tragen ebenfalls Halbmasken und geben nur gackernde Laute von sich. Unmaskiert ist allein Chefarzt Dr. Copperthwaite, der sich für einen modernen Dr. Faust hält, ein Lebenselixier entdeckt, das alte Menschen wieder jung macht, und von den Alten, die allesamt nicht wieder jung werden wollen, dazu gezwungen wird, sein eigenes Elixier zu trinken, das ihn in ein (maskiertes) pausbäckiges Kind in kurzen Hosen verwandelt. — So viele satirische Spitzen das Stück enthält gegen die Aufgeblasenheit einer dem Menschen und seinen Bedürfnissen entfremdeten Wissenschaft und gegen die staatliche Altersfürsorge, noch wichtiger sind Arden die Alten, ihr — trotz Masken — höchst individuelles Leid und ihre gleichzeitige Komik: überzeugt davon, daß sie alt bleiben wollen, werden sie von einem Mitpatienten, der wegen einer Erkältung vorläufig nicht verjüngt werden soll.

Der Packesel (The Workhouse Donkey). ›Komödie‹. Uraufführung 8. Juli 1963, Chichester Festival. Deutsche Erstaufführung 15. April 1964, Freie Volksbühne, Berlin. — Lokalpolitik in einer nordenglischen, von der Labour Party verwalteten Stadt: am Ende gibt es zwei Verlierer: Charlie Butterthwaite, der aus dem Armenhaus hervorgegangene »Packesel«, der Volkspolitiker, der es mit eher lächerlichen Gesetzen nicht allzu genau nimmt und von den Ortspolizisten erwartet, daß sie darüber hinwegsehen, wenn die Polizeistunde überschritten wird; sein Gegner, der neue Polizeichef Feng, der streng und unbestechlich ist und darauf besteht, daß seine Polizisten die Labour-Leute anzeigen, die sie nach der Sperrstunde im Wirtshaus angetroffen haben. Die Konservativen könnten sich über diese Anzeige freuen, enthüllten nun nicht die gereizten Labour-Leute, daß der städtische Führer der Konservativen ein Bordell finanziert. Konservative und Labour-Leute einigen sich — überspielt und erledigt werden zwei farbige Persönlichkeiten, die dem Herzen des Autors nahestehen: der »Packesel« und der Polizei-

›Armstrong sagt der Welt Lebewohl‹
von John Arden. Bühnenbild von Max Fritzsche
für die deutsche Erstaufführung an den Städtischen Bühnen Bochum, 1966.
Regie: Hans Schalla.

präsident, die beide den aalglatten Technikern der Macht nicht gewachsen sind. — Der Form nach »episches Theater« mit Musik, Songs und einem Conferencier, dem Arzt Dr. Wellington Blomax, der unter seiner eigenen Korruptheit leidet.

Armstrong sagt der Welt Lebewohl (Armstrong's Last Goodnight). ›Schauspiel‹. Uraufführung 7. Mai 1964, Glasgow, Citizens' Theatre. Deutsche Erstaufführung 17. April 1966, Schauspielhaus Bochum. — John Armstrong, Balladenheld aus dem 16. Jahrhundert, stört wie alle schottischen Raubritter die Politik des Königs, des noch jugendlichen Jakobs des Fünften von Schottland. Sir David Lindsay erhält vom König den Auftrag, den selbstherrlichen Rebellen Armstrong zu zähmen, der freilich auch ein Mörder ist und sich nicht scheut, seinen Feind durch Friedensbeteuerungen in die Falle zu locken. Lindsay nennt sich selbst einen »Salamander der Vernunft«; er beherrscht die verschlungenen Pfade der Weisheit und versucht, Armstrong zur Anerkennung von Ordnung und Frieden zu bringen durch »besonnene Menschlichkeit, Geschick und List, und, ach, auch Eitelkeit«, er überläßt sogar seine Mätresse dem zungenschweren, stotternden Armstrong, und erst als er mit allen diesen Mitteln gescheitert ist, rät er dem König, dem Armstrong so zu begegnen wie Armstrong seinen Feinden, und so lädt der König ihn zur Hofjagd ein, zu der er ohne Waffen erscheint, und läßt ihn aufhängen. —

Arden hat 1960 Goethes »Götz von Berlichingen« übersetzt (»Ironhand«, uraufgeführt 1963), und vom Götz hat sein Armstrong, ein Ritter des »eigenen Rechtes« offenbar einiges mitbekommen; Lindsay auch einiges von Weislingen. Das große Thema in diesem in viele Episoden auswuchernden Bilderbogen jedoch ist die Macht: Gewalt gegen Gewalt, Ehrlosigkeit gegen Ehrlosigkeit, wenn anders der Friede nicht herzustellen ist. So unbezweifelbar Arden dem Schlußwort seines Lindsay recht gibt — »Hier mögt Ihr sehn, wie viele Arten Ehrlosigkeit es gibt, und mögt beschließen, wie Ihr es vermeiden könnt, und wann. Bedenkt: James der Fünfte, obzwar erst siebzehn Jahre alt, ist doch zum Manne geworden und hat sein Königreich regieren gelernt« —, so unbezweifelbar mag er diesen Armstrong, dessen Freibeuterei er doch noch weniger gutheißen kann als den blutigen und notwendigen Gebrauch der Macht.

Edward Bond: Alltäglicher Terror

> Selbst wenn die Welt politisch und ökonomisch so beschaffen wäre ,daß sie sich nicht ändern ließe, wäre es, glaube ich, sinnvoll, die Tatsachen genau darzustellen: damit man sich nicht in Illusionen verhüllt. Man soll seine Lage verstehen, selbst wenn sie hoffnungslos ist.
>
> Bond, in einem Interview, München 1967

In England redet man gern davon, 1956 habe mit Osborne im Theater das »zweite elisabethanische Zeitalter« begonnen. Wenn aber Edward Bond gespielt wird, der mit der Grausamkeit eines elisabethanischen Stückeschreibers in die Theater eingebrochen ist, dann kriecht der schon für begraben gehaltene Zensor aus dem Sarg: 1965 nach »Gerettet« und 1968 nach »Early Morning«. Der am 18. Juli 1934 in London geborene Edward Bond, Sohn einer Arbeiterfamilie, betrachtete nach seinem 15. Lebensjahr seine Schulbildung als abgeschlossen und wurde nach seiner Militärzeit vom Theater fasziniert. Das Royal Court Theatre brachte am 9. Dezember 1962 sein Stück *The Pope's Wedding* in einer seiner billigen, da dekorations- und kostümlosen Sonntagabend-Aufführungen heraus, die es für junge Autoren veranstaltet. Hatte Bond sich schon mit *Gerettet* vom naturalistischen Mutterboden kräftig abgestoßen, so war *Early Morning* eine surrealistische Farce in der stilistischen Nachbarschaft von Jean Genet. Bei Bond ist der Terror alltäglich, die Gesellschaft eine unverbesserliche Horde von Menschenfressern, das Leben eine nur durch den Tod heilbare Krankheit, und »gerettet« wird bestenfalls der menschenfreundliche Dulder und Anarchist.

>Gerettet< von Bond. Deutsche Erstaufführung, Werkraum Kammerspiele München, 1967. Regie: Peter Stein, Bühne: Jürgen Rose. Foto von H. Steinmetz: Schauspieler beim Umbau, der im Beat-Rhythmus ins Spiel einbezogen ist.

Gerettet (Saved). Uraufführung 3. November 1965, Royal Court Theatre, London, durch William Gaskill. Deutschsprachige Erstaufführung, Juni 1966, Wien, Ateliertheater am Naschmarkt; Übersetzung (in den groben Wiener Dialekt der Praterstrizzis) und Regie: Veit Relin. Deutsche Erstaufführung 15. April 1967, Werkraumtheater der Kammerspiele München, durch Peter Stein. Münchner Fassung (im groben Dialekt der Isarauen) von Martin Sperr, nach der Übersetzung von Klaus Reichert. — In den Londoner Arbeitervierteln, südlich der Themse. Die Jungen sind zwischen zwanzig und fünfundzwanzig Jahre alt; Len und Fred sind einundzwanzig, Pam ist zwei Jahre älter; Mary, Pams Mutter, ist dreiundfünfzig; Harry, Pams Vater, ist achtundsechzig. — Das Mädchen Pam nimmt Len mit in ihre Wohnung, wie sie schon viele Jungen mitgenommen hat; sie ist es gewöhnt, daß ihr lüsterner Vater Harry immer mal wieder unter Vorwänden gucken kommt. Während Len an eine kleine Wohnung für sie beide denkt, verfällt Pam dem offenbar besonders potenten Fred. Len ist zu Pams Eltern gezogen; sie hat ein Kind, wahrscheinlich von Fred, der sie tagsüber und auch nachts besucht; Len läßt es geschehen, er hört zu, wenn sie miteinander schlafen. Len kümmert sich um die kranke Pam, doch sie verlangt nur nach Fred, der sie so schroff von sich weist wie sie Len. Len versucht, den im Park angelnden Fred dazu zu bringen, daß er Pam einmal wieder besucht, doch Fred fühlt sich von ihm ebenso belästigt wie von Pam, die mit dem Kinderwagen vorüberkommt; Fred beleidigt sie, und sie läuft davon und läßt den Kinderwagen stehen. Freds Bande benutzt den Kinderwagen erst als Spielzeug, dann in einem Streit als Waffe; schließlich quälen sie das Kind und bringen es durch Steinwürfe um; auch Fred beteiligt sich daran, und Len, der den Mord von einem Baum aus beobachtet, wagt nicht einzugreifen. Fred ist geschnappt worden und sitzt im Gefängnis; Pam ist ihm noch immer hörig und verfolgt Len mit ihrem Haß. Mary, die Mutter Pams, belehrt Len über den Umgang mit Mädchen, und bei der praktischen Unterweisung, einer verfänglichen Szene, kommt ihr Mann Harry dazu und sagt nichts. In einem Café versucht Pam, den aus dem Gefängnis entlassenen Fred wiederzugewinnen, doch Fred jagt sie zum Teufel; Len ist bereit, mit ihr so weiterzumachen wie vorher. Harry geht mit dem Brotmesser auf seine Frau Mary los, jetzt erst quittiert er ihre Szene mit Len; Mary haut Harry die Teekanne über den Schädel; für die lamentierende Pam ist Len an allem schuld. Während Len seinen Koffer packt, kommt Harry dazu, und zwischen den beiden wird eine gewisse Sympathie spürbar. Aus der letzten, einer stummen Szene, ergibt sich, daß Len bleibt; er repariert einen Stuhl, niemand hilft ihm. — Lapidarer kann kein anderer Dialog sein: es kommt selten vor, daß einer mehr als eine halbe oder gar ganze Zeile redet, oft wird eine ganze Gefühlslage in ein einziges fäkalisches Wort zusammengezogen. Eine differenzierte Sprache ist den Personen nicht gegeben, nicht einmal ihre Voraussetzung: sie verstehen weder sich noch ihre Situation, sie tun nur immer das, was sie gerade tun wollen, und sei es die Ermordung eines Säuglings, und auch dabei denken sie sich nichts Besonderes — Mike meint zum Säugling: »Hat ja noch kein Gefühl«, Pete bestätigt: »Wie die Tiere«, und dies glauben die beiden wirklich. Auch ihre einsilbigen Schimpfwörter sind Chiffren für eine Dumpfheit, die sich nicht anders ausdrücken kann. Ein Dialog aus Chiffren: so naturalistisch er zu sein scheint, so hochstilisiert ist er, streng komponiert wie die gesamte Szenenfolge: ein manieristisches Gedicht aus Dreck.

Trauer zu früh (Early Morning). Uraufführung 31. März 1968, Royal Court Theatre, London. Deutschsprachige Erstaufführung 2. Oktober 1969, Schauspielhaus Zürich, durch Peter Stein. Deutsche Erstaufführung 30. Januar 1970, Bremen. — Bond projiziert seine Metaphern von den mörderischen Menschen in die viktorianische Epoche, die im Ruf der Wohlanständigkeit steht: Während Königin Viktoria und Prinzgemahl Albert als ideales Liebespaar galten, konspiriert bei Bond der Prinzgemahl gegen seine Frau und Königin; sie ist ein raubgieriges Monstrum und entjungfert Florence Nightingale, den »Engel der Lazarette«, der bei Bond »die erste Henkerin der Geschichte« ist. Prinz George, der Thronfolger, und Prinz Arthur konspirieren getrennt, doch müssen sie immer denselben Weg gehen, da sie an den Hüften miteinander verwachsen sind — siamesische Zwillinge als ein schlagendes Bild für die Doppelnatur des Menschen, der sich einerseits wie der angepaßte George in die wölfische Gesellschaft ziehen läßt, andererseits wie der anarchistische Arthur verzweifelt fragt: »Warum arbeiten die Guten den Schlechten in die Hände?« George erschießt sich, und Arthur schleppt den mit ihm verwachsenen Kadaver, der allmählich zerfällt, mit sich herum und hält Zwiesprache mit ihm; Bond paraphrasiert dabei berühmte Shakespeare-Szenen, Hamlet, Macbeth und Lear. Der Kampf aller gegen alle endet mit einem Leichenhaufen, und im Himmel treffen sich alle wieder und fressen sich buchstäblich gegenseitig auf. Arthur, der gegen den Kannibalismus predigt, wird zerstückelt und fährt aus seinem Sarg nach oben — der ohnmächtige Prediger der Menschenliebe flieht vor den Menschen, die er nicht erlösen kann, ins Unbekannte. — Seit Jonathan Swifts Vorschlag, die Kinder der irischen Bauern zu schlachten und den Großgrundbesitzern als Braten zu verkaufen, ist eine Satire von einer derart den Magen umdrehenden Bitterkeit nicht mehr geschrieben worden. Beeinträchtigt wird ihre Wirkung nur durch die immergleiche Monotonie der Pointe, der erhabenen Banalität, daß der Mensch des Menschen Wolf sei, und durch die gewaltsame verschränkte und unklare Symbolik der Szenen im Himmel.

Schmaler Weg in den tiefen Norden (Narrow Road to the Deep North). Uraufführung am 24. Juni 1968, Belgrade Theatre, Coventry. Deutsche Erstaufführung 2. September 1969, Kammerspiele München. — In einem imaginären Japan teils zynisches Lehrstück, teils antiviktorianisches Kabarett: der Dichter und Priester Bascho überläßt, da nur an Erleuchtung interessiert, ein ausgesetztes Kind dem Tod; aus dem Kind aber wird der Diktator Schogo, den Bascho nur mit Hilfe der nicht minder terroristischen Kolonial-Briten besiegen kann — die Diktatoren haben gewechselt, der Terror ist geblieben, und Priester Kiro, der Idealist der ›Komödie‹, schneidet sich beim abschließenden Harakiri den Bauch auf.

Tennessee Williams: Neurosen und Poesie

Furcht und der Wunsch zu fliehen sind die beiden kleinen Raubtiere, die im rotierenden Drahtkäfig unserer nervösen Welt einander jagen. Sie hindern uns daran, an irgend etwas tiefere Gefühle zu verschwenden. Die Zeit stürzt auf uns zu mit ihren Medikamententischen voll zahlloser Betäubungsmittel, während sie uns doch schon vorbereitet auf die unvermeidliche, die tödliche Operation. Tennessee Williams

Es ist natürlich kein Zufall, daß sich der Film seiner Stücke mit solchem Elan, wenn auch keineswegs immer mit befriedigendem Ergebnis bemächtigt hat: sein psychologischer Realismus, seine leicht exotische Südstaaten-Atmosphäre mit ihrer schläfrigen Hitze und den träge wirbelnden Baumwollflocken, seine gewalttätigen Effekte und der neurotische Charme seiner Hauptrollen kommen den Bedürfnissen des Kinos entgegen. Anders ausgedrückt: in seinen Dramen steckt von Haus aus auch ein kräftiger Brocken Hollywood.

Tennessee Williams studierte Publizistik an der Universität von Missouri in Columbia, Theaterwissenschaften an der Washington-Universität in St. Louis, wo es eine halbprofessionelle Theatergruppe gab, die ›Mummers of St. Louis‹, die seine frühen Stücke ›Candles to the Sun‹ und ›Fugitive Kind‹, aufführten. Er war auch Arbeiter in einer Schuhfabrik, Hotelportier, Fernschreiber und Kellner in Valeska Gerts ›Bettler-Bar‹ in New York. Seine Einakter ›American Blues‹ (1939) öffneten ihm die Tür zu den Kursen für junge Dramatiker, die der emigrierte deutsche Regisseur Erwin Piscator in New York abhielt. Sein Mitschüler Eugene van Grona inszenierte am Aschermittwoch, 23. Februar 1966, die Uraufführung von *American Blues*, die vier Einakter ›Die Dame mit dem Oleandergeist‹, ›Der lange Abschied‹, ›Das dunkle Zimmer‹, ›Gruß von Berthe‹ im Kleinen Theater, Gad Godesberg.

Williams' erstes Stück, das von Berufsschauspielern aufgeführt wurde, war bereits sein fünftes längeres Stück, ›Die Schlacht der Engel‹. 1940 fiel es in Boston sanft durch; Piscator führte es in New York mit seinem ›Dramatic Workshop‹ auf, und Williams arbeitete es später um zu ›Orpheus steigt herab‹. An der ›Schlacht der Engel‹ konnte er in Ruhe arbeiten, weil er für seine Einakter hundert Dollar in einem Wettbewerb, ausgeschrieben vom ›Group Theatre‹ in New York, gewonnen hatte, und eben dieses Stück brachte ihm ein Stipendium ein. Er erzählte darüber: »Eines Tages läutete das Telefon; meine Mutter sagte ängstlich, es sei ein Ferngespräch... Als ich wieder einhängte, sagte ich gelassen: ›Rockefeller hat mir tausend Dollar geschenkt, und ich soll nach New York kommen.‹ Zum erstenmal, seit ich sie kannte, brach meine Mutter in Tränen aus. Sie sagte: ›Ich bin so glücklich‹, und mehr konnte sie nicht sagen.« Fünf Jahre später wurde er für seine ›Glasmenagerie‹ mit drei Preisen ausgezeichnet.

Vom amerikanischen Süden, in dem er geboren wurde, am 26. März 1914, im Pfarrhaus seines Großvaters, in Columbus in Mississippi, ist er kaum je losgekommen. Für sein Publikum sind die Südstaaten — wie für die Leser William Faulkners — zu einer geradezu mythischen Provinz geworden. Im Geburtsregister stehen seine Vornamen Thomas Lanier, doch er hat sich ›Tennessee‹ genannt, und der ›southern drawl‹, der südliche Tonfall, beherrscht seine Dialoge. Nicht losgekommen ist er auch von einem Neurosen-Dschungel, in dem er sich seit seiner frühesten Kindheit bewegt. Er hat sich nicht davor gescheut, der Presse ausführlich zu berichten, wie er sich, ›Zizy‹ genannt, ein empfindsames Püppchen, an die Röcke seiner weiblichen Verwandten klammerte, wie er gepeinigt worden ist von zerstörerischen und selbstzerstörerischen Neigungen, von Sadismus und Masochismus, und er glaubt, wie er in seinem ›Selbstinterview‹ 1957 geschrieben hat, daß seine Arbeit für ihn immer eine Art Psychotherapie gewesen sei — dies hätte er freilich mit sehr vielen Schriftstellern gemeinsam. Dort steht auch der aufschlußreiche Satz: »Für mich gibt es weder Bösewichte noch Helden, sondern nur richtige und falsche Wege, die der Mensch einschlägt — nicht aus freier Entscheidung, sondern aus Notwendigkeit oder unter dem Einfluß gewisser ihm unverständlicher Faktoren seines eigenen Innern, seiner Lebensumstände und seiner Herkunft.«

Wie Ibsen verwendet er handfeste Symbole, ›Wildenten‹-Varianten, Glastiere und Brunnenengel, Leguan und Schlangenhaut. Wie Strindberg (ohne dessen ›Traumspiel‹ auch sein ›Camino Real‹ undenkbar ist) beherrscht er den zerfleischenden Dialog: aus den Wunden, die da gehackt werden, fließt kein Blut, sondern quellen Geständnisse. Symbol und Tiefenpsychologie, seine Technik und seine Themen scheinen abgeklappert, Varianten europäischer Vorbilder, Einengungen des amerikanischen Vorläufers O'Neill auf einige wenige Südstaaten-Spezialitäten, und doch gewinnen seine besten Bühnenfiguren durch die unabweisbare, innere Notwendigkeit ihres Handelns eine gewisse tragische Größe, und dies um so selbstverständlicher, je weniger sich Williams um tiefenpsychologische Begründungen ihres Handelns bemüht hat. Seine schlechtesten Bühnenfiguren werden durch psychologische Übermotivierungen zu bedauerlichen Fällen aus einer Krankenkartei.

Manchmal erinnern seine Personen an Tschéchow, manchmal seine Stimmungen an Garcia Lorca — sie sind nicht abhängig von dem Russen oder dem Spanier, aber sie erreichen dann dieselbe Höhe der Poesie. »Die Farbe, die Grazie und das Schweben, die Harmonie der Bewegung, das intime Zusammenspiel von Menschen — diese Dinge sind das Stück«, schrieb Tennessee Williams, »nicht Worte auf Papier, nicht Gedanken und Ideen eines Autors, diese schäbigen Sachen aus der Schwemme eines Konfektionsgeschäfts.«

Seine Gedanken und Ideen kommen — wie bei fast allen ›Naturalisten‹ — aus den zeitkritischen Konfektionsgeschäften; ihm allein aber gehören die Einsamkeit um seine Menschen, ihre Illusionsbedürftigkeit, ihre Hilflosigkeit und ihre panische Angst vorm Altern, vor der Zeit. So brutal sich dieser Überdruck-Dramatiker manchmal gebärdet, in ›Camino Real‹, seinem Selbstbekenntnis, hat er seine Sehnsucht unverblümt ausgesprochen: nach Reinheit, Wahrhaftigkeit, Ehre und Mut. Wie sein Don Quijote ist er ein scheuer Romantiker: er glaubt an die erlösende Kraft der Poesie. Und seine Poesie gedeiht nirgendwo anders als im amerikanischen Süden, im Mississippi-Delta.

Die Glasmenagerie (The Glass-Menagerie). ›Ein Spiel der Erinnerung‹. Uraufführung 26. Dezember 1944, Chicago, Civic Theatre. Erstaufführung in New York, 31. März 1945. Deutschsprachige Erstaufführung 17. Oktober 1946, Basel. Verfilmt in Hollywood 1950 mit Jane Wyman, Kirk Douglas; Regie: Irving Rapper. — Mutter Amanda, Sohn Tom und Tochter Laura Wingfield in sehr beengten Verhältnissen in St. Louis. Der Vater ist durchgebrannt; die Mutter, so tyrannisch wie bemitleidenswert, hält den Rest der Familie zusammen und den Sohn mit seinen Dichterträumen als Ernährer an der Leine. Tochter Laura leidet unter ihrem leicht verkrüppelten Bein, eine zerbrechliche Seele, die sich in die Traumwelt ihrer ›Glasmenagerie‹, einer Sammlung von Glastierchen, eingesponnen hat. Jim O'Connor, ein Arbeitskollege Toms, könnte sie befreien: sie liebt ihn, und ihre Mutter möchte sie unbedingt mit ihm verheiraten, doch Jim, nach dem Abendessen mit ihr allein gelassen, gesteht ihr, daß er eine andere heiraten wird. Laura schenkt ihm zum Abschied ein gläsernes Einhorn, das er beim Tanzen zerbrochen hat, und löscht die Kerzen aus. Tom, der — wie sein Vater — die Frauen verlassen und seinem Traum als Dichter folgen wird, ist zugleich der kommentierende Leiter dieses Spiels seiner Erinnerungen — Autobiographisches ist in dieses mit Symbolen beladene poetische Stück eingegangen: als Tennessee Williams zwölf Jahre alt war, zog sein Vater, der seinen Posten als Handelsvertreter verloren hatte, mit der Familie von Columbus nach St. Louis in eine Mietskaserne um; Tennessee Williams half seiner Schwester, ihr tristes Zimmer mit Glastierchen auf Wandregalen und weißgestrichenen Möbeln in ein Traumreich zu verwandeln. Mutter und Schwester sind die Modelle der weiblichen Wingfields im Stück, das nach der New Yorker Aufführung zu einem Welterfolg wurde.

›Endstation Sehnsucht‹ von Tennessee Williams. Bühne von Wolfgang Znamenacek,
Kammerspiele München, 1950; Regie: Paul Verhoeven

Endstation Sehnsucht (A Streetcar named Desire). Uraufführung 4. November 1947, Barrymore Theatre, New York, durch Elia Kazan. Deutschsprachige Erstaufführung 10. November 1949, Schauspielhaus Zürich, durch Heinz Hilpert. Deutsche Erstaufführung 17. März 1950, Pforzheim. Verfilmt in Hollywood mit Vivian Leigh und Marlon Brando; Regie: Elia Kazan. — Blanche Du Bois, neurotisch und dem Alkohol verfallen, flüchtet vor ihrer traurigen und schmutzigen Vergangenheit zu ihrer Schwester Stella nach New Orleans (wo die Straßenbahnen Namen statt Nummern tragen wie ›Desire‹, was zugleich ›Sehnsucht‹ und ›Begierde‹ heißt). Die Schwester ist verheiratet mit dem polnischen Einwanderer Stanley Kowalski, einem brutalen Mannsbrocken, dem das vornehme Getue Blanches auf die Nerven geht: im Gegensatz zu seiner Frau, ihrer Schwester, pflegt sie noch die Manieren der Südstaaten-Aristokratie, der sie entstammen. Kowalski spürt, daß Blanche versucht, ihm seine Frau zu entfremden. Er zerstört die Illusionswelt, in die Blanche sich geflüchtet hat, zerstört ihre sich anbahnenden Beziehungen zu seinem Freund Harold Mitchell und vergewaltigt sie schließlich, während seine Frau in den Wehen liegt — darüber verliert Blanche vollends den Verstand, kann Illusion und Wirklichkeit nicht mehr unterscheiden: kokett folgt sie dem Arzt ins Irrenhaus. — Die effektvollen Star-Rollen, das dramatische Milieu mit dem Zusammenprall zweier Welten, der ausgezehrten, heruntergekommenen Aristokratie und den lebensprallen, aufstrebenden Einwanderern, und die leicht exotische New-Orleans-Atmosphäre haben diesem Meisterwerk Williams' den Welterfolg gebracht. Ein deutsches Witzwort trifft den Originaltitel schlagend: ›Triebwagen‹.

Der steinerne Engel, auch *Sommer und Rauch* (Summer and Smoke). Uraufführung 1947, Arena-Theater in Dallas, Texas. Im Music Box Theatre in New York, 6. Oktober 1948. Deutsche Erstaufführung 1. Dezember 1951, Junges Theater Stuttgart, und Hildesheim. In Hollywood verfilmt mit Geraldine Page und Laurence Harvey; Regie: Peter Glenville. — Glorius Hill in Mississippi, zwischen 1900 und 1916. Die Pfarrerstochter Alma Winemiller, Gesangslehrerin, puritanisch erzogen, kann sich John Buchanan, dem darwinistisch ›aufgeklärten‹ Arzt (den sie seit ihrer Kindheit liebt), nicht hingeben, und für John ist sie in ihrer Reinheit so etwas wie die Brunnenfigur des steinernen Engels auf dem Marktplatz. Als Alma (die ›Seele‹) sich endlich zur sinnlichen Liebe durchgerungen hat, ist John, der talentierte, aber verluderte Frauenverbraucher, gerade beim Entschluß angelangt, die seelische Liebe vorzuziehen. Er verlobt sich mit einer anderen, und Alma läßt sich beim steinernen Engel von einem Handlungsreisenden ins berüchtigte Kasino mitnehmen. Ihr Opfer — so sollen wir glauben — hat ihn gebessert, doch seine Besserung kommt nicht ihr zugute.

Die tätowierte Rose (The Rose Tattoo). ›Schauspiel in drei Akten‹. Uraufführung 3. Februar 1951, New York, Martin Beck Theatre. Deutsche Erstaufführung 30. September 1952, Thalia-Theater, Hamburg, durch Leo Mittler. Verfilmt in Hollywood mit Anna Magnani und Burt Lancaster; Regie: Daniel Mann. — Ein hauptsächlich von Sizilianern bewohntes Dorf bei New Orleans, Gegenwart. Die üppige Serafina delle Rose, Mutter einer zwölfjährigen Tochter, verliert ihren Mann: er ist Lastwagenchauffeur und wird beim Opiumschmuggeln erschossen; er duftete nach Rosenöl, auf seiner Brust war eine Rose eintätowiert, und immer wenn auf Serafinas Brust eine Rose erscheint, darf sie auf ein Kind hoffen. Drei Jahre lang verehrt sie, triebhaft, doch in strenger Trauer, seine Aschenurne, bis es Alvaro endlich gelingt, sie für sich zu gewinnen. Auch er ist Lastwagenfahrer, sieht in der Statur ihrem Mann ähnlich, wenn er auch einen Clownskopf besitzt. Auch er duftet nach Rosenöl und hat sich eine Rose eintätowieren lassen; er weist ihr nach, daß ihr Mann sie betrogen hat, und sie zerschmettert die Urne. Auf ihrer Brust erscheint eine Rose . . . Ein Volksstück mit lärmendem Humor und tragischen Untertönen, mit zwei vor sizilianischem Temperament aus allen Nähten platzenden Star-Rollen.

Camino Real (Camino Real). ›Ein Stück in sechzehn Stationen‹. Uraufführung 19. März 1953, New York, durch Elia Kazan. Deutsche Erstaufführung 6. November 1954, Landestheater Darmstadt, durch G. R. Sellner. — Die sechzehn Stationen des ›Camino Real‹, eines teils symbolischen, teils allegorischen Bilderbogens (im Stile von Strindbergs ›Traumspiel‹), sind ein Traum Don Quijotes: in ihm sieht Tennessee Williams das höchste Beispiel eines unbeirrbaren Ritters, der sich nicht scheut, das Opfer seiner eigenen romantischen Torheiten zu sein.

Schauplatz des Traums ist die Plaza einer mexikanisch gefärbten Stadt mit Luxus-Hotel und Obdachlosenasyl; lebend kann keiner diese Stadt verlassen. Den Bewohnern bleibt allein der Fluchtweg in die Erinnerung. Wenn sie nicht von den Schergen des Staates erschossen werden, tönt ihnen das Pfeifen der Straßenkehrer in die Ohren, der Todesboten, die die Leichen im Müllwagen abtransportieren. Eine Stadt ohne Menschlichkeit: schon der Austausch ernster Fragen und Gedanken ist nicht gestattet; hier gilt als Aufruhr, wenn ein Mensch den andern ›Bruder‹ nennt. Dieser Alptraumort ist mit teils erfundenen, teils legendären, teils literarischen Gestalten bevölkert. Baron de Charlus, ein verderbter Dandy, Romanfigur von Marcel Proust, endet im Karren der tödlichen Straßenfeger. Casanova wagt es nicht einmal mehr, der Wirklichkeit ins Auge zu sehen und den Brief zu öffnen, der über seine Lebensform entscheidet: er ist über das Alter seiner Abenteuer hinaus und wird als König der Hahnreis gekrönt. Gealtert ist auch Marguerite Gautier, die Camille, die Kameliendame, Romanfigur von Dumas-Sohn; sie hat alle Zärtlichkeit ihres Herzens schon verlebt, und die Hände eines jungen Mannes suchen an ihr nur noch das Portemonnaie. Der

›Camino Real‹ von Tennessee Williams. Bühne von Franz Mertz für die europäische Erstaufführung am Landestheater Darmstadt, 1954; Regie: Gustav Rudolf Sellner

uralte Reinigungsmythos, der Vollmondzauber, der selbst eine Hure wieder zur Jungfrau verwandelt, wird von einer Zigeunerin zur Hebung ihrer Kupplergeschäfte mißbraucht. Die Legenden altern und sterben im ›Camino Real‹, der nur noch zu übersetzen ist mit ›Weg der Wirklichkeit‹, der entseelten Realität.

Doch ›Camino Real‹ hat einen Doppelsinn: früher wurde er verstanden als ›der königliche Weg‹. Auch ihn zeigt Tennessee Williams. Als erster betritt ihn ein Träumer, indem er das verbotene Wort ›Bruder‹ ausspricht. Ein Dichter hat als erster den Mut und die Kraft, den Ort des Schreckens zu verlassen: Lord Byron humpelt tapfer hinaus durchs Niemandsland, nach Griechenland, wo man noch für die Freiheit kämpft. Unter diesen europäischen Gestalten gibt es eine neue, eine amerikanische legendäre Figur: Kilroy, der Boxchampion. ›Kilroy was here‹, schrieben die amerikanischen Soldaten an die Abtrittswände in aller Welt. Er wird ein wenig ironisiert, doch auch er ist ein romantischer Außenseiter, immer auf der Suche, sei es nach dem Duschraum des Christlichen Vereins Junger Männer, sei es nach dem Sinn des Daseins. Er ist der Boy mit dem babykopfgroßen Herzen aus purem Gold — › dein Sohn, Amerika‹ —, und er stirbt im Gedenken an seine Frau und die Liebe. Kilroy verwandelt den herzlosen ›Camino Real‹: er spricht das verbotene Wort aus und nennt Casanova ›Bruder‹. Aus seinem Leichnam wird das goldene Herz geschnitten, und er verpfändet es für Esmeralda, eine Hure, die er die Aufrichtigkeit gelehrt, so daß sie liebt wie eine junge Camille und betet: »Laßt etwas sein, das das Wort Ehre wieder bedeutet.«

›Ehre‹ ist das Stichwort für den träumenden Don Quijote: er packt sein Banner des Adels, der Wahrheit, der Tapferkeit, der Pflicht, und er nimmt Kilroys Geist mit als neuen Sancho Pansa. Sie brechen auf ins Niemandsland wie Byron, der Dichter. Es ist der ›königliche Weg‹, der den Glauben daran braucht, daß die Veilchen die Kraft haben, die Felsen zu durchbrechen.

Ein Träumer, ein Dichter, ein reiner Tor — Don-Quijotische Gestalten — und Don Quijote selber auf dem königlichen Weg der romantischen Außenseiter, auf dem Weg der Brüderlichkeit, der Zärtlichkeit, der Tapferkeit und des Glaubens an die verwandelnde Kraft der Poesie und des menschlichen Herzens — nie ist Tennessee Williams jeglichem ›Nihilismus‹ so fern wie in diesem seinem persönlichsten Stück, in dem er, wie er sagte, ein Bild des romantischen Nonkonformisten in der modernen Welt geben will. Das Bekenntnis-Stück ist von sämtlichen New Yorker Kritikern als unverständlich verrissen und sensationellerweise dennoch vom Publikum in hellen Scharen besucht worden. Die deutsche Blaue Blume — hier überreicht sie ein Dichter aus Mississippi: felssprengende Veilchen, in amerikanischem Mutterboden aus Lesefrüchten europäischer Literatur gezüchtet.

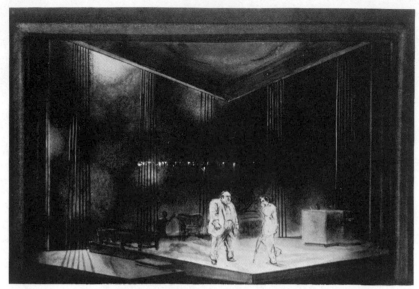

›Die Katze auf dem heißen Blechdach‹ von Tennessee Williams. Bühnenbild-Entwurf von Jo Mielziner für die Uraufführung im Morosco Theatre, New York, 1955; Regie: Elia Kazan

Die Katze auf dem heißen Blechdach (Cat on a hot tin roof). Uraufführung 24. März 1955, New York, Morosco Theatre, durch Elia Kazan. Deutsche Erstaufführung 26. November 1955, Schauspielhaus Düsseldorf, durch Leo Mittler. In Hollywood verfilmt mit Elizabeth Taylor und Paul Newman; Regie: Richard Brooks. — Ein Herrenhaus im Mississippi-Delta; Gegenwart. Die Haß- und Qualverfilzungen einer Familie. ›Big Daddy‹, der Vater, Millionär und Plantagenbesitzer, gewohnt, mit der Lüge zu leben, ist ein krebskranker Koloß, dem keiner sein nahes Ende sagen und den fast jeder beerben will — ein Mann ohne Liebe, niemals richtig Vater, immer nur der ›millionenschwere Chef‹. Sein Sohn Brick säuft und ist der fleischgewordene Lebensekel; er haßt sich und seine Frau Margaret (Maggie), seitdem er seinen ›reinen und aufrichtigen‹ Freund Skipper verloren hat und verdächtigt wird, homoerotisch zu sein. Die sexgeladene Maggie besteht beharrlich auf ihrer Liebe zu Brick, der sie im ehelichen Schlafzimmer allein läßt und ihr rät, einen Liebhaber zu nehmen — sie ist die Katze, die so lange auf dem heißen Blechdach bleibt, bis ihr fast die Pfoten abgeschmort sind. Gooper, der älteste Sohn von Big Daddy, immer vom Alten zurückgesetzt und immer fügsam gewesen, steht nun im Kampf um das Erbe, belfernd unterstützt von seiner Frau Mae, dem Inbegriff der Habsucht und Bosheit unter der Standardmaske der tüchtigen Ehefrau, der Mutter einer Bande herzloser, aber auf plärrende Liebesdienste gedrillter Kinder. Die Entladung des seelischen Sprengstoffes erfolgt am Geburtstag des Alten. Eine Hölle, vollgepackt mit Verwandten, die nirgendwo einsamer sind als in dieser Scheingemeinschaft. Schicht für Schicht werden Ausflüchte, Verstockungen, Lügen abgelöst. Ein qualvoller Prozeß, doch nur scheinbar tödlich: Big Daddy kann gefaßter sterben, nachdem Maggie ihm gesagt hat, sie erwarte ein Kind. Das ist eine Lüge, doch sie sorgt dafür, daß sie Wahrheit werden kann: mit Brick findet sie einen neuen Anfang. Reinigung durch Beichten ohne Priester; der Glaube an die befreiende Kraft der Wahrheit, und sei sie noch so verzweifelt — ein bißchen Hoffnung, sofern sich eine Lüge in Wahrheit verwandeln läßt. — Das überzeugungslos angeklebte, mögliche Happy-End (der zweiten Fassung) hat Williams auf Bitten des Broadway-Regisseurs Elia Kazan geschrieben. Weniger als an einer derart ableitbaren ›Moral‹ scheint Williams interessiert am, wie er sich ausgedrückt hat, »Zusammenspiel lebendiger Wesen in der Gewitterwolke einer gemeinsamen Krise«. Für dieses Stück wurde er mit dem Pulitzer-Preis ausgezeichnet.

Orpheus steigt herab (Orpheus descending). Erstaufführung in New York (Vorpremiere in Washington) 21. März 1957, durch Harold Clurman. Deutsche Erstaufführung 8. September 1957, Schauspielhaus Düsseldorf, durch Leo Mittler. In Hollywood verfilmt mit Anna Magnani (Lady), Joanne Woodward (Carol) und Marlon Brando (Val); Regie: Sidney Lumet. — Während der legendäre Orpheus in die Totenwelt steigt, um seine Frau Eurydike zurückzuholen, und sie auf ewig verliert, als er sich nach ihr umdreht, erlebt Val Xavier, der allzu unmythische ›Orpheus‹ des Stücks, ein die Frauen anziehender Gitarrespieler und Sänger in Nacht-Klubs, die ›Totenwelt‹ auf der Erde. ›Tot‹, seelisch tot, sind die Menschen eines verrotteten Dorfes im Mississippi-Delta, und die ›Eurydike‹, die Sizilianerin Lady Torrance, ist mit einem haßgeladenen krebskranken Mann, dem Ladenbesitzer Jab Torrance, verheiratet. Die Höhe, aus der dieser Orpheus in die Menschenwelt als in eine Totenwelt herabsteigt, ist die Phantasie, das Reich der Poesie, die Val mit der schweren Zunge, der für einen ›seltsamen Schwätzer‹ gehalten wird, als ein Reich empfindet, in dem unverwundbare Vögel ohne Beine auf dem Winde schlafen; Vögel, die nur zum Sterben auf die Erde kommen. Er gehört zu ihnen — äußeres Symbol ist seine Jacke aus Schlangenhaut. Das gibt ihm die Kraft über die in der Realität erstickenden Frauen, und das tötet ihn, als er die Schlangenhaut ablegen und ein normaler Mensch, Verkäufer im Laden des Jab Torrance, werden will. Lady Torrance erfährt, daß ihr Mann zu den Mördern ihres Vaters gehört. Als sie Val sagt, daß sie ein Kind von ihm erwartet, will er seine ›Eurydike‹ aus dieser Unterwelt entführen, aber der eifersüchtige Jab erhebt sich vom Sterbebett, erschießt seine Frau und schiebt diesen Mord auf Val. Die Bluthunde des Sheriffs, die sonst schwarze Sträflinge bei der Zwangsarbeit bewachen, zerreißen den flüchtenden Val; nur seine Schlangenhaut bleibt übrig. — Dieser ›Orpheus‹ ist die Umarbeitung des frühen Stückes ›Battle of Angels‹ (Die Schlacht der Engel), geschrieben auf einer Taubenfarm, wo Williams mit einem Klarinettenbläser lebte, erfolglos uraufgeführt von der ›Theatre Guild‹ am 30. Dezember 1940 in Boston. Lady Torrance ist eine Vorläuferin der Serafina in der ›Tätowierten Rose‹; Carol, ein dem Alkohol und den Männern verfallenes Mädchen, eine Vorläuferin der Blanche in ›Endstation Sehnsucht‹. Die Trauer Carols ist auch Williams' Trauer: »Um dieses Land ist noch etwas Wildes! Es ist einmal wild gewesen — die Männer und Frauen waren wild, und in ihrem Herzen hatten sie füreinander eine Art von wilder Güte, aber nun ist es krank, krank vom Neonlicht . . .«

Und plötzlich letzten Sommer (Suddenly Last Summer). Einakter. Zusammen mit dem kleinen Einakter ›Something unspoken‹ (Etwas Unausgesprochenes) unter dem Gesamttitel ›Garden District‹ am 7. Januar 1958 uraufgeführt im New York Playhouse, einem New Yorker Theater, abseits vom Broadway. Deutsche Erstaufführung 16. Oktober 1959, Ruhrkammerspiele Essen und im Zimmertheater Heidelberg. In Hollywood verfilmt mit Katharine Hepburn, Montgomery Clift und Elizabeth Taylor: Regie: Joseph Mankiewicz. — Die Hauptperson tritt nicht auf: ein Millionärssohn mit dem beziehungsvollen Namen Sebastian, der unter mysteriösen Umständen in Spanien verschwunden ist. Sein Tod soll aufgeklärt werden: ein Psychiater zwingt Sebastians Cousine Catherine Holly, die Zeugin seines schauerlichen Todes und seitdem schwer neurotisch ist, ihre Erinnerungen herauszuscharren. Mrs. Venable, die Mutter Sebastians, die ein ganz anderes Bild von ihrem Sohn hat — ›keusch‹, weil ihm keine andere Frau so vollendet erschienen ist wie seine Mutter —, versucht, den Psychiater mit Geld so weit zu bringen, daß er die Erinnerungen des Mädchens durch eine Lobotomie, einen chirurgischen Eingriff ins Gehirn, endgültig zerstört. Als der Arzt, der die Analyse dem Messer vorzieht, bei dem Mädchen den Heilerfolg hat, flüchtet sich die Mutter in eine Neurose. Wer war Sebastian? Ein dekadenter Poet aus der Meisterklasse Oscar Wildes; er schrieb pro Jahr genau ein Gedicht und war fasziniert von der Amoralität der Natur; er hielt sich eine fleischfressende Pflanze als lebendiges Symbol für die animalisch vegetative Existenz, und er konnte sich nicht satt sehen, wenn auf den Galapagos die neugeborenen Schildkröten myriadenweise von Vögeln zerfleischt werden. Er war der egozentrische Ästhet mit der Inzestbindung an die Mutter und mit der intimen

Neigung zu den Knaben, von denen er schließlich — zugleich an Orpheus und an die Schildkröten erinnernd — zu Tode gehetzt und zerfleischt worden ist. Der fortschreitenden Enthüllung Sebastians und seiner dekadenten Visionen setzt das Stück das Ethos des Arztes entgegen: die befreiende Kraft der ausgesprochenen Wahrheit.

Süßer Vogel Jugend (Sweet Bird of Youth). Uraufführung am 10. März 1959, New York, Martin Beck Theatre, durch Elia Kazan. Deutsche Erstaufführung 6. Oktober 1959, Schiller-Theater, Berlin, durch Hans Lietzau. In Hollywood verfilmt mit Geraldine Page und Paul Newman (die auch im Theater die Hauptrollen spielten); Regie: Richard Brooks. — In einem Südstaatenhotel sind die alternde Filmschauspielerin Alexandra del Lago und ihr jüngerer, doch gleichfalls alternder Gigolo Chance Wayne, ein Zyniker und Erpresser, abgestiegen. Sie fürchtet sich vor der Großaufnahme ihres Gesichtes und hat sich in Suff und Rauschgift geflüchtet; teils macht sie sich mit fataler Theatralik Illusionen, teils durchschaut und präsentiert sie sich in vollendeter Schamlosigkeit. Im gleichen Hotel war Wayne vor Jahren mit Heavenly, der unberührten Tochter des Politikers Tom Finlay; er hat das Mädchen geliebt, doch ihr Vater hat ihn aus der Stadt gejagt und die Tochter operieren lassen — seitdem ist sie unfruchtbar. Finlay hat Rache geschworen; mit biedermännischen Manieren, brutalen Methoden und seifiger Frömmigkeits-Heuchelei hat er sich an die Spitze des Staates gearbeitet und unterhält eine durchaus faschistische Privatarmee. Neben der Machtneurose dieses scheinbar gesunden Bosses wirkt das Krankheitsbild Alexandras und ihres Gigolos geradezu freundlich. Wayne fordert vergeblich die Tochter Finlays, und er gibt sich auf, als die Schauspielerin ein Angebot nach Hollywood erhält und ihn fallenläßt. Boß Finlay läßt ihn — wie vorher einen Neger — entmannen. »Ich will nicht euer Mitleid«, fordert Wayne zum Schluß, »ich will nur euer Verständnis, nein, nicht einmal das. Ich will nur, daß ihr mich in euch selbst erkennt, und den Feind, die Zeit, in uns allen« — und dies ist ein bißchen viel verlangt nach diesem Schocker und Nervenzerfetzer, in dem es schwerfällt, das zu erkennen, worauf es Williams wohl ankommt: vom Bewußtsein der verlorenen Jugend erbarmungswürdig geplagte Seelen in der Raserei der Selbstzerstörung.

Die Nacht des Leguan (The Night of the Iguana). Uraufführung 22. Dezember 1961, Royale Theatre, New York. Deutsche Erstaufführung Oktober 1962 Thalia-Theater, Hamburg, und Städtische Bühnen Köln. In Hollywood verfilmt mit Deborah Kerr (Hannah), Richard Burton (Shannon), Ava Gardner (Maxine); Regie: John Huston. — Ein heruntergekommenes Touristenhotel in Mexiko, 1940. Die jüngst verwitwete, aber erotisch lebfrische Besitzerin Maxine Faulk ist insgeheim einsam und verzweifelt. Ein bißchen Trost bringt ihr Lawrence Shannon, der Leiter einer Reisegesellschaft, die hier mit dem Bus ankommt, darunter vier lärmende Deutsche, die die Bombardierung Londons mit Champagner feiern. Shannon ist ein ehemaliger Geistlicher, der wegen Ketzerei und einer Affäre mit einer Minderjährigen sein Amt nicht mehr ausüben darf – ein gescheiterter Gottsucher, labil, von Nervenkrisen bedrängt. Wie Shannon den für den Kochtopf bestimmten Leguan (mit ibsenscher ›Wildenten‹-Symbolik) befreit, so wird er von seiner triebhaften Lust an der Selbstzerstörung befreit durch Hannah Jelkes, ein altjüngferliches, doch gar nicht lächerliches, spätes Mädchen (der Pfarrerstochter Alma im ›Steinernen Engel‹ verwandt): sie zieht umher mit ihrem Großvater, der gegen Trinkgeld Verse rezitiert, Überbleibsel aus dem 19. Jahrhundert von einer rührenden Poesie. Diese intelligente, verschämte, doch ganz unsentimental fröhliche Priesterin der Solidarität, der Liebe jenseits des Sexus, erlöst den ehemaligen puritanischen Priester, der die Kraft zum Puritanismus nicht besitzt – er legt die Haltung des verstoßenen Heiligen, den falschen Anspruch, ab und wird bei Maxine, der Wirtin, bleiben als ihr Partner, und sei es auch ohne Liebe. – »›Die Nacht des Leguan‹ ist ein Stück«, kommentierte Williams, »dessen Thema, wenn ich es ganz knapp formulieren soll, das Leben jenseits der Verzweiflung, das Dennoch-Leben, ist.« Diesen Grundton der Bescheidung und Tapferkeit gab es so unverhüllt bei Williams (neun Jahre) vorher nur in ›Camino Real‹.

Königreich auf Erden (The Seven Descents of Myrtle). Uraufführung im März 1968, Ethel Barrymore Theatre, New York, durch Joseph Quintero. Europäische Erstaufführung 12. März 1969, Thalia-Theater, Hamburg. – Eine von Überschwemmung bedrohte Farm im Mississippi-Delta. Zwei Halbbrüder: Lot, feminin, neurotisch, todkrank tuberkulös; sein Stiefbruder Hühnchen (»Chicken«), so genannt, weil er bei Hochwasser mit seinen Hühnern aufs Dach flüchtet, Fehltritt des Vaters mit einer Mulattin, kraftstrotzend, männlich bis animalisch. Lot kommt zur Farm mit der naiven, dümmlichen, rothaarigen und herzensguten Myrtle, die er bei einer Quiz-Schau gewonnen und vor den Fernseh-Kameras geheiratet hat. Er bereut, daß er seinem Halbbruder Hühnchen die Farm für den Fall seines Todes vermacht hat, und hat die ehemalige Stripperin Myrtle geheiratet, damit sie Hühnchen um sein Erbe bringe. Immer wieder steigt Myrtle, der vom homosexuellen Lot keine Hochzeitsnacht geboten wird, hinunter in die Küche zu Hühnchen, der obszöne Zeichnungen in die Tischplatte ritzt, bevor er ihr das Essen darauf stellt. Hühnchen läßt Myrtle auf die Farm schriftlich verzichten und vollzieht mit

ihr auf dem Küchenboden das, was Lot im Bett nicht kann. Pünktlich stirbt
Lot an Schwindsucht, einen Florentinerhut auf dem Kopf, im weißen Kleid
der einzigen Frau, die er je geliebt, seiner Mutter Lottie. Myrtles Begierde
überwindet ihren Südstaaten-Horror vor Negerblut; Hühnchen sieht für sie
»aus wie ein Mann, der sich gegen die Fluten des Stromes stemmen und sie
zurückhalten kann«, und Hühnchens »Königreich auf Erden« ist, so philosophiert er, »das, was zwischen Mann und Frau geschehen kann, nur diese
eine Sache ist vollkommen, und sonst nichts.« Das Hochwasser steigt,
Hühnchen und des gestorbenen Lots Weib Myrtle werden es auf dem Dach
vermutlich überleben. – Eine Anthologie der Lieblingsthemen des Autors,
grob gebunden und penetrant lila parfümiert – fast eine unfreiwillige Selbst-
parodie: »Endstation Schwindsucht.«

Edward Albee: Gelächter in Haß und Trauer

»Zwei Jahre lang war er Zusteller bei der ›Western Union‹-Telegraphen-
gesellschaft. Ein Teil seiner Tätigkeit bestand darin, vom Empfänger zu
bezahlende Telegramme auszutragen, die von Krankenhäusern an Verwandte
von gestorbenen Patienten geschickt wurden. Dann tat Albee folgendes: Er
teilte dem Empfänger mit, daß er ein unbezahltes Telegramm mit schlechten
Nachrichten bringe, öffnete es, ließ die Leute den Inhalt lesen, klebte es wieder zu und gab es der Gesellschaft als ›nicht zustellbar‹ zurück. ›Ich hatte
nicht das Herz, das Geld zu kassieren‹, sagt er.« Diese Geschichte erzählt
Mel Gussow in der Zeitschrift ›Newsweek‹ (4. Februar 1963).
    Thornton Wilder riet Albee 1953, Stücke zu schreiben. »Vielleicht«, er-
zählte Albee, »meinte er auch nur, ich sollte mit den Gedichten aufhören.«
Edward, geboren am 12. März 1928 in Washington D. C. und zwei Wochen
nach seiner Geburt adoptiert von dem Ehepaar Albee, schrieb seinen ersten
Einakter ›Die Zoogeschichte‹ dennoch erst 1958, kurz vor seinem dreißigsten
Geburtstag: »Ich näherte mich rapid den Dreißigern, es war eine Geste mir
selbst gegenüber.« New Yorker Regisseure waren nicht interessiert, die
Werkstatt des Berliner Schiller-Theaters brachte 1959 die Uraufführung, es
folgte eine New Yorker Off-Broadway-Bühne, und vier Jahre später spielten
bereits zwei Broadway-Bühnen ausgewachsene Stücke von Albee.
    Seinen Adoptivvater Reed, den steinreichen Erben eines Privattheater-Kon-
zerns, und seine luxuriöse Adoptivmutter Frances, ein ehemaliges Mannequin
der Haute Couture, hat er in seinem Einakter ›Der amerikanische Traum‹ als
Daddy und Mommy rüde karikiert, nebst seiner Grandma, deren Andenken
er den Einakter *Der Sandkasten* (The sandbox, 1959) gewidmet hat: sie spielt

Edward Albee. Nach einem Photo

darin die Hauptrolle. Mit Grandma Cotta, der Mutter von Frau Albee, hat er sich gut vertragen: »Sie stand am Ende, und ich stand am Anfang, und so waren wir beide außerhalb des Rings.« Sie hat ihm genug Geld für ein behagliches Leben hinterlassen. Daß ihn seine leiblichen Eltern im Stich gelassen haben, erfüllt ihn mit ›tiefem Groll‹, und davon ist in seinen Stücken einiges zu spüren.

Niemand hat den ›American Way of Life‹ schärfer attackiert als er, die Inhaltslosigkeit der Jagd nach dem Lebensstandard, den Konformismus der Meinungen, die Herrschsucht der Frau, die seelisch vernachlässigten Kinder, doch fragte er 1961 mit Recht: »Gibt es nicht auch in Westeuropa nur allzu viele Menschen, in deren Gefühlsleben sich ein geistiges und moralisches Vakuum ausbreitet? Ist das furchtbare Problem der Kompromiß-Lösungen, der Selbstgefälligkeit, der inneren Leere, der geistigen Gehaltlosigkeit nur für mein Land charakteristisch? Daran glaube ich keinen Augenblick.«

Seine frühen Einakter ließen die Vermutung zu, er sei eine amerikanische Variante der französischen ›Absurden‹, ein transatlantischer Ionesco, doch sein erstes großes Stück ›Wer hat Angst vor Virginia Woolf?‹ steht eher in der Tradition des späten O'Neill. Unvergleichlich ist die zynisch-witzige Brillanz der Dialoge Albees, die noch der entsetzlichsten Situation ein (höchst unbehagliches) Lachen abzwingen. Wenn es verklungen ist, bleiben der todestraurige Ernst eines provozierenden Gesellschaftskritikers, die scheue Hoffnung eines Puritaners, der an die Vertreibung der Lüge, die reinigende Kraft der Wahrheit glaubt, und das Vertrauen in einen Restbestand unerklärbarer Liebe, der noch unter Bergen von Unflat entdeckt werden kann: im psychologischen Naturalismus ein tief verborgenes Mysterium.

Die Zoogeschichte (The Zoo-Story). ›Ein Stück in einer Szene‹. Uraufführung 28. September 1959, Werkstatt des Schiller-Theaters, Berlin. Amerikanische Erstaufführung, zusammen mit Becketts ›Das letzte Band‹, am 14. Januar 1960, New York, Provincetown Playhouse. — Im New Yorker Central-Park sitzt der Verlagsangestellte Peter auf einer Bank und liest: ein Bürger mit angenehmer Wohnung, Frau, Töchtern und einem ›Privatzoo‹, bestehend aus Katzen und Wellensittichen. Jerry, ein nachlässig gekleideter Mann, kommt aus dem öffentlichen Zoo und drängt ihm ein Gespräch auf: er lebt in einem überfüllten Mietshaus absolut allein; nicht einmal mit einem Hund kann er eine Beziehung anknüpfen, und die Einsamkeit hat ihn an den Rand des Wahnsinns getrieben. Jerry beginnt mit Peter einen lächerlichen Streit um die Bank, ohrfeigt ihn, zwingt ihm ein Messer auf und stürzt sich hinein, dankbar für diesen Tod; sterbend sagt er — »eine Mischung von Parodie und flehentlicher Bitte« — »O . . . mein . . . Gott.« — Ein glänzend geführter realistischer Dialog mit einer ›absurden‹ Pointe: der einem Fremden aufoktroyierte Mord als letzte Möglichkeit, von der Einsamkeit befreit zu werden.

Der Tod der Bessie Smith (The death of Bessie Smith). ›Ein Stück in acht Szenen‹. Uraufführung 21. April 1960, Schloßpark-Theater, Berlin. Amerikanische Erstaufführung 1. März 1961, New York, York Playhouse. — Die Negerin Bessie Smith, eine berühmte Blues-Sängerin der zwanziger Jahre, starb 1937 nach einem Verkehrsunfall in Memphis, Tennessee, weil die Krankenhäuser sich weigerten, eine Farbige aufzunehmen. Diesen authentischen Vorfall läßt Albee — ohne daß Bessie Smith auftritt — erzählen durch ihren Chauffeur und Manager, der sie zu einem Schallplatten-Come-Back nach New York bringen wollte, und sich spiegeln in den Reaktionen einiger Personen in einem Krankenhaus: eine hübsche weiße Krankenschwester beherrscht erotisch, tyrannisiert und demütigt den farbigen Krankenwärter und ihren weißen Freund, den Assistenzarzt; sie strotzt von Haß gegen jeden, der einem Farbigen helfen will. — Eine dramatische Analyse und Anklage des Rassenhasses; psychologisch realistische Dialoge; in den Aufnahmeraum des Krankenhauses werden auf einer Plattform die Szenen, die an anderen Orten spielen, anti-illusionistisch und ausdruckssteigernd eingeblendet.

Der amerikanische Traum (The American Dream). ›Komödie‹. Uraufführung 24. Januar 1961, New York, York Playhouse. Deutsche Erstaufführung 7. Oktober 1961, Werkstatt des Berliner Schiller-Theaters. — Eine amerikanische Familie, ›Mammi‹, ›Pappi‹ und ›Oma‹, und die Frauenvereinsvorsitzende Barker beim Alltagsgewäsch: eine beziehungsvoll-beziehungslose Ausgießung von sprachlichen Klischees, die an Ionescos Grotesken erinnert, doch streng komponiert ist zu einer Satire auf die amerikanischen Mittelstandsideale; auf die von ihren tyrannischen Frauen zum Schweigen gebrachten männlichen Arbeitstiere; auf die Erfolgs- und Konsumfreudigkeit der geschwätzigen Frauen; auf die Furcht, anders als die andern zu sein; auf die konformistische Selbstgefälligkeit, die in die Selbstzerstörung führt. Sogar ›Oma‹ in ihrer Alters-Tücke und Altersgerissenheit verspritzt fröhlich Gift. In Blue jeans tritt ein junger Mann auf, athletisch und gefühllos, unfähig zu hassen, zu lieben, zu denken, doch zu allem bereit, wenn er bezahlt wird: der pervertierte ›amerikanische Traum‹. — Ein soziologisch-psychologisches Kabarett aus autobiographischem Anlaß und mit schweren Säbeln. Albee fragt in seinen Anmerkungen: »Spricht die Tatsache, daß ›Der amerikanische Traum‹, oberflächlich betrachtet, komisch ist und in seinem Kolorit amerikanisch, gegen den schrecklichen Ernst, der dahintersteckt, oder gegen die übernationale Gültigkeit?«

Wer hat Angst vor Virginia Woolf . . .? (Who's afraid of Virginia Woolf?). ›Ein Stück in drei Akten‹. Uraufführung 13. Oktober 1962, New York, Billy Rose Theatre, durch Alan Schneider. Deutsche Erstaufführung 13. Oktober 1963, Schloßpark-Theater, Berlin, durch Boleslaw Barlog, mit Maria Becker und Erich Schellow. Verfilmt mit Elizabeth Taylor und Richard Burton; Regie: Mike Nichols. — Die Wohnung eines Professors an einem Provinz-College. Ein alkoholbefeuertes Geplänkel zwischen George, dem Geschichtsprofessor, einem liberalen Humanisten, und Martha, seiner herrschsüchtigen Frau; späte nächtliche Gäste treffen ein: Nick, neu an der Universität, Biologe, rücksichtsloser Karrieremacher, und Baby, seine junge Frau, der piepsnaive Prototyp des amerikanischen weiblichen Konformismus. Die Gäste werden zum Publikum eines ehelichen Schauturniers gemacht, in dem Martha ihren Mann mit hemmungsloser Wollust demütigt. Aus diesen ›Gesellschaftsspielen‹ des ersten Akts entwickelt sich die ›Walpurgisnacht‹ des zweiten: die Besucher werden in die mörderische Eheschlacht hineingezogen, nicht mehr nur Zeugen, sondern Waffen und Opfer zugleich. Im dritten Akt, der ›Austreibung‹, treibt George die Lebenslüge aus beiden Paaren: Nick hat Baby nur geheiratet, weil er auf ihre hysterische Schwangerschaft hereingefallen ist, und Baby hat eine panische Angst vorm Kinderkriegen; George ›tötet‹ den Sohn, der ihm und Martha versagt geblieben ist und den sie sich als lebenserhaltende Illusion erfunden haben (ein, nebenbei bemerkt, in homosexuellen Kreisen geläufiges Motiv: das naturgemäß zur Unfruchtbarkeit verurteilte ›Paar‹ spielt mit einem illusionären Kind). Während Martha um die Lüge dieses Sohnes kämpft, spricht George die lateinischen Worte der Totenmesse. Dazu meint Martin Esslin in seinem Buch ›Das Theater des Absurden‹: »Bei näherer Bekanntschaft zeigt das Stück deutliche allegorische Züge, die es in die Sphäre des Theaters des Absurden rücken. George und Martha, das ältere Ehepaar, tragen nicht nur zufällig die Namen von George Washington und seiner Frau. Dieses Paar ist symbolisch für den Kampf der

Geschlechter in Amerika, wo immer der weibliche Teil dominiert und den männlichen mit seinem Ehrgeiz zerstört. George und Martha sind kinderlos, steril, aber sie haben ein imaginäres Kind — und dieses nicht lebensfähige Kind wird in der Nacht, in der das Stück spielt, getötet: der amerikanische Traum vom guten Leben kann nicht aufrechterhalten werden, weil er auf einer Lüge beruht.« Den Stil dieses unerhört brillanten, zerfetzenden Seelengefechtes, neben dem sich die Ehedramen des Stammvaters August Strindberg wie Idyllen ausnehmen, trifft Martha, wenn sie sagt: »Wir weinen, stellen unsere Tränen in den Eisschrank, bis sie zu Eis gefroren sind, und dann tun wir sie in unsern Whisky . . .«, und wenn sie resümiert: »Es war furchtbar. Es war auch komisch, aber eigentlich war's furchtbar.« — »Wer hat Angst vor Virginia Woolf« — mit dieser albernen Verdrehung des Kinderverses ›Wer hat Angst vorm bösen Wolf‹ hat das Stück begonnen; mit ihr endet es, doch nun ist aus dieser Albernheit für Martha der qualvolle Ausdruck ihrer Lebensangst und für George ein verdeckter Ausdruck seiner Zärtlichkeit geworden. So ist dieses Stück der rücksichtslosen seelischen Entblößungen auch ein dreistündiger Umweg zu einer Liebeserklärung — ein Umweg freilich, der durch die fast tödliche Wahrheit führt.

Winzige Alice (Tiny Alice). ›Ein Stück in sieben Bildern‹. Uraufführung 29. Dezember 1964, New York, Billy Rose Theatre, durch Alan Schneider, mit Irene Worth und John Gielgud. Deutsche Erstaufführung 3. Februar 1966, Deutsches Schauspielhaus, Hamburg, durch Heinrich Koch, mit Joana Maria Gorvin und Will Quadflieg. — Der Laienbruder Julian ist nach einem Kommentar Albees »ein Mann, der nur deshalb kein Priester geworden ist, weil er seine Idee von Gott nicht vereinen kann mit dem von den Menschen nach ihrem Bildnis geschaffenen Gott«. Auf Wunsch des Fräuleins Alice, einer Milliardärin, wird er vom (römisch-katholischen) Kardinal in ihr Schloß geschickt, um die Formalitäten gigantischer Spenden zu regeln, die Alice der Kirche zu überlassen gedenkt. Dies ist jedoch nur ein Vorwand, Julian einzukaufen, um ihn zu versuchen. Die exzentrische und lüsterne Alice wohnt zusammen mit zwei Männern: mit ihrem Geliebten, dem Advokaten, und einem ephebenhaften Butler, der wiederum der Geliebte des Advokaten scheint; sie sind ebensosehr Salon-Ganoven wie luziferische Gestalten. Diese drei Hausbewohner werden für Julian, der die abstrakte Wahrheit Gottes sucht, zur Verkörperung aller Fragen, die ihn sein Leben lang religiös beunruhigt und gequält haben, und zu Verlockungen eines nichts als irdischen triebhaften Lebens. Alice verführt Julian (der das Zölibat gelobt hat) und heiratet ihn. Die drei Versucher bedrängen Julian, seine nunmehr glaubenslose und damit für ihn sinnlose Existenz anzuerkennen. Er weigert sich und wird von dem Advokaten erschossen. Bei seinem langen Todeskampf liegt der leidensbegierige Märtyrer – in der Haltung des Gekreuzigten – vor einer Art profanem Altar: vor einem Modell des Schlosses, in dem man sich eine ›winzige Alice‹ zu denken hat, die abstrakte, die reine Alice, die Julian so gesucht hat wie das Abstraktum des reinen, vom Menschenbild unabhängigen Gottes. Bevor ihn auch das Fräulein Alice verläßt, beweint sie ihn in einer Pietà-Szene. Julians Schlußwort: »Ich füge mich dir, Alice, denn du bist zu mir gekommen. Gott, Alice... ich füge mich deinem Willen.« – Albee betrachtet sein Stück, ein Kriminaldrama mit brillant zynischem Dialog und mit mystischem Ehrgeiz, der freilich ungestillt bleibt, weil das Mysterium dramatisch nicht schlüssig wird, als ein ›metaphysisches Traumspiel‹. Gleichwohl sagte er zu John Gielgud, der ihn bei den Proben nach dem Sinn des Stückes fragte: »Man kann nicht den Sinn des Stückes spielen, man muß die Realität der Charaktere spielen.« Da das Stück von jedem Kritiker anders ausgelegt wurde, erläuterte es Albee auf einer Pressekonferenz im März 1965: »Der Laienbruder wird schließlich an den Punkt gebracht, wo er akzeptieren muß, was er sich immer beharrlich gewünscht hatte – das Einssein mit dem Abstraktum, und nicht mit seinem Ersatz, dem Bild, das sich die Menschen von ihm machen. Er wird mit dem reinen Abstraktum allein gelassen – wie immer man es nennen mag: Gott oder Alice...« Albee überläßt es dem Glauben jedes Zuschauers, wie er den Schluß deuten will: »entweder das Abstraktum personifiziert sich, erweist sich als real, oder der sterbende Mann schafft sich in einer letzten notwendigen Anstrengung der Selbsttäuschung etwas, das, wie er weiß, nicht existiert, und glaubt daran.« Bühnensinnbild für das ›Abstraktum‹ ist das Modell des Schlosses, in dem sich wiederum ein verkleinertes Modell des Schlosses befindet (in jedem Modell eine verkleinerte und wegrückende ›Alice‹) und so fort bis in die unvorstellbare Unendlichkeit. Alles, was im Schloß geschieht – ein Zimmerbrand etwa –, geschieht auch in den ineinandergeschachtelten Modellen.

Empfindliches Gleichgewicht (A Delicate Balance). Uraufführung 12. September 1966, Martin Beck Theatre, New York, durch Alan Schneider. Deutsche Erstaufführung 25. April 1967, Kammerspiele München, durch August Everding. – Claire, die es bei den »Anonymen Alkoholikern« nicht aushält, weil sie schon vorm Frühstück Lust auf Martinis hat, wohnt bei ihrer Schwester Agnes und deren Mann Tobias. Die resolute Agnes, die auf Verteidigung konventioneller Formen eingeschworen ist, ihr entscheidungsschwacher, nachgiebiger Mann Tobias und die provozierende, doch im Grunde harmlose Claire leben zusammen in einem empfindlichen Gleichgewicht: sie haben es sich nebeneinander ohne größeren Gefühlsaufwand bequem gemacht, und ihre einzige Sorge gilt der Aufrechterhaltung dieses unverbindlichen Schaukelns in einer unstrapaziösen seelischen Leere. Sie könnten allenfalls noch Julia verkraften, die Tochter von Agnes und Tobias, die wieder mal nach Hause kommt, um ihre Scheidung vorzubereiten, die vierte diesmal. Daß aber zugleich mit dieser infantilen Hysterikerin die »besten Freunde« von Agnes und Tobias, die alten Ehekämpen Edna und Harry, ins Haus kommen, dies bringt alles aus der Balance. Edna und Harry haben ein einziges Mal nicht einen der üblichen Riten ausgeführt, sie sind einmal nicht in den Club gegangen, und schon haben sie solche Angst bekommen, daß sie es nicht länger miteinander aushalten und eben zu ihren »besten Freunden« geflüchtet sind. Ihre Angst steckt an – Tobias wird von der Familie beauftragt, seine Freunde hinauszuwerfen. »Ich will euch nicht hier!« sagt er, »aber bei Gott, ihr werdet hier bleiben! Ihr habt das Recht!« – für seine Freunde hat er nur »das Recht« einer Spielregel statt der Liebe, und dies ist hier nicht genug. Edna und Harry gehen freiwillig, und wenn Agnes meint, daß nun ein neuer Tag beginne, so ist diese Schlußwendung voll bitterer Ironie: kein Tag beginnt, sondern die Fortsetzung ihrer ausbalancierten, liebeleeren Nacht. – Das lästige, leicht groteske Besucherpaar ist das etwas schäbige Werkzeug einer schon religiösen Liebesprobe, vor der alle versagen. Schroff würde wahrscheinlich der Puritaner Albee das brutale, aber lebenskluge Sprichwort zurückweisen: »Der Fisch und der Gast stinken am dritten Tag.«

Alles im Garten (Everything in the Garden). Uraufführung 16. November 1967, Plymouth Theatre, New York, durch Peter Glenville. Deutsche Erstaufführung 5. Februar 1969, Kammerspiele München, durch Hans Schweikart. – Geschrieben nach der 1962 in London durchgefallenen, gleichnamigen ›schwarzen Komödie‹ des 1967 tödlich verunglückten Engländers Giles Cooper. – Jenny und der Chemiker Richard, ein Ehepaar, leben in einer Vorstadt von New York über ihre Verhältnisse: zu teuer für sie sind eigentlich ihr Haus, die vornehme Privatschule ihres Sohnes, der für Juden und Neger gesperrte Country Club, und auch das Treibhaus im Garten, das der Wettbewerb mit den Nachbarn nun erfordert. Also tritt Jenny einem Callgirl-Ring bei, und als dies Richard entdeckt, brüllt er zunächst fassungslos auf, doch erfährt er bei einer Party, daß alle anwesenden Ehefrauen sich mit Billigung ihrer Männer denselben Nebenverdienst verschaffen, und da beruhigt er sich wieder. Jede Frau eine Luxusnutte, jeder Mann ein Zuhälter – Jack, einen Freund des Hauses, der auf der Party hinter diese Verhältnisse kommt, läßt Mrs. Toothe, die ebenfalls anwesende Chefin des Callgirl-Rings, als einen störenden Mitwisser von den Männern ersticken und, »alles im Garten«, in eine Grube werfen. Jack, ein Millionär, hat Jenny und Richard sein Vermögen vermacht, was die beiden noch nicht wissen. Sie nehmen ihr normales Leben wieder auf, an dem nun freilich überhaupt nichts mehr normal ist. – Albee attackiert das Leben in der Suburb, die Prestige-Symbole, den Konsum- und Konkurrenzkampf einer materialistischen Gesellschaft, die sich, samt ihren rassischen und religiösen Vorurteilen, für eine Elite hält. Durch komödienhafte Dialoge gelangt er zum moralischen Schock. Hans Sahl zur Uraufführung: »Hier pocht einer mit Glacéhandschuhen an eine Mauer, bis sie einstürzt.«

Kiste und Worte des Vorsitzenden Mao (Box-Mao-Box). Zwei Einakter, »Box« und »Quotations From Chairman Mao Tse-tung«. Uraufführung am 13. März 1968, Studio des Arena-Theaters Buffalo, Staat New York, durch Alan Schneider. Deutsche Erstaufführung 19. Januar 1969, Werkraum der Kammerspiele München. – Auf der Bühne steht ein großer, offener Kubus, leer, aber bedeutungsvoll: er symbolisiert offenbar Gefängnis, sterile Ordnung, Abgeschlossenheit. Die Stimme einer Frau klagt über die Verkommenheit einer Welt und über die Kunst, die sich nicht mehr auf die Zukunft, auf »das Erreichbare« bezieht, sondern nur noch »an Verlust gemahnt«. Dann werden auf dem Deck eines Ozeandampfers vier Personen sichtbar: »die alte Frau« rezitiert das sentimentale Gedicht »Übern Berg ins Armenhaus« von Will Carpenter; die »redselige Dame« ergießt die Enttäuschungen ihres sex- und liebeleeren Daseins über einen Geistlichen, der stumm bleibt; ohne diese drei zu beachten, spricht Mao Tse-tung aus seinem roten Büchlein »Worte des Vorsitzenden Mao Tse-tung«, deren Revolutionsoptimismus mit dem Lebensüberdruß der Reichen, dem Todeskampf der Armen und dem Schweigen des Gottesmannes ebenso schneidend wie platt wie untröstlich kontrastiert. Dazwischen redet wieder die Stimme aus der »Kiste«; ihr gehört auch der Schluß, ihrer Anklage und Klage: »Wenn die Kunst anfängt, weh zu tun, wird es Zeit, sich zu besinnen.« – Eine Stimmen-Collage, eine fugal gesprochene Elegie. Da aber auf der Bühne Rollen stärker als Reden wirken, stampft die großartige Rolle der »redseligen Dame« den Rest der Veranstaltung in Grund und Boden.

2. DIE KLASSE DER SCHULMEISTER
oder: Dramatiker, die man Moralisten nennt

Brecht: Kathederheiliger und Komödiant · Zwischenspiel: episches Theater, Verfremdung und dergleichen · Frisch: Welt- und Ich-Modelle · Weiss: vom Zweifel zur Propaganda · Hochhuth: der Gewissensstellvertreter · Grass: vom Absurden zur Politik · Walser: Verdruß bis Zorn · Fassbinder: Klischee-Collagen · Müller: Schwierigkeiten in und mit der DDR · Hacks: der politische Artist · Sartre: Proklamation der Freiheit · Camus: Proklamation der Gerechtigkeit · Gatti: Politik und Imaginäres · Miller: Tendenz und Thesen · Tabori: Totenmessen

> Er schwärmte für Pestalozzi und ließ seine Bücher wie Schulbücher drucken, damit sie nach außen hin sachlich und nüchtern wirken. »Ich schreibe Schulbücher«, sagte er mir einmal, »darauf kommt es heute an.«
> George Grosz über Bertolt Brecht

> Denn die Wurzel des Theaters liegt nicht nur im religiösen Kult, sondern auch in der Beredsamkeit ... an der Stelle von Antigone und Kreon hätte man ebensogut zwei Rechtsanwälte bemühen können.
> Jean-Paul Sartre zu Kenneth Tynan

Früher pflegten in der Schule gewisse Lehrer bei passender Gelegenheit die Frage zu stellen: Was können wir daraus lernen? Sie taten es, sofern sie gute Pädagogen waren, nicht ohne einen Spritzer fröhlicher Selbstironie. Die Dramatiker, von denen in diesem Kapitel die Rede ist, werden nicht müde, diese pädagogische Frage von der Bühne an ihr Publikum zu richten. Manche, wie Bertolt Brecht, tun es ungeniert und scheuen sich nicht, Theaterstücke ›Lehrstücke‹ zu nennen. Manche, wie Bernard Shaw, vermeiden die Lehrmeister-Pose und tarnen sich so geschickt, daß man sie für etwas anderes halten könnte, doch auch ihnen bedeutet das Theater eine höhere Lehranstalt, wenn nicht gar die höchste. Im Extremfall verwandeln sie das Theater in einen Schulsaal, die Aufführung in eine Vorführung mit erzieherischer Nutzanwendung, das Publikum in eine Klasse, die in irgendeiner Theorie, einer Revolutions- oder Reformidee oder aber auch im Katechismus Nachsitzen hat. Glücklicherweise sind die meisten dieser Autoren darauf bedacht, daß der Unterricht mittels der Requisiten des Theaters unterhaltsam ausfalle, doch bleibt das Vergnügliche des Spielens ein Mittel zum belehrenden Zweck: der Köder, mit dem das Publikum zur Nachhilfestunde gelockt wird.

Viele Dramatiker haben die uralte Geschichte des Gottes auf die Bühne gebracht, der die tugendsame und schöne Alkmene liebt, sie nächtlicherweile in der Gestalt ihres abwesenden Gatten Amphitryon besucht und mit ihr einen Halbgott zeugt. Erst der Moralist Georg Kaiser ist gegen die Mitte des 20. Jahrhunderts auf den Gedanken gekommen, der Gott suche dieses sehr vergnügliche, wenn auch wenig moralische Abenteuer nur, um den Menschen und dem Publikum in Kaisers Drama ›Zweimal Amphitryon‹ eine pazifistische Lehre zu erteilen. Wie Kaisers Jupiter mit Alkmene, so gehen die Moralisten mit Thalia und Melpomene, den Musen des Lust- und des Trauerspieles, um: sie zeugen mit ihnen zu Lehrzwecken.

Die ›Naturalisten‹ (siehe auch Seite 7) wollen durch das Theater die Welt so abbilden, wie sie sich ihnen darbietet: mit einem Bühnenbild, das so aussieht wie ein Ausschnitt aus der Wirklichkeit; mit Menschen, die sich so benehmen und sprechen wie im Alltag; mit einer Handlung, die vielleicht nicht alltäglich, doch immerhin im täglichen Leben möglich ist; mit der Absicht, das Herz ihrer Zuschauer zu bewegen, indem sie ihnen die Illusion verschaffen, was da auf der Bühne geschehe, das könne auch ihnen geschehen. Die ›Moralisten‹ dagegen, wie die Schulmeister-Dramatiker sich gerne nennen hören, bilden die Welt nicht so ab, wie sie sich ihnen darbietet, sondern richten sie erst zum Anschauungsunterricht als Lehrpräparat her: sie zeigen ein vereinfachtes, oft ein karikiertes Modell der Welt, wie sie es für ihre Zwecke gebrauchen können, und wenden sich damit vornehmlich an den Kopf ihrer Zuschauer, wenn auch mit der Sinnlichkeit des Theaters. Kurz, und nicht ganz freundlich: auf der Bühne wird nicht eine Illusion der Welt geschaffen, sondern eine Welt der Illusion, die sich der Moralist macht.

Das Bühnenbild der Moralisten unterscheidet sich strikt von einem Ausschnitt aus der Wirklichkeit. Es bevorzugt phantastische Szenerien, seien sie nun (scheinbar) historisch oder (märchenhaft) exotisch oder (unverblümt) utopisch — es zeigt Räume der Denk-Phantasie, die es im Alltag nicht gibt, und wenn doch einmal Alltagsräume gebraucht werden, dann fehlen ihnen mindestens die Wände, oder sie sind nur angedeutet, oder sie gehören wenigstens zu einer Irrenanstalt, oder es wird durch andere Mittel dem Zuschauer klargemacht: hier setzt sich nicht dein Alltag fort, hier sollst du einem Spiel zusehen, und durch sein Beispiel etwas lernen.

Da die Menschen der Moralisten, richtiger: ihre Bühnenfiguren, in einer künstlichen Spiel-Welt leben, benehmen sie sich und sprechen sie ganz anders als unsereiner. Sie reden Verse oder Prosa im betont schlichten Bibel-Stil — bei Brecht etwa oder bei Claudel. Sie reden ein vertracktes Papierdeutsch und bewußt hochgestelzte Phrasen — bei Wedekind etwa oder bei Sternheim. Sie sind so unglaublich witzig — bei Shaw etwa oder auch bei Frisch —, daß man sie um ihre Schlagfertigkeit beneidet. Ihre Sprache ist so ›unnatürlich‹ wie ihr Benehmen: ihre Gesten und Gänge sind stilisiert, und wenn der ›natura-

listische‹ Schauspieler zum ›Versteller‹ werden kann, der so tut, als sei er
wirklich die Person, die er zu spielen hat, so können sie im Extremfall zum
›Vorsteller‹ werden, der immer spüren läßt, daß er eigentlich der Herr Striese
ist, der dem Publikum nur eine Figur vorstellt, so wie sie sich der Autor
ausgedacht hat. Brecht hat alle Tricks für dieses von ihm geliebte Verfahren
zusammengestellt, und davon wird noch die Rede sein (siehe Seite 98). Ist
ein Moralist ein vorzüglicher Psychologe — wie etwa Sartre —, so vermag er
seine Figuren so menschenähnlich zu machen wie die Figuren der Naturalisten, plötzlich aber läßt er sie etwas ganz Ungewöhnliches tun, das mit
Psychologie nicht zu erklären ist: sie folgen dann nicht mehr ihrem inneren
Gesetz, sondern den Gedanken, die ihr Erfinder mit ihnen ausdrücken will.
Psychologie, wenn sie von den Moralisten nicht überhaupt verachtet wird,
kann ihnen höchstens ein untergeordnetes Hilfsmittel sein. Um Sprache und
Benehmen ›unnatürlich‹ zu machen, gibt es noch ganz andere Methoden, und
alle haben sie wiederum den Sinn, dem Zuschauer klarzumachen: hier sollst
du einem Spiel zusehen und durch beispielhafte Figuren, durch Übermenschen
oder Untermenschen, durch zugespitzte Karikaturen des Bösen oder platt-
geklopfte Schemen des Guten, etwas lernen.

»Ibsen gab uns eine neue Weltanschauung, eine neue Menschenschilde-
rung, eine neue Seelenkunde«, notierte Frank Wedekind, »aber keine neue
Dramatik.« Im gleichen Jahr, in dem Gerhart Hauptmanns erstes Stück, ›Vor
Sonnenaufgang‹, ein naturalistisches Drama, aufgeführt wurde, 1889, begann Wedekind, zwei Jahre jünger als Hauptmann, seine Komödie ›Kinder
und Narren‹ (Neufassung 1897 unter dem Titel ›Junge Welt‹), in der er sich
durch die Karikatur eines fanatischen Menschen- und Alltagsbeobachters
über Hauptmann und den Naturalismus mokierte, den ›spießbürgerlich‹ und
›engherzig‹ zu nennen er nicht müde wurde. »Die heutige Dramatik«, stellte
er selbstbewußt fest, er meinte damit seine eigene, »behandelt ernstere Probleme und pflegt eine weitaus höhere Kunstform, als sie der Naturalismus
kannte.« Wenn er 1897 zum Theater ging, inszenierte und Hauptrollen in
seinen Stücken spielte, so nicht aus falschem Ehrgeiz, sondern weil er davon
überzeugt war, daß für seine Mißerfolge auf der Bühne die Unfähigkeit der
Regisseure und Mimen verantwortlich sei, anders als naturalistisch zu spielen und seinen neuen Stil zu begreifen.

Die Fabeln der Moralisten, die Handlungen ihrer Dramen, dürften im Alltag nur in den allerseltensten Fällen möglich sein. So greift Wedekind gern
zum Abenteuer, das in wilden Kurven dahinschießt. Shaw, der nicht folgenlos
Opernkritiker gewesen ist, nutzt Schablonen von Oper und Operette entweder
direkt, oder er stellt sie auf den Kopf. Sternheim und Kaiser bedienen sich oft
der schrillen Kolportage und auch des Kitsches, der ironisiert oder in den

pathetischen Ernst getrieben wird. Sartre beutet die Spannungsfinessen des französischen Boulevard-Theaters aus. Brecht baut seine Fabeln so, daß ihre Moral am Ende klar zutage tritt, und sehr oft sind dies Parodien: er erzählt eine althergebrachte Geschichte gegen ihre Bedeutung, so daß sie eine neue Moral präsentiert, die der ursprünglichen sarkastisch entgegengesetzt ist. Um die Aufführung als Vorführung von Gedanken zu verdeutlichen, unterbrechen manche Moralisten die Handlung und wenden sich durch Reden, sei es in Vers, Lied oder Prosa, direkt ans Publikum. Alte und bewährte Formen der ›autos sacramentales‹, der spanischen Fronleichnamsspiele, des gegenreformatorischen Lehrtheaters, dieser Allegorien mit Unterhaltungseinlagen, tauchen bei so verschiedenartigen Autoren wie Brecht, Claudel und Camus wieder auf, ihren neuen Lehren angepaßt. Zum Stammbaum des Moralisten-Theaters gehören die mittelalterlichen ›Moralitäten‹ ebenso wie das bolschewistische Revolutionstheater, das ›Agitprop‹-Theater der unverfrorenen Agitation und Propaganda, von dem Brecht viel gelernt und zu dessen deutscher Variante er viel beigetragen hat.

Der Lehrstoff der Moralisten hängt selbstverständlich von ihrem Glauben ab. Fast alle gebärden sich zumindest als Zerstörer der zu ihrer Zeit populären Ideen. Die meisten sind außerdem auch Verkünder. Claudel verkündet Gott, wie er ihn versteht, und Brecht verkündet den Marxismus, wie er ihn versteht. Lebensreformer wie Wedekind und Shaw, Philosophen wie Sartre und Camus verkünden ihre im wesentlichen selbstgefertigten Weltanschauungen. Ihr Erfolg? Was der Theaterkritiker Alfred Polgar einmal über den pädagogischen Effekt eines Lehrstücks von Brecht geäußert hat, das gilt wohl für sie alle: »Unbedingt stellt sich die Wirkung ein, daß jene Hörer, welche ganz der Meinung sind, die von der Bühne herab propagiert wird, zu dieser eisenfest in ihnen verankerten Meinung herumgekriegt werden. Sie werden von der Überzeugung, die sie haben, überzeugt, und zum Bekenntnis, auf das sie eingeschworen sind, hingerissen!«

Doch selbst wer nicht so skeptisch vor der zur Tribüne gewordenen Bühne sitzt, der kann nicht umhin festzustellen, wie rasch die Predigt der Prediger in den meisten Fällen veraltet. Vieles von dem, was Wedekind und Shaw gefordert haben, ist – sei es durch sie, sei es ohne sie – inzwischen verwirklicht worden: die Schüler im Theaterparkett haben das Klassenziel erreicht. Vieles von dem, was Sternheim und Kaiser gefordert haben, ist ungenießbar geworden: die Schüler im Parkett halten die Bühnenfiguren, durch die das Hirnblut des Autors fließt, für ebenso komisch wie die Figuren, die der Autor ihrem Gelächter preisgibt, und amüsieren sich, ohne es zu bemerken, auch über die Moral des Moralisten. Und wenn Brecht frühkapitalistische Zustände anprangert und singen läßt: »Um zu einem Mittagessen zu kommen, braucht es der Härte, mit der sonst Reiche gegründet werden«, so erreicht er in jenen Ländern kaum Einverständnis, deren erwachsene Einwohner nicht wissen, wie sie ihre Kinder davon abhalten sollen, ihr Frühstücksbrot in den Mülleimer zu werfen.

Glücklicherweise überleben jedoch manche Stücke des Moralisten-Theaters ihre Moral: wenn die Modell-Welt, die der Autor auf die Bühne gebracht hat, in sich richtig ist, so bricht sie hinter der Rampe auch dann nicht zusammen, wenn das nicht mehr aktuell ist, was sie eigentlich lehren soll. Das schiere, freche Theater, vom Autor ursprünglich nur als Transportmittel seiner Lehre gedacht, transportiert ihn noch dann in die Zukunft, wenn die Last seiner Lehre längst unwichtig geworden ist. Shaw als Clown und Brecht als Komödiant – so interessieren sie immer. Hat das reine Spiel nur genügend szenische Qualitäten, so verdaut es mühelos die Antiquiertheit seiner Lektion: rennt der Dramatiker auch offene Türen ein, so kann doch der Schwung entzücken, mit dem er durch die offenen Türen saust. Und über nichts diskutiert der Mensch lieber als über Probleme, die ihn nichts mehr angehen: die Sorgen von gestern sind prächtiger, weil unverbindlicher Unterhaltungsstoff von heute. Dies mag den Moralisten ärgerlich sein, doch um es zu ändern, müßte man nicht nur mit Brecht die Welt ändern, was schon schwierig genug wäre, man müßte die Menschen ändern, was ziemlich unmöglich ist.

Auch dies können wir aus den mehr oder minder unterhaltsam getarnten Lehrstücken lernen, wenn wir freilich gerade dies nicht aus ihnen lernen sollten. Doch schon in der Schule hat mancher Pädagoge auf seine klassische Frage »Was können wir daraus lernen?« eine unerwartete Antwort erhalten.

Bertolt Brecht: Kathederheiliger und Komödiant

> ... Ach wir,
> Die wir den Boden bereiten wollten für Freundlichkeit
> Konnten selber nicht freundlich sein.
> Ihr aber, wenn es soweit sein wird,
> Daß der Mensch dem Menschen ein Helfer ist,
> Gedenkt unser
> Mit Nachsicht.
>
> Bertolt Brecht in seinem Gedicht
> ›An die Nachgeborenen‹

Bertold Eugen Friedrich Brecht, geboren am 10. Februar 1898 in Augsburg, starb nach einem Herzinfarkt am 14. August 1956 in Ost-Berlin. Er ließ sich in der Nähe Hegels beerdigen, auf dem Dorotheen-Friedhof »neben dem Haus, in dem ich wohne, in der Chausseestraße«. Aufbahrung und Grabreden hatte er sich verbeten. Der Findling auf seinem Grab trägt keine andere Inschrift als den Namen, der in seinen letzten Lebensjahren weltberühmt geworden ist: Bertolt Brecht.

Sein Leben ist überschaubar, doch so vieldeutig wie die meisten seiner Bühnenstücke und theoretischen Schriften: teils bewußt, teils unbewußt unterlegte er seinen Werken nachträglich Absichten, die er bei der Arbeit kaum gehabt haben dürfte; er war ein Meister der List, der Tarnung und des Verwischens seiner eigenen Spuren. Er war Kommunist, doch niemals Mitglied der Partei. Als er 1940 vor den deutschen Truppen aus Finnland fliehen mußte, reiste er mit seiner Familie zwar nach Moskau, aber er blieb nicht dort, wo nach den Schauprozessen niemand vor der Verhaftung sicher war, sondern fuhr weiter nach Santa Monica bei Hollywood, ging als erfolgloser Drehbuchschreiber, wie es in einem seiner Gedichte heißt, »auf den Markt, wo Lügen gekauft werden«, und dieser entwürdigende Ort mußte ihm sicherer erscheinen als das mörderische Moskau, doch zog er daraus nicht die bescheidenste Konsequenz. Er schrieb einige der schönsten Gedichte, die es in deutscher Sprache gibt, und er machte sich lächerlich durch Lobhudel-Strophen für Stalin und die Kommunistische Partei, ja er reiste 1955 nach Moskau, um den Stalin-Friedenspreis entgegenzunehmen.

In Washington 1947 vom Ausschuß zur Untersuchung ›unamerikanischer Betätigung‹ verhört, zog er sich mit zweideutigen Formulierungen aus der Schlinge, flog in die Schweiz und ging 1948, nachdem er vergeblich auf eine Einreisegenehmigung nach Westdeutschland gewartet hatte, mit einem tschechischen Paß nach Ost-Berlin, erwarb aber zwei Jahre später mit seiner Frau, der Schauspielerin und doktrinären Kommunistin Helene Weigel, die österreichische Staatsbürgerschaft. Ein Jahr danach beugte er sich dem Verlangen des SED-›Ministeriums für Volksbildung‹ und baute in sein pazifistisches ›Verhör des Lukullus‹ einen Hymnus auf den Verteidigungskrieg ein — den uneingeschränkten Pazifismus überließ er dem kapitalistischen Westen, wo er sich auch seinen Verlag suchte, Auslands-Tantiemen in Dollar, zahlbar auf eine Schweizer Bank.

Als die Arbeiter in dem Teil Deutschlands, der ihm ein Theater mit nahezu unbeschränkten Subventionen zur Verfügung gestellt hatte und den er öffentlich als den ›fortschrittlichsten‹ pries, am 17. Juni 1953 einen Aufstand gegen ihre ›sozialistischen‹ Ausbeuter machten, schrieb er einen Brief an den SED-Chef Walter Ulbricht, in dem er seine politischen Ratschläge, sein Eintreten für die Arbeiter, »die in berechtigter Unzufriedenheit demonstriert haben«, mit einer prinzipiellen Loyalitätserklärung für das SED-Regime verband — Ulbricht ließ von dem Brief nur den letzten Teil drucken, der Brecht als den Verfasser einer Huldigungs-Adresse an den Unterdrücker des Arbeiter-Aufstandes kompromittierte. Brecht, so wird berichtet, habe bei seinen Freunden den unverstümmelten Brief als Alibi herumgezeigt.

Sarkastischer und bitterer als er es in seinem Nachlaß-Gedicht ›Die Lösung‹ getan hat, läßt sich der 17. Juni nicht kommentieren: »Nach dem Aufstand des 17. Juni / Ließ der Sekretär des Schriftstellerverbandes / In der Stalinallee Flugblätter verteilen / Auf denen zu lesen war, daß das Volk / Das Vertrauen der Regierung verscherzt habe / Und es nur durch verdoppelte Arbeit / Zurückerobern könne. Wäre es da / Nicht einfacher, die Regierung / Löste das Volk auf und / Wählte ein anderes?«

Der junge Bert Brecht, karikiert von dem französischen Zeichner Xim

Er sah sich freilich nicht veranlaßt, öffentlich gegen diese Regierung zu protestieren oder gar eine andere zu wählen: sein Theater, sein ›Berliner Ensemble‹, sein dramatisches Werk, das er mit unbegrenzter Probenzeit inszenieren und dabei vollenden wollte, war ihm wohl wichtiger.

›Herr Keuner‹, dem Brecht seine Weisheiten in den Mund gelegt hat, mag solche Handlungen und ihre Widersprüche erklären: »Eine fremde Behausung betretend, sah Herr K., bevor er sich zur Ruhe begab, nach den Ausgängen des Hauses und sonst nichts. Auf eine Frage antwortete er verlegen: ›Das ist eine alte leidige Gewohnheit. Ich bin für die Gerechtigkeit; da ist es gut, wenn meine Wohnung mehr als einen Ausgang hat.‹« Kein Zweifel, daß Brecht sich auf der Seite der Gerechtigkeit wähnte. Die unübersehbaren Ungerechtigkeiten, Brutalitäten und Mordtaten der Seite, auf die er sich geschlagen hatte, nahm er — wahrscheinlich schweren Herzens — in Kauf, weil er Weg und Ziel der Kommunisten für grundsätzlich richtig und im Endeffekt für segensreich hielt. Die ›Nachgeborenen‹ bat er um Nachsicht: »Die wir den Boden bereiten wollten für Freundlichkeit / Konnten selber nicht freundlich sein.« Daß Morde (der stalinistischen Epoche) und die Einkerkerung eines ganzen Volkes (durch das SED-Regime) niemals den Boden für Freundlichkeit bereiten können, dies konnte er wohl nicht einsehen, er hat es jedenfalls öffentlich nicht ausgesprochen. Sein in Ost-Berlin verwahrter Nachlaß, von dem es heißt, er sei doppelt so umfangreich wie sein vorliegendes Werk, könnte Aufschlüsse geben, falls er jemals unverfälscht gedruckt werden sollte.

›Freundlichkeit‹ und die Vision einer Zukunft, da »der Mensch dem Menschen ein Helfer ist« — es hat lange gedauert, bis Brecht, der als Anarchist begonnen und mit der ›Maßnahme‹ ein erbarmungslos unmenschliches Drama geschrieben hat, zu solchen Formulierungen gekommen ist. Nichts ist leichter, als den frühen gegen den mittleren und beide gegen den späten Brecht auszuspielen — und umgekehrt. ›Herr Keuner‹ hat auch dazu etwas zu sagen: »›Woran arbeiten Sie?‹ wurde Herr K. gefragt. Herr K. antwortete: ›Ich habe viel Mühe, ich bereite meinen nächsten Irrtum vor.‹« Diese kleine Geschichte nannte Brecht ›Mühsal der Besten‹ — sie macht ihn sympathisch, nicht jedoch jeden seiner Irrtümer.

Wer die Hauptstrecken seines Weges kennt, der weiß, welcher Brecht ihn im Theater erwartet: der rauschhafte Anarchist, der eiskalte Doktrinär oder der weiser gewordene Stückeschreiber. Selbstverständlich sind dies nicht drei verschiedene Personen, sondern Ausprägungen derselben Person: sie hat Hegel den Gefallen getan, sich nach seinem Muster ›These-Antithese-Synthese‹ zu entwickeln.

Pazifist war Brecht von Anfang an; als siebzehnjähriger Schüler des Augsburger Realgymnasiums schrieb er im kriegsbegeisterten Jahr 1915 in einem Schulaufsatz »Der Ausspruch, daß es süß und ehrenvoll sei, für das Vaterland zu sterben, kann nur als Zweckpropaganda gewertet werden« und sollte dafür von der Schule verwiesen werden; als zwanzigjähriger Medizinstudent erlebte er im letzten Kriegsjahr als Sanitäter in Augsburg das Elend eines Lazaretts und schrieb die ›Legende vom toten Soldaten‹, den der Kaiser ausgraben und noch einmal in den ›Heldentot‹ ziehen läßt. Damals hatte er seine Mansardenbude in der Augsburger Bleichstraße ausgestattet mit einem Totenschädel, mit der aufgeschlagenen Partitur des ›Tristan‹ und mit einem Bild, das sein Schulfreund Caspar Neher, später als Bühnenbauer und -bildner einer seiner wichtigsten Mitarbeiter, gemalt: es zeigte den ›Baal‹, einen assyrisch-babylonischen Gott, der für Erde, Himmel und Wetter zuständig war. Nach ihm nannte er sein erstes Theaterstück, das keineswegs in Babylon spielt, eher in Schwabylon, auf jeden Fall in der Gegenwart, unter freiem Himmel, in der Dachkammer und vornehmlich in Kneipen.

›Baal‹ von Bert Brecht, inszeniert von Brecht und Oscar Homolka an der Jungen Bühne des Deutschen Theaters mit dem fünfundzwanzigjährigen Oscar Homolka als Baal und dem einundvierzigjährigen Paul Bildt als Ekart. Bühnenbild: Caspar Neher. Es kam nur zu einer Aufführung am 14. Februar 1926

Baal. 1918. Uraufführung 8. Dezember 1923 im Alten Theater in Leipzig; Mißerfolg, da der neue Brecht-Ton nicht getroffen wurde. Brecht inszenierte mit Oscar Homolka im Februar 1926 das Stück für die Junge Bühne am Deutschen Theater in Berlin. Es ist dann erst wieder — nach einer gekürzten Fassung, Kassel 1927 — 1963 in Darmstadt gespielt worden, Regie Hans Bauer, mit triumphalem Erfolg. — Für den ›Baal‹ gab es das lebende Vorbild eines Vagabunden und einen literarischen Anlaß: Brecht parodierte das kraftmeierisch-expressionistische Grabbe-Drama ›Der Einsame‹ von Hanns Johst (dem nachmaligen Präsidenten der nationalsozialistischen Reichsschrifttumskammer). Als höhnische Reaktion auf Johsts pseudodämonischen, spießbürgerlichen Geniekult zeigte Brecht, wie ein wirklich wildes Genie aussieht. Unterm Schreiben aber ist aus seinem Baal ein Kerl geworden, der die Erinnerung an Johst entbehren kann. Baal stellt wüste Gedichte her und singt sie zur Gitarre vor Fuhrleuten — wie der junge Brecht in den Kneipen der Augsburger Lechauen. Baal hat einen ungeheuren Verschleiß an Schnaps und Frauen; er wird der Frauen überdrüssig und vereinnahmt einen Freund, den er in Suff und Eifersucht ersticht. Baal stirbt auf der Flucht vor den Landjägern und von Holzfällern angespuckt, nachdem er sich selbst — »Lieber Baal!« — seine Liebe erklärt hat.

Baal ist über Parodie und Autobiographie hinausgewachsen, eine mythische Figur wie der assyrische Naturgott: ein sexueller Großunternehmer und panerotischer Trunkenbold, ein unflätiger, weltberauschter Flegel; ein Mörder, weil er nichts anderes tut als das, wozu es ihn treibt: die Sterne über sich, die Kloake unter sich, und kein moralisches Gesetz in sich. Baal ist ein Weltverschlinger, Weltverdauer und Weltausscheider, und er ist zufrieden damit. Er bejaht all dies: einen schönen, wenn auch leeren Himmel; eine Welt ohne Geist, die nur animalisch genossen sein will; der Kadaver, der er einst sein wird, ein Fraß für die Geier, die er zwischen den Sternen vermutet. Stinkende Verwesung ist ihm kein Beweis gegen, sondern für das Leben. Sterbend zieht er das Fazit seines Daseins: »Es war sehr schön . . .« Baal ist so amoralisch wie eine (fleischfressende) Pflanze, wie die Vegetation, in die er eingehen möchte, wachsend und vergehend ohne ein menschliches Gesetz, und er ist so grausam wie ein Kind. Seine Religion ist die Farbe des Himmels, der Wechsel der Jahreszeiten: ein archaisches, vorreligiöses und vorgesellschaftliches Monstrum.

Sein Sprachkörper gleicht gelegentlich einem Body Builder: mehr Muskeln, als sie ein einzelner Mensch je gebrauchen kann — die Pose eines Jünglings, der gern Mister Universum werden möchte. Doch sitzt hinter der barocken Schwellung des Muskels schon so viel Kraft, ist die zeitübliche Ekstase schon mit so viel Nüchternheit geformt, wird der Rausch schon so kalt gehandhabt, daß sich Faszination aus der Sprache einstellt. Mit Baal läßt sich, wörtlich verstanden, kein Staat machen: er ist der große Asoziale. 36 Jahre später stellte Brecht trocken fest: »Dem Stück fehlt Weisheit«, doch hat der Baal in seiner privaten Mythologie immer eine große, wenn auch geheime Rolle gespielt: als ein Symbol für das unzerstörbare ›Glücksverlangen der Menschen‹. Es lebt wie eine Erinnerung an den anarchischen Baal auch in Brechts späteren Gestalten, die um fast jeden Preis überleben und ein Stückchen Glück an sich reißen wollen.

Das rauschhafte anarchische Lebensgefühl des Baal beherrschte die Produktion Brechts im nächsten Jahrzehnt, bis zur ›Dreigroschenoper‹, 1928. Von systematischer Gesellschaftskritik ist nicht die Rede; nur von einem allgemeinen Haß gegen das Bürgertum.

Trommeln in der Nacht. ›Komödie‹, 1920. Uraufführung am 23. September 1922 an den Münchener Kammerspielen. — Der Kriegsheimkehrer Kragler gerät in Berlin in die Spartakus-Kämpfe, lehnt es aber strikt ab, sich der Revolution anzuschließen: »Mein Fleisch soll im Rinnstein verenden, daß Eure Idee in den Himmel kommt? . . . Ich bin ein Schwein, und das Schwein geht heim.« Heim mit seinem Mädchen, das inzwischen von einem Geschütz-

>Trommeln in der Nacht< von Bert Brecht. Entwurf von Otto Reigbert für die Uraufführung an den Münchener Kammerspielen, 1922; Regie: Otto Falckenberg

korbfabrikanten schwanger ist, und »ich liege im Bett morgen früh und vervielfältige mich, daß ich nicht aussterbe«. Auch dies ist zunächst Parodie: auf Kitsch und Rührseligkeit der Dramen von Heimkehrern mit ihren im Kriege anderweitig vergebenen Bräuten. Obwohl Brecht 35 Jahre später in einem Vorwort zur ostdeutschen Ausgabe seiner frühen Stücke behauptet hat, Kragler sei von ihm als komische und negative Figur gemeint gewesen, besteht kein Zweifel, daß 1920 Kragler mit Brechts zynischem >Baal<-Segen auf die Revolution pfiff. Bei der Uraufführung war der Zuschauerraum mit Sprüchen dekoriert wie »Glotzt nicht so romantisch!«, die Dekorationen waren bewußt als Theater-Dekorationen kenntlich gemacht, als seien sie Illustrationen der Zwischenrufe: »Es ist alles Krampf!« »Es ist ganz gewöhnliches Theater!« — der junge Brecht, der Wedekind-Verehrer, brüllte damit gegen das Illusionstheater der Naturalisten an, die das Alltagsleben auf der Bühne vorspiegeln wollen. Später wird er die Aufhebung der Illusion in den Dienst seiner pädagogischen Absichten stellen. Herbert Jhering, hingerissen von Brechts »beispielloser Bildkraft der Sprache«, schrieb nach der Uraufführung: »Der vierundzwanzigjährige Dichter Bert Brecht hat über Nacht das dichterische Antlitz Deutschlands verändert«, verlieh ihm den Kleist-Preis und war hinfort sein wichtigster Mitstreiter im Lager der Kritik.

Im Dickicht. 1921. Uraufführung am 9. Mai 1923 am Münchener Residenz-
theater. Zweite Fassung: *Im Dickicht der Städte.* Uraufführung 10. Dezember 1927, Darmstadt. — Im ›Vorspruch‹ heißt es:»Sie befinden sich im Jahre
1912 in der Stadt Chicago. Sie betrachten den unerklärlichen Ringkampf
zweier Menschen . . . Zerbrechen Sie sich nicht den Kopf über die Motive
dieses Kampfes, sondern beteiligen Sie sich an den menschlichen Einsätzen,
beurteilen Sie unparteiisch die Kampfform der Gegner und lenken Sie Ihr
Interesse auf das Finish.« Der Holzhändler Shlink, ein Malaie, sucht einen
Gegner für den Kampf. George Garga, Angestellter in einer Leihbibliothek,
übernimmt,»ohne nach dem Grund zu fragen«, die Rolle des Gegners. Die
beiden setzen alles ein, was sie besitzen und was zu ihnen gehört. Ihr
Kampf scheint ihrer Einsamkeit ein Ende zu machen und dem Chaos, in dem
sie sich fühlen, einen Sinn zu geben, bis Shlink gesteht:»Die unendliche
Vereinzelung des Menschen macht eine Feindschaft zum unerreichbaren
Ziel . . . Ja, so groß ist die Vereinzelung, daß es nicht einmal einen Kampf
gibt . . .« Shlink, der den puren Kampf gewollt hat und seine Unmöglichkeit
einsieht, vergiftet sich, bevor Gargas Lyncher kommen, und Garga, dem es
bei dem Kampf nicht darauf ankam,»der Stärkere zu sein, sondern der
Lebendige«, überlebt; die Partnerschaft der Feindschaft ist zu Ende, er ist
allein. Sein ›Finish‹:»Allein sein ist eine gute Sache. Das Chaos ist aufge-
braucht. Es war die beste Zeit.« — Als das wilde, genialische Stück Oktober
1960 in Zürich durch Kurt Hirschfeld wieder aufgeführt wurde, konstatierten
viele Kritiker in ihm einen Vorläufer der Ionesco und Beckett: im mono-
logischen Aneinander-Vorbeireden (»Die Sprache reicht zur Verständigung
nicht aus«), in der absoluten Unfähigkeit der Figuren, irgendeinen Kontakt
zu finden»in ihrer trostlosen Vereinzelung«. Brecht bejaht Untergang und
Behauptung in einer sinnlosen Welt; sein ›Kampf‹ ist noch nichts anderes
als der scheiternde Versuch, die dem Menschen eingeborene Einsamkeit zu
durchbrechen; den klassenkämpferischen Inhalt wird er erst nach dem Studium des Marxismus erhalten.

Mann ist Mann. ›Die Verwandlung des Packers Galy Gay in den Militär-
baracken von Kilkoa im Jahre neunzehnhundertfünfundzwanzig‹. ›Lustspiel‹.
1924/25. Uraufführung am 25. September 1926 in Darmstadt. — Ein gutmütiger Individualist, der Packer Galy Gay, der »letzte Charakterkopf im
Jahre 1925« wird ›umgebaut‹, bis er in ein Kollektiv paßt, in die britische
Kolonialarmee in Indien, und als ›menschliche Kampfmaschine‹ eine Stadt in
Tibet erobert. In einen Militärberserker verwandelt wird er durch Bier und
Zigarren, durch Beteiligung an einem angeblichen Geschäft, durch Erpres-
sung und angebliche Erschießung — also durch rein materialistische Mittel. —

Was soll man daraus schließen? Die Witwe Begbick spricht es im Stück unmißverständlich aus: »... Herr Bertolt Brecht beweist auch dann, daß man
mit einem Menschen beliebig viel machen kann ... man kann, wenn wir
nicht über ihn wachen, ihn uns über Nacht auch zum Schlächter machen.«
Brecht, der Materialist, Skeptiker und Anarchist, war damals noch nicht *für*
etwas — er konstatierte nur befriedigt den Zerfall der Persönlichkeit, des
›Charakterkopfes‹.

Die Erfahrungen, die zwischen 1933 und 1945 zu sammeln waren, sind zu
teuer bezahlt, um hierauf nicht angewendet zu werden. Sie haben gelehrt,
daß man in der Tat mit sehr vielen Menschen beliebig viel und daß man
viele Menschen auch über Nacht zu Schlächtern machen kann. Zu den
Schwächen der Brechtschen ›Beweisführung‹ gehört jedoch, daß es nicht eben
schwierig ist, einen extremen Einfaltspinsel wie Galy Gay zum Schlächter zu
machen. Dieser Einwand wäre kindisch, bestünde Brecht nicht auf der All-
gemeingültigkeit seiner Parabel; von ihr war er so fest überzeugt, daß er

1936 allen Ernstes vorschlug, ›Mann ist Mann‹ zu ›konkretisieren‹: die Verwandlung Galy Gays nach Hitler-Deutschland zu verlegen, die Sammlung der Armee als einen Parteitag und den Elefanten als SA-Auto darzustellen. Dieser Vorschlag beweist, daß Brecht von den Soldaten einer modernen Armee wie von seinem Thema, der Verwandlung eines Menschen in eine ›Kampfmaschine‹, nicht die geringste Ahnung hatte: daß der Mensch durch rein materialistische Mittel in seinem Kern zu verwandeln sei, ist eine rührend romantische Vorstellung der Materialisten. Die Menschen in den modernen Armeen werden in ›Kampfmaschinen‹ verwandelt nicht durch Wehrsold, Gelegenheit zum Plündern, oder aus Furcht, exekutiert zu werden, sondern durch ideologische Mittel: durch das Bewußtsein, daß sie allein für die gerechte Sache kämpfen. Nur der Soldat, der mit bestem Gewissen glaubt, daß er aus ›Idealismus‹ töte, ist im Kampf wirklich brauchbar. Allgemeingültig an Brechts Parabel ist bestenfalls die allgemeine Warnung davor, die Stabilität eines friedfertigen Charakters zu überschätzen. Brechts Zynismus ist so virtuos, daß er wie alles Virtuose Spaß macht. Im übrigen aber ist der Spezialfall aus dem Jahre 1925 nur noch eine Anti-Militärklamotte von mäßiger Lustigkeit. Dennoch hatte Herbert Jhering, der Brecht-Verehrer, recht, als er nach der Uraufführung Brecht rühmte — er hatte die Entwicklung eines hochbegabten jungen Dramatikers im Auge. Aber auch Alfred Kerr, der Brecht so hoch nicht schätzte, hatte — von heute aus gesehen — recht, wenn er, nur dieses Stück im Auge, mißgelaunt schrieb: »Seid ehrlich: der Elefant, den zwei Schauspieler mit umwickeltem Gebein auf der Bühne vorturnten, dieser von Darstellern geschaffene Zirkusulk war die Höhe . . . nicht ein ungekonntes Dramengleichnis.«

Zwischenspiel: episches Theater, Verfremdung und dergleichen

›Mann ist Mann‹ gehört zu den ersten Versuchen Brechts mit dem ›epischen Theater‹. Darunter verstand er ein Theater, das nicht mehr — wie er es später ausdrückte — dem »bourgeoisen Rauschgifthandel«, dem »abgeschmackten Kulinarismus geistloser Augen- oder Seelenweiden« dient, sondern ein »Publikationsorgan« ist: eine Stätte der Demonstration und der Belehrung des Publikums. Brecht ist zwar — noch später, in seinem ›Kleinen Organon für das Theater‹ — von dieser strengen Absicht etwas abgerückt und hat einerseits ›Unterhaltung‹ und ›Vergnügung‹ als »die nobelste Funktion« des Theaters genannt, das ›Kulinarische‹ wieder zugelassen, andererseits aber ›Unterhaltung‹ und ›Vergnügung‹ doch wieder dem untergeordnet, was ihm nach wie vor als das wichtigste erschienen ist: das Theater »so nahe an die Lehr-

und Publikationsstätten zu rücken, wie ihm möglich ist«. Schlicht gesagt: der Genuß ist der Köder, mit dem der zu unterweisende Zuschauer ins Theater gelockt wird.

Damit das ›epische Theater‹ funktioniere, hat Brecht eine Unmenge Anregungen, die er aufgriff, wo er sie nur finden konnte, teils übernommen, teils ›umfunktioniert‹, hat dazu eine Menge Erfindungen gemacht, hat unermüdlich alles ausprobiert, was ihm für seine Zwecke nützlich erschien, hat die Ergebnisse seiner Versuche in umfangreichen theoretischen Schriften niedergelegt, immer bereit, sie nach neuen Experimenten zu revidieren, und ist darüber zu einem ungemein fruchtbaren Dramaturgen und Regisseur geworden, aber auch zum Kathederheiligen des ›epischen Theaters‹, dessen Schriften seinen Jüngern Anlaß zu den sich widersprechendsten Auslegungen bieten.

Eines aber ist seinen Tricks, woher er sie auch genommen und wie er sie auch verarbeitet haben mag, gemeinsam: sie sollen den Zuschauer dazu zwingen, gesellschaftliche Kritik an den Vorgängen auf der Bühne zu üben, sie sollen ihm die Einsicht vermitteln, daß die Welt veränderungsbedürftig ist und daß sie in der Tat verändert werden kann, und sie sollen ihn dazu engagieren, sich an der Veränderung der Welt zu beteiligen.

Damit der Zuschauer Kritik an dem Verhalten der Gestalten auf der Bühne üben kann, darf er mit ihnen nicht mehr ›kulinarisch‹ fühlen und empfinden, sondern muß immer wieder zum Abstand von ihnen und von seinen eigenen Gefühlen gezwungen werden. Hat er sich seelisch hineinreißen lassen in das Spiel, so muß er wieder herausgerissen werden, damit er über das Spiel nachdenken und es als allgemeines Beispiel betrachten kann. Mitzulieben ist er nur da, um schließlich gesellschaftskritisch mitzurichten.

Damit kein Zuschauer das Gefühl bekomme, im Theater werde ein Stück Alltag imitiert, in das er seelisch einkriechen könne, wird die ›Illusion‹ vertrieben: auf der Bühne befinden sich nur noch die Bauteile und Requisiten, die für das Spiel unbedingt gebraucht werden, die in ihm eine dramaturgische Funktion haben. Kein geschlossener Raum beispielsweise, sondern nur ein freistehender Türrahmen mit einer realistischen Tür — sie markiert den Eingang, man kann sie aufreißen und zuwerfen. Man soll sich immer bewußt bleiben, daß mit Theaterrequisiten Theater gespielt wird. Deshalb schon bei der Uraufführung von ›Trommeln in der Nacht‹, 1920, die Aufforderung an die Zuschauer: »Es ist ganz gewöhnliches Theater!« und »Glotzt nicht so romantisch!«

Damit der Eindruck des zum Denken vorgeführten Theaters verstärkt werde, ist die Bühne durch einen Halbvorhang abgeschlossen, die ›Brecht-Gardine‹, die der Bühnenbildner Caspar Neher, Brechts Schulfreund ›Cas‹

und wichtigster Mitarbeiter auf diesem Gebiet, schon 1926 bei der ›Mann ist Mann‹-Uraufführung in Darmstadt zum erstenmal benutzt hat: der Zuschauer erkennt über dem oberen Rand der geschlossenen Gardine, daß man dahinter umbaut, und wird doch beim Aufziehen von einem neuen Bild überrascht. Brecht ließ später auf die Gardine kurze, oft sarkastisch formulierte Inhaltsangaben der folgenden Szene projizieren; sie nehmen die brutale Neugierde auf das weg, was nun geschehen wird, und sollen die Spannung auf die Frage erhöhen: *Wie* wird es geschehen? Somit wird das Folgende als ein Beispiel, dessen Ausgang bekannt ist, der kritischen Begutachtung des Zuschauers ausgeliefert.

Auch der Schauspieler darf sich nicht mehr in seine Rolle einleben, sondern muß zugleich neben ihr stehen — nach dem Muster: Charles Laughton ist nicht Galilei, sondern »zeigt, wie er sich den Galilei denkt«, auf daß der Zuschauer zur Kritik an der Bühnenperson ermuntert werde, deren Verhaltensweise in einer bestimmten Situation der Schauspieler vorführt. Selbstverständlich wußten schon die Griechen im 5. vorchristlichen Jahrhundert, daß nicht etwa Oedipus persönlich in der Orchestra auftritt, sondern ein verkleideter Zivilist, der den Oedipus spielt, doch Brecht hat mit vielerlei Mitteln das Spielen einer Figur immer wieder in das Vorzeigen von Verhaltensweisen verändert. War der Schauspieler, der im naturalistischen Theater so tat, als sei er der Fuhrmann Henschel — überspitzt ausgedrückt — ein Versteller, so wird er bei Brecht zum Vorführer.

›Mann ist Mann‹ von Bert Brecht. Uraufführung, inszeniert von Jacob Geis, in Darmstadt, 1926. Der neunundzwanzigjährige Bühnenbildner Caspar Neher verwandte zum erstenmal den Halbvorhang, die ›Brecht-Gardine‹, die für Brechts Theater typisch geworden ist

Zu den gröberen Mitteln, ihn zum Vorführer zu machen, gehören das Benutzen von starren Masken, die stets als aufgesetzte Masken kenntlich sind; das bewußte Aus-der-Rolle-Fallen; das Ansprechen des Publikums durch Rede, Ballade oder Song — was schon zu Nestroys Zeiten in Hochblüte stand, zu vielen Formen des Volkstheaters gehört und von Brecht in seiner Münchener Studentenzeit bei dem genialen Komiker Karl Valentin (1882 bis 1948) gelernt werden konnte, mit dem er befreundet war und an dessen Darbietungen er 1919, die Klarinette spielend und die schicke Proletenmütze auf dem Kopf, mitgewirkt hat. An Valentin hat Brecht auch gewiß das Auseinanderfallen von Wort und Sinn begeistert, das einem Satz einen bitterbösen Sarkasmus im Gewande der Unschuld verleihen kann — Brecht ist ein Virtuose in diesem Fach geworden.

Bertolt Brecht.
Karikatur von Andrzej
Stopka, Polen

Er hat sich und das Theater bereichert unter anderem durch Rückgriffe auf Methoden der ostasiatischen Bühnen und auf das Agitations- und Propaganda-Theater des genialen sowjetischen Regisseurs Meyerhold (1874 bis 1940); er hat die Sprache der Lutherbibel, Arthur Rimbauds und der Zeitungs-Ausrufer mit Gewinn studiert. Was Norbert Jacques in seinen Lebenserinnerungen vom jungen Brecht erzählt — »Bert Brecht trug bei Schwanecke eine Mütze, die so kunstvoll proletarisch war, daß sie nur von einem teuern Mützenmacher stammen konnte, der auf die differenziertesten Absichten seines Kunden einzugehen imstande war« —, das trifft auch auf Brechts Theater zu: die kostbarsten Errungenschaften der Theatergeschichte sind ihm gerade gut genug, um aus ihnen eine kunstvolle Proletariermütze zu machen. Sie entzückt freilich vor allem das Bürgertum, während der Proletarier, soweit es ihn noch gibt, lieber einen bürgerlichen Hut tragen möchte.

Für alle diese von ihm systematisierten Methoden gebrauchte Brecht gern einen Begriff, der zum Modewort geworden ist: ›Verfremdung‹. Bekannte Vorgänge oder Menschen werden durch die beschriebenen und noch andere Mittel derart ›verfremdet‹, fremd gemacht, daß der Zuschauer sie wie zum erstenmal ganz neu und damit kritisch sieht. Er soll sich über vertraute Zustände, nachdem sie ihm auf der Bühne fremd gemacht worden sind, derart wundern, daß er beschließt, sie zu ändern. Und er soll sich auch über den Menschen wundern: »Wie er ist, muß er nicht bleiben«, meinte Brecht, »nicht nur, wie er ist, darf er betrachtet werden, sondern auch wie er sein könnte«, und: »Die neuen Verfremdungen sollten nur den gesellschaftlich beeinflußbaren Vorgängen den Stempel des Vertrauten wegnehmen, der sie heute vor dem Eingriff bewahrt.« Sinn des ›V-Effektes‹, des ›Verfremdungs-Effektes‹: den Zuschauer zum Eingriff in gesellschaftliche Vorgänge, zur Aktivität zu bewegen.

Das Theater wird im Extremfall auf diese Weise zu einer Art Volkshochschule für Vulgärsoziologie, die Schauspieler sind im Nebenamt Lehrgehilfen, das Publikum verwandelt sich in eine Schulklasse, und der Autor stößt es wie ein Dorfschullehrer alter Art immer wieder mit der Nase auf die Frage: Was können wir daraus lernen?

Je älter Brecht geworden ist, desto großzügiger ist er mit seinen Grundsätzen umgegangen. Er hat sich nicht nur auf den ›V-Effekt‹ verlassen, sondern auch die ›kulinarischen‹ Effekte des komödiantischen Theaters und die Erregungen des rüden Zirkus benutzt. Er ließ beispielsweise seine Grusche im ›Kaukasischen Kreidekreis‹ auf der Flucht über eine derart hohe und klapprige Brücke balancieren, daß der Zuschauer wie bei einem Drahtseilakt um das Leben der Schauspielerin zitterte. Doch hat er sich auch in seinen letzten Inszenierungen der Emotion nur zum Zweck der Demonstration bedient: das Gefühl nutzbar gemacht für den Gedanken; sein Theater — unübertrefflich an Präzision und Schönheit der Details — untergeordnet der aus ihm zu ziehenden Lehre.

In Paris ist Brechts ›Berliner Ensemble‹ beim ›Theater der Nationen‹ (erstmals 1954) triumphal gefeiert worden. Brecht hat seine Regie-Arbeit in bebilderten Publikationen bis in die kleinsten Einzelheiten erläutert, doch schon bald nach seinem Tod wandten sich Regisseure von seinen Modell-Inszenierungen ab, lösten sich unter dem Zorngeschrei der doktrinären Brechtomanen, die ihren Katheder-Heiligen verunstaltet sahen, von den ›V-Effekten‹ und erprobten den Komödianten Brecht. Vom Ergebnis solcher Versuche hängt seine Zukunft auf der Bühne ab.

Nach der Berliner Aufführung von ›Mann ist Mann‹, 1928, bei der die Soldaten durch Teilmasken und Riesenhände, durch Stelzen und Drahtbügel unter übergroßen Uniformen als Popanze und Ungeheuer erschienen, hatte Brecht nach zehn Jahren Arbeit für das Theater schon die wesentlichen Lehrmittel für seine neue Bühne beisammen — es fehlte ihm nur noch die Lehre, der Zweck, dem diese Mittel dienen sollten. Noch war er nur gegen und nicht für etwas. Die Veröffentlichung seiner ›Hauspostille‹ im Jahre 1927 markiert das Ende seines anarchistischen Jahrzehnts; sie enthält noch den in der Neuauflage 1950 stillschweigend unterschlagenen ›Gesang der Soldaten der Roten Armee‹ mit dem Kehrreim »Die Freiheit, Kinder, die kam nie« und dem Vers:

»Doch kämen jetzt die Himmel, / Die Himmel kämen ohne sie«, ohne die Soldaten nämlich der Roten Armee. Doch inzwischen hatte Brecht begonnen, den Marxismus zu studieren, was auch immer er oder sonst wer darunter verstehen mag, und damit die beherrschende Lehre für die Form gefunden, die er in den Grundzügen schon so lange beherrschte.

Der Brecht-›Marxismus‹ äußert sich in seinen Stücken durch die materialistische und atheistische Betrachtung der Welt; durch die Darstellung der Geschichte als einer Geschichte von Klassenkämpfen; durch die Versimpelung, daß alle Reichen grundsätzlich böse sind und die Armen wenn auch nicht gerade gut, so doch wesentlich besser; durch den Kinderglauben, daß der Arme, auf den Platz des Reichen gelangt, sich anständiger benähme als der Reiche; durch die auf vielerlei Weise und unermüdlich verkündete Meinung, daß die Welt verändert werden müsse; durch die Hoffnung auf ein durch permanente Weltveränderung zu erreichendes irdisches Paradies, das der alternde Brecht freilich auch nur noch am ›Sankt Nimmerleinstag‹ erblicken konnte.

Gemäß seiner Auffassung vom ›Marxismus‹, mußte er sich mit seinen Bühnenstücken ins Wirtschaftliche mischen, und davon hängt er nun ab: er ging — auch in seinen späten Arbeiten — vom Frühkapitalismus aus und von der Depressionszeit, die er in den zwanziger Jahren kennengelernt hatte: mit der Veränderung der wirtschaftlichen Verhältnisse nehmen sich auch seine Stücke verändert aus — ihre Lehre interessiert nur noch dort, wo die wirtschaftlichen Verhältnisse trostlos sind.

Nach seinem Studium des ›Marxismus‹ suchte Brecht die Wahrheit nicht mehr, denn er glaubte, er habe sie gefunden. Die Welt war für ihn durchschaubar und erklärbar geworden. Der irrationale Anarchist hatte sich der mörderischen Disziplin einer rationalen Heilslehre unterworfen. Nie mehr überprüfte er die Grundlagen seiner Wahrheit; er beschäftigte sich nur noch damit, sie immer wieder zu formulieren und zu verkünden wie — auf seine andere Weise — ein orthodoxer Katholik. Mit der Lehre kam sein Jahrzehnt der dürren, starren, dogmatischen und zum Teil unmenschlichen ›Lehrstücke‹, von etwa 1928 bis 1938, von der ›Dreigroschenoper‹, dem Übergangsstück, bis zum ›Leben des Galilei‹, mit dem die Synthese aus Doktrin und Anarchie beginnt.

In der *Dreigroschenoper* (Uraufführung 31. August 1928, Berlin, Theater am Schiffbauerdamm) führen sich wie in ihrem Vorbild, der englischen ›Beggar's Opera‹ von John Gay (1728), die Verbrecher wie die Bürger auf, um den Zuschauer zu der Schlußfolgerung zu bringen: da die Verbrecher durch bürgerliche Manieren und Methoden erfolgreich sind, müssen die bürgerlichen Methoden und Manieren verbrecherisch sein. Doch kein Mensch dachte

daran, diese ›gesellschaftskritische‹ Schlußfolgerung zu ziehen; im Gegenteil, das
Bürgertum genoß ›kulinarisch‹ die zynisch
formulierten, von Kurt Weill hinreißend
frech komponierten Songs und machte sie
in komplizenhaftem Einverständnis zu
Schlagern: »Erst kommt das Fressen, dann
kommt die Moral.« Die ›Dreigroschenoper‹ machte Brecht über Nacht berühmt.
Ein Jahr später kam der zweite Aufguß,
Happy End (Uraufführung 31. August
1929, Berlin, Theater am Schiffbauerdamm); die Handlung folgt angeblich
»inhaltlich einer Kurzgeschichte von Dorothy Lane, erschienen in J. L. Weekley
St. Louis. Die deutsche Bearbeitung stammt
von Elisabeth Hauptmann«. Dorothy
Lane aber existiert nicht, und Brecht hat
sich nur zur Autorschaft der von Kurt
Weill mit ›Dreigroschenoper‹-Qualität
vertonten ›Gesangstexte‹ bekannt. Dieses
Chicagoer Gangsterspektakel mit dem
Heilsarmeeleutnant Hallelujah-Lilian, der
Vorgängerin der ›Heiligen Johanna der
Schlachthöfe‹, enthält nur eine einzige
›antikapitalistische‹ Bosheit: wenn die
Gangster geschlossen in die Heilsarmee
eintreten, so in der Erkenntnis: »Was ist

*Figurine von Ita Maximovna zu
Brecht-Weills ›Dreigroschenoper‹,
inszeniert von Karlheinz Martin am
Berliner Hebbel-Theater, 1945*

ein Dietrich gegen eine Aktie, was ist ein Einbruch in eine Bank gegen die
Gründung einer Bank!«

Brecht sorgte dafür, daß er unmißverständlich wurde. In *Die Ausnahme
und die Regel* beispielsweise, einem ›Lehrstück‹ aus dem Jahre 1930 (Erste
Aufführung in Givath Chajim, Palästina, 1938) führt er eine Fabel aus
kolonialistischer Zeit abschnittsweise vor, damit auch ein Schwachsinniger
ihre Moral begreifen kann; jedes Szenchen hat seine Überschrift und beginnt
und endet wie eine Runde beim Boxkampf mit dem Gong; zwischen den
Gongschlägen verrichten die Darsteller ihre pädagogische Demonstrations-
arbeit. Ein Kaufmann treibt und schlägt einen Kuli durch die Wüste; er muß
sein Ziel früher als die ihn verfolgenden Konkurrenten erreichen, sonst ent-
geht ihm ein großes Geschäft. Als der Kuli, der es für natürlich hält, daß er

geschunden wird, denn dies ist die Regel, mit einer Wasserflasche auf den Kaufmann zugeht, um ihm zu trinken zu geben, wird er vom Kaufmann erschossen: der nämlich hält die Wasserflasche für einen Stein, mit dem ihn der Kuli erschlagen will, denn dies schiene ihm, dem Schinder, ganz natürlich und vernünftig — ein Mordversuch wäre in der Welt der Ausbeutung die Regel; eine Tat der Menschlichkeit aber wäre die unvernünftige Ausnahme. Folglich wird der Kaufmann auch wegen erwiesener Notwehr vom Richter freigesprochen, der da singt: »Die Regel ist Auge um Auge! Der Narr wartet auf die Ausnahme«, und der Schlußchor mahnt das Publikum: »Was die Regel ist, das erkennt als Mißbrauch. Und wo ihr den Mißbrauch erkannt habt, da schafft Abhilfe!«

Lehrhaft und kahl sind auch ›Das Badener Lehrstück vom Einverständnis‹ (1929), ›Der Jasager‹, ›Der Neinsager‹ (›Schulopern‹, 1929/30), ›Die Maßnahme‹, ›Die Mutter‹ nach Maxim Gorki (1930), ›Die Rundköpfe und die Spitzköpfe‹ (1932—34), die Szenen ›Furcht und Elend des Dritten Reiches‹ (1935—38), ›Die Gewehre der Frau Carrar‹ (1937) und ein Rückfall aus dem Jahre 1939, ›Das Verhör des Lukullus‹. Fülliger in Erfindung und Witz sind aus dieser Zeit ›Aufstieg und Fall der Stadt Mahagonny‹ (1928/29; eine Oper, komponiert von Kurt Weill) und ›Die Heilige Johanna der Schlachthöfe‹ (1929/30), doch gehören auch sie zum ›Agitprop‹, zum Theater der Agitation und Propaganda.

Das übelste (und formal beste) Stück dieser Serie ist *Die Maßnahme* (Uraufführung 10. Dezember 1930 durch den Arbeiterchor Groß-Berlin), ein ›Lehrstück‹. Vor dem ›Kontrollchor‹, dem Parteigericht, verantworten sich vier von Moskau nach China geschickte Agitatoren, die einen jungen chinesischen Genossen erschossen haben, und spielen ihren Fall dem Gericht als ›Theater auf dem Theater‹ vor. Die ›Schuld‹ des Genossen besteht darin, daß er den menschlichen Regungen des Mitleids, der Empörung und des Zorns nachgegeben hat, anstatt gemäß dem Parteibefehl zu agitieren, Konflikte mit der Polizei zu vermeiden und sich mit einem Wucherer gut zu stellen, mit dem die Partei ein taktisches Bündnis schließen will. Als er seine Maske zerreißt, die ein Symbol dafür ist, daß er seine Individualität der Partei geopfert hat und nur ein leeres Blatt ist, auf das »die Revolution ihre Anweisungen schreibt«, als er damit sein eigenes Gesicht wiederherstellt, von dem es ausdrücklich heißt, es sei »offen, menschlich und arglos«, wird er erschossen und in eine Kalkgrube geworfen. Der ›Kontrollchor‹ billigt diese ›Maßnahme‹, und der junge Genosse hat sie kurz vor seinem Tod auch gebilligt »im Interesse des Kommunismus . . . ja-sagend zur Revolutionierung der Welt«. — Prophetischer Brecht! — nach diesem Muster ist fünf Jahre später bei den Moskauer Prozessen die alte Garde der Revolution zum Einverständnis mit ihrer Liquidierung gebracht worden — ein Muster für alle totalitären und terroristischen Ideologien, die sich freilich zur offenen Brutalität dieses ›Lehrstücks‹ nicht zu bekennen wagen. Es ist nur ein schwacher Trost, daß Brecht in der ›Maßnahme‹ die Rolle des wegen Menschenfreundlichkeit liquidierten Chinesen selbst gespielt hat.

Die heilige Johanna der Schlachthöfe. 1929/30. Im Februar 1932 Hörspielfassung im Radio Berlin. Uraufführung am 30. April 1959 in Hamburg; Regie: Gustaf Gründgens; Bühnenbild: Caspar Neher; mit der Brecht-Tochter Hanne Hiob in der Titelrolle. — Johanna Dark (Jeanne d'Arc), Leutnant der ›Schwarzen Strohhüte‹, der Heilsarmee, versucht, die Seele des Chicagoer Fleischkönigs Pierpont Mauler zu erwecken; sie glaubt, daß die Armut mit Suppen und Frömmigkeit bekämpft werden kann, und sie glaubt an das Gute in jedem Menschen, auch im Ausbeuter Mauler, der den Fleischmarkt ruiniert, um mit diesem Börsenmanöver Millionen zu verdienen. Als Mauler sie von der Schlechtigkeit der Armen überzeugen will, antwortet sie: »Denn warum ist die Schlechtigkeit in der Welt? Natürlich, wenn jeder seinem Nächsten wegen einem Stück Schinken aufs Brot mit der Axt über den Kopf hauen muß, wie soll da der Sinn für das Höhere nicht ersticken in des Menschen Brust? Betrachten Sie doch einmal den Dienst am Nächsten einfach als Dienst am Kunden! . . . Heben Sie die moralische Kaufkraft, dann haben wir auch die Moral!« Johanna schreckt vor der Gewalt zurück und versagt deshalb (im Sinne Brechts): zu spät erkennt sie, daß ihre Mitschwestern sich vom Kapital bestechen lassen; zu spät wendet sie sich von Gott ab, und erst bei den Hungernden, die Mauler von der Arbeit ausgesperrt hat, erst im Todeskampf erkennt sie: »Es hilft nur Gewalt, wo Gewalt herrscht, und es helfen nur Menschen, wo Menschen sind.« Ihre korrumpierten Heilsarmee-Schwestern und die Kapitalisten beuten noch die Sterbende aus: sie übertönen ihre heilkräftige Botschaft der Gewalt und kanonisieren die Johanna, die ihre Klassenkampflektion noch nicht gelernt hat, als Heilige der Schlachthöfe, als Märtyrerin der christlichen Wohltätigkeit. — Brecht schrieb dieses revolutionäre Agitationsstück zur Zeit der Massenarbeitslosigkeit, nach dem großen Börsenkrach des Jahres 1929 und der Weltwirtschaftskrise. Seine Version der Jeanne d'Arc, diese Johanna Dark, die zu Klassenkampf und Terror bekehrt wird, sollte nebenbei 1931 die katholischen Feiern zum 500. Todestag der inzwischen heiliggesprochenen Johanna tödlich ironisieren. Wie Brechts chinesischer Genosse in ›Die Maßnahme‹ (siehe auch Seite 105) versagt Johanna, weil sie sich in einzelnen Taten der Menschlichkeit verzettelt, anstatt den Auftrag der Kommunistischen Partei zu erfüllen und sich den als notwendig erkannten Gewalttaten des Klassenkampfes unterzuordnen, doch

Johannas Tod. Lithographie zu Brechts ›Die heilige Johanna der Schlachthöfe‹
von Eberhard Dänzer, 1964

lernt sie, wenn auch zu spät, noch die Brecht-Botschaft, sich nicht auf Gott, sondern auf ihre Klasse zu verlassen, und dies mit aller Brutalität: »Darum, wer unten sagt, daß es einen Gott gibt / Und kann sein unsichtbar und hülfe ihm doch / Den soll man mit dem Kopf auf das Pflaster schlagen / Bis er verreckt ist.« Die Börsenmanöver schildert Brecht im Stil der Shakespeare-Historien und läßt die Spekulanten ihre Infamien in feierlichen Blankversen sprechen; er parodiert Schillers ›Jungfrau von Orleans‹ und den zweiten Teil des goetheschen ›Faust‹: »Mensch, es wohnen dir zwei Seelen / In der Brust! / Such nicht eine auszuwählen / Da du beide haben mußt«, so heißt es im kapitalistischen Schlußchor: »Halte die hohe, halte die niedere / Halte die rohe, halte die biedere / Halte sie beide!« Die Lehre des Stückes ist museal geworden; geblieben ist die Teilnahme am Leidensweg Johannas, sofern sie ein verzweifelt die Wahrheit suchendes, getäuschtes und irrendes Wesen ist; geblieben sind das zynische Vergnügen an der Vitalität und Gerissenheit des karikierten Kapitalisten-Kolosses Mauler und das Amüsement über den schneidenden Sarkasmus der literarischen Parodien (sofern die ärgsten Primitivitäten und Geschmacklosigkeiten gestrichen sind).

Die Rundköpfe und die Spitzköpfe oder Reich und Reich gesellt sich gern.
›Ein Greuelmärchen‹. 1932—34. Uraufführung am 4. November 1936 in
Kopenhagen. Deutsche Erstaufführung 21. Oktober 1962 in Hannover. — Die
rundköpfigen Machthaber des Landes Jahoo, die Tschuchen, machen die Spitzköpfe, die Tschichen, für das wirtschaftliche Elend verantwortlich und verfolgen sie. Am Ende tafeln die reichen Rundköpfe und die reichen Spitzköpfe
miteinander, und die Armen beider ›Rassen‹ baumeln gemeinsam am Galgen.
— Hitler diente Brecht als Modell für Iberin, den Erfinder der Rassentheorie
von den Rund- und Spitzköpfen. Das von Brechts Spezial-›Marxismus‹ ver-
blendete Gleichnis ist falsch: Rassenhaß und Rassenverfolgung, die hier als
kapitalistischer Trick verharmlost werden, waren (und sind) keineswegs nur
ein Vorwand für den Kampf der Reichen gegen die Armen. Das Stück ist in
der Tat nur ein Greuelmärchen. — Die Uraufführung fand 1936 in Kopenhagen statt — Brecht war damals in Dänemark, in der Emigration. Er war am
Tage nach dem Reichstagsbrand, am 28. Februar 1933, aus Deutschland
geflohen und wurde 1935 offiziell ausgebürgert.

Furcht und Elend des Dritten Reiches. 24 Szenen. 1935—38. Sieben Szenen
wurden am 21. Mai 1938 unter dem Titel ›99 %‹ in Paris uraufgeführt;
Regie: Brecht. Die amerikanische Fassung ›The Private Life of the Master
Race‹ konnte erst am 12. Juni 1945, nach der deutschen Kapitulation, in
New York aufgeführt werden. Deutsche Erstaufführung von sieben Szenen 1947 in Ost-Berlin. — Die Szenen beruhen auf ›Augenzeugenberichten
und Zeitungsnotizen‹. Sie sind direktes Agitations-Theater, ohne jede ›Verfremdung‹, wie bei Brecht sonst nur noch ›Die Gewehre der Frau Carrar‹.
Das Grauen lebt noch in den Szenen ›Die jüdische Frau‹ — sie verabschiedet
sich 1935 von ihren Bekannten, um nach Amsterdam zu fliehen; sie will ihren
›arischen‹ Mann verlassen, um ihn nicht zu gefährden, der sie schon lästig
findet: »Charakter, das ist eine Zeitfrage. Er hält soundso lange, genau wie
ein Handschuh« — und in geringerem Maße in ›Der Spitzel‹: Eltern fürchten
sich davor, daß sie von ihrem Sohn, einem Hitlerjungen, denunziert werden.

Die Gewehre der Frau Carrar. 1937. Uraufführung am 16. Oktober 1937 mit
Helene Weigel in Paris. Geschrieben »unter Benutzung einer Idee von
J. M. Synge« (in John Millington Synges Einakter ›Reiter am Meer‹, 1904).
— In Spanien, im April 1937, zu Beginn des Bürgerkrieges, will Frau Carrar
ihre revolutionär gesonnenen Söhne vom Kampf gegen Franco abhalten, da
ihr Mann im Krieg gefallen und sie religiös ist: »Wer zum Schwert greift,
wird durch das Schwert umkommen.« Als ihr Ältester beim friedlichen
Fischen von Faschisten erschossen wird, gibt sie die versteckten Gewehre

ihres Mannes heraus und bewaffnet sich selbst und zieht mit ihrem übrig
gebliebenen Sohn in den Krieg: »Das sind keine Menschen. Das ist ein Aussatz, und der muß ausgebrannt werden wie ein Aussatz.« — Brecht hat das
einaktige, wortkarg-heroische Rührstück im ersten Jahr des spanischen Bürgerkriegs ohne jede Verfremdungstechnik als Kampfaufruf und gegen Neu-
tralität geschrieben: »Es ist aristotelische (Einfühlungs-)Dramatik.«

Leben des Galilei. ›Schauspiel‹. 1938/39. Uraufführung am 9. September
1943 im Schauspielhaus, Zürich. 1946 hat Brecht das Schauspiel unter dem
Eindruck der Atombombe auf Hiroshima neu gefaßt, mit Charles Laughton
übersetzt und inszeniert; Uraufführung dieser Version im Coronet Theatre,
Los Angeles am 30. Juli 1947. Während der New Yorker Aufführung, am
7. Dezember 1947, war der in Washington vom Ausschuß zur Untersuchung
›unamerikanischen Verhaltens‹ verhörte Brecht im Flugzeug von New York
nach Zürich. — Ein Ausschnitt (von 1609 bis 1640) aus dem Leben des italienischen Mathematikers und Astronomen Galileo Galilei (1564–1642); er
will das neue Weltbild mit der Sonne im Mittelpunkt des Alls durchsetzen
und gerät mit der Kirche in Konflikt, die durch ihn die von Gott gesetzte
Anschauung der Welt gefährdet sieht. Galilei unterwirft sich der Inquisition,
widerruft nach dem Anblick der Folterinstrumente und gibt seine revolutionären Erkenntnisse heimlich weiter. — Die historischen Ereignisse liefern
Brecht den Stoff für sein Hauptthema: die Beziehungen zwischen Macht und
Wissenschaft. Brecht verlangt, daß die Vertreter der Kirche nicht gehässig
dargestellt werden; er selbst hat sich bei ihnen jeder Gehässigkeit enthalten:
es sind Leute mit diskutablen Grundsätzen, die zum Teil ihren Gegner heimlich oder gar offen bewundern. Die Kirche vertritt hier nur die Stelle jeder
Obrigkeit, der geistlichen und der weltlichen, der wissenschaftlichen und der
politischen. Galilei, ein skrupelloser Forscher aus Leidenschaft und ein sinnen-
froher Mensch, unterwirft sich der Macht, weil er für seine Arbeit Ruhe und
Hilfsmittel braucht und außerdem ein einigermaßen angenehmes Leben liebt:
»Mein Lieber, ich brauche Muße, und ich will die Fleischtöpfe.« Brecht schrieb
dieses Stück in Dänemark, in der Emigration, erschrocken über die Nachricht,
daß deutschen Physikern die Spaltung des Uran-Atoms gelungen war, und
so fragt er nach der Verantwortung des Wissenschaftlers vor der Gesellschaft.
Sein Galilei verurteilt sich selbst: »Ich halte dafür, daß das einzige Ziel der
Wissenschaft darin besteht, die Mühseligkeit der menschlichen Existenz zu
erleichtern. Wenn Wissenschaftler, eingeschüchtert durch selbstsüchtige
Machthaber, sich damit begnügen, Wissen um des Wissens willen anzu-
häufen, kann die Wissenschaft zum Krüppel gemacht werden ... Ich überlieferte mein Wissen den Machthabern, es zu gebrauchen, es nicht zu gebrau-

Entwurf zu Brechts ›Galileo Galilei‹, vermutlich für einen Vorhang; Deckfarben auf Seide. Aus dem Nachlaß von Caspar Neher

chen, ganz wie es ihren Zwecken diente. Ich habe meinen Beruf verraten. Ein Mensch, der das tut, was ich getan habe, kann in den Reihen der Wissenschaft nicht geduldet werden.« Dies ist die Ansicht Brechts, der jeder Wissenschaftler entgegenhalten wird, daß es keine wissenschaftlichen Fortschritte gibt, auf die doch auch Brecht Wert legt, ohne daß Wissen um des Wissens willen angehäuft wird. Dramaturgisch meisterhaft bewältigt Brecht das Problem, schwierige wissenschaftliche Fragen so zu vereinfachen, daß sie zu wirksamen Elementen des Theaters werden. Sein Galilei ist kein Märtyrer — er sagt: »Unglücklich das Land, das Helden nötig hat« und paktiert mit der Obrigkeit, die ihn zum Schweigen bringen will, betrügt und überlistet sie: seine ›Discorsi‹, seine umwälzenden Erkenntnisse, schreibt er in der Gefangenschaft der Inquisition und läßt sie in das freie Holland schmuggeln.

Mit jeder neuen Fassung des Stückes hat Brecht seinen Galilei schärfer verdammt. Im Vorwort zur zweiten, zur amerikanischen Fassung (nach der Atombombe) verwirft er Galilei, weil er die von ihm bereicherten Wissenschaften »zugleich eines Großteils ihrer gesellschaftlichen Bedeutung beraubte«: revolutionär in der Theorie, entzog er sich aus Feigheit der revolutionären Praxis; als Wissenschaftler versagte er vor der Macht. In der Atombombe sieht Brecht, der ihre Erfinder für Verbrecher hielt, »das klassische Endprodukt seiner wissenschaftlichen Leistung und seines sozialen Versagens«.

Über der Einstudierung des ›Galilei‹, dessen Verdammung in der dritten Fassung er noch stärker betont hatte, starb Brecht am 14. August 1956, vier Tage, nachdem er im ›Theater am Schiffbauerdamm‹ zum letzten Mal mit seinem ›Berliner Ensemble‹ probiert hatte; Erich Engel setzte seine Arbeit fort. Bei der glanzvollen Ost-Berliner Premiere fragte sich mancher, ob sich Brecht nicht — wie sein Galilei — den Machthabern verkauft habe, um sich damit eine einzigartige, wohldotierte Arbeitsmöglichkeit zu erkaufen, doch besteht kein Zweifel, daß Brecht grundsätzlich mit dem ›Sozialismus‹ östlicher Prägung einverstanden war.

Die extrem doktrinäre Epoche Brechts hatte ungefähr so lange gedauert wie seine anarchistische: ein Jahrzehnt. Mit dem ›Leben des Galilei‹ begann 1938 die Reihe seiner Stücke der Synthese. Es ist, als habe ihm der ›Baal‹ seiner Jugend, der große Asoziale, beim Schreiben über die Schulter geschaut: das Glücksverlangen seiner neuen Helden ist so groß, daß sie sich höchst undoktrinär benehmen und allerlei listige, durchaus anrüchige Kompromisse schließen, um zu überleben, und dies nach Möglichkeit mit etwas Komfort. Nur durch große Anstrengungen kann Brecht sie trotz ihrer gelegentlichen Amoralität wieder zu Lehrgegenständen machen: er muß ihnen ins Wort und in die lebendige Existenz fallen, um sie in Schaupräparate zu verwandeln. Sind sie durch den Komödianten Brecht uns ans Herz gewachsen, so versucht der Schulmeister Brecht, sie durch ›Verfremdungen‹ uns wieder vom Herzen zu reißen, auf daß wir sie aus einiger Entfernung mit dem Verstand begutachten können — doch nicht jeder Regisseur und Zuschauer macht diesen zweiten, den pädagogischen Schritt mit.

Der gute Mensch von Sezuan. Parabelstück. 1938—40. Uraufgeführt am 4. Februar 1943, Schauspielhaus Zürich. — Der ›Deus ex machina‹ eilt seit altersher am Schluß gewisser Theaterstücke den Menschen zu Hilfe, um eine verfahrene Situation zu klären und, kraft seiner Macht, die Weltordnung wieder einzurenken. Die drei Götter in Brechts Parabelstück dagegen flüchten am Schluß, vom Autor zur Ohnmacht verurteilt, in ihre rosa Wolkenmaschine, um in ihre Heimat, ins ›Nichts‹, zurückzukehren; die Welt hinterlassen sie in einem höchst ungeordneten Zustand. Diese Götter waren auf die Erde gekommen, um zu untersuchen, ob die Welt so bleiben kann, wie sie ist. »Die Welt kann bleiben, wie sie ist, wenn genügend gute Menschen gefunden werden, die ein menschenwürdiges Dasein leben können«, so lautet ihr Beschluß. Das Ergebnis: sie finden nicht einen einzigen. Denn auch der gute Mensch, auf den die Götter all ihre Hoffnungen gesetzt haben, die gutherzige Prostituierte Shen Te in Sezuan, kann nur dann menschenwürdig leben, wenn sie sich, bedrängt von Gläubigern und schmarotzenden Armen, mittels Maske immer mal wieder in ihren hartherzigen Vetter Shui Ta verwandelt, der das böse Spiel der kapitalistischen Welt mitmacht. Als gutherzige Shen Te kann sie nicht einmal für das Kind sorgen, das sie erwartet; als hartherziger Vetter Shui Ta dagegen kann sie die Arbeitskraft der Armen in ihrer Fabrik ausbeuten, kann sie zwar nicht moralisch, aber finanziell ›menschenwürdig‹ leben. Am Schluß liegt dieser verhinderte gute Mensch verzweifelt auf den Knien und schreit um Hilfe, doch die Götter empfehlen ihm lächelnd, wie bisher weiterzuleben und, wenn es denn sein muß, aber »nicht zu oft«, böse zu werden. Folgt ein Epilog an die Zuschauer; eine Aufforderung, die Lehre daraus zu ziehen; eine dringende Bitte, einen guten Schluß zu finden: »Was könnt die Lösung sein? Wir konnten keine finden, die gefällt. Soll es ein andrer Mensch sein oder eine andre Welt? Vielleicht nur andre Götter? Oder keine?«

Mit den abschließenden Fragen hat Brecht seine alte Forderung erfüllt, »dem Zuschauer eine fruchtbare Kritik vom gesellschaftlichen Standpunkt aus zu ermöglichen«. Und diese Kritik suggeriert die alte Antwort: beim derzeitigen Zustand der Welt ist ein menschenwürdiges Leben nicht möglich, also muß die Welt geändert werden, und zwar von den Menschen. Die Götter sind dabei gleichgültig. »In das Wirtschaftliche«, stellt einer von ihnen trocken fest, »können wir uns nicht mischen.« Wohl aber der Mensch, er kann es und soll es.

Diese Lehre, sofern sie an eine Welt adressiert wird, in der nur noch die Betreuer der Arbeitslosen arbeitslos sind, trifft ins Leere. Wenn auch in dieser Welt der satten Mägen die Gebote der Nächstenliebe nicht ausreichend befolgt werden — woran kein Zweifel ist — so liegt dies nicht am Zustand der Welt, sondern am Zustand der Menschen. Es ist genau umgekehrt wie bei Brecht: nicht die Verhältnisse sind unzulänglich, sondern die Menschen — sie sind auch dann nicht sehr willig, die Gebote der Nächstenliebe zu befolgen, wenn sie finanziell dazu in der Lage wären.

Und doch gibt es Sezuan: es liegt auf der Bühne, es ist Theaterland, eine Phantasieprovinz wie Shakespeares meerumrauschtes Böhmen, ohne freilich die Wirklichkeitsnähe Shakespeares, der den Menschen noch als ein unausschöpfbares Ganzes dargestellt hat und nicht als ökonomische Abstraktion. Sezuan ist eine romantische Legende aus einer marxistischen Fibel für Erstklässer, ein Weihnachtsmärchen für sentimentale Weltrevolutionäre, und da die Weltrevolutionäre selten sentimental sind, haben sie von Brecht nie viel gehalten. Doch wer nicht lange danach fragt, ob er in einem der Bühne vergleichbaren Sezuan lebt; wer sich allein an die durch das Theater geschaffene Bühnenrealität hält und ihre Voraussetzungen schluckt, der kann schon seinen Spaß haben: am Spiel als Spiel, an der Doppelrolle, der Hosenrolle, dem alten Komödiantentrick. Brecht, dem Schulmeister, hat die wirtschaftliche Entwicklung fürs erste die Note ›ungenügend‹ erteilt. Es fasziniert allein Brecht, der Theatermann: von seinem sozialkritischen Mantel- und Degenstück sind allerdings nur noch Mantel und Degen interessant.

›Der gute Mensch von Sezuan‹ von Bertolt Brecht. Entwurf von Caspar Neher aus
dem Jahr 1956 für ›Wangs Nachtlager in einem Kanalrohr‹;
aus dem Bertolt-Brecht-Archiv, Berlin

Mutter Courage und ihre Kinder. ›Eine Chronik aus dem Dreißigjährigen
Krieg‹. 1939. Uraufgeführt am 19. April 1941 im Zürcher Schauspielhaus. —
Die Marketenderin Anna Fierling, genannt ›Mutter Courage‹ (aus Grimmels-
hausens Roman ›Die Landstörtzerin Courasche‹, 1670), zieht mit ihrem
Planwagen, zunächst begleitet von zwei Söhnen und einer Tochter, zwischen
1624 und 1635 kreuz und quer durch Mitteleuropa und geht ihren Geschäften
nach. Sie ist robust, verfügt über Mutterwitz und Schlagfertigkeit, sie handelt
mit Evangelischen und Katholiken: Geschäft ist Geschäft, und sie meint, der
Krieg sei unter allen Geschäften das größte. Sie läßt sich den Krieg nicht
»madig« machen, er »nährt seine Leut besser« als der Frieden. Sie verliert
durch den Krieg ihre Kinder und hat am Ende doch nichts dazugelernt.

Der Pazifist Brecht benutzt diese Chronik, um das Wesen des Krieges zu
treffen: die Erlebnisse der Mutter Courage und ihrer Bekannten ergeben
exemplarische Szenen. Da wird einer Soldat, wird, was dasselbe ist, Bauern-
schinder und Räuber und kann's auch im Frieden nicht lassen; da ist einer
dumm, aber redlich, was unter dem Gesichtspunkt des Krieges wiederum
dasselbe ist, und wird erschossen; da kommt eine im Krieg unter die Männer
und unter die Räder, was abermals dasselbe ist, versteht sich aber zu betten
und kommt also auch gut zu liegen; da begeht eine die große, anständige Tat
ihres Lebens und wird erschossen. Die Courage-Tochter Kattrin, die in ihrer

Kindheit von Soldaten stumm gemacht worden ist, trägt das schlimmste
Schicksal: in ihrer unerfüllbaren Sehnsucht nach einem Mann, in ihrer Liebe
zu Kindern, in ihrer ständigen Bereitschaft, sich für andere aufzugeben, kann
sie nur lallen und schluchzen.

*Im Oktober 1950 inszenierte Bertolt Brecht sein Stück ›Mutter Courage und ihre
Kinder‹ in München, benutzte dabei das Modell seiner Inszenierung am Ostberliner
Deutschen Theater (1949), doch nahm er auch jede neue Lösung an, wenn sie ihm
gut erschien. Bei den Proben skizzierte Teo Otto neue Figurinen
und Masken für die Münchener Aufführung*

Die innere Wahrheit der Courage, die sich mit allen Mitteln im Krieg behauptet, die alles verliert und aus dem Krieg doch nichts lernt, diese Wahrheit eines Dichters, der einen lebendigen Charakter geschaffen hat, brachte
Brecht schon bei der Zürcher Uraufführung im zweiten Weltkrieg in arge
Verlegenheit: daß die Lebenskraft dieser Mutter Mitgefühle erweckte und
gerühmt wurde, war dem Belehrer Brecht peinlich, und er schrieb noch
einige Szenen dazu, um die Skrupellosigkeit der Courage zu unterstreichen:
sie soll vom Zuschauer nicht geliebt, sie soll verurteilt werden. »Dem Stück-
schreiber obliegt es nicht, die Courage am Ende sehend zu machen«, kommentierte Brecht, »ihm kommt es darauf an, daß der Zuschauer sieht.«

Herr Puntila und sein Knecht Matti. ›Volksstück. Geschrieben nach den Erzählungen und einem Stückentwurf von Hella Wuolijoki‹. 1940/41. Uraufführung am 5. Juni 1948 im Schauspielhaus Zürich. — Der Gutsbesitzer
Puntila ist ein ordinärer, aber herzhafter, ein alle Welt umarmender, die
ganze Welt liebender, ungemein sympathischer Kerl, solange er besoffen ist.
Hat er aber einen seiner ›Anfälle‹ grauenvoller Nüchternheit, so ist er
tückisch, filzig, bösartig, ein blutsaugerischer Kapitalist. Im Suff hat er Matti
als Chauffeur engagiert, verlobt er sich mit gleich vier Mädchen, will er
Matti als Schwiegersohn haben statt eines lächerlichen und grotesken At-
tachés. Matti freilich kann die Gutsbesitzerstochter nicht gebrauchen: bei
einer Prüfung erweist sie sich als ungeeignet, einen Chauffeur zu heiraten,
weil ihr alle Tugenden einer Proletarierfrau fehlen. In einer der großartigsten
Saufszenen der deutschen dramatischen Literatur soll Puntilas Patriotismus
entlarvt werden als der Patriotismus eines Mannes, der eben das Land besitzt, für das er schwärmt, und auf ihm herrscht wie ein Despot. Matti verläßt ihn: »Der Schlimmste bist du nicht, den ich getroffen / Denn du bist fast
ein Mensch, wenn du besoffen ... 's wird Zeit, daß deine Knechte dir den
Rücken kehren. / Den guten Herrn, den finden sie geschwind / Wenn sie erst
ihre eignen Herren sind.«
Die beiden letzten Zeilen waren sogar Brecht bei seiner Inszenierung mit
dem ›Berliner Ensemble‹ (1949) zu plump; er änderte: »Es hilft nichts und
ist auch die Trän nicht wert, / 's wird Zeit, daß dir dein Knecht den Rücken
kehrt.« Im übrigen aber gab er sich alle Mühe, durch ›Verfremdungen‹,
groteske Torkeleien des besoffenen Puntila, der letzten Szene, Puntilas
rauschhafter Liebe zu Finnland, alle Poesie auszutreiben zugunsten der Kritik
am Gutsbesitzer, der nur von seinen eigenen Gütern schwärmt. Sobald das
Stück (gegen den Willen Brechts) komödiantisch gespielt wird, schlägt Puntila als Charakter alle sozialkritischen Absichten nieder und verblaßt Matti
zu einem humorlosen Tugendprediger. — »Puntila«, Oper von Paul Dessau,
uraufgeführt am 15. November 1966 an der Ost-Berliner Staatsoper.

Der aufhaltsame Aufstieg des Arturo Ui. 1941. Aus dem Nachlaß; von Brecht
nicht endgültig redigierte Fassung. Uraufführung am 10. November 1958 in
Stuttgart. — Brecht schrieb diese ›große historische Gangsterschau‹ in Finnland wie eine elisabethanische Historie in Blankversen und nutzte (nach
seiner ›Heiligen Johanna der Schlachthöfe‹) abermals den großen Stil, um
die Kleinheit der Leute ironisch zu unterstreichen, die ihn gebrauchen; er
dachte an eine Aufführung 1941 in Amerika, das er als nächstes Fluchtziel
schon ins Auge gefaßt hatte (und nicht etwa Moskau). Er betrachtete dieses
›Gangsterspektakel‹ als einen »Versuch, der kapitalistischen Welt den Auf-

stieg Hitlers dadurch zu erklären, daß er in ein ihr vertrautes Milieu versetzt wurde«. Dabei versimpelt Brecht den ›Aufstieg Hitlers‹ (von 1932 bis 1938) zu einem Geschäftsmanöver zwischen dem alten, bestechlichen Biedermann Dogsborough (Hindenburg), dem Gangster Arturo Ui (Hitler) und dem ›Trust‹ (den ostelbischen Krautjunkern und den Industrie- und Bankmagnaten). Dem Trust geht es darum, die Preise für ›Karfiol‹ (so nennt man in Österreich den Blumenkohl) den Gemüsehändlern zu diktieren, denen der mit dem Trust verbündete Gangster Ui seinen ›Schutz‹ aufzwingt. Der ›Speicherbrand‹ ist der Reichstagsbrand; der Gemüsehändler ›Dullfeet‹ der von den Nationalsozialisten erschossene österreichische Bundeskanzler Engelbert Dollfuß; der Geist ›Romas‹ (eine Travestie von Banquos Geist aus Shakespeares ›Macbeth‹) ist der Geist Ernst Röhms, des ›Stabschefs der SA‹, den Hitler erschießen ließ; ›Giri‹ ist Göring, ›Givola‹ Goebbels usw. Ui triumphiert, und verzweifelt schreit eine blutüberströmte Frau: »Wo seid ihr? Helft! Stoppt keiner diese Pest?«

Die Schlußfrage ruft nach dem Volk, das im Stück sonst nicht vorkommt: 44 Prozent der Wähler hatten am 5. März 1933 für Hitler gestimmt, die Österreicher jubelten beim ›Anschluß‹ durchaus freiwillig, und dies paßte nicht in Brechts ›marxistische‹ Theorie, daß Hitler seinen Aufstieg allein der Hilfe des Großkapitals zu verdanken habe — es hat ihm zweifellos außerordentlich geholfen, doch besaß er auch, zusammen mit den Deutschnationalen, eine gewählte Mehrheit im Reichstag und den Zulauf fanatisierter Massen. Wie beruhigend, wenn das Volk gegen Hitler immun und er tatsächlich nur eine Kreatur des Kapitalismus gewesen wäre — Brecht irrt wie immer, wenn er die wirtschaftlichen Verhältnisse und kapitalistische Schiebereien für alle menschlichen Gebrechen und unmenschlichen Verbrechen verantwortlich macht.

Das für Propaganda-Zwecke im Kriege flüchtig geschriebene Zeitstück zerstört immerhin den ›Respekt vor den Tötern‹, den Mythos der ›großen Männer‹, indem es die Machtgangster der Lächerlichkeit preisgibt — einem höchst unbehaglichen Gelächter unter den Schaudern des Entsetzens. Darin hat das Pamphlet seine Meriten und in der Kraft der Warnung: »So was hätt fast einmal die Welt regiert! / Die Völker wurden seiner Herr, jedoch / Daß keiner uns zu früh da triumphiert — / Der Schoß ist fruchtbar noch, aus dem das kroch.«

Die Gesichte der Simone Machard. Geschrieben 1942/43 in Kalifornien ›unter Mitarbeit von Lion Feuchtwanger‹. Aus dem Nachlaß. Uraufführung am 8. März 1957 in Frankfurt am Main. — Nach der ›Heiligen Johanna der Schlachthöfe‹, 1929/30, nutzt Brecht zum zweiten Mal die Geschichte der

Jungfrau von Orleans; das drittemal, 1952, bearbeitete er für sein ›Berliner Ensemble‹ ein Hörspiel, das Anna Seghers nach dem Prozeßprotokoll und zeitgenössischen Berichten geschrieben hatte: ›Der Prozeß der Jeanne d'Arc zu Rouen 1431‹, uraufgeführt im Januar 1953 in Ost-Berlin. — Die Geschichte der Jungfrau von Orleans macht Brecht anwendbar auf die Situation Frankreichs im Juni 1940. In der Hostellerie eines mittelfranzösischen Städtchens ist das etwa elfjährige Mädchen Simone Machard beschäftigt; sie sieht sich beim Heranrücken der deutschen Truppen und nach der Lektüre der Legende von der heiligen Johanna in ihren Träumen als Jungfrau von Orleans. Die Personen der realistischen Szenen tauchen in angedeuteten historischen Kostümen in den Traumszenen wieder auf: der Maire des Städtchens als König Karl VII., ein Offizier und Weingutsbesitzer als Herzog von Burgund, der Patron der Hostellerie als Connétable, seine Mutter als Königinmutter, Angestellte der Hostellerie als Volk. Realistische und Traumszenen durchdringen sich. Der Traumkrönung des Königs und der Einigung Frankreichs entspricht die reale Hilfe, die Simone dem Maire leistet: durch sie wird ihr Patron gezwungen, Lebensmittelvorräte und Lastwagen für Flüchtlinge zur Verfügung zu stellen. Dem Ritterschlag Johannas im Traum, bei dem ihr das Schwert abgenommen wird, entspricht die Heuchel-Lobrede der Patronne, die Simone den Schlüssel zu den Vorräten wieder abnimmt. Der Verurteilung Johannas durch das geistliche Gericht im Traum entspricht die Verurteilung Simones durch ihre Landsleute und ihre Einweisung in eine Schwachsinnigen-Anstalt der Ursulerinnen. Von bitterem Sarkasmus sind die gesellschaftskritischen Pointen der Episoden: wie etwa unter dem Leitmotiv ›reich und reich gesellt sich gern‹ (aus Brechts ›Die Rundköpfe und die Spitzköpfe‹) die Zusammenarbeit der besitzfreudigen Franzosen mit der deutschen Besatzungsmacht dargestellt wird, oder wie ausgerechnet von den Menschen, die ausschließlich von persönlichen Motiven geleitet werden, der Simone, die ausschließlich von überpersönlichen Motiven geleitet wird, bei ihrer Verurteilung persönliche Motive unterschoben werden — die schneidend höhnische Umkehr von Sein und Schein. Die Enthüllung des Geschäfts, das mit patriotischen Phrasen getrieben wird, ist bitterster, bester Brecht. Höchst fragwürdig dagegen wird die Gestalt der Simone; ihre Aufträge erhält sie von einem Engel, der auf dem Garagendach erscheint und für Simone die Züge ihres an der Front kämpfenden oder vielleicht schon gefallenen Bruders trägt; solange ihr Auftrag sich auf humane Hilfe beschränkt, ist Simone, das reine Kind, ergreifend. Sobald sie jedoch vom Engel aufgerufen wird — »Geh hin und zerstöre!« —, die Taktik der verbrannten Erde zu praktizieren und durch das Anzünden eines Benzinlagers das Signal für Feuersbrünste gibt, wird vor diesem Kind jeder erschauern, der die verbrannte Erde und Kinder als in heiligem Eifer zerstörende Werwölfe und Partisanen erlebt hat. Das bleibt auch dann unmenschlich, wenn das Recht auf der Seite ist, auf der die Kinder kämpfen. Der von Brecht rührend glorifizierte patriotische Würge-Engel mag, in jenen Tagen auf den Spezialfall Frankreich angewandt, als Impuls eines Zeitstücks begreifbar sein; heute jedoch kann das Stück der nutzbar gemachten Jungfrau von jedem Verteidigungsministerium praktisch angewandt werden, wenn es ihm nur gelingt, den jeweiligen Feind als genügend barbarisch glaubhaft zu machen. Erschreckend ist ein brandlegendes Kind immer, gleichgültig, ob es gegen Deutsche, Franzosen, Diktaturen oder Demokratien kämpft.

Schweyk im zweiten Weltkrieg. 1941—1944. Aus dem Nachlaß. Uraufführung 1957 in Warschau. Westdeutsche Erstaufführung am 22. Mai 1959 in Frankfurt am Main. — Deutsche Erstaufführung 1. März 1958, Erfurt. Der brave Soldat Schweyk (des tschechischen Schriftstellers Jaroslav Hasek, 1921) wird von Brecht in den zweiten Weltkrieg versetzt: in seine Stammkneipe im besetzten Prag; ins Gestapo-Hauptquartier, aus dem er sich mit seiner gerissenen Idioten-Tour herausschwindelt; in die Moldau-Anlagen, wo er den Hund eines Kollaborateurs für einen SS-Führer stiehlt; auf den Güterbahnhof, wohin er vom ›Arbeitsdienst‹ gezwungen worden ist; schließlich auf den Weg nach Stalingrad, auf dem ihm die Erscheinung Hitlers begegnet, die er, wohin sie auch will, zurückpfeift, und dabei überlegt er sich, »ob ich jetzt auf dich schieß' oder fort auf dich scheiß'«. Ungemein amüsant sind die Taten und Meinungen des Hundehändlers Schweyk, der, »beschäftigt mit Überleben«, gerade dann innerlich triumphiert, wenn er sich äußerlich scheinbar unterwirft, und der gerade dann das Unrecht seiner Gegner bloßlegt, wenn er ihnen mit seiner doppeldeutigen Dialektik scheinbar recht gibt.

Hätte Schweyk wirklich gelebt, so hätte er freilich schon seine ersten Äußerungen nicht lange überlebt. Verschwunden im Konzentrationslager wäre nicht weniger schnell auch sein verfressener Kumpan Baloun, verschwunden wären die Gäste der Kneipe, die mittels eines Volkstanzes die SS aus dem Lokal hinausschubsen. Alle diese Leute wirken durch ihre bloße Existenz, die der brave Schweyk mit seinen kleinen Pfiffigkeiten immer wieder zu retten vermag, an der nachträglichen Verharmlosung der Hitler-Diktatur und des Krieges mit, die Brecht natürlich nicht beabsichtigt hat.

Mitten im Kriege, 1943, nach Stalingrad, mögen ihm auch seine ›Zwischenspiele‹ recht wirkungsvoll erschienen sein: da treten ›in den höheren Regionen‹ Hitler und seine Paladine auf, doch auch von diesen dämonischen Schießbudenfiguren, die Brecht im ›Stil des Gruselmärchens‹ zeichnen wollte, ist nur noch die komische und relativ harmlose Schießbude wirksam geblie-

ben. Die Geschlossenheit einer dramatischen Welt, wenn sie szenisch derart
effektvoll gebaut ist, versehen mit pointierten Dialogen und Liedern, die
große Lyrik sind (›Und was bekam des Soldaten Weib‹, ›Vom schwarzen
Rettich‹, ›Das deutsche Miserere‹, ›Von der Moldau‹) kann auf der Bühne
darüber hinwegtäuschen, daß sie weder im Grundsätzlichen noch gar in zahl-
losen verzeichneten Einzelheiten mit der erfahrenen realen Welt übereinstimmt, die sie doch treffen will. Über gutgemachte lebenskluge Hundefänger
und hungernde Freß-Säcke lacht man immer, selbst wenn sie sich in einem
schiefliegenden Panoptikum bewegen.

Der Kaukasische Kreidekreis. 1944/45. Uraufführung 7. Oktober 1948, USA,
Carlston-College, Northfield/Minn. Deutsche Erstaufführung 9. November
1954, Ost-Berliner ›Theater am Schiffbauerdamm‹; Regie: Brecht. Westdeutsche Erstaufführung am 28. April 1955 in Frankfurt am Main. — Den
Streit zweier Frauen um ein Kind entschied der weise Salomon, indem er
drohte, das Kind zu teilen und jeder Frau die Hälfte zu geben: die Frau, die
das Kind lieber der andern als dem Schwert überlassen wollte, mußte naturgemäß die richtige Mutter sein, und ihr wurde das Kind auch zugesprochen.
Entsprechendes geschieht in der chinesischen Legende vom Kreidekreis: nur
soll das Kind hier nicht getötet werden, sondern es wird in einen Kreidekreis
gestellt, und beide Frauen versuchen, es heraus- und auf ihre Seite zu zerren
— die richtige Mutter überläßt es wiederum lieber der falschen, als daß es
ihm weh täte. — Brecht hat in seinem ›Kaukasischen Kreidekreis‹ die Geschichte auf den Kopf gestellt und dies sozialkritisch gerechtfertigt. Bei ihm
ist die richtige Mutter des Kindes die hartherzige Frau des Gouverneurs, die
im Kriege zwar ihre Kleider in Sicherheit bringt, ihr Kind aber liegen läßt.
Die Magd Grusche rettet das Kind, das als Erbe getötet werden soll, vor den
Verfolgern. Sie erduldet des Kindes wegen Schreckliches, opfert sogar für
dieses Kind ihren geliebten Verlobten und heiratet einen ungeliebten Wüte-
rich. Nach dem Kriege will die Frau des Gouverneurs ihr Kind wieder, da sie
nur über das Kind an das Erbe gelangen kann, aber die Magd Grusche, die
das Kind aufgezogen hat, will es nicht mehr hergeben. Die Probe des ›Kreide-
kreises‹ erweist, daß die Pflegemutter die ›richtige‹, die leibliche Mutter dagegen die ›falsche‹ Mutter ist.

Innerhalb dieser Fabel muß man dem Urteil, obwohl es rechtlich falsch ist,
von Herzen zustimmen: es ist ein Spezialfall, bei dem die leibliche Mutter
durch ihre Unmütterlichkeit das moralische Recht auf ihr Kind verwirkt hat.
Die teils beißend sarkastischen, teils humorprallen Szenen, im Legendenstil
aneinandergereiht, besitzen alle Vorzüge des Dichters Brecht. Dem Doktrinär
Brecht freilich kommt es auf diesen Spezialfall einer rührenden Magd und

einer Rabenmutter nicht an: ein Vorspiel, das den Streit zweier Kolchosen um ein Tal behandelt, macht die Lösung des Spezialfalls Grusche, der man zustimmen muß, zu einer Musterlösung von allgemeiner Gültigkeit, die auf den Fall der Kolchosen angewandt wird und als ›eine neue Art Weisheit‹ auch auf andere Situationen übertragen werden soll. So harmlos die Moral klingt »Die Kinder den Mütterlichen, damit sie gedeihen / Die Wagen den guten Fahrern, damit gut gefahren wird / Und das Tal den Bewässerern, damit es Frucht bringt«, so gefährlich ist sie in der Verallgemeinerung: wie sie gemeint ist, hat das Programmheft der Ost-Berliner Uraufführung unmißverständlich formuliert: »Das Muttertum wird — anstatt biologisch — nunmehr sozial bestimmt.«

Diese ›neue Art Weisheit‹, die dem Publikum durch das Vorspiel als allgemeingültig nahegebracht wird, könnte rechtfertigen, daß der Staat, der mit dem Anspruch auftritt, für die Kinder sozial viel besser zu sorgen als die ›biologische Mutter‹ (das ›Muttertier‹ hat Brecht schon seine ›Courage‹ genannt), den Eltern die Kinder wegnimmt, um sie im Sinne ›sozial bestimmten Muttertums‹ zu erziehen; sie rechtfertigte ferner das Treiben der ›Volksrichter‹, als deren einer der weise Richter Azdak im Stück erscheint: auch dieser herrlich erfundene Eulenspiegel hat in allen geschickt konstruierten Spezialfällen moralisch recht — die durch das Stück suggerierte Verallgemeinerung seiner Methode aber rechtfertigte jede Rechtsbeugung.

Die Tage der Commune. Geschrieben 1948/49 in Zürich. Von Brecht nicht endgültig redigierte Fassung. Uraufführung 17. November 1956 im ›Städtischen Theater Karl-Marx-Stadt‹ (Chemnitz). – In der bilderbogenhaften Darstellung des Aufstandes der Pariser Kommune im Frühjahr 1871 betont Revolutionstheoretiker Brecht, daß die gemäßigten Revolutionäre vernichtet werden, weil sie ihre Feinde nicht rechtzeitig vernichtet haben. In der flachen Fresko-Malerei dieser dramatisierten Akten ist Brecht als Dramatiker kaum zu spüren, um so stärker als Prediger des radikalen Klassenkampfes.

Turandot oder der Kongreß der Weißwäscher. 1954. Aus dem Nachlaß. Uraufführung 5. Februar 1969, Schauspielhaus Zürich, durch Benno Besson. – Wer Turandot, die Tochter des chinesischen Kaisers, heiraten will, der muß Rätsel lösen oder er wird geköpft. Bei Gozzis *Turandot* (1762) geht es um Liebe und Tod; bei Brecht um Geschäft und Tod: von den Freiern muß die Lösung eines kapitalistischen Rätsels durch falsche Lösungen verschleiert werden. Der Kaiser hat das Baumwollmonopol und läßt die Baumwolle zurückhalten, damit die Preise steigen. Das Rätsel: Wo steckt die Baumwolle? Der Löser muß eine Erklärung erfinden, mit der man die Baumwollspeku-

lation des Kaisers tarnen kann: »Ein Meister ist nötig, um zu beweisen, daß
zwei mal zwei fünf ist.« Dafür werden Intellektuelle gebraucht, hier »Tuis«
nach den Anfangsbuchstaben von Tellekt-Uell-In. Diese Meinungshuren
kommen zum ›Kongreß der Weißwäscher‹, um den Kaiser vorm Volk weiß-
zuwaschen und Turandot zu gewinnen, doch ihre Erklärungen sind ungenügend, sie werden geköpft. Nun übernimmt der Straßenräuber Gogher Gogh
(ein ungeistiger Verwandter von Arturo Ui) die Macht, läßt die Frage nach
der Baumwolle verbieten, die Hälfte der Baumwolle zwecks Preissteigerung
verbrennen und schiebt die Brandstiftung den Gegnern des Kaisers in die
Schuhe. Als Gogh Turandot heiraten will, rückt die Revolution näher, geführt von Kai Ho, dem Revolutionär im Hintergrund (den Brecht nicht auftreten läßt); seine Soldaten vertreiben den Kaiser und die Räuberclique. –
An »Turandot« hat Brecht schon in den dreißiger Jahren geschrieben: mit
seinen »Tuis« wollte er die Intellektuellen treffen, die, wie Brecht meinte,
den Kapitalismus weißwuschen statt sich der kommunistischen Revolution
anzuschließen, bis sie vom Räuber Hitler, dem Retter des Kapitalismus, verfolgt wurden. Brechts Attacke gegen den »Mißbrauch des Intellekts« trifft
»Tuis« in allen Diktaturen, auch in den angeblich sozialistischen, und sein
reinigender Revolutionär im Hintergrund könnte als Mao Tse-tung gedeutet
werden. Das Lehrstück, in das konträre Erfahrungen Brechts mit Intellektuellen eingegangen sind (sie treten bei ihm auch als verfolgte Retter von
Kulturgütern auf), ist unfertig: der Sarkasmus, den Brecht sonst meisterhaft
beherrscht, ist lendenlahm, der Witz spärlich, die Parodie ungeschlacht. Grob
aber schlagkräftig ist der Lügen-Unterricht in der Tui-Schule: dem Intellektuellen wird der Brotkorb hochgezogen, sobald er sich der Wahrheit nähert.
Meinungen: »Das Geniezeichen Brechts ist, daß mit seinen Dramen eine
neue künstlerische Totalität da ist, mit eigenen Gesetzen, mit eigener Dramaturgie ... Heute gilt es, einen Dramatiker zu verkünden, der seit Wedekind das aufwühlendste Erlebnis ist«: Herbert Ihering (1922). – »Im kleinen
Finger der Hand, mit der er fünfundzwanzig Verse der Ammerschen Übersetzung von Villon genommen hat, ist dieser Brecht origineller als der Kerr,
der ihm dahintergekommen ist...«: Karl Kraus. – »Er schwärmte für
Pestalozzi und ließ seine Bücher wie Schulbücher drucken, damit sie nach
außen hin sachlich und nüchtern wirkten. ›Ich schreibe Schulbücher‹, sagte
er mir einmal, ›darauf kommt es heute an‹... Er hätte gewiß an Stelle des
Herzens gern einen feinen elektrischen Zählapparat gehabt und an Stelle der
Beine Speichen wie ein Automobilrad«: George Grosz (1955). – »Brecht war
immer bereit, die Spielregeln außer Kraft zu setzen. Seine ›Versuche‹ dienten
dem Zweck, diese kräftige Willkür durch Parabeln, Theorien und Stücke

unterhaltend zu machen. Er war einer der amüsantesten Tyrannen seiner Zeit. Er gab kein Pardon, höchst spassig«: Ludwig Marcuse (1960). — »Beide, die Unterdrückten wie die Terroristen, haben aus seinem Werk genommen, was sie gebrauchen konnten. Und haben sich an seinem Werk gestoßen. Brechts Tragik, die hinter Zynismus und Redensarten nur mühsam verborgene Melancholie seines Lebens, lag darin, daß er von dem Widerspruch wußte«: Jürgen Rühle (1960). — »Er wollte der Sache der Revolution dienen, wurde aber von den Bannerträgern der Revolution mit Argwohn betrachtet, als Formalist bekrittelt und wegen seines gefährlichen Einflusses unterdrückt; er wollte die kritischen Fähigkeiten seines Publikums wachrufen, erreichte aber nur, daß es zu Tränen gerührt wurde; er wollte sein Theater zu einem Laboratorium der sozialen Erneuerung machen, zu einem lebenden Beweis dafür, daß die Gesellschaft verändert werden kann — und mußte sehen, wie die Zuschauer das Theater verließen, bestärkt in ihrem Glauben an die unveränderliche und stetige Lebenskraft einfacher Menschen und der unerschütterlichen menschlichen Natur; er mußte sehen, wie seine Bösewichter als Helden bejubelt, wie seine Helden als Bösewichter abgelehnt wurden. Er wollte das kalte Licht logischer Klarheit verbreiten — und schuf ein kompliziertes Gewebe poetischer Ambivalenz«: Martin Esslin (1962). — »Die Faszination, die Brecht immer wieder hat, schreibe ich vor allem dem Umstand zu, daß hier ein Leben wirklich vom Denken aus gelebt wird. (Während unser Denken meistens nur eine nachträgliche Rechtfertigung ist; nicht das Lenkende, sondern das Geschleppte.)«: Max Frisch (1948). — »Brecht denkt unerbittlich, weil er an vieles unerbittlich nicht denkt«: Friedrich Dürrenmatt.

Max Frisch: Welt- und Ich-Modelle

> ... ich sehe keine Kunst, die das blutige Leben gibt; das geben uns nur die Mütter. Und was die Dichter geben, ist das Gegenteil, das Spiel, das uns von dem blutigen Leben erlöst, der heitere oder finstere Witz, immer aber Witz des Geistes über das Blut. Oder anders gesagt: was den Dichter von den Intellektuellen unterscheidet, ist nicht Mangel an Intellektualität, sondern die Bildkraft seiner Intellektualität.
>
> Max Frisch (1956)

Als Max Frisch im Jahre 1958 mit dem Georg-Büchner-Preis ausgezeichnet wurde, beendete er seine Rede auf Georg Büchner mit dem Bekenntnis: »Es ist eine Resignation, aber eine kombattante Resignation, was uns verbindet, ein individuelles Engagement an die Wahrhaftigkeit, der Versuch, Kunst zu machen, die nicht national und nicht international, sondern mehr ist, nämlich ein immer wieder zu leistender Bann gegen die Abstraktion, gegen die Ideologie und ihre tödlichen Fronten, die nicht bekämpft werden können mit dem Todesmut des einzelnen; sie können nur zersetzt werden durch die Arbeit jedes einzelnen an seinem Ort.«

Frischs Stücke leisten diese Arbeit der Zersetzung tödlicher ideologischer Fronten, indem sie die Welt und den Menschen in Modellsituationen fragwürdig machen. Frisch behauptet, daß das Schreiben bei ihm »nie mit einer Idee angefangen hat«, sondern mit Bildern und Situationen, und daran ist nicht zu zweifeln: in seinem ›Tagebuch 1946—1949‹ sind — ein in der Literatur einzigartiger Fall — schon Bilder und Situationen notiert, aus denen sich Jahre später Werke entwickelt haben, bis hin zu seinem Stück ›Andorra‹, das er im Herbst 1961 abgeschlossen hat. Hat es auch nicht »mit einer Idee angefangen«, so ist am Ende, bei der Aufführung, der Zuschauer doch mit einer Idee vertraut: er hat an einem Gedankenexperiment teilgenommen und nicht nur die Bildkraft eines scharfsinnigen Intellektuellen genossen, er ist vor allem anderen von seiner moralischen Kraft beunruhigt worden.

Die Buchausgabe seiner Dramen hat Frisch dem Dramaturgen und späteren Direktor des Zürcher Schauspielhauses Kurt Hirschfeld gewidmet: er hatte 1940 in der ›Neuen Zürcher Zeitung‹ Max Frischs Tagebuch eines Kanoniers ›Blätter aus dem Brotsack‹ gelesen, daraufhin die Bekanntschaft des Autors gesucht und ihn zum Stückeschreiben ermutigt. Der am 15. Mai 1911 in Zürich als Sohn eines Architekten geborene Max Frisch war damals im Hauptberuf Architekt; er hatte in Zürich Germanistik studiert, als Journalist viele ost- und südeuropäische Länder bereist, war 1936 Architekturstudent und 1939 Soldat im Grenzdienst geworden. 1942 gewann er den Ersten Preis in einem Wettbewerb um die Freibadanlage im Zürcher Letzigraben (deren Bau er 1949 abschloß) und veröffentlichte er seinen Roman ›Die Schwierigen‹. Zwei Jahre später schrieb er sein erstes Stück, ›Santa Cruz‹. Er wurde als Romancier (›Stiller‹ 1954, ›Homo Faber‹ 1957, ›Mein Name sei Gantenbein‹ 1964) und als ein in vielen Ländern aufgeführter Dramatiker zu einem ungewöhnlich erfolgreichen Schriftsteller, gab sein Architekturbüro auf und reiste viel. Anschaulichkeit, durchdrungen von einer analytischen Intelligenz, Genauigkeit und Klarheit gehören zu den Tugenden seines Stils. Eine unpathetische, zivile Tapferkeit ist die Tugend seiner Gestalten, die unterwegs sind zu sich selbst; als der frohgemute Rationalismus seines ›Homo Faber‹ zusammenbricht, lernt er, den Tod in seine Welt aufzunehmen: »Standhalten dem Licht, der Freude (wie unser Kind, als es sang) im Wissen, daß ich erlösche im Licht über Ginster, Asphalt und Meer, standhalten der Zeit, beziehungsweise Ewigkeit im Augenblick. Ewig sein: gewesen sein.«

In *Santa Cruz*, seinem ersten Stück, einer ›Romanze‹ (1944. Uraufführung
7. März 1946, Schauspielhaus Zürich), lebt eine Frau zwischen zwei Männern
und den durch sie verkörperten Lebensweisen: sie folgt Pelegrin, dem Aben-
teurer, nach Santa Cruz, einem Symbolort der exotischen Ferne, wird zurück-
geholt von ihrem Gatten, dem Rittmeister, einem Mann der Ordnung, und
lebt trotz seiner Ordnung doch in ihrer Traumwelt des Abenteuers, bis
Pelegrin, alt und weise geworden, zurückkehrt und stirbt. Noch vor diesem
lyrisch überwucherten und penetrant symbolischen Stück wurde *Nun singen
sie wieder* aufgeführt (1945. Uraufführung 29. März 1945 in Zürich): es ist
der Gesang im Kriege erschossener Geiseln, den die Überlebenden hören.
Frisch hat diesen ›Versuch eines Requiems‹, in dem der Geist vor der Macht
versagt und sich Tod und Leben durchdringen, im Bewußtsein gewagt, »daß
wir, die es nicht am eigenen Leben erfahren haben, vor der Versuchung aller
Rache gefeit sind«.

Die Chinesische Mauer. ›Eine Farce‹. Uraufführung 19. Oktober 1947,
Schauspielhaus Zürich. Erstaufführung einer Neufassung 18. September
1955, Berlin, Theater am Kurfürstendamm. – Zum erstenmal stand der
große Pilz einer Atombombenexplosion, die zur Vernichtung hervorgerufen
wurde, am 6. August 1945 über der Erde, über Hiroshima. Damit war die
Situation gegeben, die Frischs ›Farce‹ zugrunde liegt: »Die Sintflut ist herstellbar.« Der Schauplatz des Stückes ist ›unser Bewußtsein‹: es gibt da zwar
200 Jahre vor Christus in Nanking einen Kaiser, der ›immer im Recht ist‹,
der alles besiegt hat außer einem Mann, der ›die Stimme des Volkes‹ genannt
wird, und dieser Kaiser läßt nun ausgerechnet einen Stummen foltern, weil
er ihn für ›die Stimme des Volkes‹ hält; außerdem läßt er die Chinesische
Mauer bauen, um seine Herrschaft zu verewigen und ›die Zeit aufzuhalten‹
– aber dieser diktatorischen Modellwelt steht der intellektuelle ›Heutige‹
gegenüber, der die Zukunft dieses Nanking kennt und aus dieser Position
mit Gestalten des europäischen Bildungsbewußtseins diskutiert. Es erscheinen
u. a.: ewig in Liebe Julia und Romeo, der freilich schon bang seufzt: »Was
heißt Atom?«; Pontius Pilatus, immer noch die Wahrheitsfrage stellend;
Brutus, der Republikaner, der auf die Freiheitsphrasen der ›Wirtschaftsfüh-
rer‹ hereinfällt; Cleopatra, immer wieder den jeweiligen Sieger ergötzend;
der kriegslüsterne Napoleon, den der ›Heutige‹ beschwört: »Sie dürfen nicht
wiederkehren, Exzellenz, auch keine hundert Tage. Die Epoche der Feldherrn
(und wäre einer noch so vortrefflich) ist vorbei.« Der ›Heutige‹ freut sich,
daß auch ›die andern‹ die Bombe besitzen; er ruft dem Philipp der spanischen
Inquisition nicht ohne Befriedigung zu: »Es ist so einfach nicht mehr, Sire,
so einfach nicht, die Christenheit zu retten! Es bleibt uns, in der Tat, nur

noch das christliche Verfahren.« Als der ›Heutige‹ dem chinesischen Diktator die Sinnlosigkeit seiner Mauer und die Fluchwürdigkeit seiner anachronistischen Existenz klarmachen will durch eine Vision von der Erde, die den Atombombentod gestorben ist, zeichnet ihn der Kaiser für die ästhetische Schönheit seiner Warnung aus, deren Inhalt er gar nicht zur Kenntnis nimmt — der ›Heutige‹ wird stumm wie ›die Stimme des Volkes‹. — Frischs Lehre: die alte Art, Geschichte zu machen, ist jetzt, da die Sintflut herstellbar geworden, nicht mehr möglich, denn »es gibt keine Arche gegen Radioaktivität«; die durch die Physik veränderte Welt verlangt die Veränderung des politischen, des gesellschaftlichen Verhaltens. Für seine einfache Botschaft hat Frisch einen ungemein komplizierten allegorischen Apparat aufgebaut. Da die Atombombe auf der Bühne keine spezielle dramatische Begabung besitzt und, dramaturgisch gesehen, nur die Wirkung haben kann, Diskussionen anzuregen, ist das Drama in der Predigt steckengeblieben: eine illustrierte Warnung vor dem kollektiven Selbstmord.

Als der Krieg zu Ende war. Schauspiel. 1947/48. Uraufführung 8. Januar 1949, Schauspielhaus Zürich. — Berlin, im Frühjahr 1945. Ein deutscher Hauptmann, aus russischer Gefangenschaft geflohen, wird von seiner Frau Agnes im Keller versteckt; über ihnen, in der Wohnung vergnügen sich russische Soldaten. Agnes wird hinaufgeholt und erwartet das Schlimmste. Ein russischer Oberst schützt sie vor seinen betrunkenen Kameraden. Agnes, der ihr Mann im innersten verwandelt erscheint und seelisch fremd geworden ist, liebt den russischen Obersten, und er liebt sie — sie können sich mit Worten nicht verständigen; sie glauben, einander zu verstehen. Als ihr Mann, der den Ehebruch unausgesprochen duldet, um sich zu retten, aus dem Keller kommt, wird offenbar, daß er an den Judenpogromen, den Massenmorden im Warschauer Ghetto beteiligt gewesen ist — der Oberst, der annehmen muß, Agnes sei für ihren Mann zur Hure geworden, verläßt wortlos das Haus. Den dritten Akt, in dem sich Agnes ein Jahr später aus dem Fenster stürzt, da sie sich mitschuldig fühlt, wenn sie mit dem Schuldigen lebt, hat Frisch 1962 gestrichen, weil er »das Thema nicht weiterführt, sondern bloß datiert«. — Frisch hat dieses Schauspiel gegen die Schablonen »der Jude, der Deutsche, der Russe undsoweiter«, gegen die tödlichen Vorurteile bewußt als »die Geschichte einer Ausnahme« geschrieben: »In Zeiten, die auf Schablonen verhext sind, schien es mir nicht überflüssig, Zeugnis abzulegen für einzelne Menschen, die nicht die Regel machen, aber dennoch wirklich sind und lebendig.« Zur Regel gehörten damals Vergewaltigung und Russenhaß — die allgemeine Forderung, daß nicht mehr nach kollektiven Vorurteilen, sondern nach ›Mensch und Unmensch‹ unterschieden werde, versucht Frisch einem extremen Einzelfall abzuzwingen, in dem überdies die Erfüllung einer sittlichen Forderung durch einen (wenn auch psychologisch noch so plausibel gemachten) Ehebruch geschieht: diese Paradoxien, deren sich Frisch durchaus bewußt ist, mindern durch ihre Gewaltsamkeit die Wirkung des moralischen Appells, um dessentwillen das Stück geschrieben ist. In ›Andorra‹ wird Frisch dieses Thema wieder aufgreifen.

Graf Oederland. ›Eine Moritat‹. Uraufführung der ersten Fassung 10. Februar 1951, Schauspielhaus Zürich; der zweiten 4. Februar 1956, Frankfurt am Main; der dritten, endgültigen, am 25. September 1961 im Schiller-Theater, Berlin. — Der Mord aus Unlust am reglementierten Dasein, aus Langeweile in der bürgerlichen Ordnung, aus Sehnsucht nach dem eigentlichen Leben — dieser von einem unbescholtenen, durchschnittlichen Menschen begangene Mord ›ohne bürgerliches Motiv‹ muß den Bürger erschrecken, der mildernde Umstände nur dann gewähren kann, wenn ein für ihn leicht begreifliches, weil egoistisches Motiv vorliegt. Absurderweise ist es bei Frisch ausgerechnet der beamtete Hüter der bürgerlichen Welt, der Staatsanwalt, der den Mord um des Mordes willen als einziger versteht. Er versteht ihn so gut, daß er zur Axt greift, in die Wälder geht wie der sagenhafte Graf Oederland, dessen Schreckenstaten mit wollüstiger Erwartung im Volk besungen werden, und daß er Polizisten, die ihn nach seinen Papieren fragen, kurzerhand erschlägt: die Axt in der Hand erspart den Personalausweis. Diese Methode wird populär, und es bildet sich — zum Entsetzen des Staatsanwalts — eine Partei, die das Abzeichen der Axt und ein mörderisches Hackebeilchen in der Aktenmappe trägt. Ehe er sich versieht, hat sie ihn zum Führer ihrer ›Bewegung‹ gemacht, und er ist gezwungen, ›die Macht zu ergreifen‹. Absurder-, doch konsequenterweise wird nun jeder durch die Axtpartei erschossen, der keinen Personalausweis besitzt: sogar die staatsstürzende Anarchie greift, wenn sie zur Macht gelangt, nach den Methoden des Staates. Der Staatsanwalt, zum Diktator geworden, setzt die vorrevolutionären Herren der Politik, des Militärs, der Polizei, der Wirtschaft und der Kultur, die sich mit beflissenem Opportunismus zur Verfügung stellen, wieder in ihre Positionen ein, denn es erscheint ihm völlig gleichgültig, wer die Macht ausübt: ihre Konsequenzen sind für ihn in jedem Falle gleich übel. Der Präsident durchschaut die Lage: »Wer, um frei zu sein, die Macht stürzt, übernimmt das Gegenteil der Freiheit, die Macht.« — In der dritten Fassung läuft diese ›Moritat‹ auf einen Traum des Staatsanwalts hinaus; er konstatiert: »Man hat mich geträumt...« und versucht aufzuwachen, während der Vorhang fällt. — Die Axt ist kein Instrument, das in die Freiheit zur Selbstverwirklichung führen könnte. Der Ausbruch aus der Ordnung mit Hilfe der Gewalt führt zwangs-

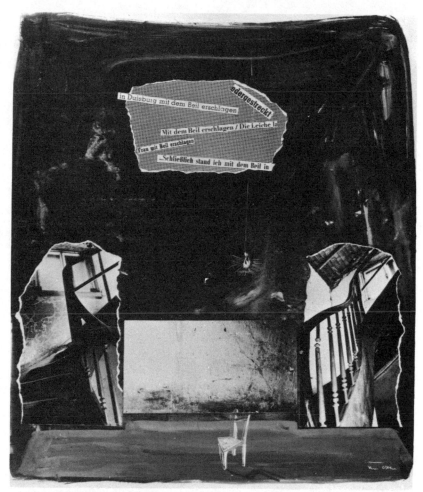

›Graf Oederland‹ von Max Frisch. Entwurf von Teo Otto für die Uraufführung am
Schauspielhaus Zürich, 1951; Regie: Leonard Steckel

läufig in einen neuen Ordnungskäfig, der dem alten gittergenau gleicht. Die
Gewalttat aus Überdruß an der Ordnung ist nicht nur der Traum eines ein-
zelnen — er wird mitgeträumt und mitvollzogen von der Menge, als deren
Ausgeburt der einzelne erscheint. Dies wohl ist die plakative Moral der
Moritat. Auch in der dritten Fassung, die Frisch geschrieben hat, weil bei der
zweiten, der Frankfurter Fassung, der Staatsanwalt als eine Art Hitler miß-
verstanden worden ist, erreicht sie nicht die wünschenswerte Klarheit. Die
Tragikomik des Staatsanwalts, dessen Ausbruch in die Freiheit geradewegs

in die Unfreiheit führt, rutscht im zweiten Teil, angesichts seiner kabarettistischen Gegenspieler, in die schiere Posse mit ironischen Bonmots und grausamen Scherzen.

Don Juan oder Die Liebe zur Geometrie. ›Komödie in fünf Akten‹. 1952,
revidiert 1961. Uraufführung am 5. Mai 1953 im Schauspielhaus Zürich und
im Schiller-Theater, Berlin. — Frischs Don Juan liebt die Frauen nicht — sie
sind hinter ihm her: sie unterlaufen ihm, wie anderen Leuten Rechenfehler.
Er liebt überhaupt nichts Menschliches; er liebt die Geometrie, die hier ein
Symbol ist für den reinen Geist. Er ist derart besessen von dieser ›männlichen‹, mathematischen Welt, in der es keine Täuschungen gibt, daß er ihre
Gesetzmäßigkeit, ihre in sich stimmende Richtigkeit auch in der Gesellschaft
und in der Schöpfung sucht. In der Gesellschaft kann er sie nicht finden: sie
ist nicht mehr christlich, sie tut nur noch christlich — in ihr muß Don Juan
insofern als relativ sittlicher Mensch erscheinen, als er auf der Suche nach
dem, ›was stimmt‹, ihre Heuchelei enthüllt. In der Schöpfung kann er sie auch
nicht finden: die Schöpfung ist nicht ›männliche Geometrie‹, sie umschließt
ebenso das Weibliche, die Möglichkeit der Täuschung und das Geheimnis.
Wenn Don Juan, tief verwundet, daß auch er der Sinnlichkeit und den Irrun-
gen des Geschöpfes unterworfen ist, den Himmel herausfordert, so ist das
eine knabenhafte Handlung: Frischs Don Juan ist hier erst zwanzig Jahre alt.
Freilich antwortet der Himmel bei ihm nicht mit einer Höllenfahrt — die
Höllenfahrt inszeniert Don Juan als Theatercoup selber, um endlich für
seine geometrischen Studien Ruhe vor den Frauen und der Welt zu haben.
Aber der Himmel läßt ihn älter werden und führt ihn auf den Weg zur
Reife: im letzten Akt ist er nicht nur verheiratet, sondern zeigt auch, wie
sehr er es lächerlich und lästig finden mag, Ansätze zur Liebe für seine
Frau. — Der verheiratete Don Juan, im Begriffe, Vater zu werden — das ist
das Ende Don Juans als einer mythischen Figur (erfunden 1617 vom Spanier Tirso de Molina). Die selbstarrangierte Theaterhöllenfahrt hat dadurch
doch etwas von einer echten Höllenfahrt: der ichbezogene, kontaktlose, einsame Don Juan ist in die Versenkung gerutscht; der kindliche Anspruch, die
Welt müsse mit der Elle mathematischer Richtigkeit ausmeßbar sein, beginnt zu schwinden: es dämmert die Erkenntnis, daß die Liebe zur Geometrie
nicht genügt; es zieht am Horizont die Liebe herauf. Der verheiratete Don
Juan ist das Ende einer Abstraktion und der Anfang eines Menschen, der
den Namen Don Juan wie einen verwaschenen Mantel trägt. Doch bevor er
dies erkennt, ist die Komödie zu Ende.

Max Frischs Sprache, rational und bildkräftig zugleich, federt zwischen
Sinnlichkeit und Nüchternheit. Alle Szenen sind auf eine gedankliche Pointe

hin angelegt; sie enthüllen nicht Charaktere, sondern Positionen: sie entspringen der Welt der Geometrie, nicht der Psychologie. Frisch, der Moralist, zeigt die Absurdidät einer Gestalt, die das Gefühl der Brüderlichkeit und der Liebe, die Ergänzungsbedürftigkeit des ›männlichen Geistes‹, kurz: die ihren kreatürlichen Charakter partout nicht anerkennen will.

Biedermann und die Brandstifter. ›Ein Lehrstück ohne Lehre‹. 1957/58. Uraufführung 29. März 1958, Schauspielhaus Zürich. — Biedermann weiß, daß die Welt voller Brandstifter ist; er erkennt sie sogar. Aber er unterdrückt seine Erkenntnis, bis es zu spät ist und auch das eigene Haus brennt. Zunächst nimmt Biedermann die Brandstifter Schmitz und Eisenring in sein Haus auf; er gewöhnt sich an sie, er will mit ihnen Freundschaft schließen. Die Brandstifter geben sich alle Mühe, ihn von ihrer Gefährlichkeit zu überzeugen, doch sogar ihnen glaubt er nicht, weil er an Brandstifter einfach nicht glauben will, und schließlich überreicht er ihnen noch die Streichhölzer mit der sich selbst beschwichtigenden Bemerkung: »Wenn die wirkliche Brandstifter wären, du meinst, die hätten keine Streichhölzer?« Aber sie sind in der Tat Brandstifter, und schon detonieren die Gasometer in der Stadt. — Biedermann fällt auf die Tarnungen der Brandstifter durch Sentimentalität, Scherze und das verblüffende Eingestehen der Wahrheit nur zu gern herein, denn er will das Böse nicht sehen, weil er in seinem Geschäftsleben selbst Anteil am Bösen hat. Wenn er auf den guten Willen und den Humor der Brandstifter baut, so aus Trägheit, schlechtem Gewissen, Angst vor der notwendigen eigenen Verwandlung und aus Angst vor der Angst. Er besteht auf dem vermeintlichen Bürgerrecht, »überhaupt nichts zu denken«. — Ein Gleichnis von der leichten Verführbarkeit des Biedermannes-Jedermannes durch das Böse: die Biedermänner sind unser Schicksal. Doch was heißt hier ›Schicksal‹? Frischs schneidender ironischer Effekt: er benutzt die Form einer antiken Schicksalstragödie, um davon zu überzeugen, daß vieles, was mit einem Schicksalsbegriff von antiker Unentrinnbarkeit entschuldigt wird, eben kein ›Schicksal‹ ist, sondern ›Unfug, menschlicher, allzu menschlicher‹. Sein Chor, der diese Erkenntnis trägt, besteht aus grotesken Feuerwehrmännern, die wie der antike Chor immer alles besser wissen und trotzdem zum Helfen stets zu spät kommen. »Feuergefährlich ist viel«, donnert der Chorführer vor der Katastrophe im Stile des Sophokles, »aber nicht alles, was feuert, ist Schicksal, unabwendbares«, und nach der Katastrophe faßt der Chor die Lehre zusammen: »Was nämlich jeder voraussieht, lange genug, dennoch geschieht es am End: Blödsinn, der nimmerzulöschende, jetzt Schicksal genannt.« Bei aller Skepsis appelliert Frisch an die Zuschauer, das Böse als Teil dieser Welt zu erkennen und nach dieser Erkenntnis zu handeln. So rasch der Satz des Chors verklingt: »Viel kann vermeiden Vernunft« — er bleibt die Lehre dieses ›Lehrstücks ohne Lehre‹. — In einem kabarettistischen Nachspiel (uraufgeführt in Frankfurt am Main am 28. September 1958), das die Lehre verdeutlicht, doch nicht verstärkt, verlangt Biedermann in einer Art Vorhölle ›Wiedergutmachung‹ als Opfer der Brandstiftung und wird vorm Höllenfeuer durch einen Streik gerettet: der Höllenfürst ist es satt, nur die kleinen Sünder zu rösten — die großen Mörder werden vom Him-

›Biedermann und die Brandstifter‹ von Max Frisch. Bühnenskizze von Paul Walter für Erwin Piscators Inszenierung am Nationaltheater Mannheim, Spielzeit 1958/59. Bühne und Zuschauerraum sind in Mannheim variabel; Piscator nutzte die Möglichkeit, das Schauspielhaus in ein Arena-Theater zu verwandeln

mel begnadigt, falls sie in Uniform gesündigt haben. Die Brandstifter aber radeln in die wiederaufgebaute Stadt, neuen Untaten entgegen, die ihnen nicht schwerfallen werden, denn die neue Stadt ist »im Herzen die alte« geblieben.

Die große Wut des Philipp Hotz. ›Ein Schwank‹. 1957/58. Uraufführung 29. März 1958, Schauspielhaus Zürich. — Hotz, Schriftsteller, gerät in die große Wut, weil seine Frau Dorli die Scheidungsklage zurückgezogen hat. Überzeugt davon, daß »die Ehe nicht geht«, läßt er die Wohnung kurz und klein schlagen und droht damit, in die Fremdenlegion zu gehen. Wilfrid, der ehemalige Geliebte Dorlis, kommt aus dem Ausland, küßt Dorli und verläßt sie beleidigt, als sie ihm sagt, seine Frau Clarissa sei die Geliebte Philipps gewesen. Clarissa bestreitet dies wahrheitsgemäß, und Philipp, den die Fremdenlegion wegen Kurzsichtigkeit nicht genommen hat, tut das, was er am liebsten von Anfang an getan hätte, statt sich in die große Wut zu steigern: er kehrt zu Dorli zurück. — Ein selbstironischer Jux mit einigen amüsanten Formulierungen: Spott über den Intellektuellen, der, wie seine Frau richtig erkannt hat, nur redet und nie tut — nicht einmal mit Clarissa hat er sie betrogen — und wenn er schon einmal etwas tut, dann ist es so lächerlich wie das Zertrümmern der Wohnung, und geschieht es nur, damit er ernst genommen werde — wobei er sich in jeder Phase selbst durchschaut.

Andorra. ›Stück in zwölf Bildern‹. 1958–1961. Uraufführung 2. November 1961, Schauspielhaus Zürich. — ›Andorra‹ hat nichts mit dem gleichnamigen Kleinstaat zu tun, sondern ist, wie Frisch sich ausdrückt, »der Name für ein Modell«. Als es in Andorra noch opportun gewesen ist, Mitleid mit den aus dem Nachbarland der ›Schwarzen‹ vertriebenen Juden zu haben, hat der Lehrer seinen unehelichen Sohn Andri, dessen Mutter eine der verhaßten ›Schwarzen‹ ist, für einen Juden ausgegeben; er ist dabei auch geblieben, als der Antisemitismus in Andorra gewachsen ist. Andri, der Jude, der keiner ist, wird als ›Jud‹ behandelt, wird aus seinem kindlichen Weltvertrauen in grenzenloses Mißtrauen gestoßen: man hämmert ihm solange ein, daß er ›anders‹ sei als die andern, bis er dieses Schicksal, ›anders‹ zu sein, annimmt und sich zu ihm bekennt mit dem Trotz und Hochmut eines tragischen Hel-

Bühnenmodell von Hansheinrich Palitzsch für Fritz Kortners Inszenierung des Stücks ›Andorra‹ von Max Frisch am Schiller-Theater Berlin, 1962

den — auch und erst recht dann noch, als sich herausstellt, daß er kein Jude ist. Als die ›Schwarzen‹ Andorra besetzt haben, greift ihn der ›Judenschauer‹ aus der Menge zum Erschießen: er erkennt in ihm den ›Jud‹, der Andri nun sein will. Andri wird von den ›Schwarzen‹ abgeführt.

In diese Handlung eingeblendet sind die nachträglichen Rechtfertigungsversuche aller Beteiligten, die sich — vor einem imaginären Gericht — schon von dem reinzuwaschen versuchen, was sie erst noch begehen werden: während ihre Schuld sich häuft, gebrauchen sie schon die Argumente, mit denen sie sich später freisprechen möchten.

Frisch führt den Antisemitismus vor in einem Stück ohne einen Juden: er zeigt, daß der Antisemitismus nach dem Bild seiner Vorurteile den ›Jud‹ künstlich schafft. Diesen mörderischen Mechanismus der Vorurteile, der mangelnden Zivilcourage und fehlenden Solidarität, der Panik und Feigheit in der Stunde der Gefahr hat Frisch so einleuchtend und präzise dargestellt, daß man darüber vergessen darf, nach der inneren Wahrheit solcher überkonstruierter Figuren wie der des Lehrers und seiner Tochter Barblin zu fragen, die überdies durch Selbstmord und Wahnsinn auf allzu antikische Weise bündig enden. Sind Frischs Personen auch eine Sammlung antisemitischer Argumente und Verhaltensweisen auf zwei Beinen, so geraten doch selten Parabelfiguren in einer Modellwelt so menschenähnlich wie hier.

Biografie: Ein Spiel. Uraufführung 1. Februar 1968, Schauspielhaus Zürich. — Was wäre, wenn der Verhaltensforscher Kürmann die Chance hätte, sein Leben noch einmal anzufangen und alles anders zu machen? Bei der praktischen Erprobung seiner Wunschbiographie auf der Bühne hilft der »Registrator« — unter seiner Regie werden also keine »Wirklichkeiten« vorgeführt, sondern Möglichkeiten: Leben im Konjunktiv. Kürmann wünscht sich ein Leben ohne seine (zweite) Frau Antoinette, doch wie er sie nun auch zu vermeiden versucht, er heiratet sie abermals, und obwohl er sich in ihrer Ehe jetzt oft anders als früher verhält, will er sich nach sieben Jahren abermals scheiden lassen. Frisch behauptet: »Das Stück will nichts beweisen«, und Kürmann bleibt bei seiner frühen Einsicht: »Ich weigere mich nur, daß wir allem, was einmal geschehen ist — weil es geschehen ist und somit unwiderruflich — einen Sinn unterstellen, der ihm nicht zukommt.« Daran ändert auch die Schlußpointe nichts: nun hat Antoinette die Möglichkeit einer Wunschbiographie, und ihr gelingt sofort, was Kürmann nie gelungen ist — sie geht schlicht davon, und ihre Ehe findet nicht statt. — Käme diese in Rückblendungsvarianten zerschnipselte und sehr private Ehemisere aus Paris, so hielte sie jedermann für ganz lustiges und nachdenkliches Boulevardtheater und verlangte noch ein paar Pointen mehr.

Peter Weiss: Vom Zweifel zur Propaganda

> Ich könnte niemals in einem Land leben, wo ich als Individuum
> unterdrückt werde, wo ich nicht lesen darf, was ich will, und
> nicht sagen darf, was ich möchte. Andererseits weiß ich genau,
> wie es auch Brecht wußte, daß diese Gesellschaft, die westliche
> bürgerlich-kapitalistische Gesellschaft, nicht so beschaffen ist,
> daß ich in ihr leben möchte ...
>
> Peter Weiss in einem Interview mit BBC London, 1964

Peter Weiss lebt als Schriftsteller, Maler und Filmregisseur in Stockholm, in
einer bürgerlichen Gesellschaft. Geboren am 8. November 1916 in Nowawes
bei Berlin, lebte Weiss bis 1934 in Bremen und Berlin, emigrierte dann über
England nach Prag,· wo er an der Kunstakademie studierte, und über die
Schweiz 1939 mit den Eltern nach Schweden. Er schrieb experimentelle Prosa
(›Der Schatten des Körpers des Kutschers‹, 1952, veröffentlicht 1960), die
klassizistische Prosa der Erinnerungsbücher ›Abschied von den Eltern‹ (1961),
›Fluchtpunkt‹ (1962) und schon 1952 ein ›Drama‹ unter dem Titel *Die Versicherung,* erst 1971 uraufgeführt, am 3. April in Essen: die Technik dieser
surrealistischen Phantasmagorie erinnert ebenso an das ›Traumspiel‹ von
Strindberg (es wurde von Peter Weiss später übersetzt; auch ›Fräulein Julie‹)
wie an die Collagen, die Weiss für sein Prosastück ›Der Schatten des Körpers
des Kutschers‹ geschaffen hat; es sind szenische Alpträume mit grotesk ge-
kleideten, grell geschminkten, verfratzten Personen, mit Schocks einer entfesselten Sexualität und grausamer Foltern, mit Klinik, Operationstisch und
Krankenwärtern, mit infantilem Reimgelalle, ersten Ansätzen der Knittelverse, in denen Weiss seine einaktige ›Moritat‹ *Nacht mit Gästen* geschrieben
hat: eine Schauergeschichte, in der ein räuberischer Kaspar in eine Familie
eindringt, fröhlich begrüßt von den Kindern, die Mutter ersticht und von
dem Besucher Peter erstochen wird, der zuvor aus Versehen den Vater erstochen hat und der selbst an den Stichen Kaspars stirbt. Bei der Uraufführung (16. November 1963, Werkstatt des Berliner Schiller-Theaters) wurde
dieser Metzelei eine ziemlich unmotivierte Moral angehängt: »Das Gold hat
sie verdorben, am Gold sind sie gestorben«: der Vater nämlich hat die Familie durch eine Goldkiste freikaufen wollen, die im Schilf verborgen ist.
Moritat und Knittelverse, Stilisierungen ins Puppenhafte und blutrünstige
Exzesse — das Material war erprobt für das ›Marat‹-Stück, mit dem Peter
Weiss 1964 einen Welterfolg hatte. Es erinnert an Antonin Artauds ›Theater
der Grausamkeit‹ und in seiner Verschränkung verschiedener Spielebenen an
Jean Genets ›Neger‹; beide, Artaud und Genet, haben das ostasiatische
Theater bewundert, von dem sich auch Peter Weiss beeinflußt fühlt.

*Die Verfolgung und Ermordung Jean Paul Marats, dargestellt durch die
Schauspielgruppe des Hospizes zu Charenton unter der Anleitung des Herrn
de Sade.* ›Drama in zwei Akten‹. Uraufführung 29. April 1964, Schiller-
Theater, Berlin; Regie: Konrad Swinarski. Verfilmung der Aufführung durch
die Royal Shakespeare Company, Regie: Peter Brook, 1966. — In die staatliche
Irrenanstalt Charenton war der Marquis de Sade (der dort 1814 starb) ohne
besonderen Grund 1801 eingesperrt worden; hier fand der theaterbegeisterte
Marquis, was er ein Leben lang nicht gehabt hatte: eine Bühne, Schauspieler
(Patienten) und ein Publikum — es kam aus Paris, wo es als schick galt, die
Aufführungen in der Irrenanstalt zu besuchen und mit Marquis de Sade, dem

Autor, Regisseur und Zeremonienmeister, zu dinieren. Peter Weiss hat den
Theatersaal von Charenton in den Badesaal der Heilanstalt verlegt; im
Hintergrund der Bühne sind durch Vorhänge verschließbare Zellen für die
Irren; in der Mitte des Vordergrunds eine runde Spielfläche, rechts davon eine
Badewanne mit dem von einer Hautkrankheit geplagten Revolutionär Marat;
links von der Spielfläche sitzt der Marquis de Sade, der Autor des (natürlich
nicht von Sade, sondern von Weiss geschriebenen) aufzuführenden Stückes.
Marat und de Sade verkörpern zwei grundverschiedene Weisen, dem Leben
gegenüberzutreten. Marat, der aktive Revolutionär, ist entschlossen, dem
Leben seinen eigenen Sinn und seine eigene Wahrheit aufzuzwingen — ein
Ideologe, der an die überindividuelle ›Sache‹ glaubt. De Sade ist der passive,
extreme Individualist, der sich schaudernd von der Revolution abgewandt
hat, weil er sich zum Verbrechen unfähig fühlt; angesichts der Gleichgültigkeit der Natur vor dem menschlichen Leid kennt er keine Wahrheit mehr,
nur noch den Zweifel, glaubt er nur noch an sich selbst. Marat treibt den
Menschen in die Gefangenschaft einer Idee; de Sade beobachtet den Menschen in der Gefangenschaft des Fleisches.

Die Spannung zwischen diesen beiden Positionen ist schon das Stück,
denn es ist nur Illustration und Demonstration dieser Antithese. In dieses

Spannungsfeld tritt Charlotte Corday, um Marat zu ermorden: sie fühlt sich als eine neue Judith, berufen, die Menschheit von dem blutigen Revolutionär zu befreien. Bevor sie zusticht, wird (nach vielen Rückblenden) zeitlich vorgeblendet: dem Marat wird vorgeführt, was nach seinem Tod geschieht — der Selbstmord der Revolution, Napoleon nennt sich Kaiser und bereitet seine Kriege vor. Dann erst stößt die Corday den Dolch in Marats Brust, die Irren formieren sich zu einer kriegerischen Kolonne, zu einem verzückten massenpsychotischen Marschtanz, Napoleon taucht mit dem Rücken zum Publikum auf, und als er sich umdreht, ist er der Knochenmann, der Tod — Ende des Stückes. So daß die ›Handlung‹ nichts anderes ist als eine Kom-

Das Marat-de-Sade-Stück von Peter Weiss, Uraufführung im Schiller-Theater Berlin, 1964; Regie: Konrad Swinarski. Mit Ernst Schröder als Marquis de Sade, links, Stefan Wigger als Ausrufer, in der Mitte mit Stab, Peter Mosbacher als Marat, rechts in der Wanne, und Lieselotte Rau als Charlotte Corday, links neben Marat.
Zeichnung: Harry Woehleke

position dramatischer Kleinformen zur farbigen Demonstration eines geistigen Gegensatzpaares.

Sobald der Vorhang aufgeht, wird das Theater-Publikum zum Publikum von Charenton, und nur der Direktor der Anstalt, sein Personal und der Marquis de Sade sind sozusagen sie selber — alle anderen Personen werden von Irren gespielt, die gelegentlich aus ihrem Spiel fallen, nur noch Irre sind und zurechtgewiesen oder mit kaltem Wasser behandelt werden müssen. Dies hält das Bewußtsein wach, daß hier nicht ›gespielt‹, sondern demonstriert wird. Demonstrations-Charakter hat auch die Sprache: Knittelverse, ironisch holpernd und ironisch gereimt; Partien im ›Arienstil‹; freie Rhythmen, monologisches Vorzeigen des Herzens. Demonstrations-Charakter hat die Spielweise: Pantomimen, teils mit satirischen Puppen, teils akrobatisch über die Forderungen des Fleisches belehrend; das bewußte Laienspiel; lebende Bilder, Gesang und Musik. Überdies wird der Tod Marats hier fünfzehn Jahre nach seiner Ermordung vorgeführt — die Zeit der Revolution also in der Zeit der Restauration, mit Rück- und Vorblenden. Ein mehrfach ver- und übersetztes Spectaculum, eine Revue aller denkbaren Bühneneffekte — und dieser Wirbel im Dienst einer, strenggenommen, ganz untheatralischen Aufgabe: eines philosophischen Dialogs. Wenn die Patienten ihre Rollen übernehmen, so scheinen sie dem Prinzip Marats zu folgen: dem Leben durch die Rolle ihren Sinn aufzuzwingen. Wenn die Patienten aus ihrer Rolle fallen, so scheinen sie die Auffassung de Sades zu bestätigen: daß der Mensch in seinem Fleisch gefangen ist.

Das Spiel, das zwei entgegengesetzten Lebensauffassungen abgewonnen ist, kam durch den Schluß der Berliner Uraufführung, an deren Vorbereitung der Autor mitgewirkt hatte, aus der Balance: die Napoleon-ist-gleich-Tod-Pointe, dieser Katzenjammer der Revolution, verengte das Stück plötzlich in ein Tendenzdrama, indem es die Resignation de Sades, seinen Rückzug aus der Gesellschaft, als die überlegene Haltung übrigließ.

Daß sich auch die entgegengesetzte Tendenz aus dem Drama holen läßt, bewies das ›Volkstheater‹ Rostock und wurde von Peter Weiss dafür gerühmt. Der DDR-Schriftsteller und Propagandist Kuba stellte dazu 1965 vor dem Zentralkomitee der SED fest: »Er schrieb ein Theaterstück um Marat, das in der westlichen Welt Furore gemacht hat. Es handelt sich um eine Auseinandersetzung des unbestechlichen Revolutionärs mit dem Revolutionsverräter de Sade. Je nach dem Standpunkt des Regisseurs siegt Marat oder siegt de Sade. Bei uns siegt selbstverständlich Marat, und de Sade wird unter den Tisch gespielt. Wir fragten uns, wie der bürgerlich-liberale Weiss die Sache aufnehmen würde. Er besuchte uns. Wir machten ihm unseren Standpunkt klar, und er stellte sich voll hinter unsere Aufführung.«

Weiss bekannte sich überdies im Prinzip zur DDR und ließ die Öffentlichkeit wissen, daß er nun Karl Marx studiere, doch protestierte er später wiederum gegen die Unterdrückung der Meinungsfreiheit in der DDR. Die ›Unzugehörigkeit‹, von der er schrieb, daß er sie von frühester Kindheit an erfahren habe, bestimmt offenbar noch immer sein Leben und Denken.

Jedes Werk von Weiss scheint von einem anderen Autor geschrieben: mit jeder neuen Arbeit wechselt er den Stil, als fühle er sich sogar seiner eigenen, vorangegangenen Produktion nicht mehr zugehörig. Konnte sein ›Marat‹-Drama noch als potenziertes Bühnen-Spiel begriffen werden, so wechselte er mit seiner ›Ermittlung‹ in das Lager der Moralisten über.

Die Ermittlung. ›Oratorium in 11 Gesängen‹. Uraufführung (auch szenische Lesungen) am 19. Oktober 1965 durch sechzehn Bühnen: Erwin Piscators Freie Volksbühne in West-Berlin; Lesung in der Ost-Berliner Akademie der Kunst; Bühnen in Essen, Köln, München; DDR-Bühnen in Altenburg, Cottbus, Dresden, Erfurt, Gera, Halle, Leipzig, Neustrelitz, Potsdam, Rostock; Lesung durch die Royal Shakespeare Company (Regie: Peter Brook) im Londoner Aldwych Theatre. Französische Erstaufführung im April 1966, Paris, Théâtre de la Commune. — Stellvertretend für die mehr als dreihundert

Zeugen, die im Frankfurter Auschwitz-Prozeß vom November 1963 bis August 1965 ausgesagt haben, läßt Peter Weiss in seinem ›Oratorium‹ neun Personen die verschiedenartigsten anonymen Zeugen darstellen; die Zeugen 1 und 2 stehen auf der Seite der Verwaltung des Konzentrationslagers Auschwitz, die Zeugen 3 bis 9 sprechen für die überlebenden Häftlinge. Die achtzehn Angeklagten treten unter ihren richtigen Namen auf; dazu Weiss: »Daß sie ihren eigenen Namen haben, ist bedeutungsvoll, da sie ja auch während der Zeit, die zur Verhandlung steht, ihre Namen trugen, während die Häftlinge ihre Namen verloren hatten. Doch sollen im Drama die Träger dieser Namen nicht noch einmal angeklagt werden. Sie leihen dem Schreiber des Dramas nur ihre Namen, die hier als Symbole stehen für ein System, das viele andere schuldig werden ließ, die vor diesem Gericht nicht erschienen.« Ein Ankläger spricht für alle Staatsanwälte und Nebenkläger. Ein Richter symbolisiert das Gericht, ein Verteidiger steht für alle Verteidiger. Die elf ›Gesänge‹ beschwören den typischen Ablauf der Menschenvernichtung in Auschwitz herauf, vom ersten, dem ›Gesang von der Rampe‹ mit der ›Selektion‹, der Auswahl der Häftlinge für die Ermordung, bis zum letzten, dem ›Gesang von den Feueröfen‹, der Massenverbrennung der Leichen in den Krematorien, in denen im Sommer 1944 bis zu 20 000 durch Gas vergiftete Häftlinge täglich vernichtet wurden. Dazwischen werden die Methoden des Folterns und des Mordens, der wirtschaftlichen Ausbeutung der Sträflinge und der Leichen beschrieben. Der Text der ›Gesänge‹ — in freien Versrhythmen — basiert auf den Prozeßakten und auf den Prozeßberichten, die Bernd Naumann für die ›Frankfurter Allgemeine Zeitung‹ geschrieben hat; sie werden faktengetreu in den Einzelheiten und oft nahezu wörtlich benutzt. Was in der ›Ermittlung‹ über Auschwitz vorgebracht wird, ist dokumentarisch; das vereinfachte Bild, das vom Auschwitz-*Prozeß* gegeben wird, ist insofern nicht dokumentarisch, als Weiss in polemischer Absicht seinem einzigen Ankläger an entscheidenden Stellen Thesen des Ost-Berliner Nebenklägers in den Mund legt und seinen einzigen Verteidiger zum Schluß mit Entschuldigungsphrasen argumentieren läßt, die in Frankfurt nur von einem der zahlreichen Verteidiger vorgebracht worden sind.

Dieses ›Oratorium‹ über die ungeheuerlichsten Verbrechen macht die Bühne zu einem Ort der Klage und einer Anklage, die ästhetisch zu werten eine Ungeheuerlichkeit wäre. Auf dem Theater findet kein Theater statt, sondern es ist zur Tribüne der Publikation geworden: Wem die gedruckten Berichte über Auschwitz unzulänglich erscheinen, dem werden durch das ›Oratorium‹ die Massenmorde vergegenwärtigt, und diese Aufgabe könnte es noch dann erfüllen, wenn die Auschwitz-Berichte in Vergessenheit geraten und nur noch Teil der Bibliotheken sein sollten.

Gesang vom lusitanischen Popanz. Uraufführung in schwedischer Sprache
26. Januar 1967, Skala Theater, Stockholm. Deutsche Erstaufführung 6. Oktober 1967, Berlin, Schaubühne am Halleschen Ufer. — Portugal wird hier
bei seinem römischen Namen genannt: Lusitanien, und der »lusitanische
Popanz«, in der Mitte der Bühne als überlebensgroße, drohende Schrottplastik aufgebaut, vertritt das kolonialistische Portugal, seinen Diktator
Salazar und zugleich den gesamten Kolonialismus und die in der NATO mit
Portugal verbündeten Länder. Vier Spielerinnen und drei Spieler (bei der
Uraufführung; die Zahl ist nicht vorgeschrieben) übernehmen abwechselnd
europäische und afrikanische Rollen: ihre Requisiten sind primitiv, ein Tropenhelm, ein vierarmiger Schraubenschlüssel als Symbol des Kreuzes und
dergleichen. Die Phrasen der Unterdrücker — in rhythmisierter Prosa — kommen aus dem Eisenmaul des Popanz: Heuchelei des Diktators, der Kirche, der
Banken, der Industriekonzerne und die tödlichen Befehle der Offiziere. Die
unterdrückten Bewohner von Angola und Mosambik, die den Popanz umtanzen, reden und singen in Knittelversen. In elf Szenen werden Beispiele
kolonialistischer Ausbeutung, Unterdrückung, Unmenschlichkeiten und
Mordmethoden vorgeführt, unterstützt durch Dokumente und Statistiken,
und in der letzten Szene reißen die Unterdrückten dem Popanz Ordensband,
Schwert und Prügel ab, bringen ihn zum krachenden Einsturz und singen
hoffnungsfroh: »Schon viele sind in den Städten / und in den Wäldern
und Bergen / lagernd ihre Waffen und sorgfältig planend / die Befreiung / die
nah ist. — Henning Rischbieter berichtet (in ›Theater heute‹, März 1967)
über ein Gespräch, das er im Anschluß an die Premiere mit Peter Weiss
geführt hat: »Weiss bezeichnet ziemlich genau den Punkt seines Erwachens
zum sozialistischen Engagement: die Kuba-Krise. Dann die Marx-Studien.
Der Schritt von der Prosa zum Theater. Seine heutige Position? Radikal
links. Er sieht sich in der gleichen Haltung wie Sartre, fühlt sich solidarisch
mit den sozialistischen Ländern, ohne seine kritischen Vorbehalte da aufzugeben, wo anti-humanistische Tendenzen zu beobachten sind.« —

Seitdem Peter Weiss sich für einen Sozialisten hält, will er in seinen Stükken nicht mehr abwägen, zweifeln, gerecht sein, den Verstand beschäftigen,
sondern überrumpeln, absolute Gewißheiten verkünden, verhöhnen, aufregen, zornig machen, Emotionen erzeugen. Die Spieler stellen und tanzen
Situationen und versuchen, durch Gefühlsübertragung zu überwältigen: das
Gespenst Piscators beim Ausdruckstanz. Die glatte Zweiteilung der Welt in
makellos gute und keimfrei böse Menschen und der fanatische Haß, mit dem
sogar Statistisches vorgetragen wird, machen die schlimmsten Fakten über
die Kolonialherrschaft, an denen nicht zu zweifeln ist, unglaubwürdig.

Diskurs über die Absicht und den Verlauf des lang andauernden Befreiungs-
krieges in Viet Nam als Beispiel für die Notwendigkeit des bewaffneten
Kampfes der Unterdrückten gegen ihre Unterdrücker sowie über die Versuche
der Vereinigten Staaten von Amerika, die Grundlagen der Revolution zu
vernichten. Uraufführung 20. März 1968, Städtische Bühnen Frankfurt, durch
Harry Buckwitz. – Fünfzehn Darsteller, darunter zwei weibliche, üben auf
der Bühne insgesamt fast 150 Funktionen aus; als Vertreter Viet Nams tragen
sie schwarze, als Vertreter kolonialistischer, imperialistischer Mächte tragen
sie weiße Kleidung und sind mit verdeutlichenden Attributen wie Helmen,
Perücken und Waffen ausgestattet – wie schon im «Lusitanischen Popanz»
sind die Schwarzen und die Weißen, die Guten und die Bösen, wie im Kas-
perle-Theater sauber voneinander getrennt. Der Titel des Stücks ist sein Programm: zunächst setzt Weiss 500 vor unserer Zeitrechnung ein und arbeitet
sich in der ersten Hälfte seines »Diskurses« durch »Vorgeschichte und Verlauf des lang andauernden Befreiungskrieges« bis zur Rückkehr der französischen Kolonialherren im Jahr 1952 vor, welchen Zeitraum von fast zwei-
einhalbtausend Jahren er als einen einzigen gigantischen Befreiungskrieg
der »Viets« darstellt – während die »Viets« in Wahrheit kriegerische, ex-
pansive Eroberer gewesen sind, die das Volk der Champa besiegt und aus-
gemordet und sich Kambodscha und Laos tributpflichtig gemacht haben. In
der zweiten Hälfte des Stückes – Zeit zwischen 1954 und 1964 – demonstriert Weiss mit Hilfe seiner schwarzen und weißen Figuren, eines Laut-
sprechers, der Ort und Zeit ansagt, und projizierten Bildern von Personen
der Zeitgeschichte seine Thesen zur Begründung des amerikanischen Engage-
ments in Vietnam – Antikommunismus, Beschäftigung von mehr als drei-
einhalb Millionen Arbeitslosen, Kampf um Absatzmärkte, Rohstoffmärkte
und Rüstungsaufträge –, wobei Weiss vor allem davon überzeugen will,
daß eine kommunistische Aggression gegen Südvietnam niemals stattgefunden habe. Daß der Vietcong schon 1956 systematisch die Dorfoberen und
Lehrer in Südvietnam umgebracht hat – 4000 Morde werden für die
schlimmste Zeit 1960/61 geschätzt –, davon ist bei Weiss ebensowenig die
Rede wie von der Diktatur Ho Tschi Minhs, der Zehntausende hinrichten,
rund 100 000 Menschen in Konzentrationslager schaffen und nach einem
Bauernaufstand im November 1956 in Nordvietnam einige Tausend Bauern
teils deportieren, teils exekutieren ließ. Weiss hat, wie er ohne Zögern dem
Nachrichtenmagazin »Der Spiegel« zugab, nicht in sein Stück aufgenommen,
daß in Nordvietnam ein großer Teil der Feudalherren ermordet worden ist
und daß in Südvietnam Dorfvorsteher und Regierungsvertreter vom Vietcong getötet worden sind; er beruft sich dabei auf seine »Parteilichkeit«,
die solche Akte der »Verteidigung, der Selbstbefreiung« für notwendig hält.

Der »Diskurs« legt Kennedy den Satz in den Mund: »Ziehen wir uns zurück vor einer kleinen Nation von asiatischen Bauern, deren Volkseinkommen nicht einmal den hundertsten Teil von unserem ausmacht, so ermuntern wir die Revolutionen in anderen Teilen der Welt.« Dies sei, so meint Weiss, das wichtigste Ziel Amerikas: zu verhindern, daß Revolutionen in anderen Interessengebieten der USA, vor allem in Südamerika, durch das Beispiel Vietnams ermuntert werden.

Die historischen Personen sagen bei Weiss nicht wörtlich das, was sie tatsächlich einmal gesagt haben, sondern ihre Worte sind »montiert« aus verschiedenen Zitaten, die von ihnen oder gar nur von ihren Mitarbeitern stammen, oder sie sind ganz frei erfunden, denn das, was in geheim gebliebenen Sitzungen gesprochen worden ist, weiß auch Weiss nicht. Auch er gibt kein »Dokumentar-Theater«, sondern Manipulations-Theater, »Agitprop«, parteiliche Agitation und Propaganda. Am enttäuschendsten, daß der »Diskurs«, der ja in der höchst rühmenswerten Absicht verfaßt ist, den Krieg in Vietnam beenden zu helfen, daß dieser theatralische Schulungsabend nicht einmal als einseitige Agitation mitreißt: Was ist für das Verständnis gewonnen, wenn die »Sprecher« Schlachtszenen als lebende Bilder stellen oder auf der Bühne hin und her marschieren, um Krieg und Besetzung zu markieren? Diese Ausdrucksturnerei ruft nicht einmal leidenschaftliche Gefühle hervor. Die Schauspieler haben nichts zu spielen, ihr Talent bleibt ungefragt: einer guten Sache – der berechtigten Anklage der Amerikaner, die diesen Krieg ausgeweitet, auf grausamste Weise geführt und am Leben erhalten haben –, ist mit müder Dramaturgie schlecht gedient.

Wie dem Herrn Mockinpott das Leiden ausgetrieben wird. ›Spiel in elf Bildern‹, geschrieben 1963, beendet 1967/68. Uraufführung 16. Mai 1968, Hannover. – Herr Mockinpott sitzt unschuldig im Gefängnis, wird zu Bestechungen gezwungen und freigelassen; seine Frau schläft mit einem andern und will nichts mehr von ihm wissen; sein ehemaliger Arbeitgeber jagt ihn weg; eine Herzoperation – Herz aus der Hose geholt, gepfeffert und gesalzen – erleichtert ihn so wenig wie die Fragestunde bei der Regierung; schließlich sagt er dem »Lieben Gott«, der hustend eine Zigarre raucht, seine Meinung: »Die Ungerechtigkeiten, die sind Ihnen egal, Sie meinen wohl, die wären für unsereinen normal«, und danach scheint's dem Herrn Mockinpott besser zu gehen – jedenfalls geht er besser, nachdem er endlich seine Schuhe hat richtig anziehen können. – In Knittelversen die Hanswurstiade eines gequälten Mannes, der es lernt, das Klagen einzustellen und statt dessen richtig zu gehen – darin mag ein Hanswurstzipfelchen nachträglicher selbstbewußter Selbstdeutung des Peter Weiss stecken, der 1963, als er dieses Schaubuden-Gegenstück zu seiner ›Nacht mit Gästen‹ schrieb, sich der Französischen Revolution, Marat, de Sade und der Politik zuwandte.

Trotzki im Exil. ›Stück in 2 Akten‹. 1968/69. Uraufführung 20. Januar 1970, Schauspielhaus Düsseldorf, durch Harry Buckwitz. — Trotzki kurz vor seiner Ermordung (am 20. August 1940 in Mexico City durch einen — mit höchster Wahrscheinlichkeit — Agenten Stalins); er wird einbezogen in mehr thematische als chronologische Rückblenden, darunter die Stationen: 1902, Londoner Exil, Auseinandersetzungen mit Lenin; 1905, Trotzki entwickelt seine Forderung der »permanenten Revolution«, die international sein müsse; und auch dies wird ihm die Gegnerschaft Stalins eintragen, der zunächst die auf die Sowjetunion beschränkte, nationale Revolution diktatorisch absichern will; Exil in Zürich, 1915 Begegnung im Cabaret Voltaire mit den Gründern des Dadaismus; Oktoberrevolution 1917; nach Lenins Tod, 1924, wird Trotzki von der Erscheinung Lenins ermuntert zum Kampf gegen Stalin und seinen diktatorischen Bürokratenstaat, für internationalen Klassenkampf; die Moskauer Schauprozesse der dreißiger Jahre verleumden Trotzki als Konterrevolutionär und Agenten des Faschismus. — Peter Weiss versucht, den Linkskommunisten Trotzki zu rehabilitieren. Durch Trotzkis »Testament« agitiert Weiss: »Dem Sozialismus gegenüber steht immer noch die andere . Ordnung. Die Ordnung der absoluten Gemeinheit, der absoluten Habgier, des absoluten Eigennutzes. Diese Ordnung ist unveränderlich . . . Der Sozialismus aber, trotz der Verbrechen, die in seinem Namen begangen wurden, ist veränderlich, ist zu verbessern, zu erneuern«; nur die internationale Revolution »kann endgültig Ausbeutung, Gewalt und Kriege aufheben.« — Die (rund 70) Bühenenfiguren erinnern an die bleichen Gipsstatuen der Revolutionäre, die in den Kulturparks der Sowjetunion in eingefrorenen Posen heroisch und sentimental herumstehen. Bei Weiss rechtfertigt die Revolution alles, vom taktischen Betrug bis zum Massenterror, und sogar ein so verworrenes und langweiliges Agitations-Stück wie ›Trotzki im Exil‹.

Hölderlin. ›Stück in zwei Akten‹. Uraufführung 18. September 1971, Württembergisches Staatstheater Stuttgart, durch Peter Palitzsch. — Französische Germanisten (vor allem Pierre Bertaux: »Hölderlin und die Französische Revolution«, 1969) haben der Französischen Revolution im Leben Hölderlins die Hauptrolle zugeteilt, noch vor den Griechen und vor der Geliebten »Diotima« Susette Gontard. Aus ihren Untersuchungen und Spekulationen hat Peter Weiss unbezweifelbare Gewißheiten gemacht, die Dunkelstellen in Hölderlins Biographie mit revolutionären Diskussionen und

Handlungen gefüllt und den Hölderlin und seine Zeitgenossen so zurecht-
gebogen, daß sie das Zentralthema seines Stücks exemplarisch illustrieren
und diskutieren können: der Dichter und die Revolution. Acht Stationen aus
Hölderlins Leben zeigen mögliche Beziehungen des Dichters zur Revolution.
1793 begehen die Studenten Hölderlin, Hegel, Schelling und ihre Freunde
im Tübinger Stift den Jahrestag des Sturms auf die Bastille, und vor dem
Herzog bezichtigt sich Hölderlin der Mitgliedschaft zu einem revolutionären
Geheimbund. 1794 scheitert Hölderlin als Erzieher des Fritz von Kalb. 1794
versucht er in Jena vergeblich, Schiller für seine Revolutionsgedanken zu
begeistern. 1794 wird er in der Universität Jena bei einer Rede Fichtes
gefesselt abgeführt. 1798 wird er aus dem Haus der Gontards gewiesen.
1799 demonstriert er vor Freunden in Homburg sein Trauerspiel ›Der Tod
des Empedokles‹ als verschlüsseltes Revolutionsdrama. 1806 schreit der in
der Autenriethschen Klinik mit einer Zwangsjacke gefesselte Hölderlin: »Ich
will kein Jakobiner sein!«, und es ergibt sich, daß Hölderlin 1802 in Paris
durch den Anblick der Konterrevolution und durch die Wahl Napoleons zum
Konsul auf Lebenszeit politisch so enttäuscht und zerschmettert worden ist,
daß er sich in den Wahn geflüchtet hat. Im letzten Bild sind die Jahrzehnte
zusammengerafft, die der seelenkranke Hölderlin im Tübinger Turmzimmer
verbracht hat. In seinem letzten Lebensjahr, 1843, wird er bei Peter Weiss
von dem damals 25 Jahre alten Karl Marx besucht, und dabei wird Marx
von Weiss inthronisiert als der analytische Vollstrecker der »mythologi-
schen Ahnung«, die Hölderlin von einer künftigen Revolution gehabt habe,
wenn es ihm freilich auch nicht vergönnt war – so dieser Marx –, »vom
demokratischen Grund hinüberzusteigen ins proletarische Element«. – Weiss
hat den historischen Hölderlin, der mit hoher Wahrscheinlichkeit unter
einer ererbten Schizophrenie gelitten hat, verabschiedet zugunsten einer
Kunstfigur, die nur den Namen des Dichters trägt. Der historische Hölderlin war, wie Bertaux einleuchtend nachweist, ein Anhänger der humanen
Girondisten, des »Frühlings der Französischen Revolution«. Den Tod Marats
und Robespierres hielt er für gerecht; diese Terroristen waren seine Hoffnung nicht, und davon ist bei Weiss nicht die Rede. Weiss hat in seiner
Knittelversballade Hölderlins zarte Stiefeletten über den stählernen Leisten
seines Marat geschlagen. Er hat Hölderlin zum Johannes des Erlösers Marx
gemacht, und die Zeitgenossen Hölderlins, sofern sie keine Revolutionäre
gewesen sind, karikiert: Charlotte und Diotima; Goethe und Schiller;
Hegel, Schelling und Fichte – alles Establishment; lauter Opportunisten.
Kein historisches Stück, sondern eine Polemik gegen alle Intellektuelle, die
keine Revolutionäre sind.

Rolf Hochhuth: der Gewissensstellvertreter

> Die Wirklichkeit blieb stets respektiert, sie wurde aber ent-
> schlackt.   Hochhuth im Nachwort zum ›Stellvertreter‹

ROLF HOCHHUTH, geboren am 1. April 1931 in Eschwege bei Kassel, gelernter
Buchhändler, seit 1958 Verlags-Lektor, löste mit dem Schauspiel ›Der Stellvertreter‹ eine erregte internationale Diskussion aus. Die Buchausgabe wurde
zum Bestseller, das Stück im Ausland gespielt 1963 u. a. in Stockholm, London, Helsinki, Paris, Athen, Aarhus, New York, Rotterdam, Tel Aviv; 1965
in Chicago, Montevideo, Toronto, Reykjavik, Oslo.

Stellvertretend für die Stimmen gegen Hochhuth ein Zitat aus einem
Brief, den Kardinal Montini, Erzbischof von Mailand, nachmals Papst
Paul VI., an die englische Wochenschrift ›The Tablet‹ gerichtet hat: »Warum
es schließlich Pius XII. nicht auf einen offenen Konflikt mit Hitler ankommen
ließ, um so Millionen Juden vor dem nazistischen Blutbad zu retten − das
ist für denjenigen nicht schwer verständlich, der nicht den Fehler Hochhuths
begeht und die Möglichkeiten einer wirksamen und verantwortungsvollen
Aktion in jener schrecklichen Zeit des Krieges und der nazistischen Gewalt-
herrschaft mit dem Maßstab beurteilt, was man unter normalen Umständen
hätte tun können, das heißt, in der willkürlichen und hypothetischen Situation, die der Phantasie eines jungen Komödiegraphen entsprungen ist. Eine
Verurteilung und ein Protest vor aller Welt, den nicht ausgesprochen zu
haben man dem Papst vorwirft, wäre nicht nur unnütz, sondern sogar schäd-
lich gewesen; das ist alles. Die These des ›Stellvertreters‹ offenbart ein un-
genügendes Einfühlungsvermögen in die psychologische, politische und
geschichtliche Wirklichkeit und sucht die Wirklichkeit mit künstlichem Flit-
terwerk zu umgeben.«

Stellvertretend für die Stimmen für Hochhuth ein Zitat aus einem Artikel
des Baseler Literaturwissenschaftlers Walter Muschg, veröffentlicht im Programmheft der Städtischen Bühnen Frankfurt: »Hochhuth hat den ›Nathan‹
zeitgemäß umgeschrieben, indem er den Antisemitismus in die höllische
Perspektive rückte, die sich Lessing noch nicht träumen ließ, die er aber für
uns besitzt. So mußte sein Stück notwendig das werden, als was er es ursprünglich bezeichnete: ein unter apokalyptischem Himmel versuchtes
›christliches Trauerspiel‹ ... Der ›Stellvertreter‹ ist trotz seiner im Grund
traditionellen Struktur ein revolutionäres Werk, weil er über die modischen
artistischen Teufeleien des Antidramas hinaus wieder klarmacht, daß die
Dichtung imstande ist, an die Vernunft des Menschen zu appellieren. Auf
einen solchen jungen deutschen Dramatiker haben wir gewartet, und die

Fehler seines ersten Wurfs sind uns lieber als die schönsten Verrücktheiten des absoluten Theaters.«

Der Stellvertreter. ›Schauspiel‹ (Uraufführung 20. Februar 1963, Berlin, Theater am Kurfürstendamm, durch Erwin Piscator). Die Buchausgabe umfaßt mehr als zweihundert Seiten; eine ungekürzte Aufführung würde mindestens sieben Stunden dauern. Es liegt in der Hand des kürzenden Bearbeiters, des Regisseurs und des Papst-Darstellers, ob eine Aufführung vornehmlich zu einer Polemik gegen Pius XII. wird, oder ob die Entscheidung des Papstes zumindest einen Anhauch von Tragik gewinnt. Im Buch liegt der entscheidende Akzent auf der Polemik. Ihr Träger ist der Jesuitenpater Riccardo Fontana (ein junger idealistischer Held aus der klassischen deutschen Theatertradition). Er hört im August 1942 beim Apostolischen Nuntius in Berlin über die Ermordung der Juden in Belzec und Treblinka von SS-Obersturmführer Kurt Gerstein, der damit beauftragt ist, Blausäure für Massenvergiftungen zu liefern. Gerstein ist eine historische Gestalt; er war Mitglied der evangelischen Bekennenden Kirche und nach seiner Entlassung aus dem Konzentrationslager in die SS eingetreten, um in der Uniform des Gegners wirksamen Widerstand zu leisten. Riccardo schätzt die Stellung und die Macht des Papstes so hoch ein, daß er, angesichts der Massenmorde an den Juden und des erfolgreichen priesterlichen Protestes gegen die Ermordung der Geisteskranken, von Pius XII. fordert, nicht vorsichtig und politisch zu handeln wie ein für die Erhaltung von Menschenleben verantwortlicher Staatsmann, sondern als Stellvertreter Christi zum Martyrium aufzurufen, ohne Rücksicht auf politische Überlegungen, und notfalls wie jeder katholische Gläubige das Martyrium auf sich zu nehmen. Da der Papst die Massenmorde öffentlich nicht mit der von Riccardo für notwendig gehaltenen Schärfe verurteilt, da er wie ein weltlicher Politiker handelt und nicht so päpstlich, wie dies Riccardo — und mit ihm der Protestant Hochhuth — erwartet, geht Riccardo als Stellvertreter für den, den er nicht mehr als Stellvertreter Christi betrachten kann, freiwillig ins Konzentrationslager, den Judenstern auf der Soutane, und wird dort schließlich erschossen.

Die (mancherorts gestrichene) Szene im SS-›Jägerkeller‹ und die Verhaftung einer römischen Judenfamilie durch deutsche Soldaten entkräften den Vorwurf, Hochhuth wolle die Judenmörder auf Kosten des Papstes entlasten: dort führt er die Schuld aller Beteiligten, einschließlich der Industrie, einer pervertierten Rassen-›Wissenschaft‹ und der Wehrmacht, eindeutig vor. Ebenso eindeutig zeichnet Hochhuth Pius XII. als einen taktierenden Rechner, der Eiseskälte ausstrahlt und einer schlichten menschlichen Reaktion unfähig ist. Dies hat manchen Darsteller nicht daran gehindert, ihm inner-

halb des gegebenen Textes das Höchstmaß einer schwer errungenen Überzeugung zu verleihen; der Papst schweigt dann aus wohlerwogenen Gründen, aus denen er schweigen zu müssen glaubt, und wird zum Träger eines
Konfliktes, in dem er sich — nach Hochhuths Meinung — zwar falsch entscheidet, dies jedoch in einer tragischen Situation.

»Drohen Sie Hitler, direkt und schriftlich, eine halbe Milliarde Katholiken
zum Protest zu zwingen, wenn er den Massenmord fortsetzt!« — die Frage,
welche Auswirkung es gehabt hätte, wenn der Papst dieser Aufforderung
gefolgt wäre, läßt sich selbstverständlich nicht beantworten. Die Frage, ob
irgendeine irdische Instanz das Recht hat, auch nur einem einzigen Gläubigen das Martyrium aufzuerlegen, kann nur von jedem einzelnen durch
eine Gewissensentscheidung beantwortet werden. Hochhuth, der als Protestant an die Stellvertreterschaft des Papstes nicht glauben kann, verlangt
gleichwohl von ihm, daß er wie der Stellvertreter Gottes handle, und billigt
ihm damit das Recht zu, das Martyrium zu fordern.

Stilistisch ist das Schauspiel eine Mischung von polemischem Zeitstück
mit dem Ehrgeiz zum schillerschen Ideen-Drama, von zuckmayerschem
Rollenstück, für das Hochhuth am meisten Talent zu haben scheint, und
dem zum Scheitern verurteilten Versuch, Auschwitz in ein Mysterienspiel zu
steigern: im letzten Akt mit Riccardo am Leichenverbrennungsofen wird
der SS-Doktor zum Teufel, zum absolut Bösen, zum geistigen Widersacher
Gottes. Doch wie man auch immer das Drama ästhetisch beurteilen mag, es
erzwingt im Zuschauer das innere Bild unablässiger Fahrten in die Feueröfen, des atemlosen und gleichmütigen Mordens, und wer nicht völlig abgestumpft ist, hat mit seinem eigenen Gewissen mehr zu tun als mit der Entscheidung des Papstes.

Soldaten. ›Nekrolog auf Genf. Tragödie‹. Uraufführung 9. Oktober 1967,
Freie Volksbühne, Berlin, durch Hans Schweikart. — Das von Churchill zustande gebrachte Bündnis zwischen London und Moskau, ohne das keine
Aussicht bestand, Hitler-Deutschland zu besiegen und seine Massenmorde
im eroberten Europa zu beenden, dieses heikle Notbündnis wurde gefährdet
durch General Sikorski, den Ministerpräsidenten der polnischen Exilregierung in London: Sikorski verlangte ein von den Russen unangetastetes
Polen in den Vorkriegsgrenzen, und Stalin verlangte zumindest die polnischen Ostgebiete, die unter den Zaren russisch gewesen waren. Sikorski hatte
ferner in Genf das Schweizer Rote Kreuz gebeten, die Gräber von Katyn zu
untersuchen; dort waren im April 1943 viertausend ermordete polnische
Offiziere gefunden worden — Offiziere, die nach der Aufteilung Polens durch
Hitler und Stalin in russische Lager verschwunden und vermutlich auf Be-

fehl Stalins ermordet worden waren. — Hochhuths erster Akt (ohne Vorspiel) beginnt im April 1943, als die Massengräber von Katyn entdeckt sind (der letzte endet im Juli des gleichen Jahres); Stalin hat von Churchill verlangt, daß er einige Mitglieder der polnischen Exilregierung »austausche«; daß, grob gesagt, Sikorski verschwinde. Auf dem Schlachtschiff »Duke of York« beschwört Churchill den General Sikorski, zu Katyn zu schweigen, doch Sikorski hat das Rote Kreuz bereits um die Untersuchung gebeten — die natürlich auch ein propagandistischer Triumph für Hitler wird. Damit nicht genug, verlangt Sikorski eine schriftliche Bestätigung, daß die Grenze zwischen Polen und Rußland nicht vor dem Sieg über Hitler diskutiert wird — Churchill muß ablehnen. Sikorski ist dem Bündnis zwischen London und Moskau im Wege, und er weiß dies auch. — Im zweiten Akt hat Stalin die Beziehungen zu den Polen abgebrochen und verlangt telegraphisch abermals, daß »Maßnahmen zur Verbesserung der Zusammensetzung der gegenwärtigen polnischen Regierung« ergriffen werden. Lord Cherwell deutet an, daß der britische Geheimdienst in Gibraltar gegen Sikorski, der in britischen Flugzeugen schon dreimal knapp dem Tod entronnen ist, ein Attentat vorbereitet hat, Churchill hört dies und billigt es, indem er keinen Einspruch erhebt. — Im dritten Akt kommt die Nachricht, daß Sikorski — am 4. Juli 1943 — mit Tochter und Stab tot ist: bei Gibraltar ist die britische Maschine ins Meer gestürzt. Churchill ordnet die Aufbahrung der Leiche in Westminster an.

Hochhuth, der seine Quellen nicht preisgibt und die endgültige Aufklärung des Falles »spätestens in fünfzig Jahren« erwartet, belastet Churchill mit dem Tod Sikorskis, doch läßt er keinen Zweifel, daß Churchill auch moralisch berechtigt war — oder doch im Sinne Burckhardts »Dispensation von dem gewöhnlichen Sittengesetz« hatte —, um Sikorski beseitigen zu lassen, so wie Sikorski moralisch berechtigt war, Stalin der Massenmorde von Katyn anzuklagen; in einem Kommentar nennt Hochhuth die Beziehungen zwischen Churchill und Sikorski »eine Tragödienkonstellation von klassischer Ausweglosigkeit«. Daß die Ermordung Sikorskis »zur Rettung der Koalition, die die Welt gerettet hat« notwendig gewesen sei, daran zweifelt Hochhuth nicht. Dagegen bestreitet er die Notwendigkeit der Bombenangriffe gegen die Zivilbevölkerung. Dieses Thema seines Stückes ist wichtiger, wenn auch weniger sensationell als die unbeweisbare Behauptung, Churchill habe Sikorski umbringen lassen.

Hochhuth ist Pionier der ›Dokumentarstücke‹ der sechziger Jahre. Die Bearbeitung der Dokumente ist immer bestreitbar, und es ist nur zu natürlich, daß ein Betroffener, der amerikanische Physiker Oppenheimer gegen das

Stück protesiert, das ihn auf die Bühne bringt: *In der Sache J. Robert Oppenheimer*, ein ›szenischer Bericht‹ von *Heinar Kipphardt* (Uraufführung 11. Oktober 1964, Freie Volksbühne Berlin und Kammerspiele München), versuche, so sagte Oppenheimer, aus einer Farce eine Tragödie zu machen. Umstritten sind die Dokumente für Kipphardts ›Schauspiel‹ *Joel Brand* (Uraufführung 5. Oktober 1965, Kammerspiele München), und *Tankred Dorst* interpretiert in seinem *Toller* (Uraufführung 9. November 1968, Staatstheater Stuttgart) zumindest so einseitig, daß ein falsches Bild von den Anfängen der Weimarer Republik entsteht. Solche Stücke, die durch ihre Stoffe und ihre moralischen Appelle Furore machen können — so war ›Oppenheimer‹ ein Welterfolg —, nehmen sich in dem Medium am besten aus, für das sie ursprünglich geschrieben sind: im Fernsehen.

Guerillas. ›Tragödie‹. Uraufführung 15. Mai 1970, Württembergische Staatstheater, Stuttgart, durch Peter Palitzsch. — Hochhuth ist davon überzeugt, daß in den Vereinigten Staaten »200 Millionäre über 200 Millionen Menschen herrschen«. Um diese Oligarchie zu brechen, bereitet in ›Guerillas‹ der Senator Nicolson, ein Millionär, Republikaner und Mitglied des Geheimdienstes CIA, mit Stadt-Guerillas einen Staatsstreich vor: die Verschwörer wollen mit Hilfe eines Polaris-U-Bootes durch atomare Erpressung ihr Programm verwirklichen, »die Demokratie einzuführen, die unsere Verfassung vorschreibt«, eine Arbeiterpartei zu gründen, »die Amerika umwandeln wird in einen sozialen Rechtsstaat«. Doch der Senator erliegt als traditioneller Tragödienheld der Hybris, indem er zugleich Südamerika befreien will: seine Frau wird in Guatemala bei konspirativer Tätigkeit entdeckt; Senator und Frau werden vom CIA ermordet; der farbige Pilot des Senators wird die nordamerikanischen Staatsstreichpläne weiterführen. — Ein Staatsstreich von oben erscheint Hochhuth eher möglich als eine Revolution von unten. Statt dramatischer Situationen gibt er eine Polemik mit verteilten Rollen, aufgepulvert durch Kolportage. Getreu seinem Vorsatz, »geschichtliche Konstanten zu suchen, denen man den Dokumentenschutz zuordnet, anstatt umgekehrt vorzugehen«, ordnet Hochhuth seinen Staatsstreich-Phantasien eine passende Dokumenten-Auslese zu. Wahrheit und politische Science Fiction entwerten sich gegenseitig, so daß sogar die Wahrheit unglaubwürdig wird. Im ›Stellvertreter‹ konnte man zu einem feierlichen Astheniker in Soutane mühelos Papst Pius den Zwölften assoziieren und in ›Die Soldaten‹ zu einem explosiven Pykniker im Nachthemd mit geringer Mühe Winston Churchill; in ›Guerillas‹ gibt es solche nahrhaften Markenartikel der Weltgeschichte nicht, das Personal ist entsprechend mager: zusammengeklumpt aus Pappmaché mit »freien Rhythmen«.

Günter Grass: Vom Absurden zur Politik

> Ob ich ein Stück oder einen Roman oder ein Gedicht schreibe —
> es handelt sich um einen analytischen Prozeß, mit Mitteln der
> Literatur ausgeführt. Während ich in der Politik mit bestehen-
> den Alternativen, ob sie mir gefallen oder nicht, zu rechnen
> habe. Günter Grass, 1969

Günter Grass, geboren am 16. Oktober 1927 in Danzig, Autor der barock wuchernden Romane ›Die Blechtrommel‹ (1959) und ›Hundejahre‹ (1963), hat einige Stücke voll bizarrer Einfälle und eines grimmigen Humors geschrieben, die zum Theater des Absurden gehören. *Hochwasser*, zwei Akte (Uraufführung 21. Januar 1957, Neue Bühne Frankfurt): vorm Hochwasser flüchten die Bewohner eines Hauses aufs Dach, philosophieren mit Ratten und Ausgeburten ihrer Phantasie und haben, nachdem das Wasser gefallen ist, Sehnsucht nach den Entfesselungen, die ihnen der Ausnahmezustand gebracht hat. Der Vierakter *Onkel, Onkel* (Uraufführung 3. März 1958, Köln) ist die Geschichte eines Massenmörders, der nicht mehr zum Morden kommt, weil kein Mensch Angst vor ihm hat; er wird in den ihm fürchterlichen Alltag seiner erwählten Opfer sachlich einbezogen und schließlich von zwei Kindern mit seinem eigenen Revolver spielerisch erschossen. *Die bösen Köche* (Uraufführung 16. Februar 1961 in der ›Werkstatt‹ des Berliner Schiller-Theaters), ein ›Drama in fünf Akten‹, schildert die Jagd von fünf besessenen Köchen hinter einem Rezept des ›Grafen‹ her: seine mit einer geheimnisvollen Asche gewürzte, sonst aber ordinäre Amateursuppe ist besser als ihre Kollektivrezepte. Dabei kann man sich allerlei Symbolisches denken, zumal auf allerlei Symbolisches angespielt wird, freilich nicht ohne Ironie: der Heilige Gral steckt, bildlich gesprochen, hier in einer Suppenterrine; der ›Graf‹, dem Fisch zugeordnet; erlebt eine Fußwaschung durch Martha; die Jagd nach dem Rezept als groteskes Symbol für die vergebliche Jagd eines Kollektivs nach einem individuellen Erlösungsmittel. Schließlich ist das Rezept nur noch »ein Vorwand zum Laufen«, und das letzte, das allgemeinste Wort hat der Chefkoch Petri (der ein individuelles Geheimnis petrifizieren möchte): etwas in seinen Beinen will nicht mehr eine bestimmte Suppe, es will nur noch »einem angenommenen Ziel näherkommen«. Für den ›Grafen‹ aber mit der Erlösersuppe ist es schlimm ausgegangen: für das Versprechen des Rezeptes hat ein Koch seine Braut, die Krankenschwester Martha, mit dem ›Grafen‹ davonziehen lassen, und der ›Graf‹ lebt mit Martha in einer Liebesidylle, bis die bösen Köche kommen, um das versprochene Rezept zu fordern — der ›Graf‹ aber hat das Rezept vergessen, das für ihn eine ›Erfahrung‹ ist, ›ein lebendiges Wissen‹: sein Zusammenleben mit Martha »hat diese Erfahrung überflüssig gemacht«; da er sein Versprechen nicht halten kann, begeht er mit Martha Selbstmord.

Günter Grass hat im Shakespeare-Gedenkjahr 1964 mit der selbstironischen Ermunterung »Die Vermessenheit hat das Wort!« eine Rede mit dem Titel gehalten ›Vor- und Nachgeschichte der Tragödie des Coriolanus von Livius und Plutarch über Shakespeare bis zu Brecht und mir‹ und dabei ein von ihm, Grass, zu schreibendes Theaterstück skizziert: ›Die Plebejer proben den Aufstand‹. Mit diesem ›deutschen Trauerspiel‹ hat er ein historisches Ereignis aufgegriffen, den von russischen Panzern niedergeschlagenen Aufstand vom 17. Juni 1953 in Ost-Berlin und in der Sowjetzone. Hier spielt Grass nicht mehr mit ›absurden‹ Erfindungen, sondern ordnet die schmerzvollen Absurditäten, die er in der Realität, in der jüngsten deutschen Vergangenheit, gefunden hat, einem politisch moralischen Thema unter.

Die Plebejer proben den Aufstand. ›Ein deutsches Trauerspiel‹. Uraufführung 15. Januar 1966, Berlin, Schiller-Theater. — Eine Probebühne in Ost-Berlin am Tage des Aufstandes, am 17. Juni 1953. Der ›Chef‹, Dramatiker und Regisseur, hat Schwierigkeiten bei der Umformung und Inszenierung des ›Coriolan‹ von Shakespeare mit dem Aufstand der römischen Plebejer: ändern will er den Coriolan dergestalt, daß er kein schicksalsgetriebener Koloß mehr ist, sondern ein Militärspezialist und ein Reaktionär, der von den klassenbewußten Volkstribunen mit Recht abgelöst wird. (Das historische Modell für diesen ›Chef‹ ist der Dramatiker Bertolt Brecht, der am Tage des Aufstandes — so meinte Grass — im Ost-Berliner Deutschen Theater die Proben zu Erwin Strittmatters ›Katzgraben‹, einem bedeutungslosen Stück, nicht unterbrochen habe. Wie der Regisseur Peter Palitzsch, damals Brecht-Assistent, zu berichten weiß, hat Brecht am 17. Juni die Proben zu Molières ›Don Juan‹ abgesetzt, gleichlautende Briefe an Ulbricht, Grotewohl und den russischen Hochkommissar Semjonow geschrieben und hat Streifzüge durch die Stadt unternommen. Was Brecht auch getan haben mag, es ist für das Stück gleichgültig, denn Grass porträtiert nicht Brecht, sondern benutzt ihn und läßt seinen ›Chef‹ den zum Aufstand beziehungsreichen ›Coriolan‹ proben.) Eine Arbeiterdelegation dringt auf die Probebühne vor und bittet den ›Chef‹, den erklärten Freund ihrer Klasse und international renommierten Dramatiker, ihnen ein Manifest zu schreiben, »nicht zu lang und radikal, doch höflich und bestimmt«. Mit dem gleichen Zynismus, mit dem der ›Chef‹ Tonbandaufnahmen murrender Hausfrauen vor Ost-Berliner HO-Läden für seine Shakespeare-Inszenierung abhört, läßt er sich nun von den Arbeitern den Aufstand erklären und auf der Probebühne die entspre-

Zeichnung von Günter Grass zu seinem
Stück ›Onkel, Onkel‹, 1958

chenden Dekorationen bauen; statt ihnen das gewünschte Manifest zu schreiben, unterschreibt er für sie zur Beruhigung eine Kantinenanweisung für Bockwurst und Flaschenbier. Ihr Aufstand erscheint ihm zwar hoffnungslos dilettantisch, doch immerhin gut genug, um ihm Parolen, Gruppierungen, Tonfälle als Modelle für seine römischen Plebejer zu liefern. Er verachtet die Arbeiter so herzhaft wie Coriolan, den er in seiner Shakespeare-Fassung doch als Feind des Volkes der Kritik seiner Zuschauer preisgeben möchte. Er ordnet die Aufständischen in seine Inszenierung ein und muß sich von der (nach dem Modell der Schauspielerin und Brecht-Witwe Helene Weigel geschaffenen) ›Volumnia‹ sagen lassen: »Was bist du doch für ein mieser Ästhet! Aus Arbeitern hast du Komparsen gebacken, wie man Plätzchen backt.« Sein Selbstkommentar: »Die Massen wird man auseinandertreiben; dies Material jedoch wird bleiben.«

Der Aufstand in der Stalin-Allee und in den Städten der Sowjetzone wird gespiegelt auf der für den ›Coriolan‹ hergerichteten Bühne: ›Coriolan‹-Probensituationen entsprechen realen Situationen draußen auf den Straßen; Straßensituationen werden auf der Bühne nachgespielt; Variationen über Blankverse von Shakespeare und Blankverse von Grass; gereimte Knittelverse und Prosa im sarkastisch-trockenen Stile Brechts. Abgesandte aus den Städten bringen Botschaften vom Aufstand in Leipzig, Halle, Merseburg und verlangen vom ›Chef‹ einen Aufruf zum Generalstreik; als sie sich verhöhnt fühlen, wollen sie ihn, samt seinem Dramaturgen Erwin (Modell: der Regisseur und Brecht-Freund Erich Engel), aufhängen — der Dramaturg rettet sich und den ›Chef‹ vorm Strick, indem er das demagogische Bauch-und-Glieder-Gleichnis des Menenius aus Shakespeares ›Coriolan‹ dergestalt abwandelt, daß es sich auf ihre Situation bezieht. Arbeiter tragen auf die Probebühne den verwundeten

Maurer, der die rote Fahne vom Brandenburger Tor geholt hat und dabei beschossen worden ist. Die Russen greifen ein, man hört die Panzer rollen. Als eine Friseuse die Arbeiter anfeuert, die Panzer anzugreifen, da meint der Dramaturg: »Die könnt' von dir sein, Chef«, und der ›Chef‹ antwortet: »Fast fürchte ich, sie ist von mir« — und in der Tat ist diese pathetische Panzernah-bekämpferin wie eine Verwandte der diversen kriegerischen, unheiligen Johannen von Brecht. Der ›Chef‹ hat einen sekundenlangen Rückfall in seine anarchistische Jugend und will — einen Augenblick lang — mit ihr gehen und über den Rundfunk zu den Aufständischen sprechen, da bringt ›Volumnia‹ die Nachricht vom Ausnahmezustand und Kriegsrecht; es ist zu spät.

Nach seinem einen großen Augenblick — »Ich, wissend, listig, kühl, allein, war ein Gedicht lang fast dabei« — wird der ›Chef‹ rasch wieder zum listigen Taktiker, der sich mit den Siegern arrangiert, um sein Theater zu retten. Er schreibt eine Erklärung an Ulbricht, und er weiß, daß Ulbricht davon nur den letzten Satz, die Erklärung seiner »Verbundenheit mit der Sozialistischen Einheitspartei Deutschlands« veröffentlichen wird, doch stört ihn dies nicht sonderlich: »Gesegnet sei das Kohlepapier« — die Durchschläge mit dem vollständigen Text gehen zur Rettung seines Ansehens an Freunde im Westen. So gelassen zynisch wie zu Beginn des 17. Juni kann der ›Chef‹ freilich nicht mehr sein. Er hat begriffen, daß er einer Änderung des Shake-speare-Coriolan nicht gewachsen ist, »daß wir, zum Beispiel, den Shakespeare nicht ändern können, solange wir uns nicht ändern . . . Und wir wollten ihn abtragen, den Koloß Coriolan! Wir, selber kolossal und des Abbruchs wür-dig.« Die letzten Worte des ›Chefs‹: »Fortan dahinleben mit Stimmen im Ohr: Du. Du. Ich sag dir, du. Weißt du, was du bist . . . Unwissende. Ihr Unwissenden! Schuldbewußt klag ich euch an.« Diese Worte variieren ein Brecht-Gedicht, das sich vielleicht auf den 17. Juni bezieht, vielleicht aber auch nicht; es endet: »Heut nacht im Traum sah ich Finger, auf mich deu-tend / Wie auf einen Aussätzigen. Sie waren zerarbeitet und / Sie waren zerbrochen. / Unwissende! schrie ich / Schuldbewußt.«

Zwei große Themen hat Grass beziehungsreich ineinander verzahnt: die Ereignisse am 17. Juni 1953 und die Reaktionen des ›Chefs‹, der ein Leben lang als Dichter und Theatermann ein theoretischer Experte und Befürworter von proletarischen Revolutionen gewesen ist, und der nun vor der Realität eines Arbeitsaufstandes steht, aus dem eine Revolution werden könnte. Wer Arbeitsweise und Äußerungen Brechts kennt, der kann nicht dagegen an, in dem ›Chef‹ immer wieder Brecht zu sehen. Und doch steckt in dem Stück mehr und Wichtigeres als eine gut erfundene Brecht-Anekdote. Wenn hier die Arbeiter anders sind und anders handeln, als ihr erklärter Stückeschreiber sie sich gedacht hat, und wenn wiederum dieser Stückeschreiber der Arbeiter anders ist und anders handelt, als die Arbeiter sich ihn gedacht haben: wenn man wechselseitig voneinander enttäuscht ist, sich gegenseitig Versagen vorwirft und nichts miteinander anfangen kann; wenn der Stückeschreiber, der die Welt belehrend verändern will, von einer sich verändernden Welt belehrt wird — ein Zauberlehrling, überrannt von den Geistern, die er beschworen hat, so wird in dieser Absurdität das größere Thema spürbar: der Zwiespalt zwischen der Lehre und ihrer Verwirklichung, zwischen Theorie und Realität, zwischen Idee und Geschichte. Allerdings verleitet die Eigenart des Stückes dazu, daß es nicht an diesen seinen exemplarischen Möglichkeiten gemessen wird, sondern an seinem historischen Rohmaterial.

Davor. Uraufführung 14. Februar 1969, Schiller-Theater, Berlin, durch Hans Lietzau. — Ende der sechziger Jahre in Berlin; der siebzehn Jahre alte Schüler Scherbaum will seinen Dackel auf dem Kurfürstendamm verbrennen und damit gegen den Krieg in Vietnam protestieren. Ein brennender Mensch, so meint er, werde die hundenärrischen Berliner kaum erschrecken: »Nur wenn ein Hund brennt, werden sie kapieren, daß die Amis da unten Menschen verbrennen, und zwar jeden Tag.« Sein Lehrer, der Studienrat Starusch, vierzig Jahre alt, ein Liberaler des »permanenten Ausgleichs«, will nicht, daß sein Schüler gelyncht wird, und versucht, ihn von der politisch und symbolisch sinnlosen Hundeverbrennung abzubringen. Jedes der dreizehn Bilder bringt eine neue Gruppe von Argumenten und von irrationalen Motiven ins Spiel, und dies auch durch eine Studienrätin mit Denunziationskomplex, durch eine extrem linke Schülerin — ihr Freund Scherbaum über sie: »Die liest ihren Mao wie meine Mutter ihren Rilke« — und durch einen Zahnarzt, der psychologisch und — durch eine Zahnbehandlung des Schülers — auch physisch auf ihn einwirkt. Diese Personen sind nicht mehr als das Bündel von Argumenten, das sie ausbreiten; ihre Auftritte sind nicht realistisch motiviert, sondern gedanklich montiert: Wenn ein bestimmtes Argument gebraucht wird, dann steht sein Vertreter ohne weitere Begründung auf der Bühne und liefert es ab. Nicht ein einzelnes Argument bringt den Schüler dazu, seinen Plan aufzugeben, sondern die Summe dessen, was auf ihn eingestürmt ist: sein Verzicht ist so irrational wie sein Plan selber. — Der Junge gibt aus psychologischen Gründen auf, Grass aber hat mit seiner Dramaturgie der Diskussion argumentierende Szenenfetzchen montiert, die kaum Psychologie erlauben: Leute, die nur von übergeordneten Problemen reden, können gar nicht zum Leben kommen. Besser wirkt das Stück beim Lesen: durch seine auf praktische Vernunft zielende Argumentation.

Martin Walser: *Verdruß bis Zorn*

> Manchmal fürchte ich, unser Drama könnte seinen Dorn-
> röschenschlaf noch später beenden, weil jeder der um den
> Erweckungskuß bemühten Prinzen spürt, daß ihm ein ganzes
> Land auf den Mund schaut, den er dem gipsblassen Dorn-
> röschen nähert. Mein Gott, so eine Verantwortung, denkt er.
> Was passiert dir, wenn du jetzt küßt und die schläft weiter.
> Martin Walser, 1962

Martin Walser, geboren am 24. März 1927 in Wasserburg am Bodensee, Autor der zeitkritischen Romane ›Ehen in Philippsburg‹ (1957), ›Halbzeit‹ (1960), ›Das Einhorn‹ (1966), hat im Jahr 1962 zur Uraufführung seines Stückes ›Eiche und Angora‹ einen kurzen ›Lebenslauf, ausgewählt im Hin-blick auf das Theater‹ verfaßt, in dem er die Frage ›Warum Stücke?‹ u. a. beantwortet mit: »Weil unser nationales Schicksal abendfüllend ist. Weil das Geklage, es gebe keine deutschen Stücke, auch einen Mehlsack zum Dra-matiker machen muß. Weil ein Freund sagte: Du bist ein Erzähler. Das klang, als werde ein Aktendeckel für immer zugeschlagen.« Nach vier Stücken ist Walser noch immer mehr Erzähler als Dramatiker, doch sieht er einem Dramatiker schon zum Verwechseln ähnlich. Seine Bühnengestalten leiden fast alle unter dem Zwang, so glanzvoll zu formulieren wie ihr Er-finder, der von einer überschäumenden Sprachphantasie bedrängt wird, und erklären sich mehr durch pointierte Sätze als durch Handeln.

Sein erstes Bühnenstück *Der Abstecher*, uraufgeführt 1961 im Werkraum-theater der Münchener Kammerspiele, war ursprünglich als Hörspiel gedacht: eine Frau wird von ihrem ehemaligen Geliebten bei einem ›Abstecher‹ be-sucht; mit ihrem eifersüchtigen Ehemann will sie den Geliebten, der sie einst sitzenlassen hat, auf einem improvisierten elektrischen Stuhl — Füße in der Waschschüssel, Strom aus der Leitung — umbringen, doch die Männer verbrüdern sich schließlich beim Bier und lassen die Frau mit ihrem Weltekel allein. Nach dieser Ehe-Satire, die in eine Herr- und Knechts-Satire ein-gekleidet ist, teils Jux, teils geistreicher Witz, mit Anklängen an Bertolt Brecht und Harold Pinter, nach dieser grausamen Posse aus dem intimen Alltag hat Walser mit bemerkenswerter Hartnäckigkeit und Courage ver-sucht, »unser nationales Schicksal abendfüllend« zu machen. Sein Ekel vor der nationalsozialistischen Vergangenheit und sein Zorn über die bundes-republikanische Gegenwart liefern ihm das Material.

Theoretisch proklamiert er einen neuen Realismus, praktisch jedoch arbei-tet er nach vorgefaßten zeitkritischen Thesen Modellsituationen aus, deren Personal nur dazu dient, die Richtigkeit seiner Thesen zu bestätigen. Walser drückte dies unübertrefflich genau aus, als er vom Bühnenautor schrieb: ». . . er gibt sich seiner schwarzgetönten Empfängnis hin und erfindet aus dem Material seiner persönlichsten Niedergeschlagenheit eine Spielwelt, in der er jene Grausamkeit abbildet, die er in seiner Umwelt vermutet, ohne sie im Material dieser Umwelt und Wirklichkeit abbilden und beweisen zu können.« Seiner ›Spielwelt‹ zwingt er überdies — von Angora bis schwarzer Schwan, von der Eiche bis zum Lebensbaum — nach der Urväterweise Ibsens eine Abart der ›Wildenten‹-Symbolik auf. Mit dialektischer Geschicklichkeit kann man auch dieses Verfahren ›realistisch‹ nennen, weil es die Realität durchschaubar machen will, doch kommt es auf das Etikett nicht an.

Tief verdrossen über das, was er beobachtet, und über die Schlüsse, die er daraus ziehen zu müssen meint, versucht Walser zu provozieren: den trägen Schlamm der Vergangenheitsverdrängung und Gegenwartsgleichgültigkeit aufzurühren. Ist er auch absolut humorlos, so ist er doch witzig aus Wut, und mit der Überpointierung seiner Situationen und ihrer Beweisfiguren macht er es seinen Zuschauern allzu leicht, die Gewissenschärfung, auf die es ihm doch ankommt, lachend abzuweisen. Sein Fanatismus der Moral hat wie jeder Fanatismus etwas Amoralisches: damit die Menschen seinen strengen Forderungen genügen könnten, müßte man sie zuvor alle erschießen und dann noch einmal neu, und zwar sehr viel besser, erfinden.

Eiche und Angora. ›Eine deutsche Chronik‹. 1961/62. Uraufführung 23. September 1962, Schiller-Theater, Berlin. — Fünf Bilder spielen im April 1945, zwei Bilder im April 1950, vier Bilder im April 1960: die Deutschen dieser ›Chronik‹ wechseln, vom Erwerbstrieb beflügelt, ihre Anschauungen, wie es ihnen gerade nützlich erscheint. Gorbach beispielsweise, eine der beiden Hauptfiguren, versucht im ersten Teil, bei Kriegsausgang, als nationalsozialistischer Kreisleiter auf dem ›Eichkopf‹ den Kampf gegen die anrückenden Alliierten zu organisieren; im zweiten Teil ist er bereits Bürgermeister, auf dem Eichkopf wird nun eine pazifistische Gedenktafel enthüllt, und im dritten Teil ist Gorbach der Besitzer eines Höhenrestaurants auf dem Eichkopf, auf dem sich Gesangvereine zu einem Wettstreit treffen. Alois Grübel, der Gehilfe Gorbachs, hinkt mit seiner jeweiligen Meinung immer hinter der Entwicklung her; seine ›Rückfälle‹, die er bitter beklagt, sind immer Rückfälle in Meinungen von gestern, die heute nicht mehr opportun sind. So trägt er, als Kommunist im Konzentrationslager ›umerzogen‹, angesichts eines Vertreters der zur ›Umerziehung‹ entschlossenen Besatzungsmacht, ungeniert vor, was er an Nazi-Phrasen im KZ gelernt hat; als sein Arbeitgeber von heute, der Kreisleiter von gestern, durch ihn zwecks Rückversicherung bereits Kontakt mit den verbotenen Kommunisten aufnehmen will, ist

Alois gerade erst bei der neuen Frömmigkeit angelangt. So wird er immer wieder als Irrer in eine Heilanstalt gesteckt und kommt er zu dem Ergebnis: »Erst in der Anstalt kommt der Mensch ganz zu sich« — weshalb er schließlich freiwillig in die Anstalt geht. — Bestechend ist der Grundeinfall: Grübels naive Gläubigkeit an eine gerade überholte Weltanschauung macht den flinken Opportunismus der Gesellschaft um ihn, die sich gläubig gibt, zu einer schaurigen Groteske. Walser hat einen erbarmungslosen Blick für die Erbärmlichkeit, für die Infamie im scheinbar harmlosen Bürger. Seine Personen und Szenen leben fast ausnahmslos nicht aus sich selbst, sondern auf eine angesteuerte Pointe der Provokation hin. Diese kabarettistischen Effekte verscherzen oft den Ernst und die Größe des Themas. So in diesem Falle: im KZ hat Alois eine Angora-Zucht beaufsichtigt und den Kaninchen, auf Befehl der SS, jüdische Namen gegeben; diesen grauenhaften Brauch behält er auch bei seiner Angora-Zucht nach dem Kriege bei, und wenn er auf Wunsch Gorbachs diese ›jüdischen‹ Kaninchen tötet, weil sie durch ihren Gestank die Gäste des Restaurants vertreiben, überdies die Angorafelle an die Fahnen der singenden Vereine hängt, so legt Walser den Gedanken nahe, daß gegebenenfalls wieder die Juden ermordet würden, diesmal aus rein wirtschaftlichen Gründen — eine ebenso fatale wie abgeschmackte Symbolik.

Überlebensgroß Herr Krott. ›Requiem für einen Unsterblichen‹. Uraufführung 23. November 1963, Stuttgart. — Der Unsterbliche heißt Krott, liegt auf der Terrasse eines luxuriösen Gebirgshotels zwischen Frau und Schwägerin, ein allmächtiger Industrieller, ein überlebensgroßer Kapitalist, der Kapitalismus überhaupt: er möchte seine Macht gern loswerden, doch wird er dabei gegen seinen Willen immer mächtiger; er hofft, daß ihn endlich jemand umbringt, doch lieber bringen sich alle andern selber um. Er lebt nicht mehr recht, er läßt sich Leben vorspielen, doch kann er auch nicht sterben. Sogar seine Gegenfigur — ihm zugeordnet wie Grübel dem Gorbach in Walsers ›Eiche und Angora‹ —, der Kellner Ludwig, ist keine Figur gegen ihn: der Kellner nimmt die Hotels nicht an, die Krott ihm schenken will; er zieht es vor, nichts zu besitzen, denn da kann er auch nichts verlieren. Das Stück hört auf, wie es begonnen hat, Krott ist unsterblich, das Requiem mußte ihm zu Lebzeiten gesungen werden. — Die These, daß der Kapitalismus, in dem Walser das Übel aller Übel sieht, auf ewig zementiert und unausrottbar sei (auch die Gewerkschaftsvertreter sind hier zu seinen Nutznießern und Lakaien geworden) wird durch zeitsatirische Szenen und Szenchen, glänzende Bonmots und boshafte Witzeleien illustriert, ohne dadurch an Überzeugungskraft zu gewinnen: mit so vielen zutreffenden Realitätsbeobachtungen Krott kostümiert ist, im Kostüm steckt ein vom Autor aufgeblasener Popanz, der nicht aus der beobachteten Realität gewachsen ist, sondern aus der Lektüre von Bertolt Brecht bezogen scheint. Die Pointe Walsers freilich ist eine Anti-Brecht-Pointe: sie konstatiert die Unveränderlichkeit einer Welt, die Walser und Brecht für höchst veränderungsbedürftig halten.

Der Schwarze Schwan. 1961–64. Uraufführung 16. Oktober 1964, Stuttgart. — Professor Leibniz, ehemals Mordarzt im Dienste der Konzentrationslager, hat sich unter dem Namen Liberé der Justiz entzogen, für seine Umgebung eine Vergangenheit in Indien erfunden und sich die Leitung einer Nervenheilanstalt als eine Art Selbstbestrafung auferlegt; er hat Tinchen adoptiert, deren Irresein darin besteht, daß sie sich im BDM, dem nationalsozialistischen ›Bund Deutscher Mädel‹ fühlt, Nazi-Lieder singt, in Uniform mit der Sammelbüchse umherläuft und eine Sonnwendfeier veranstalten will. Als säße er im Gefängnis, stellt Liberé in jeder freien Minute Sahneschläger her: »Jeder sein eigener Richter.« Sein ehemaliger Kollege im mörderischen Konzentrationslagerdienst, Professor Goothein, der mit einer verbüßten Gefängnisstrafe seine Schuld als gesühnt betrachtet, hat seinen offenbar neurotischen Sohn Rudi zur Beobachtung in Liberés Anstalt gegeben: der zwanzigjährige Rudi besitzt einen Brief aus dem Jahre 1942, mit dem sein Vater Häftlinge zur Tötung angefordert hat, und gibt vor, er habe diesen Brief geschrieben. Mit diesem ›Wahn‹ will er — eine Hamlet-Variante — seinen Vater dazu zwingen, sich als Schreiber dieses Briefes zu bekennen. Mit Liberés Tochter Irm gräbt Rudi in ihrer gemeinsamen Kindheit: Irm hieß damals Hedi, und die beiden wurden eingesperrt, wenn die Häftlingstransporte kamen; Rudi imitierte im Spiel den Transportbegleiter, den SS-Mann, der ihnen erklärt hatte, SS heiße ›Schwarzer Schwan‹. Wie Hamlet in der ›Mausefallen‹-Szene dem Mörder seines Vaters durch Schauspieler den Mord vorspielen läßt, um ihn zu überführen, so hat Rudi mit vier Insassen der Heilanstalt ein Stück zur Überführung seines Vaters eingeübt: einer ist der schuldige Arzt, die andern drei sind Erinnyen. Rudi liest den Brief vor, sein Vater geht schweigend davon. Bei der ›Sonnwendfeier‹ Tinchens erschießt sich Rudi, bei der Thuja, dem Lebensbaum, der wie ein siebenarmiger Leuchter gewachsen ist.

Walser hat damit verschiedene Weisen, auf die Schuld der Vergangenheit zu reagieren, personifiziert: Tinchen, die Irre, ist in der Vergangenheit steckengeblieben; Liberé, der keinen andern Richter als sich selber anerkennt, hat die Vergangenheit für die Außenwelt umgelogen; für Goothein ist die Vergangenheit mit der Gefängnisstrafe erledigt; Irm will nichts anderes sein als das ›Gras‹, das über die Vergangenheit wächst, und ihre Mutter hat längst einen Schlußstrich gezogen und will sich endlich amüsieren. Es sind zugleich verschiedene Weisen, das Gedächtnis auszulöschen. Rudi, ganz Gedächtnis und Gewissen, scheitert bei seinem Versuch, ein Schuldbekenntnis zu erzwingen; er ahnt in sich die Möglichkeit zur gleichen Schuld, ihm bleibt nur der Selbstmord — Gedächtnis und Gewissen sind zum Schweigen gebracht. Ein gleichnishaftes Spiel, tief pessimistisch; ein tollkühner Versuch Walsers. Leider wirkt es nicht so, wie er es wohl beabsichtigt hat: die Symbolik — der Namen, des siebenarmigen Totenbaums, der Sonnwendfeier, des Schwarzen Schwans — ist überanstrengt; die >Mausefallen<-Szene leidet unter läppischen Parodien und bringt nur mühsam und ausführlich ans Licht, was von Anfang an im Licht gewesen ist; Rudi, der Träger des wachen Gewissens, scheint mit seinem hysterischen Wahrheitspathos in der Tat das zu sein, was man ihm vorwirft: »ein Angeber mit fremder Schuld«; Tinchen, das irre BDM-Mädchen, ist billiges, nicht schauriges Kabarett, und der Zynismus der Frau Liberé, die mit alldem nichts mehr zu tun haben will, hat die fatalen, komplizenhaften Lacher auf ihrer Seite. Dennoch ein Stück der Gewissensprovokation, erregend noch in seinen Schwächen durch den moralischen Mut seines Autors.

Die Zimmerschlacht. >Übungsstück für ein Ehepaar<. Uraufführung 7. Dezember 1967, Kammerspiele München, durch Fritz Kortner. — Felix, 48 Jahre alt, und Ehefrau Trude, 44. Felix definiert: »Die Ehe ist nun mal eine seriöse Schlacht. Nein, nein, eine Operation. Zwei Chirurgen operieren einander andauernd. Ohne Narkose. Aber andauernd. Und lernen immer besser, was weh tut.« So operieren sich Felix und Trude. Felix will der Abendeinladung seines Freundes Benno nicht folgen, der mit seiner künftigen Frau imponieren möchte, einer Vierundzwanzigjährigen mit einer »Brust, zu der man hinaufbellen möchte« (meint Felix) — vor dem Vergleich mit ihr will Felix angeblich seine Frau schützen, doch gesteht er schließlich, daß er sich selber vor dieser attraktiven Jungen schützen muß, und Trude schlägt zurück: Felix sei sexuell unzureichend. Statt sich zu erschlagen oder sich zu trennen, gehen sie doch zu Benno, um ihm als harmonisches Ehepaar ihre Überlegenheit zu demonstrieren. — Diesen Akt konzipierte Walser 1962 als Fernsehspiel; 1967 überredete ihn Kortner zum (überflüssigen, da nicht weiterführenden) zweiten Akt: Fünfzehn Jahre später bereden Trude und Felix diesen Abend bei Benno (der inzwischen tot ist, das Opfer seiner Frau, die ihn in eine selbstmörderische Rivalität mit jüngeren Männern gehetzt hat), und sie spielen sich noch jetzt gegenseitig Eifersucht vor, pensionsreife Zimmerkrieger, deren Scheinkämpfe bestätigen, daß sie zueinander gehören. — Boulevard-Strindberg: harmlos bissiges Exerzitium für versöhnungsvirtuose Eheveteranen.

Ein Kinderspiel. ›Stück in zwei Akten‹. Uraufführung 22. April 1971, Stuttgart; Regie: Alfred Kirchner. – Der zwanzig Jahre alte Asti, der Abitur und Karriere verweigert, und seine drei Jahre ältere Schwester Bille, die bereits studiert, machen Erbschaftsbilanz: Was sie auch von ihren Eltern haben, ob es nun biologisch ist wie fettiges Haar und brüchige Fingernägel oder geistig wie Lebensregeln und Verhaltensmuster, es taugt nichts. Die Geschwister durchschauen die Dressur und parodieren ihre Dompteure. Sie spielen Eltern für ein imaginäres Kind und reproduzieren die Vorwürfe und Ratschläge ihrer eigenen Eltern vom Kinderbett bis zur Sexual- und Berufsberatung. Asti verurteilt den Vater zum Tode, weil der Vater schuldig ist am Leben: er gehört, der verstorbenen Mutter und dem Selbstmord nahe, zu den Hamletinos und Faustulussen, wie der Kritiker Alfred Kerr die Pubertätsphilosophen in Frank Wedekinds »Frühlings Erwachen« genannt hat. Als der Vater mit seiner zwanzig Jahre jüngeren, zweiten Frau die Szene betritt, hebt Asti die Pistole zum Vatermord, und mit diesem Bild wird das Publikum in die Pause geschickt. Während der Pause gelingt es dem 48 Jahre alten Vater offenbar, den Sohn zum Senken der Pistole zu bewegen, denn er braucht am Anfang des zweiten Akts nur noch wenige Sätze, und schon hat er Asti die Mordwaffe in die Hosentasche diskutiert. Asti holt die Pistole zwar immer mal wieder hervor, doch schießt er nicht, denn der Vater nimmt Astis Probleme einerseits ganz ernst, benimmt sich andererseits aber ganz so, als seien es theoretische Probleme für den künftigen Jungfilmer. Dies muß auch den schießwütigsten Hamletino entwaffnen: noch wenn Asti über den Fußboden kriecht, hin zu seiner jungen Stiefmutter, um die sexuellen Spezialitäten seines Vaters pantomimisch vorzuführen, und sogar wenn er den Vater auf seine junge Frau wirft und stößt, bleibt der Alte gelassen – er betrachtet dies als Probeszene für einen zu drehenden Film und stellt sich und seine Pleiten dem Sohn als Modell zur Verfügung. Der Vater löst Astis Realität immer wieder selbstbeherrscht und elegant im Filmischen, im Fiktiven, im Projekt, in lauter Möglichkeitsformen auf. Am Schluß wird Walser, weil er auch noch den jungen Linken handfeste Revolutionsnahrung reichen oder doch wenigstens von ihnen respektiert werden möchte, von seiner Ironie verlassen: Asti lernt von seiner Schwester, die sich endlich als systemkritische Autorin mit Genossen-Sehnsucht herausstellt, bei einem Projekt für einen antikapitalistischen Agitprop-Film blitzschnell die Hoffnung, daß – so Walser in einem Selbstkommentar – »allein das systemkritische Verhalten, also zum Bauspiel das Durchschauen des Wirtschaftssystems, eine Beschäftigung wert ist«. Die Schwester wird den Bruder über den »Mehrwert« aufklären, und wenn die beiden nun »Klasse« sagen, so klingt dies wie eine Kinderspiel-Vokabel für »Klassenkampf«.

Rainer Werner Fassbinder: Klischee-Collagen

Ich habe nichts gegen simple Bezüge.

Fassbinder, überlieferte Sprüche, 1970

Der 25 Jahre alte Rainer Werner Fassbinder spielte Bert Brechts »Baal« im Fernsehfilm von Volker Schlöndorff. Er war kein Baal, aber die Rolle stand ihm gut. Er »spielte« sie nicht im hergebrachten Sinne; er schien stattdessen einfach zu warten, daß man seiner bloßen Erscheinung den Baal glaube, und darauf wartete er so lange, bis einem gar nichts mehr anderes übrig blieb. Er sah damals auch privat aus wie ein bajuwarischer Satyr: Stiefel, Lederjacke über dem ansehnlichen Brustkasten, dunkles Haar in der Stirn, über der wilden Nase, den hängenden, mühsam geöffneten Augenlidern, und bei Diskussionen hatte er immer Kernsätze parat wie »Ich bin für eine anarchistische Gesellschaft« oder »Wir machen halt keine Kunst« oder auch nur Vokabeln wie »deppert« und »beschissen«.

Damals, 1969/70, war der am 31. Mai 1946 in Bad Wörishofen geborene Fassbinder schon so unbegreiflich berühmt, daß er wie andere berühmte Unbegreiflichkeiten oft »ein Phänomen« genannt wurde. Von 1964 bis 1966 hatte er im Schauspielstudio Leonhard in München studiert, hatte sich 1967 dem Schwabinger Action Theater angeschlossen und wurde 1968 zum Mitbegründer des daraus hervorgegangenen »antiteaters«, einer Theaterkommune mit etwa zehn festen Mitgliedern. Für das »antiteater« bearbeitete er Stücke wie »Die Verbrecher« von Ferdinand Bruckner, »Zum Beispiel Ingolstadt« nach Marie-Luise Fleißer (1967), »Orgie Ubuh« nach Alfred Jarry und Goethes »Iphigenie« (1968), »Die Bettleroper« von John Gay und »Das Kaffeehaus« nach Goldoni (1969).

Die Technik seiner Bearbeitungen war von Anfang an, schon 1967 bei Bruckners *Die Verbrecher*, komplett: keine Dekoration, keine individuellen Kostüme, kein Szenenwechsel, keine Psychologie, keine Übergänge – was auf dem Spielpodium und mit den Kräften der Theaterkommune nicht zu schaffen war, das ließ er einfach weg. Er reduzierte Bruckners Sensationsstück des Jahres 1928 auf ein sprunghaftes, einigermaßen zeitloses Szenen-Mosaik, in dem die Situationen gerade noch, manchmal aber auch nicht mehr klar werden. So zerstückelt und oft nicht mehr einsehbar die äußere Handlung ist, immer klar sind die inneren Situationen zweier oder dreier gegenübergestellter Personen. Für sie verlangt Fassbinder kein Mitgefühl; stattdessen sollen die Zuschauer »Gefühlsmechanismen kapieren«.

Diese »Gefühlsmechanismen« werden vom »antiteater« verdeutlicht und vorgeführt durch ein recht bescheidenes choreographisches Repertoire: eine sitzende oder stehende Person wird von der Gegenperson umkreist. Oder: eine Person steht, und die andere läuft betont die immergleiche Strecke hin und her. Sexuelle Attraktion wird durch rüden Landsknechtsgriff unverkennbar gemacht. Das hat etwas vom Holzschnitt, von verschlampter Laienbühne oder auch von gewolltem Amateurtheater. Und oft sieht es so aus, als spiele die Truppe, wo immer sie auch spiele, gegen die Störungen ihrer bevorzugten Münchner Spielstätte an, in der während der Vorstellung Bier serviert wird, sie liegt im Hinterhof und genau über der hörbaren Kegelbahn des Schwabinger Wirtshauses »Witwe Bolte«.

Mit einer »Bearbeitung« und Inszenierung (zusammen mit Peer Raben) des Lustspiels *Das Kaffeehaus* von Goldoni (aus dem Jahr 1750) ist Fassbinder über den Langflorteppich der von Wilfried Minks luxuriös ausgestatteten Bühne des Bremer Theaters (Uraufführung am 10. September 1969) vom dekorationslosen, zwei Quadratmeter großen Spielgeviert des »antiteaters« auf die etablierten bürgerlichen Bühnen geschritten. Von Goldoni hat er kaum mehr als die Schauplätze – Kaffeehaus und Spielsalon –, das Personal und die Ausgangssituation seiner Beziehungen übernommen. Die immerwiederkehrende Pointe sämtlicher Vorgänge: Da jeder käuflich ist, kaufen sie sich gegenseitig auf. Die Liebe ist reduziert auf die Liebe zum Geld, und jede genannte Summe wird sofort mündlich und durch eine laufende Lichtbahn auf der Bühne umgerechnet von Zechinen in Dollar, Pfund und Mark. Bei Goldoni ist man nicht minder berechnend, doch sind einige Personen besserungsfähig und stoßen am Ende den Schurken aus ihrer Gesellschaft aus; bei Fassbinder bessert sich niemand, wird das Zusammenführen der Paare als Zynismus und Kitsch denunziert, ist die gesamte Gesellschaft schurkenhaft, wohin könnte man da noch einen Schurken stoßen?

Was im Münchner »antiteater« laienhaft gewesen sein mochte, sei es gewollt, sei es ungewollt, das wurde in Bremen zu einer höchst künstlichen und manchmal auch kunstvollen Laienhaftigkeit, sie ist das Signum für Fassbinders Produktionen geworden. Die Schauspieler bewegten sich und sprachen meist sehr langsam, sie entließen die Wörter einzeln aus dem Mund wie Zitate, die nicht von ihnen stammen. Ihre Sätze sind von Fassbinder wiederum so geschrieben, als seien sie Zitate, die nicht von ihm stammen, und dies gilt sogar für seine eigenen Stücke: er montiert und collagiert Dialoge, Szenen und Dokumente wie vorfabrizierte Fertigteile, die er im Kino, in der Literatur oder auch im Alltag gefunden hat.

Fassbinder ist ein unersättlicher Kinobesucher gewesen, sein »Rekord« – so berichtet sein häufiger Mitarbeiter, der Regisseur und Komponist Peer

Raben – »sechs Filme pro Tag«. Erlebnisarmut hat viele Cineasten seiner Generation dazu gebracht, daß sie sich zwischen lauter Filmzitaten bewegen, soweit sie nicht selbst schon nur noch die Imitation eines Filmzitats sind. Ihre Lebenserfahrung nährt sich aus diesem Leben aus zweiter Hand. Im Kino hat Fassbinder das Schreiben aus zweiter Hand, seine Technik des Zitierens gelernt, des genußvollen, bewußten und genußvoll bewußten Nachspielens vorgefundener Klischees. Er hat diese Technik in seinem Film »Liebe ist kälter als der Tod« (1969) virtuos im Kino angewandt und in seiner Bremer »Kaffeehaus«-Version auf der Bühne perfektioniert.

Fassbinder arbeitet gern mit solidem Material, mit den kostbarsten Stoffen. So hat er sich Lope de Vegas Schauspiel *Das brennende Dorf* (Fuente Ovejuna) bemächtigt. Bei Lope, dem Patrioten und Priester, erschlagen die Bauern den Komtur, der sie unterdrückt, gefoltert und ihre Frauen vergewaltigt hat, und weil sie zusammenhalten und im Recht sind, werden sie von König Ferdinand und Königin Isabella begnadigt. Fassbinder, der Anarchist, macht aus der Notwehr gegen den Komtur einen Aufstand gegen Königtum, Feudalismus, das staatliche System überhaupt, dies versteht sich. Er gibt aber auch noch das damals (Uraufführung am 7. November 1970, Bremer Theater, Regie Peer Raben) gerade bevorzugte Gewürz dran, den Kannibalismus: seine Bauern fressen den Komtur auf, und in Madrid, wo der König sie nicht begnadigen sondern köpfen will, fallen sie über das Königspaar und die Höflinge her und knabbern sie an, obwohl sie »schmecken wie verfaultes Fleisch«. Ihre Revolution bricht als Blutrausch und Massenorgasmus aus. So kostbar die Stoffe sind, nach denen Fassbinder greift, sie sehen, wenn er sie erst zuschneidet, alle ein wenig nach dem letzten Boutiquen-Heuler aus. Der Weg, den sich Fassbinder durch die Theatergeschichte gebahnt hat, ist auch mit breiteren Wagen bequem befahrbar; er ähnelt partout der Leopoldstraße, und noch die von ihm ausgeschlachteten Stücke am Wegrand haben einen gewissen modischen Touch.

Schlichte Einsichten in die gesellschaftlichen Brutstätten der Gewalt, in die Riten der Unterdrückung, in die unterschwelligen Zusammenhänge von Macht, Sexus und Geld vermitteln auch Fassbinders eigene Stücke. Je weiter er sich vom ritualisierten Naturalismus und von der grobklotzigen, ungehobelten Satire seiner Anfänge entfernt hat, desto prätentiöser und gespreizter sind seine Produktionen geworden. In seinem Stück »Die bitteren Tränen der Petra von Kant« (1971) hat sich seine Formel erschöpft, aus vorgefundenen Klischees eine neue Realität zu montieren, Spannung aus überdehnter Langeweile zu pressen und Dilettantismus als Stilmittel zu verkaufen.

Fassbinder bringt es fertig, aus naturalistischen Elementen manieristische

Gebilde zu basteln: ein Feldstein, den er vom Weg aufhebt, sieht in seiner Hand aus, als sei er in einer Kunststoff-Fabrik sorgfältig imitiert worden.

Katzelmacher. Uraufführung 1968, »antiteater« München, Regie: Fassbinder und Raben. – Jorgos, ein »Fremdarbeiter«, ein »Katzelmacher«, ein »Griech von Griechenland«, wird in einer Kleinstadt zum Opfer von Fremdenhaß, Sexualneid und Langeweile. Die von ihm abgewiesene Gunda beschuldigt ihn, er habe sie vergewaltigen wollen. Marie schläft mit ihm, »weil ein Mädchen das braucht«. Erich gründet eine Bande, die den Griechen am liebsten kastrieren würde – sie schlagen Jorgos zusammen, der dies alles nicht versteht. Auch der Grieche hat seinen Fremdenhaß: sobald er mit einem Türken zusammenarbeiten soll, wird er – »Turkisch nix gut« – in eine andere Stadt gehen. – Fassbinders Meisterstück; es hat zwar schon etwas vom Schematismus eines soziologischen Modellfalls, der zu Aufklärungszwecken demonstriert wird, doch vermag es noch das Gefühl zu vermitteln, daß man menschliches Leben wie eine natürliche, unendlich langsame, aber unaufhaltsame pflanzliche Vegetation beobachtet. Fassbinders Stärke: das Klima seelischer Dumpfheit, die sich in Brutalitäten entlädt. Vom Theater schwerlich zu übertreffen ist sein Film »Katzelmacher« (1969), in dem er den Griechen spielt und Filmsequenzen nach Theatervorbild ritualisiert hat.

Anarchie in Bayern. Urauffürung 14. Juni 1969, »antiteater« München; Regie: Fassbinder und Raben. – Eine Gruppe von Schauspielern führt Angst vor der Anarchie vor und anschließend die Schwierigkeiten der Anarchie: Zwar braucht durch die Automation jeder nur noch zwei Stunden am Tag zu arbeiten, und Geld, Ehe, Zuchthäuser und Privatbesitz sind abgeschafft, doch bald gibt's Leute, die diese zwei Stunden nicht arbeiten, die auch mal einen Mitmenschen totschlagen möchten, ferner einen Lustmörder, was macht man mit ihm? Die Frage, wie die Anarchie mit dem Verbrechen fertig werden soll, wird erst durch den Witz beantwortet, daß die Verbrecher in die Bundesrepublik abgeschoben werden, dann durch den Einmarsch der Bundeswehr und der Amerikaner ins anarchistische Bayern: das Stück entzieht sich dem Ernst durch einen Sprung ins Kabarett und suggeriert im übrigen die Hoffnung, daß ein friedliches Leben in der Anarchie erlernbar sei.

Preparadise sorry now. Uraufführung 1969, »antiteater« München; Regie: Raben. – Kern der Veranstaltung sind Ian Brady und Myra Hindley, die »Moormörder« aus Manchester, sie haben 1966 Kinder gequält, ermordet und im Yorkshire-Moor versenkt. Fassbinder hat sechs »Erzählungen« über das Mörderpaar und neun fiktive Dialoge des Mörderpaars geschrieben, je eine halbe Schreibmaschinenseite lang. Aus ihnen gehen Herkunft, sexuelle Spezialitäten und die faschistische Gedankenwelt der beiden Mörder hervor. Ian unterwirft Myra zunächst sexuell und macht sie dann zur Komplizin. Zwischen den Dialogen sollen Bruchstücke von Gebeten zeigen, daß auch die religiösen Rituale Unterdrückungsrituale sind. Das Mörderpaar wird zum faschistischen Modellfall gemacht: die beiden kultivieren ihr Elitebewußtsein und rechtfertigen ihre sadistischen Mordexzesse als »Experimente mit unwertem Leben«. Vor diesem Mittelteil der Vorführung liegen fünfzehn kurze Szenen, in denen jeweils zwei Menschen einem dritten zusetzen, und nach dem Mittelteil folgen dieselben fünfzehn Szenen in umgekehrter Reihenfolge, so daß der Abend mit derselben Kurzszene beziehungsvoll beginnt und endet: ein »Kältetest« in einem Konzentrationslager. Die andern vierzehn Kurzszenen sind unserm Alltag entnommen. Durch diese Montage von Verhaltensmodellen will Fassbinder einhämmern, daß die Moormörder nichts anderes sind als Extremfälle von Brutalisierungen, denen wir auf Schritt und Tritt begegnen und zu denen wir leicht verführbar sind. – Fassbinder zelebriert hier einen hochstilisierten Anti-Naturalismus, um anhand von Mini-Modellen menschliches Fehlverhalten vorzuführen.

Werwolf, geschrieben mit Harry Bär. Uraufführung am 19. Dezember 1969 im Berliner Forum-Theater durch das Münchner »antiteater«. – Der 1552 in Niklashausen geborene Franz Weiß, der im Krieg das Töten gelernt hat und später als Einzelgänger Schädel einschlägt und Gehirne aussaugt, kommt vor Gericht zum Ergebnis, daß auch an ihm die Gesellschaft allein schuldig ist: »Nimmer sind Dinge bestimmt von Mächten, die dunkel; bestimmt zwar, doch nimmer von Gott, nimmer vom Schicksal. Bestimmt wird alles von euch, die die Macht sind.«

Blut am Hals der Katze. Uraufführung durch das »antiteater« München zum Dürerjahr in den Nürnberger Kammerspielen, am 20. März 1971. – Phoebe Zeit-Geist (die von Michael O'Donoghue und Frank Springer erfundene Heldin sadistischer und manchmal witziger Comics) »versteht die Sprache der Menschen nicht, obwohl sie die Worte gelernt hat«. Schuld daran wie auch an allem anderen ist selbstverständlich das »System«, das hier von einem resignierten Fassbinder ziemlich hoffnungslos attackiert wird. Und so beißt denn Phoebe am Schluß der ganzen Gesellschaft in den Hals und bedient sich mit Blut. Dazu der Kritiker Ernst Wendt: »Die Schickeria aus dem Untergrund führt unter dem Vorwand von Systemkritik sich selber vor; Aufklärung ist zur theatralischen Gebärde heruntergekommen.«

Die bitteren Tränen der Petra von Kant. Uraufführung durch das Landestheater Darmstadt bei der Experimenta 4 in Frankfurt, am 5. Juni 1971; Regie: Raben. – Klischeesituationen und Klischeesätze des mondänen Frauenromans sind zu einem Stück zusammengebaut, das – in einem Modesalon – Kitsch entlarvt, indem es Kitsch wiederholt, und die Gleichgeschlechtlichkeit liebender Lesbierinnen gibt dem üblicherweise für heterosexuell gehaltenen Wortschatz der Leidenschaft einen zusätzlichen Stich ins Lächerliche. Wäre diese Liebe allerdings nicht lesbisch, so könnte sie auf der sentimentalen Love-Story-Welle des Jahres 1971 mitreiten. Die Effekte, die Fassbinder lächerlich macht, werden von ihm doch benutzt. Ohne den vorfabrizierten Duft der großen, weiten Welt ginge seiner Petra von Kant die Atemluft aus.

Zum »Phänomen« Fassbinder freilich gehört, daß sein Aufstieg aus dem Untergrund ins bürgerliche Theater mit Verrissen tapeziert, von Buh-Chören begleitet, aber unaufhaltsam ist. Noch scheint die Langeweile, die er verbreitet, niemand missen zu wollen.

Heiner Müller: Schwierigkeiten in und mit der DDR

Heiner Müller ist als Verfasser von Lehrstücken seinem Range nach mindestens ein Oberlehrer. Er wurde geboren am 9. Januar 1929 im sächsischen Eppendorf und wohnt in Ost-Berlin. Anders als Lehrmeister Brecht war er so unvorsichtig, Probleme des DDR-Alltags auf die Bühne zu bringen. Mit seiner Frau Inge (geboren 1925; aus dem Leben gegangen 1966) schrieb er *Der Lohndrücker* (Uraufführung 2. September 1958, Maxim-Gorki-Theater, Ost-Berlin), die Geschichte des Ofenmaurers Balke, der ein »Aktivist« ist, von »rückständigen Arbeitskollegen« aber als »Lohndrücker« beschimpft und bei seiner Arbeit sabotiert wird; er lernt – 1948/49 in einem »Volkseigenen Betrieb« – das Schimpfwort »Denunziant« nicht zu scheuen, Saboteure anzuzeigen und mit seinen besserungswilligen Gegnern zusammenzuarbeiten. In *Die Korrektur* (Uraufführung 2. September 1958, Maxim-Gorki-Theater, Ost-Berlin) lernt – Mitte der fünfziger Jahre – im Kombinat »Schwarze Pumpe« der neue Brigadier Bremer, daß es nicht genügt, »rot bis auf die Knochen zu sein«, er muß auch Kraft und Geduld aufbringen, um seine Brigade politisch zu überzeugen; ein junger Arbeiter, der einen ehemaligen faschistischen Offizier als Saboteur entlarvt, wird reif für den Eintritt in die Partei – so jedenfalls in der »Korrektur« nach ihrer Korrektur: die vorangegangene Hörspielfassung wurde nach Diskussionen mit Arbeitern abgeändert, da sie »nicht die beabsichtigte aktivierende Wirkung« hatte. Heiner und Inge Müller wurden 1959 mit dem Heinrich-Mann-Preis ausgezeichnet, das nächste Stück Heiner Müllers jedoch, *Die Umsiedlerin oder Das Leben auf dem Lande*, wurde 1961 nach einer Aufführung durch eine Studentenbühne »zurückgezogen«, wie es im »Schauspielführer« des Ost-Berliner Henschel-Verlags (1967) heißt, denn es »weist eine unzureichende Darstellung der Wirklichkeit und eine formale Handhabung der Dialektik auf«. Sein Stück *Der Bau* nach dem Roman »Spur der Steine« von Erik Neutsch wurde noch vor der geplanten Uraufführung am Deutschen Theater (wie nach drei Vorstellungen der DEFA-Film nach demselben Roman) der Öffentlichkeit entzogen. Heiner Müller zog sich – wie auch Peter Hacks nach seinen schlechten Erfahrungen mit DDR-Zeitstücken – auf klassische Stoffe zurück. Für das Deutsche Theater in Ost-Berlin, für eine von Benno Besson grandios inszenierte Aufführung (1967) hat Müller einer Tragödie des Sophokles das Tragische aus- und den Klassenkampf eingetrieben: der *Oedipus Tyrann nach Hölderlin von Heiner Müller* ist ein Vertreter der thebanischen Herrscherkaste mit einsamen autoritären Entscheidungen, und in den Thebanern lebt der Gedanke der klassenlosen Zeit als historische Erinnerung, aber auch als Ziel. Das Stück ist zum Schrittmacher vieler Bemühungen geworden, die Tragödie als Ideologie zu denunzieren.

Philoktet (nach Sophokles), geschrieben 1958/64, wurde in München uraufgeführt ,in den Kammerspielen, am 13. Juli 1968; Regie: Hans Lietzau. In dem Dreimännerstück (ohne Chor) wird Philoktet dazu mißbraucht, den Kriegsplänen der von ihm gehaßten Griechen zu nützen. Mit Odysseus triumphiert die verlogene Machtpolitik, vor der sich Reinheit und Mitleid des jungen Neoptolemos beugen – dies geschieht völlig unerwartet, denn Müllers drei Personen werden nie von psychologisch mitfühlbaren Motiven bewegt, sondern illustrieren nur die zu Lehrzwecken hergerichtete Fabel. Bei Müller wird die moralisch aufbegehrende Jugend von dem amoralischen Inhaber der Macht korrumpiert und wird der den Kriegsdienst Verweigernde noch im Tod dem Krieg nutzbar gemacht. Dem Metaphysiker Sophokles gewinnt Müller ein metaphysikfreies Lehrstück über die Manipulation des Menschen durch eine kriegerische Ideologie ab: der tragische Mythos verschleiert und verewigt die Herrschaft der Mächtigen.

Die Weiberkomödie (nach dem Hörspiel »Die Weiberbrigade« seiner Frau Inge) wurde vom »Volkseigenen Betrieb« Werkzeugmaschinenfabrik Magdeburg mit den Kammerspielen Magdeburg zur Uraufführung (am 18. Dezember 1970) vorbereitet. Dieser mäßige Emanzipations-Schwank – er spielt 1950 in der DDR – ist das erste eigene Stück, mit dem Müller wieder auf eine Ost-Berliner Bühne gekommen ist, im Juli 1971, auf die Volksbühne.

Peter Hacks: der politische Artist

Ein politischer Dichter macht einen politischen Effekt. Der
politische Effekt ist ein unlösbarer Bestandteil des artistischen
Effekts ... Der politische Effekt tritt nur ein, wenn die Mo-
mente des Kunstwerks anwendbar gemacht sind auf politische
Momente der jeweiligen Gegenwart. Aber wie das erreichen?
Peter Hacks in »Wie bearbeitet man den Aristophanes?«

Sechs Jahre vor dem Bau der Berliner Mauer, 1955, als 252 870 (registrierte)
Menschen ihr Leben aufs Spiel setzten, um aus dem Osten in die Bundesrepublik zu fliehen, zog Peter Hacks mit seiner Frau von München nach Ost-
Berlin. Dazu gehörte ein ungewöhnliches Maß von Überzeugung, daß der
Weg in Ulbrichts Machtbereich, wie es dort auch gerade aussehe, schließlich
doch der richtige sei — gewiß verbesserungsbedürftig, möglicherweise sogar
zu verbessern durch Peter Hacks. Wie tief seine Überzeugung saß, läßt sich
an den drei Stücken ablesen, die er noch in München geschrieben hat: In
seinem ›Volksbuch vom Herzog Ernst‹ hatte er den »privat moralischen
Heldenbegriff« lächerlich gemacht, in seiner ›Eröffnung des indischen Zeitalters‹ den ›sozial relevanten‹ Helden besungen; in seiner ›Schlacht bei
Lobositz‹ hatte er den Krieg als eine »Verschwörung der Offiziere gegen
die Menschen« dargestellt, und mit diesem Pazifismus mochte er für das
östliche Lager, das auf der Notwendigkeit von Verteidigungs- und Befrei-
ungskriegen besteht, entschieden zu weit gegangen sein, doch ließ sich dies
korrigieren.

Peter Hacks, geboren am 21. März 1928 in Breslau, sein Vater war Rechtsanwalt, studierte in München Soziologie, Philosophie, Germanistik und Theaterwissenschaft, trug in Schwabinger Kneipen blondgelockt und zart und
bissig seine Kabarett-Verse vor und promovierte 1951 zum Dr. phil. Seine in
München geschriebenen Stücke (wie auch die späteren) sind ohne Bertolt
Brecht nicht zu denken, dessen begabtester Schüler er ist, und an Ost-Berlin
hat ihn gewiß auch das Theater Brechts angezogen. Er wurde Dramaturg
und Hausautor bei Wolfgang Langhoff, am Deutschen Theater, und er blieb
es bis 1962 — nach dem VI. Parteitag der SED im Januar 1962, auf dem den
Künstlern der DDR noch einmal ausdrücklich »sozialistischer Realismus«
und »Parteilichkeit« verordnet worden war, durfte sein Stück ›Die Sorgen
und die Macht‹ nicht länger gespielt werden und wurde ihm zum Ende der
Spielzeit gekündigt. So wenig daran zu zweifeln ist, daß Peter Hacks zur
DDR steht und ein linker, wenn auch für DDR-Verhältnisse vielleicht allzu
linker Mann ist, so wenig ist Hacks ein Musterknabe des »sozialistischen

Realismus«: sein Realismus, sein Verstand und sein Geschmack hindern ihn offenbar daran, die schematischen Arbeiter, Bauern und optimistischen Fabeln auf die Bühne zu bringen, die von Partei- und Gewerkschaftssekretären erwartet werden. Dies hat ihm nach seinem ›Moritz Tassow‹ abermals Ärger gemacht: das Stück mußte 1965 nach wenigen Vorstellungen abgesetzt werden.

Was macht ein Dramatiker, dessen Gegenwartsstücke nicht gespielt werden? Er sucht sich alte Stoffe und Stücke, und er »funktioniert« sie »um«. Wie den Sarkasmus, der besonders schneidend wirkt, wenn er sich scheinbar treuherzig naiv formuliert, wie die Konstruktion von Modellwelten, die in sich richtig, aber gegen die Realität völlig abgedichtet sind, so hat Hacks auch das »Umfunktionieren« von Brecht gelernt: die Moral eines bekannten Stoffes oder Stückes wird auf den Kopf gestellt — so beweist etwa die Anekdote vom Müller von Sanssouci bei Hacks nicht, daß Preußen ein Rechtsstaat sei, sondern ein besonders hinterlistiger Unrechtsstaat —, und oft lassen sich bei diesem Verfahren auch noch die dramatischen Qualitäten der Vorlage nutzbringend verwenden.

Der Witz des Peter Hacks ist gelenker als der seines Meisters Brecht, pfiffiger und spitzer; dafür fehlen seinen Figuren die mehrdeutigen Dunkelstellen, die den Gestalten Brechts über das doktrinäre Gesetz hinaus, nach dem sie angetreten sind, Leben verleihen. Ein sympathischer Zug bei Hacks: wenn er schulgemäß den Hauptblick auf die Ökonomie lenkt und die materielle Basis seiner Figuren ausgräbt, so stößt er oft auf eine unbändige, ganz undoktrinäre Lust am Fressen, Saufen, an der Liebe und auch an der handfesten Sauerei.

Zu seinen durch Umfunktionierung entstandenen Stücken gehören: *Die Kindermörderin,* ›ein Lust- und Trauerspiel nach Heinrich Leopold Wagner‹ (1959. Am 13. Mai 1959 an den Kammerspielen, München) — Wagners Sturm-und-Drang-Trauerspiel aus dem Jahr 1776 hat Hacks umgebaut zu einem sozialen Drama: während bei Wagner der Leutnant Gröningseck, Verführer des zur Kindsmörderin gewordenen Evchens, durch Zufall und Intrige zu spät kommt, um Evchen zu heiraten, wird er bei Hacks durch die lüsterne Tochter eines standesgemäßen Barons aufgehalten, und hintertreibt Leutnant Hasenpoth die Ehe zwischen Gröningseck und Evchen, weil er seinen Offizierskameraden vor einer nicht standesgemäßen Metzgerstochter bewahren will. Dazu Hacks: »Wagners Zeitgenossen wußten, daß die Erwartung, der Feudale könne sich zum Menschen (edel, hilfreich, gut) läutern, irreal ist. Meine erfahren's.« — *Der Frieden* ›nach Aristophanes‹ (uraufgeführt am 14. Oktober 1962, Deutsches Theater, Ost-Berlin, durch Benno Besson. Am 20. September 1964 in den Kammerspielen, München) — eine sehr effektvolle, sexualdrastische Bearbeitung, in der die zeitgebundenen, speziellen Angriffsziele des Aristophanes verallgemeinert sind als Ausbeuter, Kriegshetzer und devote Kriecher. — *Polly* oder *Die Bataille am Bluewater Creek.* ›Nach John Gay‹ (1963. Uraufführung 20. Juni 1965, Landestheater Halle) — schon John Gays Fortsetzung seiner »Bettleroper« war scharf sozialkritisch (wurde verboten und 1729 gedruckt); Peachums Tochter Polly in Amerika, sie gerät in ein Bordell und wird gekauft von dem reichen Mr. Ducat; immer auf der Suche nach ihrem verflossenen Gemahl Macheath Messer, findet sie ihn unter dem Namen Morano als Anführer habgieriger Weißer bei den Indianern, wo er sich aus Angst vor dem Marterpfahl vergiftet hat; Polly heiratet den tugendhaften Indianerprinzen Cawawkee: eine Art Musical, harmlos, lustig, mit ein paar sozialkritischen Einlagen. — *Die schöne Helena,* ›Operette für Schauspieler nach dem Libretto von Meilhac und Halévy‹ (1964. Uraufführung 6. November 1964, Deutsches Theater, Ost-Berlin, Kammerspiele, durch Benno Besson) — in dieser sehr freien Bearbeitung, die in der »Antike der Poesie« spielt, hat Homer, der Dichter, die Funktion, zu einer Orgie der Agamemnon, Ajax, Achilles, Orest und Kalchas die poetische Begleitung zur Harfe zu liefern, doch nicht zu laut, damit er das Amüsement nicht stört, und als es beim Glücksspiel Streit gibt, bleibt der vom Obersklaven angeschnauzte Homer allein auf der Bühne zurück: »Wie die mich behandeln. Ich muß sie noch mehr loben.« Im übrigen triumphiert die Liebe über die kriegerische Roheit; Schlußchor: »Die Roheit kommt abhanden mit den Jahren. Die Liebe bleibt in Ewigkeit.«

Meinungen: »Hacks ist von den Stückeschreibern drüben sicher der begabteste, auch der sprachmächtigste, einer der Tendenz und Poesie zusammenzwingen will, einer der wenigen, die mit Formwillen und Formkraft sich gegenüber der starr durchformulierten Doktrin des sozialistischen Realismus zu behaupten versuchen. Er ist auf die große Form aus und darauf, Klassizität und Alltäglichkeit, jedermann und die ›großen Umstülpungen der Gesellschaft‹ zusammenzubringen. Er will die Welt im großen Ausschnitt fassen, in der Historie — nur derart, scheint ihm, ist Wahrheit aufzuspüren«: Ernst Wendt. — »Bakunin fand, Marx sei ›mürrisch‹, Marx hingegen fand den Bakunin ›sentimental‹. Hacks ist ein Marxist, der das Sentiment, das Gefühl also, ebensowenig aufgeben kann wie die Erztugend des Intellektuellen, die Distanz. Er hat sich zwar mit seinem Umzug in die DDR zum Glauben entschlossen, aber der Unglaube ist ihm unausreißbar eingepflanzt«: Hans Schwab-Felisch.

Das Volksbuch vom Herzog Ernst oder der Held und sein Gefolge. ›Stück in einem Vorspiel und drei Abteilungen‹. 1953. Uraufführung 21. Mai 1967, Nationaltheater Mannheim. — Stoff liefert das Schicksal des Herzogs Ernst von Schwaben (1007–1030), wie es in dem spätmittelalterlichen Volksbuch (»Historie eines edlen Fürsten, Herzog Ernst von Bayern und Österreich«, 1493) mit gänzlich unhistorischen, fabulösen Ausschweifungen erzählt wird. — Das Heldentum des Volksbuch-Herzogs, der, von seinem Stiefvater, dem Kaiser Otto, für vogelfrei erklärt, ins Heilige Land zieht, dabei Abenteuer mit Ungeheuern besteht, mit schlohweißem Haar zurückkehrt und vom Kaiser in seine Ehren wiedereingesetzt wird, dieses »Heldentum« ist Peter Hacks höchst suspekt: er führt vor, daß Herzog Ernst ein Held nur sein kann auf Kosten der kleinen Leute, auf dem Rücken seines Gefolges — je geringer seine Macht, desto geringer sein Heldentum. Bei jedem Aktschluß wäre er am Ende, würde er nicht immer wieder durch die Privilegien seiner hohen Geburt gerettet. Hacks kommentierte: »Heroismus als Funktion des sozialen Orts« — Heroismus ist eine Kleinigkeit, sofern man Untergebene hat, die für die Blutspesen aufkommen. Als der Held bei Hacks zurückkommt, hat er sich selbst überlebt, da inzwischen soziale Veränderungen stattgefunden haben: die untertanen Städte sind Freie Reichsstädte geworden, in denen Herzog Ernst als komische Figur von Vorgestern erscheint. Am Rande werden die Kreuzzüge als ein geschäftstüchtiger Einfall eines Genueser Kaufmanns erklärt, und der Erzbischof von Köln erteilt Ratschläge wie diesen: »Tötet mit Sorgfalt. Und achtet die übrigen neun Gebote«, doch sind solche scharfen Formulierungen in der arabeskenfreudigen, umständlichen Märchenbuntheit selten. So naiv das Volksbuch den Herzog Ernst als Helden versimpelt, so bewußt versimpelt Hacks das Heldentum des Herzogs in sein naives Gegenteil.

Eröffnung des indischen Zeitalters. Schauspiel. Uraufführung 17. März 1955, Kammerspiele München. Am 26. Juni 1955 im Deutschen Theater, Ost-Berlin. — Columbus zwischen Oktober 1491 und Oktober 1492, zwischen einem vergeblichen Versuch, zu Königin Isabella vorzudringen, um sie für seinen Plan zu gewinnen, Indien auf dem westlichen Seeweg zu erreichen, und der überwundenen Meuterei auf der Karavelle Santa Maria, dem erneuten Kommando: »Nach Westen.« Gegen Columbus sind der Klerus, die Aristokratie, die Politiker und die Gelehrten; sie werden als Ausbünde von Habsucht und Borniertheit vorgeführt. Ihre Argumente faßt Don Ronco Patillas zusammen: »Diese Erdkugel vergleiche ich einer Kegelkugel. Am Ende ihrer Bahn stehen neun Kegel: Der dreieinige Gott, die Throne, die Mächte, die Erzengel, die Engel, die Kaiser, die Könige, die Edelleute und der Teufel. Die

Erde ist die Kegelkugel des Unglaubens.« Da Patillas ferner weiß »Unser
Sein, meine Herren, ist Geglaubtwerden. Wenn aufgehört wird, an uns zu
glauben, sind wir nicht mehr«, bekämpft er in Columbus den Eröffner des
Zeitalters der Vernunft, den Vorarbeiter der Aufklärung. Columbus weiß,
daß er diese welthistorische Aufgabe hat (und dies verleiht ihm etwas von
der Komik eines Mannes, der die Bücher schon gelesen hat, die nach seinem
Tod über ihn geschrieben werden); vor der Abfahrt, die ihm Isabella schließlich aus Ruhmsucht genehmigt, hat Columbus eine Vision von der Ausbeutung der Indianer, doch ist er bereit, die »Gold-Zeit«, die »Gier-Zeit« in
Kauf zu nehmen für das neue Zeitalter der Vernunft. Es herbeizuführen,
hilft ihm nur das einfache Volk: »Die spanischen Herren haben das alte
Granada erobert. Das spanische Volk das neue Indien«. – War Herzog Ernst
für Peter Hacks ein falscher Held, den es zu verspotten galt, so ist Columbus
für ihn ein richtiger Held, der gefeiert werden muß. So sind die Blutspesen
der einfachen Leute, die Hacks dem Herzog Ernst verwehrt, seinem Columbus erlaubt: Wer einem utopischen Goldenen Zeitalter der Vernunft Menschen opfert, wenn auch schweren Herzens, der tut, wie Columbus, nur »das
Nötige«. Mit diesem positiven Helden ging Hacks nach Ost-Berlin, wo sein
Columbus ein Vierteljahr nach der Münchener Uraufführung auf die Bühne
kam.

Die Schlacht bei Lobositz. Komödie in drei Akten. 1954. Uraufführung
1. Dezember 1956, Deutsches Theater, Ost-Berlin. Erste Aufführungen in
der Bundesrepublik am 12. November 1966 in Heidelberg und Göttingen. –
Stoff liefern »Lebensgeschichte und Natürliche Abentheuer des Armen Mannes im Tockenburg« (1789) des Schweizers Ulrich Braeker (1735–1798), der
durch einen Betrug des Werbeoffiziers in die Armee Friedrichs II. (des
»Großen«) geraten ist. Die Schlacht in der Nähe des nordböhmischen Lobositz am 1. Oktober 1756 war die erste im Siebenjährigen Krieg zwischen
Friedrich dem Großen und Maria Theresia. – Der Soldatenwerber Premier-
leutnant Markoni, der den Schweizer Ulrich Braeker überlistet und mit seinen Landsleuten Schärer und Bachmann unter die friderizianischen Söldner
gesteckt hat, wettet mit seinem Obristen Itzenblitz, daß seine neuen Rekruten in der Schlacht nicht desertieren werden. Durch »Herstellung menschlicher Beziehungen« will Markoni den »natürlichen Haß« der Soldaten auf
die Offiziere umwandeln in einen »unnatürlichen Haß auf den Feind«.
Seine Bemühungen scheitern an Schärer und Bachmann, die in der Nacht vor
der Schlacht desertieren. Braeker meldet die Fahnenflucht, wird von Markoni verprügelt und ins erste Glied gesteckt, denn Markoni braucht, um seine
Wette zu gewinnen, Braekers Leiche; zwei unkenntliche Leichen will er für

›Die Schlacht bei Lobositz‹ von Peter Hacks, inszeniert von Eberhard Pieper am Deutschen Theater, Göttingen, 1966. Bühnenentwurf von Hansheinrich Palitzsch

Bachmann und Schärer ausgeben. Doch der aus der Schlacht fliehende Braeker läßt sich von Markoni nicht mehr in den Kampf schicken: er hat gelernt, den »Vertrauensbeweisen« seines Vorgesetzten zu widerstehen. Am Schluß hängt Braeker seine Flinte an einen Weidenstumpf und singt: »Häng, Bruder, deine auch dazu / Dann haben wir alle Ruh.« — Von Technik und Tonfall Brechts ist Hacks hier geradezu vergewaltigt, und die immer gleiche Pointe jedes Szenchens wirkt auf die Dauer des lehrhaften Vorganges auch monoton, zumal Hacks statt einer Fabel nur deren immer gleichen Kommentar zu bieten hat. Hacks schrieb das Stück 1954, noch vor seiner Übersiedlung nach Ost-Berlin, in München, als Bundeswehr und »Bürger in Uniform« lebhaft diskutiert wurden. Wie sein Meister Brecht, der in der Ost-Fassung seines »Lukullus« den »Verteidigungskrieg« von der Verdammung des Krieges ausdrücklich ausnahm, schrieb Hacks eine kriegerische Variante: in ihr empfiehlt Braekers Schlußstrophe »für Aufführungen an Orten, wo demokratische Verhältnisse bedroht oder aber noch herzustellen sind«, nicht die Flinte aufzuhängen, sondern nur den König — »Dann trag dein Flint, / Wo schon viel blanke Flinten sind, / Und sei nicht faul und steh dazu. / Eja, dann ist Ruh«.

»Umfunktioniert« hat Hacks vor allem den preußischen Werbeoffizier Johann Markoni: Ulrich Braeker hat von ihm, wie er in seinen Erinnerungen erzählt, immer wieder den Rat erhalten, im Kriegsfalle einfach zu desertieren, und diesem Rat ist Braeker bei Lobositz gefolgt.

Der Müller von Sanssouci. ›Ein bürgerliches Lustspiel‹. 1958. Uraufführung 5. März 1958, Kammerspiele des Deutschen Theaters, Ost-Berlin. Erste Aufführung in der Bundesrepublik 28. April 1966, Stadttheater Rheydt. — Als Friedrich dem Großen das Geklapper einer Mühle auf die Nerven ging, wollte er sie beseitigen lassen, konnte es aber nicht, weil der Müller dem König mit dem königlichen Kammergericht drohte: »Es gibt noch Richter in Berlin« — mit dieser (erfundenen) Lesebuchlegende ist die Rechtsstaatlichkeit Preußens gern gerühmt worden. Hacks stellt sie, angeregt von Bertolt Brecht, auf den Kopf, um damit Preußen als Unrechtsstaat und Friedrich den Zweiten als kriegslüsternen Despoten zu verdammen. Bei Hacks verlangt Friedrich der Zweite, um dem Volk und den deutschen Fürsten seine Gerechtigkeitsliebe zu beweisen, daß ihm der Müller mit einem Prozeß droht, doch der ist ein devoter Mann und traut sich nicht. Mit dem Krückstock muß der König aus ihm die trotzigen Worte »Es gibt noch Richter in Berlin« herausprügeln, und Friedrich nutzt diesen Propaganda-Effekt, als er sein Volk »für die Ideale der Rechtsstaatlichkeit und des hohenzollernschen Volkskönigstums« zu den Waffen ruft. Sein Versprechen aber, dem Müller seinen Knecht wiederzugeben, hält er nicht — er befiehlt dem Landrat, den Knecht bei der Armee zu behalten, und weist den Müller ab: auch der König dürfe das Recht nicht verletzen, nach dem der Knecht eingezogen worden ist. Kein Knecht — kein Klappern: der Despot hat seine Ruhe und den Ruf, kein Despot zu sein. — Wer den Mechanismus des »Umfunktionierens« kennt, durchschaut die dünne Fabel und ihre Lehre von Anfang an und kann sich bestenfalls — wie oft bei Hacks — an Sexualdrastik ergötzen (zwischen Knecht Nickel, Magd Lowise und Müller), sofern er dafür Sinn hat.

Die Sorgen und die Macht. ›Stück in fünf Aufzügen‹. 1958, Neufassungen 1960 und 1962. Uraufführung am 15. Mai 1960, Senftenberg, DDR. — Geschrieben für einen Wettbewerb des Ost-Berliner Henschel-Verlags, der Geldpreise für Exposés von Stücken aus dem gegenwärtigen Leben der DDR ausgesetzt hatte. — Eine Brikettfabrik hat (im Jahre 1956) den Staatsplan mit 160 % übererfüllt, aber derart schlechte Briketts hergestellt, daß eine von ihr belieferte Glashütte ihre Planziele nicht erreichen kann. Die Brikettarbeiter, unter ihnen Max Fidorra, verdienen gut; die Glasarbeiter, unter ihnen Hede Stoll, verdienen schlecht. Dies kehrt sich um, als die Partei — gegen unendlich viele Widerstände — einen Gütewettbewerb durchsetzt, bei dem die Brikettfabrik schlecht, die Glashütte gut abschneidet. Nun hat Hede mehr Geld als Max, und Max kann dies nicht auf sich sitzen lassen: durch seine Verbesserungsvorschläge können sowohl mehr als auch bessere Briketts geliefert werden. In seiner Schicht werden die neuen Produktionsmethoden erprobt, und bis er genug Geld hat, zahlt Hede für ihn. Vor-, Zwischen- und Nachspiel, in denen ein Arbeiter die allegorische Figur des Eigennutzes in Ketten vorführt und die Solidarität der Arbeiterklasse lobt, ist in der bundesrepublikanischen Ausgabe des Stückes nicht abgedruckt. – Das Stück wurde, obwohl vom Ost-Berliner Deutschen Theater angenommen, nach einer Probeaufführung und vielen Diskussionen zunächst in die Provinz nach Senftenberg geschickt, wo Arbeiter, SED- und FDGB-Funktionäre an den Proben teilnahmen; Hacks schrieb immer wieder um, doch als die dritte Fassung zwei Jahre später in Ost-Berlin aufgeführt wurde, hatte er abermals Sorgen mit der Macht der Partei: dem Dramatiker, der auch einige nicht vorbildliche Arbeiter auf die Bühne gebracht hatte – einer geht zu den Amerikanern und eine auf den Strich –, wurde von der SED-Zeitung »Neues Deutschland« empfohlen, daß er »seine theoretischen Kenntnisse des Marxismus-Leninismus ernsthaft vertieft und .mit den Werktätigen lebt«.

Moritz Tassow. ›Komödie‹. Uraufführung am 5. Oktober 1965, Volksbühne, Ost-Berlin, durch Benno Besson; die Aufführung wurde nach einigen Vorstellungen im Januar 1966 abgesetzt.

Erstaufführung in der Bundesrepublik am 24. Februar 1967, Schauspielhaus Wuppertal, durch Günter Ballhausen und Arno Wüstenhöfer. – In Gargentin in Mecklenburg hat Moritz Tassow während der zwölf Hitler-Jahre als angeblich Taubstummer die Säue gehütet und in einem Schweinestall mit vielen Büchern gehaust. Jetzt, im Spätsommer 1945, stellt sich heraus, daß er hören und reden kann und ein epikureischer Kommunist utopischer Prägung ist: für einen »unvollständigen Halbmenschen« hält er, »wer äußere Lenkung duldet, fremden Auftrag annimmt und macht, was er nicht will, und nicht macht, was er will, und weniger will als alles«. Unter seiner Führung wird Albrecht von Sack, der Herr des Gutes Gargentin, enteignet und samt Melitta, seiner Geliebten, davongejagt. Den Revolutionären schließt sich scheinbar der Gutsverwalter Achilles an, der das in eine »Kommune 3. Jahrtausend« verwandelte Gut weiterverwaltet; er folgt damit dem geheimen Auftrag des in den Westen geflüchteten Gutsherrn: Achilles soll versuchen, die Aufteilung des Gutes zu verhindern, damit es Herr von Sack zu gegebener Zeit wieder vollständig übernehmen kann. Mit so viel Begeisterung die Kommune-Mitglieder vorm Schloß des Gutsherrn, in das Moritz Tassow eingezogen ist, eine Kuh braten, Freibier trinken und das

›Moritz Tassow‹ von Peter Hacks. Horst Dieter Sievers in der Titelrolle — als Einmann-Kapelle beim Song — bei der Erstaufführung in der Bundesrepublik, Schauspielhaus Wuppertal, 1967. Kostüm: Monika Bauert

Gründungsfest ihrer Kommune feiern, mit so wenig Begeisterung sind sie bei der Sache, als die Ernte eingebracht werden soll. Jochen, der Sohn eines Landarbeiters, der Jette, die Tochter eines reichen Mittelbauern liebt, sie aber nicht kriegen kann, weil er nichts besitzt, fordert die Aufteilung des Gutes und Land für sich. Die freßgierige und mannstolle Bäuerin Dreißigacker, die den »Nazi« aufgenommen hat, damit er Hof und Bett bewirtschafte, bereitet eine Gegenrevolution vor, die sie mit Waffengewalt erzwingen will. Moritz Tassow meint: »Natürlich wärs wirklich besser, sie wollten was arbeiten«; er fragt sich: »Wieso ist, in meiner äußerst vernünftigen Einrichtung, der Widersinn so mächtig?«, und er gibt sich die gelassene Antwort: »Es muß an den Leuten liegen... Politik geht überhaupt nur ganz ohne Leute.« Als der heimlich zurückgekehrte Gutsbesitzer versucht, mit Hilfe des Verwalters die landwirtschaftlichen Maschinen nachts über die Grenze in den Westen zu bringen und die allgemeine Verwirrung ihren Höhepunkt erreicht hat, trifft der von der sowjetischen Militärregierung als Bezirksbevollmächtigter eingesetzte Mattukat ein, löst die Kommune auf, die er bis dahin abwartend geduldet hat, und ordnet an, daß das Gut — nach den im September 1945 erlassenen Verordnungen über die Bodenreform — in Kleinbetriebe aufgeteilt wird. Der Landarbeitersohn Jochen, der mitgeholfen hat, den Gutsbesitzer zu fangen und die Maschinen zu retten, wird nun Jette heiraten können, die inzwischen von Moritz Tassow in die Geheimnisse der Liebe lustvoll eingeweiht worden ist. Tassow wird Schriftsteller, denn »das ist der richtige Stand, in dem ich nicht verpflichtet bin, kapiert zu werden oder Anhänger zu haben«. Mattukat, der im Konzentrationslager schwere gesundheitliche Schäden erlitten hat, muß auf Befehl seiner Vorgesetzten ins Hospital. Das letzte Wort hat sein Stellvertreter, der subalterne Befehlsempfänger Blasche: »Das Alte stirbt oder verkrümelt sich. Der neue Mensch bleibt auf dem Plane. Ich.« —

Der doppeldeutige Sarkasmus dieser Schlußverse ist nicht zu überbieten: daß der engstirnige Bürokrat Blasche auf dem Plane bleibt, die Herrschaft antritt und sich für den »neuen Menschen« hält, und daß der neue Mensch des Kommunismus eben nur geplant ist, »auf dem Plane bleibt« — Peter Hacks scheint skeptischer geworden. Auch die Frage seines Tassow, wovon die Menschen andre werden, hat er unbeantwortet gelassen. Die Sympathie des Autors ist bei dem weltfremden und weltverliebten Utopisten Tassow (sein Name klingt an Goethes Tasso an, der an der gesellschaftlichen Realität seiner Zeit scheitert und sich in die Dichtung flüchtet). Sympathie *und* politische Neigung des Autors sind bei Mattukat, dem kommunistischen eigentlichen Helden des Stückes. Mit Tassow hofft Mattukat zwar, daß in fünfzehn Jahren das Gut Gargentin kollektiviert sein wird, doch in der Situation von 1945 hält es Mattukat, der pragmatische Kommunist, für richtig, das Gut in Familienbetriebe aufzuteilen, obwohl diese auf die Dauer unhaltbar sein werden. Ohne das Ziel eines rentabel organisierten Großbetriebs aus dem Auge zu verlieren, tut er das, was ihm zunächst allein möglich erscheint: »Recht haben kann man nie als hier und heut.« Von allen Personen des Stückes zeigt allein die (nach ihrer Haarfarbe so genannte) »rote Rosa«, eine Kätnerin, Ansätze zum »neuen Menschen«: nur sie arbeitet und handelt so, wie in einer »Kommune 3. Jahrtausend« alle arbeiten und handeln müßten.

Hacks hat sein Stück in fünfhebigen Versen geschrieben, die ihn vom Naturalismus entlasten und ihm parodistische Effekte ermöglichen. Elemente des Volkstheaters sind ironisch gegen den Strich gebürstet, und die Ironie wird durch eine artistische Naivität noch vertieft. Ein Meisterstück drastischer Komik, wenn der Mittelbauer Iden seine Tochter verflucht, weil sie sich zu Moritz Tassow geschlichen hat, und Tassow und Tochter, spärlich bekleidet, vom Balkon aus dem wütenden Vater die Freuden der körperlichen Liebe rühmen. Als unverblümte Clowns rüpeln Schelle und Riepel durch die Handlung. Politisches Zaubertheater ist eine Episode im »deutschen Wald«: den betrunkenen Clowns erscheint das »wütende Heer« mit Symbolfiguren aus der deutschen Geschichte von »Friedrich von Preußen« bis Hitler, angeführt vom »schwedischen Reiter«, den der Darsteller des »Nazi« spielt — dieses gespenstische Heer der Reaktion ist auf dem Weg nach Gargentin, um Moritz Tassow in Stücke zu zerreißen, weil er »alles alte Recht und Brauchtum« mißachtet.

Wenn vom Westen die Rede ist, so nur ironisch: »O wär ich am Kurfürstendamm geblieben. Dort lebet Preußens Gloria: Amerikaner«, seufzt die Gutsbesitzers-Hure und später rühmt ausgerechnet sie Westfalen als eine Provinz, wo »Recht und Sitte« herrschen. Daß der Ruf nach Freiheit lächerlich und verächtlich gemacht wird, dafür sorgt eine Szene, in der sich der heimlich zurückgekehrte Gutsbesitzer, ein heuchelnder Reaktionär, in einem Kabinett versteckt und sich für seinen Wiederauftritt das Stichwort »Freiheit« wählt. Was die Gespräche der Menschen im Spätsommer 1945 bis zum Exzeß beherrschte — der Hunger, der Krieg, die gefallenen, vermißten und gefangenen Söhne, die zerstörten Städte, die Konzentrationslager, die versprengten Familien, die Flüchtlinge, die Besatzungsmächte, die Überlebenschancen, das Chaos und die Gerüchte — davon ist in »Moritz Tassow« entweder gar nicht oder nur sehr am Rande die Rede: Peter Hacks hat dieser Zeit nur das entnommen, was er für seine idyllische und komische Parabel vom utopischen und vom pragmatischen Kommunismus, für seine kunstvoll künstliche Puppenwelt, gebrauchen konnte.

Amphitryon, ›Komödie in drei Akten‹. Uraufführung 17. Februar 1968, Deutsches Theater, Göttingen. — Der Gott Jupiter ist für den Marxisten Hacks »der vollkommene Mensch«: er »stört und fördert die Welt, so wie die Vorstellung menschlicher Vollkommenheit allzeit die Welt stört und fördert«. Da bei Jupiter geistige und fleischliche Schöpferkraft gleich vollkommen sind, ist er auch der wesentlich bessere Liebhaber als Amphitryon, und Alkmene muß daher sehr rasch erkennen, daß der Gott bei ihr ist; zum Gatten Amphitryon sagt sie: »Da du mich liebtest, warst du, wie er ist.« Doch auch Amphitryon weiß sich zu verteidigen: für Alkmene kämpft und intrigiert er, ist er sogar zum Schurken geworden — sein Leben ist so schwer, daß er Jupiter vorwerfen kann: »Es ist von solchem Ernst die Welt beschaffen, / Daß nur ein Gott vermag, ein Mensch zu sein.« Recht haben sie hier alle drei, jeder nach seiner Weise. Unrecht hat der (unverheiratete) philosophische Sosias, der Nichtswissenwollen für Weisheit hält (»Des Forschens Ende ist, daß man es läßt«), sich jeder Situation willig anpaßt, die Welt durchaus nicht verändern will und sogar auf sein Ich sofort verzichtet, als ihm Merkur in der Gestalt des Sosias begegnet — Sosias, der so weit unter dem Durchschnittsmann Amphitryon steht wie Amphitryon unter der Vollkommenheit Jupiters, wird als Hundsstern ans Firmament verbannt als »Leuchtturm des Nichts und Herr der langen Weile«. » Unter den Stücken, die Hacks bekannten Stoffen abgewonnen hat, ist sein in Blankversen geschriebener »Amphitryon« das selbständigste, undogmatischste und heiterste.

Margarete in Aix. ›Komödie‹. Uraufführung 28. Oktober 1969, Basel. Deutsche Erstaufführung 8. November, Wuppertal und Göttingen. — Margarete, als Witwe Heinrichs VI. aus England verbannt, wird von ihrem Vater René an seinen Musenhof nach Aix geholt. In dieser Komödienwelt der Troubadoure besteht sie auf ihrer Tragödie und wird somit zur komischen Figur: als ihre Rache mißlingt, stirbt sie aus purem Vorsatz zu sterben. — Eine Spätlese klassischer Theatersituationen und klassizistischer Jambenblüten, die durch Ironie über ihren Eklektizismus hinwegtäuschen möchte.

Omphale. ›Komödie‹. Uraufführung 7. März 1970, Städtische Bühnen Frankfurt. — Herakles hat die Heroen »wie die Ungeheuer satt«. Er wirft sich in Lydien in die Gewänder der Königin Omphale und auf sie, die sich als Herakles verkleidet, damit er männliche als weibliche Lust erleben kann. Heroenpflicht zwingt ihn, den menschenfressenden Bauern Lityerses zu töten, bevor er aus seiner Olivenkeule einen Ölbaum wachsen lassen kann. — Bei seinem Ausweichen vor dem in der DDR unbekömmlichen Realismus in einem Jambenklassizismus ist Hacks hier von seinem Witz verlassen worden.

Jean-Paul Sartre: Proklamation der Freiheit

> Die Menschen sind frei, aber sie wissen es nicht.
>
> Jupiter in Sartres ›Fliegen‹

»Lange hielt ich meine Feder für ein Schwert: nunmehr kenne ich unsere Ohnmacht.« Diesen skeptischen Satz schrieb Jean-Paul Sartre in seinem geistreichsten Buch, ›Die Wörter‹ (Les mots. 1964), der selbstironischen Darstellung und grausam sarkastischen Untersuchung seiner ersten zwölf Lebensjahre, samt ihren denkerischen Konsequenzen; das liebenswerte Buch eines vor sich selbst geradezu unmenschlich aufrichtigen neunundfünfzigjährigen Mannes, »der auch nicht ohne Heiterkeit an seine einstigen Irrtümer zu denken vermag«. Die Einsicht in die Ohnmacht der Feder hat Sartre nicht gehindert, fortzufahren: »Trotzdem schreibe ich Bücher und werde ich Bücher schreiben; das ist nötig; das ist trotz allem nützlich. Die Kultur vermag nichts und niemanden zu erretten; sie rechtfertigt auch nicht. Aber sie ist ein Erzeugnis des Menschen, worin er sich projiziert und wiedererkennt; allein dieser kritische Spiegel gibt ihm sein eigenes Bild.«

Sein eigenes Bild hat er im kritischen Spiegel der Literatur schon sehr früh gesucht; zwei Jahre nach seiner Geburt, am 21. Juni 1905 in Paris, starb sein Vater, und der kleine ›Poulou‹ wuchs bei seinen Großeltern auf, in der ver-

wirrenden Situation eines Katholiken unter Protestanten, in einer Welt von
Büchern, als eine Art literarisches Wunderkind, zwischen der Klassiker-
bibliothek seines Großvaters und den Groschenheften, die ihm seine Mutter
zusteckte. Corneille und den Helden der Kolportage, er hat sie beide geliebt;
beide sind in seine Werke eingewachsen; von beiden hat er den Auftrag
erhalten, schreibend die Menschheit zu retten, und das Schreiben hat er
schon als Kind als einen Akt der Selbsterlösung empfunden.

Mit neunzehn Jahren bezog er die École Normale Supérieure, wurde nach
seinem Militärdienst Gymnasiallehrer für Philosophie, studierte 1933/34 in
Berlin moderne deutsche Philosophie, insbesondere Husserl und Heidegger,
und veröffentlichte 1938 sein erstes, schulemachendes Buch ›Der Ekel‹, ein
Jahr später die Erzählungen ›Die Mauer‹. 1939 als Krankenträger eingezogen, geriet er im Juni 1940 in deutsche Kriegsgefangenschaft und schloß sich
bald nach seiner Entlassung, im April 1941, der französischen Widerstandsbewegung an. Sein philosophisches Hauptwerk ›Das Sein und das Nichts‹
erschien 1943; im gleichen Jahr wurde sein erstes Bühnenstück ›Die Fliegen‹
im besetzten Paris uraufgeführt: ein Stück des Widerstandes gegen die deutsche Besatzungsmacht und zugleich die dramatische Verlebendigung philoso-
phischer Thesen. Sartres Feder als Schwert, das in die aktuelle Politik eingreift
und zugleich seiner Philosophie eine Gasse bahnt – diese Doppelfunktion
hat sie noch oft ausgeführt. Als Philosoph und Politiker hat Sartre die Bühne
zu seinem Katheder gemacht, an dem er über beide Fächer gleichzeitig unterrichtet – ein Lehrer, der alle Tricks des klassischen und des Boulevard-
theaters nutzt, um seine Lektionen plausibel und so aufregend zu machen,
wie es für ihn die Groschenhefte seiner Kindheit gewesen sind.

Seit 1945 wohnt er, ein freier Schriftsteller, in Paris im vierten Stock eines
Eckhauses in der Rue Bonaparte, mit Ausblick auf das ›Café des Deux
Magots‹, eines der Stammquartiere der ›Existentialisten‹ in Saint-Germain-
des-Prés. Von den ›Existentialisten‹, diesen bärtigen jungen Männern und
langhaarigen jungen Mädchen, die sich unmittelbar nach dem Kriege auf ihn
beriefen, die Keller-Lokale auf dem linken Seine-Ufer weltberühmt und den
Begriff ›Existentialismus‹ so populär machten wie einen billigen Markenartikel, mußte er sich distanzieren: »Es ist so weit gekommen, daß man
unter Existentialismus ›Sich-Ausleben‹ versteht.« Dieses Mißverständnis hat
sich rasch geklärt. 1964 wurde Sartre der Nobelpreis verliehen, eine durchaus bürgerliche Einrichtung – er hat die Annahme verweigert.

In die politisch-literarischen Tageskämpfe – mit weiterführenden Perspek-
tiven – griff Sartre durch seine Zeitschrift ›Les Temps Modernes‹ ein. Im Ost-
West-Gegensatz ist er nicht festzulegen; seine Entscheidungen trifft er von
Fall zu Fall, und was man auch von ihnen halten mag, man darf sicher sein,

daß es Entscheidungen seines Gewissens sind. Sein Stück ›Die schmutzigen Hände‹ (1948) wirkt antikommunistisch, und er verbot seine Aufführung in Wien, als er 1952 den kommunistischen ›Völkerkongreß für den Frieden‹ besuchte; seine Posse ›Nekrassow‹ (1955) ist derart anti-antikommunistisch, daß man sie getrost kommunistisch nennen darf, doch ein Jahr später protestierte er gegen die Niederwerfung des ungarischen Freiheitskampfes durch die Rote Armee.

Wie er seinen Existentialismus mit dem von ihm geschätzten Marxismus vereinbaren will, das wird wohl ewig sein Geheimnis bleiben. 1961 entwickelte er dem englischen Kritiker Kenneth Tynan

›Sein oder Nichtsein‹:
der Existentialist Jean-Paul Sartre.
Französische Karikatur aus dem Jahre 1946

die für ihn bezeichnende Perspektive: »Wenn sich der Westen unter dem Einfluß des Ostens weiterentwickelt, sehe ich keinen Grund, warum der sowjetische Kommunismus in den Westen exportiert werden müßte. Ich hoffe auf etwas wie die Gegenreformation, die dem Protestantismus folgte — eine Bewegung in die andere Richtung. Genau wie der Katholizismus seinen eigenen Protestantismus entwickelte, sehe ich dem Tag entgegen, an dem der Westen sozialistisch wird, ohne je durch den Kommunismus hindurchgehen zu müssen.«

Sartre glaubt nicht an Gott; der Vatikan hat seine Werke 1948 auf den Index gesetzt. In ›Die Wörter‹ erzählt Sartre, wie er als Zwölfjähriger auf seine Mitschüler gewartet hat: ». . . sie verspäteten sich, so daß ich bald zu meiner Zerstreuung nichts mehr zu erfinden vermochte und beschloß, an den Allmächtigen zu denken. Augenblicklich machte er sich in den Azur davon und verschwand ohne irgendeine Erklärung: er existiert nicht, sagte ich, höflich erstaunt, zu mir selbst, und hielt die Angelegenheit für abgetan. In gewisser Weise war sie es auch, denn seither habe ich niemals die leiseste Versuchung gespürt, ihn von neuem zu beschwören.« Hier irrt Sartre: niemals hat ein Mensch etwas, von dessen Nichtexistenz er überzeugt ist, so wütend bekämpft wie Sartre den ›Allmächtigen‹: indem er ihn unablässig bestreitet, hat er ihn zur geheimen Hauptperson seiner Dramen gemacht.

Der Theaterbesucher wird von Sartre an Hand von Modellsituationen, von beispielhaften Personen und Vorgängen, über die Grundsätze seines atheistischen Existentialismus belehrt. Zu ihnen gehört die Behauptung, daß der Mensch absolut frei, ja zur Freiheit verurteilt und folglich für jede seiner Taten verantwortlich sei. Das ist eine (idealistische) Proklamation, nichts sonst. Die ›Existenz‹ des Menschen geht, nach Sartre, seiner ›Essenz‹ voraus, d. h. der Mensch ist zunächst nichts als eine sinnfreie Existenz, die sich ihren Sinn selbst immer wieder neu gibt durch jede ihrer frei entschlossenen Taten. Der Mensch erfindet und inszeniert gewissermaßen sein eigenes Wesen selbst, indem er handelt.

Wo kein Gott ist, da ist auch keine Sünde, keine Reue, keine Vergebung, keine Gnade: Wert oder Unwert seiner Taten ist dem subjektiven Gerechtigkeitsgefühl des Menschen unterworfen und − in den Stücken nach den ›Fliegen‹ − dem Urteil der Gesellschaft. Sartres allein auf die Gesellschaft bezogenen sittlichen Forderungen sind von einer eisigen, puritanischen und im Effekt wohl auch lebensvernichtenden Strenge, wie sie das Christentum nicht kennt, dessen sittliche Forderungen auf Gott bezogen sind − auf einen Gott, der die eingeborenen menschlichen Schwächen so kennt wie das Erbarmen und die Gnade.

Da Sartres Stücke als Verkündigungen einer vorgefaßten Philosophie geplant sind, wandeln sich seine Personen nicht seelisch, sondern werden durch einen Ruck plötzlich anders: durch den Ruck einer Tat, mit der sie ihrer Existenz eine neue Essenz, ihrem Dasein einen neuen Sinn geben. Dem scharfsinnigen Psychologen und Soziologen Sartre, der einen seelisch einigermaßen einleuchtenden Menschen auf die Bühne gebracht hat, fällt der Philosoph Sartre in den Arm und macht aus diesem Menschen den Funktionär eines Gedankenspiels, dem Psychologie und Soziologie untergeordnet werden.

Sartre schätzt die sinnzeugende Tat so hoch, wie dies nur ein Intellektueller kann, der darunter leidet, daß er mehr Sinnvolles denkt als tut. Doch während in seiner Philosophie der Mensch nur dadurch existiert, daß er handelt, existieren die Menschen in seinen Stücken nur dadurch, daß sie reden. Es sind lauter scharfsinnige Intellektuelle, die immer einen unsichtbaren Caféhausstuhl bei sich führen für ihre Orgien der Beredsamkeit. Pausenlos analysieren, interpretieren und kommentieren sie sich selbst, die allgemeine und ihre besondere Lage. Sie argumentieren, also sind sie.

Die Fliegen (Les mouches). Uraufführung 3. Juni 1943, Paris, Théâtre Sarah Bernhardt (dessen Name durch die deutsche Besatzungsmacht verboten war, es hieß damals Théâtre de la Cité). Deutschsprachige Erstaufführung 12. Oktober 1944, Schauspielhaus Zürich, durch Leonhard Steckel mit Ernst Ginsberg.

*>Die Fliegen< von
Jean-Paul Sartre.
Skizze von Herta
Böhm für die
deutsche Erstaufführung
am Schauspielhaus
Düsseldorf, 1947;
Regie:
Gustaf Gründgens*

— Orest, durch seinen Pädagogen zum gebildeten, bindungslosen Epikuräer
erzogen, besucht unerkannt seine Heimatstadt Argos, aus der er verstoßen
ist. Sie wird beherrscht von Orests Mutter Klytämnestra und von Ägist,
die einst gemeinsam Orests Vater ermordet haben, den aus dem Troja-
nischen Krieg heimgekehrten Agamemnon. Seit diesem Mord wird Argos
von Fliegen geplagt, die Jupiter, der Gott, geschickt hat: surrende und ste-
chende Symbole für Gewissensbisse. Das Mörderpaar Klytämnestra-Ägist
hat seine Blutschuld, zu der es sich bekennt, auf ganz Argos gewälzt: es hält
das Volk durch religiösen Terror, durch einen eigens erfundenen Totenkult,
im lethargischen Zustand der Reue, der Angst und des Lebenshasses. Jupiter
sind diese öffentlichen Selbstanklagen und Reue-Orgien höchst wohlgefällig;
er fürchtet, daß Orest seine Freiheit entdecke: »Wenn einmal die Freiheit in
einer Menschenseele aufgebrochen ist, können die Götter nichts mehr gegen
diesen Menschen.« Orest, der Argos zunächst nur mit Touristen-Neugierde
besichtigt hat, wird durch seine Schwester Elektra zum Bleiben bewogen: sie

traktiert die blutbeschmierte Statue Jupiters mit Müll, statt mit Opfergaben, sie haßt das Mörderpaar, verachtet den Totenkult und erwartet Rache und Befreiung von der Rückkehr ihres Bruders. Der Seelenterror des Totenfestes treibt Orest in die Empörung, er entdeckt seine Freiheit, erschlägt Ägist und Klytämnestra und zieht die Last der Angst und der Gewissensbisse von der Stadt auf sich: frei bekennt er sich zu seiner Tat. Jupiter verspricht Orest und Elektra den Thron von Argos, falls sie bereuen. Elektra nimmt Jupiters Bedingung an und macht sich damit in Orests Augen schuldig. Orest ist nicht bereit, vor Jupiter zu bereuen und zu sühnen: er nimmt die Erinnyen, die Rachegeister, mit sich: wie die Ratten dem Flötenbläser von Hameln folgen sie diesem Fliegenfänger von Argos.

Im antiken Modell für Sartres philosophisches Debattierstück, in der ›Orestie‹ des Aischylos (uraufgeführt 458 v. Chr.), wird am Ende der Muttermörder Orest vorm Schwurgericht in Athen freigesprochen: Athene, Apollon und Zeus sind auf seiner Seite, und die Erinnyen, die Rachegeister, werden in Schutzgeister der Stadt Athen verwandelt. In diesem Vorgang spiegelt sich die Aufhebung der Blutrache durch ein irdisches, aber göttlich begründetes Gerichtsverfahren, die Ablösung alter durch neue Gottesvorstellungen; die ›jungen‹ Götter sind rechtsetzend und staatserhaltend. Bei Sartre steht am Ende keine neue Gottesvorstellung, sondern die atheistische Proklamation eines absolut ›freien‹, nicht mehr auf Gott bezogenen und nicht mehr von Gott abhängigen Menschen.

Als Sartre ›Die Fliegen‹ nach der französischen Niederlage im zweiten Weltkrieg schrieb, wollte er mit einem verschlüsselten Résistance-Drama die besiegten Franzosen aus der Lethargie ihrer Schuldgefühle rütteln und zum Widerstand gegen die deutsche Besatzungsmacht und gegen das mit ihr kollaborierende Pétain-Regime anstacheln. (Mitten im Kriege wurden diese ›Fliegen‹ im besetzten Paris uraufgeführt: Sartre hatte den Widerstand so gut verschlüsselt, daß er jedenfalls von der Besatzungsmacht nicht bemerkt worden ist.) Orest war für Sartre, wie er später schrieb, die Verkörperung der »verschiedenen Widerstandsbewegungen, die, ohne ein genaues Programm aufgestellt zu haben, sich zunächst bemühten, das französische Volk von der Unterdrückung zu befreien«. So ist in Sartres Stück der Entschluß zur Befreiung von den Erinnyen-Fliegen die Hauptsache: Orest hat noch kein weiterführendes, ethisches ›Programm‹. Mit Jupiter wollte Sartre nicht ›Gott‹ auf die Bühne bringen, an den er ohnehin nicht glaubt, sondern eine Gottesvorstellung verspotten, die eine diktatorische Ordnung wie die des Pétain-Regimes unterstützt.

Der vergangene politische Anlaß dieses Jupiter beeinträchtigt die zeitlose philosophische Debatte; lebendig dagegen ist Orest geblieben: der Appell an die Selbstverantwortlichkeit des Menschen; der Protest gegen jeglichen religiösen, ideologischen und politischen Terror. Hat Orest auch noch kein anderes ›Programm‹ als die Proklamation der Freiheit, so deutet sich doch schon die spätere Ethik Sartres an, die ganz auf die Verantwortung vor der Gesellschaft bezogen sein wird: sinnvoll wird Orests Freiheit erst durch sein Engagement an seine Heimatstadt Argos. Wenn Orest frei handelt, so nützt er damit der Gesellschaft, und wenn er für die Gesellschaft handelt, so beweist er damit seine Freiheit. Kein Schwurgericht und keine Götter stehen am Ende, ihn freizusprechen und zu entsühnen: er ist mit der Verantwortung für seine Tat allein in einer Welt, in der die Götter keine Macht über den freien Menschen haben. Er entsühnt sich, indem er sich im Bewußtsein, recht gehandelt zu haben, selbst freispricht. Jupiter aber ist eine widerspruchsvolle Konstruktion: ein kurioser Gott, der die Menschen frei erschafft, sie jedoch im Bund mit der irdischen Macht in Unfreiheit hält und vor nichts mehr Angst hat als davor, daß die Menschen von der Freiheit, die er ihnen doch verliehen hat, auch tatsächlich Gebrauch machen — ein Gott, vom Atheisten Sartre eigens dazu erschaffen, daß man ihn loswerden mag und kann.

Geschlossene Gesellschaft (Huis clos). Uraufführung 27. Mai 1944 im Pariser Théâtre Vieux-Colombier. Deutsche Erstaufführung im April 1949, Kammerspiele Hamburg. — In einem abscheulichen Empire-Zimmer, dessen Licht ewig brennt, sind drei Tote eingesperrt. Garcin, ein Journalist, hat seine Frau in den Tod gequält und als Politiker in der entscheidenden Situation versagt. Die lesbische Ines, die sich vom Leiden anderer nährt, hat eine junge Frau ihrem Mann entfremdet und für die Ehe verdorben; die Frau hat sich und Ines mit Gas vergiftet. Estelle hat ihr Kind, dessen Vater ihr Geliebter ist, ermordet und den Geliebten in den Tod getrieben. Diese drei toten Mörder schmoren in einer Hölle, die keiner Bratroste bedarf, sondern aus diesen drei Sofaplätzen besteht, auf denen sie, schlaflos, ewig sitzen und sich, ihrem Wesen gemäß, ewig quälen müssen: die lesbische Ines stellt Estelle nach, die jedoch, in dieser Hinsicht durchaus normal, allein Garcin für sich gewinnen will, der wiederum, indem er sein politisches Versagen durchdenkt, auf die Intelligenz und die Anerkennung der Ines angewiesen ist. Jeder von ihnen bedürfte der Hilfe eines der beiden anderen, doch indem er sich diesem nähert, quält er den dritten. So daß hier in der Tat der vielzitierte Satz stimmt: »Die Hölle, das sind die andern«, doch ist dies kein allgemeiner Lehrsatz Sartres, sondern trifft nur in diesem Zusammenhang zu, in dieser besonderen, zum philosophischen Beispiel extrem konstruierten Lage. Die drei bleiben auch einander die Hölle: nicht einmal töten können sie sich — sie sind schon tot.

Sartres Beispiel will einige Lehren vermitteln. Zunächst: der Mensch ist frei und damit für jede seiner Taten verantwortlich. »Umsonst wird keiner verdammt«, sagt Ines und: »Du bist, was dein Leben ist.« Ferner: der Mensch ist dauernd in Versuchung, sich ein falsches Bild von sich selbst zu machen; er ist auf das Urteil des Mitmenschen wie auf einen Spiegel angewiesen. Erst als die drei in diesem Raum, in dem es mit symbolischem Bedacht keinen Spiegel gibt, sich ineinander spiegeln, werden sie zur Wahrheit vor sich selbst gezwungen. Diese schauerliche Wahrheit müssen sie, offenen Auges, ohne auch nur einen Lidschlag Dunkel und Vergessen, in alle Ewigkeit aushalten. Schließlich: mit dem Tod ist das Leben des Menschen unkorrigierbar geworden. Dies wird den dreien quälend dadurch klargemacht, daß sie vom höllischen Zimmer aus ihren Lebensumkreis noch eine Zeitlang beobachten können: sie sehen, wie von ihren Mitmenschen über ihr Leben das Urteil gesprochen wird, ohne daß sie nun noch eingreifen könnten. Hier kommt es Sartre natürlich nicht auf die Banalität dieser Feststellung an, sondern auf den sittlichen Anruf, den er aus ihr bezieht: angesichts des jederzeit möglichen Todes so zu handeln, daß man jederzeit vor dem Urteil der Gesellschaft und vor sich selber im Augenblick der Wahrheit bestehen kann.

Mit der Entfernung Gottes aus der Welt ist bei Sartre die Hölle nicht verschwunden; sie ist schlimmer geworden als die Hölle des mittelalterlichen Christentums: der Mitmensch, Sartres ›Gesellschaft‹, richtet strenger als der christliche Gott in all seiner Strenge. Überdies liegt Sartres Hölle nicht im Jenseits; sie ist ein Bild für die höllischen Möglichkeiten des Diesseits: Wer so handelt wie Estelle, Garcin, Ines, der stellt das Inferno durch Selbstbedienung her.

›Geschlossene Gesellschaft‹ ist ein Denkmodell, aufgebaut aus realistisch gezeichneten Menschen. Stilistisch hat Strindberg Pate gestanden. Daß Sartres Gedanken so deutlich werden, wie er es sich gewünscht hat, ist freilich zu bezweifeln: die Faszination des Stückes geht weniger von seiner Philosophie aus als von der dramatischen Perfektion seiner Gehirn- und Seelenfolter.

Tote ohne Begräbnis (Morts sans sépulture). — Uraufführung 8. September 1946, Théâtre Antoine, Paris. Deutsche Erstaufführung 27. Oktober 1949, Bonn. — 1944, vorletztes Kriegsjahr, alliierte Truppen sind in Frankreich gelandet, doch ist noch nicht entschieden, ob sie sich halten können. Der Auftrag französischer Widerstandskämpfer, ein Dorf zu besetzen und damit die Landung der Engländer vorzubereiten, ist gescheitert. Fünf Mitglieder der Widerstandsgruppe sind gefangen. Ihre Bewacher gehören zur Miliz des mit der deutschen Besatzungsmacht in gewissen Grenzen zusammen arbeitenden Staatschefs Pétain: Franzosen der Résistance, verhört von französischen Kollaborateuren — dies ist die Ausgangssituation. Drei Männer, eine junge Frau und deren Bruder, ein fünfzehnjähriger Junge, erwarten Folter und Tod. Sinnlos, weil militärisch aussichtslos, ist ihnen ihr Unternehmen von Anfang an erschienen; nun ist es gescheitert und hat überdies dreihundert unbeteiligten Dorfbewohnern das Leben gekostet. Sinnlos sind Verhör und Folter, denn was sie verraten sollen — das Versteck des Chefs ihrer Gruppe —, das wissen sie nicht. Diese Situation ändert sich mit dem Augenblick, da ihr gesuchter Chef von der Miliz aufgegriffen, doch nicht erkannt und mit ihnen eingesperrt wird: nun haben sie etwas zu verschweigen, und es erscheint ihnen absolut notwendig, ihren Chef nicht zu verraten, da er allein ihre Freunde warnen und sechzig Menschenleben retten könnte. Ihr Dasein, ihr Schweigen auf der Folter hat durch das Opfer für die Gesellschaft einen Sinn bekommen. Einer tötet sich, damit er nicht zum Verrat gezwungen werden kann. Einer erwürgt — mit dem Einverständnis der andern — den Jungen, der auf der Folter reden würde. Dann wird der Chef entlassen; er hat ihnen eine Höhle angegeben, die sie nach vier Stunden der Miliz als sein Versteck nennen sollen: einem dort liegenden Leichnam wird er inzwischen seine Papiere zustecken. Mit diesem Ausweg scheinen auch der Selbstmord und der Tod des Jungen nachträglich sinnlos geworden. Für den Verrat ist den Gefangenen das Leben versprochen worden. Zwei von ihnen, der Mörder des Jungen und die Schwester, die der Ermordung ihres Bruders zugestimmt hat, wollen das Leben nun nicht mehr: sie fühlen sich beschmutzt und nur durch den Tod erlösbar. Dem dritten gelingt es, sie zum Leben zu überreden: »Wenn du dich töten läßt, obgleich du noch etwas leisten kannst, wird nichts sinnloser sein als dein Tod«; für ihn zählt nur »die Welt und was du in der Welt leistest«: das Opfer für die Gesellschaft. Er gibt der Miliz die falsche Fährte, die Höhle an, doch ein Offizier läßt sie trotzdem erschießen. Sinnlos erscheint auch ihr Tod.

Sartre führt an diesem extremen Geflecht scheinbarer Sinnlosigkeit vor, daß eine Tat ihren Sinn eben nicht durch Erfolg oder Mißerfolg erhält, sondern allein durch die Motive des Menschen, der sie begeht. Wenn die Milizsoldaten ihre Gefangenen — die Menschen überhaupt — als Tiere betrachten, so wird es für die Gefangenen sinnvoll, nicht zu reden: sie widerlegen damit die Milizsoldaten; sie beweisen, daß nicht die Gefolterten die Tiere sind, sondern die Folterer, und sie behaupten damit ihre Freiheit und mit ihr sich selbst als Menschen. Wenn einer der Gefangenen einräumt: »Wir sind nicht dazu geschaffen, immer bis zu den Grenzen unserer Möglichkeiten zu leben«, so beweist ein anderer, daß er wenigstens an den Grenzen seiner Möglich-

keiten sterben kann: er hat erkannt, daß er auf der Folter zum Verräter
würde, und gibt noch seinem freien Tod einen Sinn, der durch die Sinnlosigkeit des Gesamtgeschehens nicht gemindert werden kann.
Praktisch schon tot, treiben die ›Toten ohne Begräbnis‹ noch immer
Theorie des Lebens. Noch am Grabe pflanzt Sartre die Debatte auf. Doch
wer könnte seinen abstrakten Gedankengängen folgen, wenn vor ihm auf
der Bühne Menschen erbarmungslos gequält werden? Der krude Naturalismus Sartres verhindert, daß seine Philosophie den Anblick der Folter über-
steht.

Die ehrbare Dirne. ›Die respektvolle Dirne‹ (La putain respectueuse). 1946.
Uraufführung 8. September 1946, Théâtre Antoine, Paris. Deutsche Erstaufführung 16. April 1949, Kammerspiele Hamburg. — Lizzie, eine Dirne, war
im Zug von New York nach den Südstaaten Zeuge, wie ein angetrunkener
Weißer einen Neger erschoß. Damit der Weiße straflos davonkommen kann,
soll sie nun schwören, daß der Neger sie vergewaltigen wollte. Sie entscheidet sich zunächst für die Wahrheit, doch erliegt sie schließlich den politischen
und sentimentalen Phrasen des Senators Clark und unterschreibt ein falsches
Zeugnis. Ein Neger flüchtet in ihre Wohnung; sie versteckt ihn vor dem
Mob, der auf der Straße einen andern Neger lyncht. Der Senatorensohn
Fred, vom Lynchmord sexuell erregt (wie Mike in John Steinbecks Story
›Danach‹, aus der dieses Motiv stammen dürfte), kommt zu Lizzie, entdeckt
den Neger und schießt auf den Fliehenden. Lizzie, entschlossen, Fred zu er-
schießen, erliegt abermals ihrem Respekt vor dem Mythos des weißen
Amerikaners, der großen Pionierfamilien: sie gibt Fred ihren Revolver. Er
wird sie in einem Wochenendhaus mit Negerdienern zu seiner erotischen
Verfügung halten. — Die höhnische Pointe dieses hinreichend deutlichen
Reißers gegen den Rassenhaß: ausgerechnet das Gewissen einer berufs-
stolzen Dirne, die ihren Körper verkauft und Neger grundsätzlich nicht ausstehen kann, ist mit Dollars nicht zu kaufen; wohl aber mit Phrasen über
die amerikanische Tradition und mit der Aussicht, von der Mutter des weißen Mörders, die den vornehmsten Kreisen angehört, aus Dankbarkeit
respektiert zu werden — Lizzie wird entscheidend bewegt von der Sentimentalität der Dirne und der Deklassierten.

Die schmutzigen Hände (Les mains sales). 1948. Uraufführung am 12. April
1948 im Théâtre Antoine, Paris. Deutschsprachige Erstaufführung am 6. November 1948 im Schauspielhaus, Zürich. Deutsche Erstaufführung am 15. Januar 1949 im Renaissance-Theater, Berlin. — ›Illyrien‹, ein Phantasie-
Balkanstaat, im Jahre 1943, während der deutschen Besetzung, kurz vorm

Einmarsch der Russen. Hugo, ein junger, aus dem Bürgertum stammender Intellektueller, gehört der Kommunistischen Partei an. Er soll im Auftrag einer innerparteilichen Oppositionsgruppe den hohen kommunistischen Funktionär Hoederer erschießen, da dieser mit der Partei des Regenten und dem Block der bürgerlichen Parteien eine Koalition bilden will. Hugo hat sich zu dieser Aufgabe gedrängt: er ist ein Neurotiker und hungert danach, eine ›Tat‹ zu begehen und als ehemaliger Bourgeois von seinen Genossen anerkannt zu werden. Immer wieder hat er Schußgelegenheit, aber er hat tausend Hemmungen und schießt erst in einem Eifersuchtsanfall. Als er seine Strafe verbüßt hat und aus dem Gefängnis kommt, hat sich inzwischen die Parteilinie geändert, die Richtung Hoederers gilt als opportun, nun soll Hugo beseitigt werden, denn er hat einen Mord begangen, »den keiner haben will«. Es wird ihm die Chance gegeben, wieder für die Partei zu arbeiten und damit sein Leben zu retten, doch nimmt er seinen Mord auf sich; mit den Worten »nicht verwendungsfähig« geht er seiner Liquidierung entgegen.

Kein politisches Stück, kommentierte Sartre, sondern »die psychologische Studie eines jungen Mannes, der einen Mord beging« — einen Mord aus Eifersucht, sieht man vom Täter her; einen politischen Mord, sieht man ihn von seiner Wirkung her. Der Mord erhält seinen Sinn nicht durch die Entscheidung der Partei, die ihn erst verlangt und dann nicht mehr gebrauchen kann, sondern durch die Entscheidung des Täters, eines Miniatur-Hamlets, der sich schließlich zu ihm bekennt und lieber stirbt, als ihn zu verleugnen: durch seinen Entschluß wird der Mord nachträglich politisch.

Vom ersten bis zum letzten Wort des Stückes ist ein Revolver auf der Bühne; dramaturgisch ist seine Mündung unentwegt auf das Publikum gerichtet, das ständig in der Erwartung des großen Knalles gehalten wird. Geistige Spannungen bringen die Diskussionen darüber, ob es möglich sei, Politik zu machen, ohne dabei schmutzige Hände zu bekommen. Diskussionspartner ist Hoederer, ein sympathisch gezeichneter Mann, dessen Ansicht in dem Satz gipfelt: »Bildest du dir ein, daß man in Unschuld regieren kann?«, und dem Hugo eine neidvolle Haßliebe entgegenbringt. Erotische Spannung bringen zwei Frauen: Olga, der Typ der perfekten Funktionärin, die nur nach der jeweiligen Parteilinie handelt, und Jessica, die Frau Hugos, der Typ des erotischen Luders.

Philosophie, Psychologie und Politik als vollautomatische dramatische Räuberpistole. Sartre protestierte gegen die ›antikommunistische Tendenz‹ der New Yorker Inszenierung, und die Kommunisten protestierten gegen das Stück — zweifellos wirkt das Stück antikommunistisch: durch den zynischen Opportunismus, mit dem die Parteilinie über Wert und Unwert eines Mordes und eines Mörders entscheidet. In der Verteilung der politischen und moralischen Positionen spiegelt sich Sartres unklare Stellung zwischen einem hausgemachten, auf Wahrheit zielenden Existentialismus und seiner Sympathie für den Kommunismus, für den die Wahrheit nur eine Frage politischer Nützlichkeit ist. Als Sartre 1952 — nach seiner vorübergehenden Abwendung vom Stalinismus — am kommunistischen ›Völkerkongreß für den Frieden‹ in Wien teilnahm, verbot er eine geplante Aufführung seines Stückes in Wien. Zwei Jahre später konnte er aus juristischen Gründen die Aufführung des Wiener Volkstheaters zwar nicht verbieten, doch protestierte er heftig gegen sie, gegen jede Aufführung an den ›neuralgischen Punkten der Weltpolitik‹, da sie ›der antikommunistischen Propaganda‹ diene. Bei einer Pressekonferenz im Wiener ›Hotel Sacher‹ versicherte er, seine Sympathien gehörten dem Aktivisten Hoederer, dem Mann mit den schmutzigen Händen.

Der Teufel und der liebe Gott (Le diable et le bon Dieu). 1951. Uraufführung am 7. Juni 1951 im Théâtre Antoine, Paris, durch Louis Jouvet mit Pierre Brasseur als Götz. Deutsche Erstaufführung am 30. Oktober 1951, Schauspielhaus, Hamburg. — Deutschland 1524 und 1525, zur Zeit der Bauernkriege. Gott ist der einzige Gegenspieler, den Ritter Götz, ein monströses Ungeheuer, als ebenbürtig anerkennen kann: »Es gibt auf der Welt nur Gott, mich und Gespenster.« Weil Gott alles Gute getan hat, fordert Götz Gott damit heraus, daß er das Böse tut, allein um des Bösen willen. Als ihm ein Priester klarmacht, daß jedermann das Böse, doch niemand das Gute tue, verspricht er, der ›Feldhauptmann des Guten‹ zu werden, falls er beim Würfelspiel verliere, und betrügt beim Spiel, um zu verlieren: nun fordert er Gott durch das Gute heraus, das er systematisch tut, mit derselben Anmaßung und Raserei wie vorher das Böse. Heinrich, ein zweifelnder Priester, der das Gute vertritt, solange Götz auf der Seite des Bösen ist, und der das Böse vertritt, sobald Götz das Gute versucht, prophezeit ihm, daß er nach einem Jahr und einem Tag auch mit dem Guten gescheitert sei. Götz schenkt seine Güter den Armen, doch sie mißtrauen ihm und laufen lieber dem Ablaßverkäufer Tetzel nach. Götz küßt, um Tetzel zu übertrumpfen, einen Aussätzigen auf den Mund, doch auch der Aussätzige will lieber Tetzels Ablaß als einen Kuß. Götz betet darum, daß er stellvertretend leiden darf, doch wird er nicht erhört. Um das Gute zu erzwingen, stigmatisiert er sich mit seinem Dolch: durch diesen Betrug schafft er das ›Wunder‹, das die Masse verlangt, und gewinnt er die Anhänger für seine ›Stadt des Lichts‹. Ein revolutionärer Heilsapostel fordert ihn auf, die aufständischen Bauern zu führen, doch Götz will kein Blut vergießen und predigt den

*>Der Teufel und der liebe Gott< von Jean-Paul Sartre. Skizze von Max Fritzsche
für die Inszenierung von Alfred Noller, Kiel, 1952*

Bauern den Frieden; sie hören nicht auf ihn, sie werden geschlagen, weil er sie nicht in den Kampf geführt hat. Was Götz auch Gutes tut, es wendet sich immer wieder zum Bösen. Heinrich, der ihn nach einem Jahr wieder trifft, hat mit seiner Prophezeiung recht gehabt und spricht aus, was Götz inzwischen denkt: »Wenn Gott existiert, dann ist der Mensch nichts. Wenn aber der Mensch existiert, was ist dann Gott? Es gibt keinen Gott — Gott ist tot.« Götz beendet >die Komödie des Guten< und tötet Heinrich; er tötet mit ihm seine Gegenstimme — die Stimme, die >Gut< und >Böse< im Jenseits sucht. »Gott sieht mich nicht, Gott hört mich nicht, Gott kennt mich nicht ... Die Verlassenheit der Menschen ist Gott. Ergo: Gott existiert nicht ... Nichts außer der Erde bleibt.« Götz stellt sich an die Spitze der rebellischen Bauern; er verschreibt sich der >Partei der Menschen< und wird für das Gute auch das Böse in Kauf nehmen. Er löst den Bauernführer Nasty ab, einen gläubigen Revolutionär, der den Weg des Terrors gegangen ist und den Terror nicht mehr erträgt — Götz hat bessere Nerven, er tötet einen Bauernführer, der sich seinem Befehl widersetzt: »Das Reich des Menschen ist angebrochen ... Ich werde sie schaudern machen, da ich sie anders nicht lieben kann ... Ich werde allein sein mit dem leeren Himmel über mir, da ich nur so mit allen sein kann. Dieser Krieg muß geführt werden, und ich führe ihn.« Er führt ihn für die soziale Gerechtigkeit.

Götz hat mit dem Bösen und mit dem Guten experimentiert; ohne Antwort von Hölle oder Himmel geblieben, sagt er sich los von jeglicher überirdischen Bindung; unter einem leeren Himmel ohne Gott will er nur als Mensch unter Menschen leben, und da er in einer Zeit des Krieges lebt, nimmt er Krieg und Gewalttat auf sich, die er im Interesse des Menschen für notwendig hält.

Vier Stunden lang wird dieser Grundgedanke an Hand von üppig wuchernden Episoden mit einer Unzahl blasser, aber geschwätziger Figuren entwickelt, mit denen Sartre bestimmte soziale Verhältnisse, dialektische Positionen und Zeitumstände der deutschen Reformation ausmalt, soweit sie ihm Entsprechungen zur Gegenwart bieten. Der Philosoph Sartre, der messerscharf argumentiert, metzelt dabei allmählich den Szeniker Sartre nieder — aus dem Theaterstück wird ein Diskussionsforum. Mit (einem wörtlichen Zitat aus) Nietzsche verkündet Sartre den Tod Gottes; als moralische Instanz setzt er das Gewissen des diesseitigen Atheisten ein, der sich — wie sein Hoederer in ›Die schmutzigen Hände‹ — vor blutigen Händen nicht scheut, wenn sie ihm nützlich für das Wohl der Menschen erscheinen. Sein Götz ist kein farbiger einmaliger Charakter; als Marionette eines Gedankenspiels ändert er sich ruckartig und vertritt Sartres allgemeine Thesen. Mit ihm ließe sich in letzter Konsequenz, die Sartre angemessen wäre und die er selbstverständlich bestreiten würde, jeder politische Massenmörder rechtfertigen, wenn er nur im subjektiven Bewußtsein, damit der sozialen Gerechtigkeit zu dienen, gemordet hätte.

Meinungen: »Gerade der Christ wird Sartre nicht verdammen, weil er, das ist keinem Zweifel unterworfen, ein Leidender und, bei aller gespielten Gewißheit, ein Suchender ist. Der Haß auf einen Gott, den man für inexistent hält, ist absurd«: Fred Hepp. — »Theologischer Grand Guignol, mag man sagen. Aber es steckt mehr darin. Und der Christ braucht sich über die Anstößigkeit nicht zu entrüsten. Sie ist hart und grell, aber ganz offen. Sie zwingt die Geister, sich daran zu scheiden. Was kann man mehr wünschen? Die Lauen speit der Himmel aus«: Albert Schulze Vellinghausen.

Kean oder Unordnung und Genie (Kean ou Désordre et Génie). ›Ein Stück in fünf Akten nach Alexandre Dumas.‹ Uraufführung 14. November 1953, Théâtre Sarah Bernhardt, Paris. Deutsche Erstaufführung 16. September 1954, Stuttgart. — ›Kean‹ ist der englische Shakespeare-Schauspieler Edmund Kean (1787—1833), der auf der Bühne als Othello gestorben ist. Der Bühnenreißer ›Kean‹ wurde 1836 in Paris uraufgeführt unter dem zugkräftigen Verfasser-Namen Alexandre Dumas (Vater), der das Stück für den Schauspieler Fréderick Lemaître von einem seiner geheimen Mitarbeiter, Herrn de Courcy, hatte schreiben lassen. Auf Anregung des Pariser Schauspielers Pierre Brasseur hat Sartre diesen ›Kean‹ bearbeitet und im Sinne seiner Philosophie leicht umgedeutet. Sartre strich fünfzehn Personen, behielt aber im wesentlichen die Handlung des alten Melodramas bei: Kean begehrt Elena, die Gräfin Koefeld, der es Vergnügen macht, sich zu einem Schauspieler herab- und mit ihm einzulassen; das ergibt Schwierigkeiten mit dem Grafen und dem rivalisierenden Prinzen von Wales, der es sich gestattet, mit dem Komödianten befreundet zu sein; Kean fällt beim Theaterspiel in einem Eifersuchtsanfall aus der Rolle und beschimpft den Prinzen im Zuschauerraum; der Prinz sorgt dafür, daß Kean nicht ins Gefängnis kommt, verheiratet ihn mit der Schauspielerin Anna Damby und schickt ihn ein Jahr lang nach Amerika auf Tournee.

Leidet der Dumas-Kean, verehrt als Schauspieler und verachtet als Mensch, unter der Kluft zwischen den rechtlosen Komödianten und der sozialen Oberschicht, der er sich kraft seiner Persönlichkeit zugehörig fühlt, so leidet der Sartre-Kean als Komödiant unter der Kluft zwischen Schein und Sein, zwischen Rolle und Leben: »Man spielt, um zu lügen; um zu sein, was man nicht sein kann; und da man es satt hat, zu sein was man ist.« Er weiß nicht mehr, wann er Gefühle erlebt, und wann er sie spielt. Als Mensch ist er ein Nichts, als Schau-Spieler kann er seinen Mitmenschen alles sein. So verhält er sich nur noch im Hinblick auf die Umwelt, die ihn zu einem bestimmten Verhalten zwingt — nicht nur auf der Bühne wird jedes Gefühl zur Geste, jeder Partner zum Publikum; Kean konstatiert: »Ich existiere in Wirklichkeit nicht, ich stelle mich nur so.« Sogar sein Eifersuchtsausbruch gegen den Prinzen von Wales war nur Spiel mit der Eifersucht, und Elenas Liebe war Spiel mit der Liebe; in Amerika wird er mit dem Spiel weiterspielen — so wie alle anderen Menschen.

Doch auch ohne weiterführende ›existentialistische‹ Ausdeutung ist dieser Kean (den in der Dumas-Fassung Sonnenthal, Mitterwurzer, Matkowski, Bassermann spielten) eine Virtuosen-Rolle für einen großen Komödianten. Sartre hat die Bühnencoups des 19. Jahrhunderts mit seiner effektvollen Intellektualität ironisch und selbstironisch verschnitten.

Nekrassow (Nekrassov). Uraufführung im Juni 1955 im Théâtre Antoine, Paris. Deutsche Erstaufführung im November 1956 in der Ost-Berliner Volksbühne. Erste Aufführung in der Bundesrepublik im Februar 1960 in Bochum. — Der Hochstapler Georges de Valéra gibt sich in Paris als in den Westen geflohener sowjetischer Innenminister Nekrassow aus, liefert ›Tatsachenberichte‹ für ein Boulevardblatt, dessen Chefredakteur zum Komplizen

und schließlich zum Opfer seines Schwindels wird. Sein größter Schlager ist
eine Liste der französischen Politiker, die nach dem Einmarsch der Roten
Armee erschossen werden sollen — sie verachten jeden, der nicht auf der
Liste steht, und gründen einen ›Club der Erschossenen von morgen‹. Die
Staatspolizei weiß, daß er ein Hochstapler ist, möchte ihn gleichwohl dazu
benutzen, daß er kommunistische Journalisten als Soldschreiber für Moskau
denunziert. ›Nekrassow‹ klärt eine kommunistenfreundliche Journalistin
auf, eine proletarische Heilige unter lauter Sündern, und taucht in der vergleichsweise ehrlichen Verbrecherwelt unter, der er entstammt. Der Präsident des Verwaltungsrates der Zeitung, dem es sehr peinlich ist, daß sein
Name nicht auf der Liste der Todeskandidaten steht, veranlaßt, daß man
unter den ›hinterlassenen Papieren‹ des Hochstaplers noch eine Erschießungs-
liste findet, mit seinem Namen an erster Stelle.

Bevor das Stück nach Ost-Berlin kam, wurde es in Moskau, Prag und
London (von einer ›linken‹ Amateurbühne) gespielt — es stellt den Antikommunismus als eine schiere Posse des Schwindels, der Heuchelei, der
Wahlbeeinflussung und kapitalistischer Geschäftemacherei dar. Die Einfalt
der Pariser Redakteure, Politiker und Kapitalisten freilich, die der durchsichtigen Gaunerei ohne jede Nachprüfung auf den Leim gehen, ist als Voraussetzung sogar für diese satirisch überdrehte ›Farce‹ zu unglaubwürdig.
Mit ihr greift Sartre auf kommunistischer Seite in den ›Kalten Krieg‹ ein,
gegen den sein Stück doch gedacht ist.

Hans Schweikart verzichtete 1956 für die Münchener Kammerspiele auf
die geplante deutsche Erstaufführung: nach dem Aufstand in Ungarn am
23. Oktober 1956, bei dem ein ganzes Volk ›die Freiheit gewählt‹ hatte und
von der Roten Armee niedergeworfen wurde, war auch dem liberalsten
Publikum der Spaß an einer Posse vergangen, in der ein Mann, der ›die
Freiheit gewählt‹ zu haben scheint, nur ein Hochstapler ist. Sartre protestierte im gleichen Jahr gegen die Unterdrückung des ungarischen Freiheitskampfes durch die Sowjetunion, zog seinen ›Nekrassow‹ jedoch nicht zurück, so daß die deutsche Erstaufführung in Ost-Berlin stattfinden konnte.

Die Eingeschlossenen (Les séquestrés d'Altona). Uraufführung am 25. September 1959 im Théâtre de la Renaissance, Paris. Deutsche Erstaufführung
am 29. April 1960, Kammerspiele München. — Altona 1959. Der alte Gerlach, Industriekapitän, Besitzer der größten Schiffswerft Europas, ist krebs-
krank. Er möchte seinen ältesten Sohn Franz als Nachfolger einsetzen, doch
Franz, ehemaliger Leutnant der Wehrmacht, hat sich vor dreizehn Jahren in
sein Zimmer eingeschlossen und gilt für die Außenwelt als tot. Er lebt
im Wahn, Deutschland sei noch immer ein Trümmerhaufen, und läßt sich

diese Vorstellung, an die er sich klammert, von Leni, seiner Schwester, mit der ihn eine inzestuöse Liebe verbindet (aus Hochmut, wie in Thomas Manns ›Wälsungenblut‹), immer wieder bestätigen. Er trägt an seiner Uniform Orden aus Schokolade, nährt sich von Sekt und Pervitin, bombardiert ein Hitler-Bild mit Austernschalen und versucht, sein Zeitalter und sich selbst mit Reden, die er auf Tonband aufnimmt, vor unsichtbaren Krabben und dem Jahr 3000 zu rechtfertigen. – Die aus ihm herausgefragte Vorgeschichte versucht, seinen Zustand zu erklären. Im Krieg war Franz der ›Schinder von Smolensk‹ und hat russische Partisanen gefoltert. In den Krieg ist er freiwillig gegangen nach einem entscheidenden Erlebnis: sein Vater hat Himmler Gelände für ein Konzentrationslager verkauft, und als Franz einen geflüchteten Häftling, einen Rabbiner, in seinem Zimmer versteckt, um Vaters Schuld wiedergutzumachen, wird er entdeckt – der Vater entzieht Franz durch ein Telefongespräch mit Göring der Verhaftung und denunziert den Rabbiner; Franz sieht, wie der Jude ermordet wird, entdeckt seine Ohnmacht und in sich ein geheimes, schreckliches Einverständnis mit dem, was geschehen ist – »nach diesem Zwischenfall wurde die Macht meine Berufung«. Er hat seine Macht genutzt, um »den Menschen noch zu seinen Lebzeiten in ein Geschmeiß zu verwandeln«, und könnte jetzt den Anblick eines wiederaufgebauten Deutschlands nicht ertragen: solange es zerstört ist, kann er seine persönliche Schuld für einen Teil der allgemeinen Schuld halten. – Der alte Gerlach schickt Johanna, die Frau seines Bruders, zu ihm, um ihn aus seinem freiwilligen Gefängnis herauszuholen. Sie beginnt, ihn zu lieben, und er macht sie zur Richterin über seine Vergangenheit; sie verzeiht ihm alles, außer den Folterungen, die er insgeheim auch nicht verziehen haben will. Er verläßt sein Zimmer und macht mit seinem Vater moralische Bilanz. Franz gesteht: »Ich habe den Tod meines Landes herbeigesehnt, und ich habe mich eingeschlossen, um nicht Zeuge seiner Wiederauferstehung zu sein« – er spricht sich schuldig: lieber noch als sterben wollte er gar nicht geboren sein. Sein Vater gesteht: »Sage deinem Gerichtshof der Krabben, daß ich allein schuldig bin – und an allem ... Ich habe dich gemacht, und ich werde dich vernichten.« Der Denunzianten-Vater und der Kriegsverbrecher-Sohn fahren gemeinsam mit einem Porsche auf der Elbchaussee in den Tod.

Das Vorstehende ist nur eine sehr grobe Skizze des Handlungsgerüstes, ein einziger Strang aus einem ungeheuren Knäuel von philosophischen und politischen Debatten, von symbolischen Übersteigerungen und psychoanalytischen Tiefbohrungen, von erleuchteten Formulierungen und wucherndem Kitsch. In eine Familientragödie à la Strindberg, eine ausufernde Variante der ›Geschlossenen Gesellschaft‹, randvoll mit Lebenslügen à la Ibsen, ist im Zimmer des Eingesperrten absurdes Theater à la Beckett eingesprengt — dies alles als Mittel einer Beweisführung à la Sartre: am Ende, das mit der völligen Aufdeckung der Vorgeschichte zusammenfällt, steht die Selbstverurteilung und Selbstvernichtung zweier Menschen, die schuldig geworden sind, weil sie ihre Freiheit dazu gebraucht haben, gegen sich selbst und damit gegen den Menschen überhaupt zu handeln.

Sartre hat den alten Gerlach zu einem Repräsentanten des alten und des neugeborenen Kapitalismus gemacht, den jungen zu einem Repräsentanten des Faschismus — beide sind in der Sicht Sartres Ausgeburten eines gescheiterten bürgerlichen Idealismus, und beide, obwohl bis zur Lächerlichkeit mit monströsen Attributen behangen, die ein Franzose für typisch deutsch halten mag, sollen überdies, nach einem Kommentar Sartres, zeigen, »wie der Mensch von heute lebt, wie er mit der Situation, in die er gestellt ist, fertig wird. In der Zeit, die wir erlebt haben, in unserem Jahrhundert der Gewalt, des Blutes, ist der erwachsene Mensch von heute zwangsläufig Zeuge oder Mithandelnder geworden und hat eine Verantwortung übernehmen müssen: ob es sich nun um jene handelt, die in Frankreich gegen gewisse Exzesse im Verlauf des Algerienkrieges nicht haben protestieren können, oder ob es sich nun um die handelt, die im Krieg von 1939 Ausschreitungen geduldet haben oder aktiv an ihnen beteiligt waren, oder ob es sich etwa um Menschen handelt, die weder Deutsche noch Franzosen sind.«

Auf der Bühne läuft das Stück Gefahr, entweder an seiner gedanklichen Überfrachtung unterzugehen, oder, wenn es durch Streichungen entlastet ist, seinen Tiefgang zu verlieren. Ein analytischer Kopf hat hier allzu ausführlich Unzucht mit der Kolportage getrieben — auf einer mühsam ins Symbolische hochgestemmten Hintertreppe argumentiert Sartre durch seine fünf Marionetten so fieberhaft, als spüre er, daß er nicht einmal sich selber überzeugen kann.

Albert Camus: Proklamation der Gerechtigkeit

> Jedenfalls können Psychologie, kunstreiche Intrigen und prikkelnde Situationen mich vielleicht als Zuschauer belustigen, als Autor aber lassen sie mich völlig kalt.   Albert Camus

Sein Tod wird oft, als habe er ihn geschrieben, wie ein Beweis für seine Grundthese zitiert, daß das Leben absurd sei: am 4. Januar 1960 raste ein Wagen aus dem Süden über die Straße Sens — Paris, ein Hinterreifen platzte, der Wagen prallte gegen eine Platane, drei Menschen wurden herausgeschleudert, der vierte, in den Trümmern der Karosserie, war tot: Albert Camus. Man fand bei ihm eine Rückfahrkarte für die Eisenbahn; aus welchen Gründen immer, hatte er den Wagen vorgezogen. Der Fahrer, Michel Gallimard, Neffe des Pariser Verlegers, dessen Lektor Camus gewesen war, starb vier Tage später.

Doch für Camus war das Leben in einem tieferen Sinne ›absurd‹, als es ein geplatzter Reifen sein kann: er konnte in ihm keinen Sinn erblicken, und er glaubte weder an Gott noch an die Geschichte, diese sinngebenden Instanzen der Christen und der Marxisten. Er kam in Algerien zur Welt, am 7. November 1913, in Mondovi im Departement Constantine; sein Vater war ein elsässischer Handwerker, seine Mutter eine Spanierin, die nicht lesen und schreiben konnte. Mit siebzehn Jahren hatte er seinen ersten Tuberkulose-Anfall; mit 21 trat er in die Kommunistische Partei ein und verließ sie ein Jahr später; er gründete ein Theater, ging auf Tournee durch Algerien, spielte Liebhaber in klassischen Stücken, führte Regie und schrieb 1938 ›Caligula‹, sein erstes Stück. Bei Kriegsausbruch meldete er sich freiwillig, wurde aber nicht genommen — seine schwache Gesundheit hatte ihm schon das philosophische Staatsexamen verwehrt. Als Reporter der liberalen Zeitung ›Alger-Républicain‹ schrieb er »Es gibt nichts Schändlicheres als den Anblick von Menschen, die zur Unmenschlichkeit herabgewürdigt werden«, schilderte er das Elend der algerischen Provinz Kabylien — 1940 erhielt er den Ausweisungsbefehl, ging als Reporter nach Paris und schrieb die Erzählung ›Der Fremde‹, sein erstes Meisterwerk, zu Ende.

Als die deutschen Truppen 1940 Paris besetzten, zog er sich nach Lyon, dann nach Oran in Algerien zurück. Hier entstand sein ›Mythos von Sisyphos‹, mit dem er seinen Begriff des ›Absurden‹ formulierte. Sisyphos ist von den Göttern dazu verurteilt, einen Felsen auf einen Berg zu wälzen, der Fels aber rollt immer wieder herab — die Strafe der sinnlosen, der absurden Arbeit. Camus deutete diesen griechischen Mythos neu: sein Sisyphos verachtet die Götter; er leidet unter dem Schmerz, den sie ihm zufügen, doch manchmal, beim Abstieg zu seinem hinuntergerollten Stein, ergreift ihn auch die Freude. Er weiß dann, »daß alles gut ist«: »Das Weltall kommt ihm weder unfruchtbar noch wertlos vor . . . Der Kampf, der zu den Gipfeln führen soll, genügt, um ein Menschenherz auszufüllen. Wir müssen uns Sisyphos als einen glücklichen Menschen vorstellen.«

Die Helden der Dramen, die Camus schreiben wird, ähneln seinem Sisyphos: sie glauben nicht an Gott, sie schieben einen Stein vor sich her, der immer wieder herabrollt, und sie sind doch glücklich — sie sind atheistische Humanisten, deren Einsicht in die Absurdität ihres Daseins sie nicht hindert, dieses Dasein zu bejahen und alles zu tun, was die Menschenliebe fordert.

Zu ihren höchsten Tugenden gehörte für Camus von Anfang an die Gerechtigkeit. Obwohl immer Algerien-Franzose, trat er für die mißhandelten Araber ein; in seinen ›Briefen an einen deutschen Freund‹ schrieb er 1943, mitten im Krieg, den er als ›Krieg gegen Hitler‹ betrachtete, nicht als Krieg gegen die Deutschen, in der illegalen Zeitung ›Combat‹ als Mitglied der Widerstandsbewegung: »Ich kann nicht zu jeder Größe ja sagen, nicht wenn sie auf Blut und Lüge gegründet ist. Indem ich die Gerechtigkeit am Leben erhalte, möchte ich mein Land am Leben erhalten.« Sein Roman ›Die Pest‹ (1947) konstatiert, »daß es an den Menschen mehr zu bewundern als zu verachten gibt«. Seine Essays ›Der Mensch in der Revolte‹ (1951) fordern die unablässige »Revolte im Namen des Maßes und des Lebens«.

Jean-Paul Sartre, mit Camus befreundet, griff den Essay-Band und seinen Verfasser scharf an und verspottete sein ›Maß‹ als »Maßlosigkeit, mit der Sie Ihre inneren Schwierigkeiten maskieren«. Camus antwortete und lehnte Sartres damals besonders betonte prokommunistische Haltung scharf ab. Mit ihrem in Sartres Zeitschrift ›Les Temps Modernes‹ (1952) veröffentlichten Briefwechsel endete ihre Freundschaft. Sartre schrieb Camus einen glanzvollen Nachruf, in dem er die Wendung nicht unterdrücken konnte: »Dieser Cartesianer des Absurden weigerte sich einfach, das sichere Gebiet der Moral zu verlassen und sich auf die ungewissen Pfade der Praxis zu begeben.« Der Moralist Camus hatte den von Sartre geprägten Existentialismus ein »großes Abenteuer des Geistes« genannt, »dessen Schlußfolgerungen falsch sind«, hatte in Sartres Bühnenstücken die mörderischen Konsequenzen einer schrankenlosen Freiheit nachgewiesen und die Praxis verurteilt, die sich im Namen einer gesellschaftlichen Moral die Hände schmutzig und blutig macht.

Auf der Bühne war Camus immer mehr Moralphilosoph als Dramatiker: er probierte Ideen aus und urteilte sie ab, sobald sie bei ihrer Verwirklichung die Grenze einer elementaren Menschenliebe überschreiten. Er wurde nicht müde, die Diktatur in jeder Form zu bekämpfen, komme sie von rechts oder von links. Er glaubte an ein künftiges freies Europa. Seine Prosa, sein selbstironischer Roman ›Der Fall‹ (1956) und seine Erzählungen ›Das Exil und das Reich‹ (1957) werden vermutlich den Appell seiner Gleichnis-Dramen überleben, vor denen man nur theoretisch, durch Erkenntnisvermittlung, spürt, wie sehr Camus das Leben geliebt hat, ein einfaches Gespräch, ein gutes Essen, und auch ein sonntägliches Fußballspiel in einem provençalischen Dorf. »Im schwärzesten Nihilismus unserer Zeit«, so schrieb er 1950, »suchte ich nur Gründe, ihn zu überwinden. Übrigens nicht aus Tugend, noch auf Grund einer besonderen Seelengröße, sondern aus instinktiver Treue zu jenem Licht, in dem ich geboren wurde und in dem seit Jahrtausenden die Menschen gelernt haben, das Leben zu bejahen bis in seine Leiden.«

Seine letzte Arbeit für das Theater war der Versuch, Dostojewskis Roman ›Die Dämonen‹ (1871) zu dramatisieren: das Schauspiel *Die Besessenen* wurde am 30. Januar 1959 im Théâtre Antoine in Paris zum erstenmal, am 20. Oktober 1959 in den Münchener Kammerspielen zum erstenmal in deutscher Sprache gespielt. Camus hatte wohl gehofft, mit dem prophetischen Dostojewski die Theorien und den Ursprung der russischen Revolutionen auf die Bühne zu bringen, doch blieb von dem Roman nur ein Gerippe übrig, das mit mißverständlichen Sentenzen klappert, weil ihm das motivierende, psychologische Erzählfleisch Dostojewskis fehlt.

Zwei Jahre vor seinem Tod nahm der vierundvierzigjährige Camus am 18. Dezember 1957 den Nobelpreis entgegen. In seiner Dankrede sagte er über die Aufgabe des Schriftstellers: »Seiner Bestimmung gemäß kann er sich heute nicht in den Dienst derer stellen, die Geschichte machen: er steht im Dienst derer, die sie erleiden.«

Caligula (Caligula). ›Schauspiel in vier Akten‹. 1938. Uraufführung Ende 1944 in der Comédie, Genf, durch Giorgio Strehler unter dem Pseudonym Georges Firmy (er besaß keine schweizerische Arbeitsgenehmigung). In Paris am 26. September 1945, Théâtre Hébertot, mit Gérard Philipe in der Titelrolle. Deutsche Erstaufführung 29. November 1947, Staatstheater Stuttgart. — Mit dem Tode seiner Schwester und Geliebten Drusilla (38 n. Chr.) erlebt der junge römische Kaiser Gaius Caligula, der bis dahin ein gerechter

›Caligula‹ von Albert Camus. Bühnenskizze von Cesar Klein für die Inszenierung von Albert Lippert am Deutschen Schauspielhaus Hamburg, 1949

Regent gewesen ist, den Tod überhaupt: »Die Menschen sterben und sind nicht glücklich.« Das Leben scheint ihm als absurd, und jeder, der sich damit abfindet, als ein Lügner. Er will, daß »in der Wahrheit« dieser seiner Erkenntnis gelebt wird und errichtet eine Herrschaft des Absurden, kraft der schrankenlosen Freiheit, die ihm als Kaiser gegeben ist. Symbol für das Absolute — die absolute Absurdität, die absolute Freiheit — ist der Mond, den er besitzen will. Er vergewaltigt und mordet, und je unterwürfiger sich die Menschen zeigen, desto mehr verachtet er sie. Gegen ihn stehen zwei Männer, die seine Gedanken verstehen, aber nicht verzeihen: der Dichter Scipio, für den der Tod nichts Absurdes, sondern ein Teil des Lebens ist, und der Patrizier Cherea, der leben und glücklich sein will: ».. . ich glaube, daß man weder das eine noch das andere kann, wenn man das Absurde auf die Spitze treibt.« Als Caligula seine Geliebte Caesonia erdrosselt hat, erkennt er vor dem Spiegel: »Ich habe nicht den Weg eingeschlagen, den ich hätte einschlagen sollen. Meine Freiheit ist nicht die richtige.« Die Verschwörer, Cherea an der Spitze, töten ihn.

In einer späteren Fassung (für Camus' eigene Pariser Inszenierung, 1958) entreißt Caligula einem Verschwörer den Dolch und tötet sich selbst. Diese ›Tragödie der Erkenntnis‹ ist ein Gedankenspiel, Camus verlangt nur eine Andeutung des historischen Kostüms: Caligula ist das Experiment der absoluten Freiheit, die in das absolute Nichts führt. »Während seine Wahrheit darin besteht, die Götter zu leugnen«, so kommentiert ihn Camus, »besteht sein Irrtum darin, die Menschen zu leugnen . . . Dem Menschen untreu aus Treue zu sich selbst, geht Caligula willig in den Tod, weil er erkannt hat, daß kein Mensch allein sich zu retten vermag und daß man nicht frei sein kann gegen die Menschen.« Die Verführungskraft der nihilistischen Gedanken, von Camus glänzend formuliert, ist so groß, daß mit ihnen keine Diskussion möglich ist. »Man muß sie erschlagen«, sagt Cherea, »widerlegen kann man sie nicht.« Wie sein Caligula glaubt Camus, daß das Leben absurd ist; gegen seinen Caligula und mit seinem Cherea gestattet Camus nicht, daß aus dieser Absurdität der Schluß der schrankenlosen Freiheit gezogen wird.

Schon in seinem ersten Stück, in dem er Gedanken, verkörpert durch Personen, gegeneinanderstellt, führt der fünfundzwanzigjährige Camus die bindungslose Freiheit ad absurdum: wo sie mörderisch wird, beginnt bei ihm die Revolte gegen das unmenschliche Prinzip. Dreizehn Jahre später hat er sie in seinem Buch ›Der Mensch in der Revolte‹ gefordert: »Sobald die Revolution im Namen der Macht und der Geschichte eine mechanische und maßlose Mörderin geworden ist, wird eine neue Revolte im Namen des Maßes und des Lebens eingeweiht. In dieser extremen Lage sind wir.«

Das Mißverständnis (Le Malentendu). ›Schauspiel in drei Akten‹. 1941. Uraufführung im Mai 1944 im Théâtre des Mathurins, Paris. Deutsche Erstaufführung am 5. November 1950, Stuttgart. — Mutter und Tochter, Besitzerinnen eines einsamen Wirtshauses, berauben und ermorden ihre wohlhabenden Gäste, um in den Süden ziehen zu können. Der Sohn kehrt nach jahrelanger Abwesenheit zurück, gibt sich Mutter und Schwester nicht zu erkennen, weil er erwartet, von ihnen erkannt zu werden; er trinkt den vergifteten Tee, den ihm seine Schwester kredenzt, und die Mutter schleppt seinen Leichnam in den Fluß. Am nächsten Morgen lesen die Mörderinnen in seinem Paß, wen sie umgebracht haben. Die Mutter tötet sich: Liebe und Schmerz sind in ihr wieder lebendig geworden. Die Schwester tötet sich, obwohl sie auch ihren Bruder ermordet hätte: sie will »mit garstiger Menschenliebe« nichts mehr zu tun haben.

Die Fabel ist alt, erzählerischer Urstoff: schon der deutsche Dramatiker Zacharias Werner (1768–1832) hat sie in seinem (von Goethe geschätzten) Schicksalsdrama ›Der 24. Februar‹ (1809) verarbeitet; nach dem zweiten Weltkrieg ist sie in deutschen Dörfern — als Heimkehrergeschichte — erzählt worden; Camus läßt sie in seiner Erzählung ›Der Fremde‹ (1940) als Zeitungsmeldung aus der Tschechoslowakei auftauchen und dazu die Bemerkung machen: »Einerseits war diese Geschichte unglaubhaft, andererseits ganz natürlich.« Lebensentscheidende Zufälle sind ›ganz natürlich‹; ihre Häufung in diesem Stück machen sie zugleich ›unglaubhaft‹. Der rasende Mechanismus der Zufälle in diesem ›Versuch einer modernen Tragödie‹ ist ein Bild für die Absurdität der Existenz, für das menschliche Leben, dessen Sinn nicht zu erkennen ist. Mit den beiden Frauen wird (wie schon mit ›Caligula‹) die tödliche Konsequenz der Freiheit ohne Menschenliebe vorgeführt — sie ist Freiheit zum Mord. Dieses Schauspiel zwischen Grauen und Gelächter ist ein Gleichnis; keine psychologische Studie zweier Mörderinnen. Alles wäre anders gekommen, hätte sich der Sohn zu erkennen gegeben; dies will besagen, so kommentierte Camus, »daß der Mensch in einer ungerechten oder gleichgültigen Welt sich selbst und seine Mitmenschen erretten kann, wenn er sich an die einfachste Aufrichtigkeit, das treffendste Wort hält«.

Der Belagerungszustand (L'État de Siège). ›Schauspiel in drei Teilen‹. Mit Musik von Arthur Honegger. Uraufführung am 27. Oktober 1948 im Théâtre Marigny durch Jean-Louis Barrault. Deutsche Erstaufführung am 20. Juni 1950, Kammerspiele München. — Über der spanischen Stadt Cádiz kündet ein Komet Unheil an: die Stadt wird besetzt von einem Diktator mit dem symbolischen Namen ›Die Pest‹. Er errichtet eine Terror-Herrschaft der totalen Organisation; die Liebe wird ausgerottet und der Mensch zum Funktionär der Staatsmaschinerie erniedrigt. Die Sekretärin der ›Pest‹ ist der Tod: wen sie in ihrem Einwohnerverzeichnis ausstreicht, der wird liquidiert. Die Pest der Diktatur findet Helfer aus Feigheit und aus Lust am Töten. Zum Helfer wird auch Nada (das spanische Wort für ›Nichts‹), der — wie auf seine Weise schon Camus' Caligula — die falsche, die bindungslose, nihilistische Freiheit ohne Liebe vertritt. Die Macht der Pest zerbricht an dem, der keine Angst hat: Diego muß durch alle Höllen der Furcht und Feigheit, bis ihm die Liebe (zu Viktoria) die Kraft zur Furchtlosigkeit gibt. Er opfert sein Leben, die ›Pest‹ muß abziehen, der ›Belagerungszustand‹ ist aufgehoben; das Leben in Cádiz ist nicht paradiesisch geworden, doch wenigstens so halbwegs erträglich wie vor der ›Pest‹.

Camus hat mit Massenszenen und Monolog, mit Pantomime und Posse, mit Kabarett-Effekten und Chören, mit Lyrik und Leitartikeln bewußt im unverblümt lehrhaften Stile der spanischen ›autos sacramentales‹, dieser aus der Prozession hervorgegangenen Fronleichnamsspiele, eine allerdings weltliche Allegorie geschrieben: die das Unheil wendende Kraft kommt nicht von Gott; sie kommt vom furchtlosen einzelnen, dessen Revolte die Masse bewegt und einen — vorläufigen — Sieg eringt. Camus bekannte sich zur Absicht, »das Theater den psychologischen Grübeleien zu entreißen und auf unseren von gedämpftem Murmeln erfüllten Bühnen die lauten Schreie ertönen zu lassen, die heute ganze Menschenmassen ins Joch beugen oder befreien«. Sein Theater erinnert an gewisse vergessene Stücke des deutschen Expressionismus: es ist ein durch Stimmen und Gegenstimmen vorgetragenes Bekenntnis, ein oratorienhafter Aufruf — gegen jegliche Diktatur ein Kampfstück, das weniger durch Kunst als durch Erörterung und Bekenntnis wirkt. Von der Pariser Uraufführung konnte Camus berichten: »Es gibt gewiß wenige Stücke, denen ein so rückhaltloser Verriß zuteil geworden ist«; außerhalb Frankreichs hatte es mehr Erfolg.

Die Gerechten (Les Justes). ›Schauspiel in fünf Akten‹. Uraufführung am 15. Dezember 1949 im Théâtre Hébertot, Paris, mit Serge Reggiani und Maria Casarès. Deutschsprachige Erstaufführung am 14. September 1950 in Zürich. Deutsche Erstaufführung am 15. Oktober 1950, Hebbel-Theater, Berlin. — Die Ermordung des Großfürsten Sergeij durch den Studenten Iwan Kaliajew im zaristischen Rußland, 1905. Die Mitglieder der sozial-revolutionären Gruppe, zu der Kaliajew gehört, glauben nicht an Gott und an ein paradiesisches Jenseits, aber an die Möglichkeit einer gerechteren Zukunft, der sie, so ungewiß sie sein mag, ihr Leben opfern wollen. Ihre Partei hält den Tod des Großfürsten für notwendig. Alexis, ein junger Schwärmer, ist nicht imstande, die Bombe zu werfen, und auch Iwan Kaliajew kann es nicht, als zwei Kinder

im Wagen des Großfürsten sind: Unschuldige dürfen nicht leiden — alle Mitglieder der Gruppe, außer einem, bekennen sich zu diesem Grundsatz. Bevor
Kaliajew — zwei Tage später — den Großfürsten tötet, nimmt er Abschied
von Dora Duljebew. Beide lieben sich inbrünstig, und Dora sehnt sich nach
einem ›Stündlein Selbstsucht‹, doch Kaliajew folgt seinem Glauben: »Aber
das ist ja das Wesen der Liebe: alles geben, alles opfern, ohne auf Lohn zu
hoffen.« Er bleibt seiner Tat treu, auch als er sich durch Verrat retten könnte;
er besteht darauf, daß der Großfürst »durch eine Idee getötet worden ist«,
und lehnt die Witwe des Großfürsten, die ihn zur Reue bekehren möchte, als
Richterin ab. »Nur wenn ich nicht stürbe, wäre ich ein Mörder«, sagt Kaliajew, »ich betrachte meinen Tod als höchsten Protest gegen eine Welt der
Tränen und des Blutes.« Er wird gehenkt; Vera wird die nächste Bombe
werfen.

Camus ist den historischen Vorgängen sehr genau gefolgt. Er steht in
diesem kühlen Seminar über Notwendigkeit und Ethik der Revolution, einer
Demonstration von Thesen, auf Seiten Doras und Kaliajews, dieser ›Revolutionäre aus Liebe‹ (gegen Stephan, den Revolutionär aus Haß), doch bejaht er
auch den Tod Kaliajews: daß er in seinen Tod einwilligt, macht ihn erst zu
einem Gerechten. »Unsere Welt zeigt uns heute ein widerliches Gesicht«,
kommentierte Camus, »gerade weil sie von Menschen gezimmert wird, die
sich das Recht anmaßen, ... Mitmenschen zu töten, ohne selbst mit dem
Leben zu bezahlen. So kommt es, daß die Gerechtigkeit heute überall auf der
Welt den Mördern jeglicher Gerechtigkeit als Alibi dient.«

Armand Gatti: Politik und Imaginäres

Zunächst hat nicht das Publikum eine Form des Theaters zu
verlangen, denn das Theater ist nicht seine Sache. Es ist unsere Aufgabe, eine Form beim Publikum durchzusetzen. Wenn
ich einem Elektriker vorschreibe, wie er eine Lampe konstruieren soll, besteht die Gefahr, daß wir über das Stadium der
Kerze nicht hinauskommen. Ich kann nicht mehr von ihm verlangen, als mir beizubringen, wie ich mich der Lampe bedienen
muß. So werde ich Licht haben.

Gatti in »Versuch einer Theorie zu meinem Theater«

Für eine Aufführung seines Stückes vom »Imaginären Leben des Straßenkehrers Auguste G.« gab es in Paris keine Eintrittskarten mehr — Gatti hatte
Busladungen voll Pariser Straßenkehrer ins Theater verfrachtet, um mit
ihnen eine Woche nach der Aufführung, der meist ersten Theateraufführung

ihres Lebens, zu diskutieren. Schwierigkeiten mit Gattis verschiedenen Zeitebenen hatten sie nicht — sie kannten solche Methoden vom Fernsehen.

Dante Armando Gatti, am 24. Januar 1924 in Monaco als Sohn eines Straßenkehrers geboren, hat im Konzentrationslager zu schreiben begonnen. Als er fünfzehn Jahre alt war, starb sein Vater, ein Einwanderer italienischrussischer Abstammung; mit sechzehn Jahren ging er in den Maquis, »auch aus Abenteuerlust«, wie er später erzählte; mit achtzehn wurde er als Mitglied der Résistance von Correza 1942 festgenommen, zum Tode verurteilt, wegen seiner Jugend begnadigt und in ein Lager bei Hamburg geschafft. Er brach aus, schlug sich nach London durch und ließ sich in der Royal Air Force als Fallschirmspringer ausbilden. Das Lager aber, in dem er politisch denkende und kämpfende Menschen kennengelernt hatte, ließ ihn nicht mehr los; er drehte einen Film und schrieb drei Stücke über dieses Thema, darunter *Das Rattenkind* (L'enfant-rat), ein Stück, an dem er vier Jahre gearbeitet hat und das er als Fehlschlag betrachtet.

Das Konzentrationslager war seine erste große Erfahrung; seither fühlt er sich als ein Kämpfer für die Veränderung der Welt, für die Befreiung des Menschen zu sich selbst, die ihm ohne politische und soziale Befreiung nicht möglich erscheint. Er ist Kommunist, aber ein ziemlich unorthodoxer, menschenfreundlich und optimistisch. Er gehört keiner Partei an.

Noch 1968 sagte er in einem Gespräch mit der Ost-Berliner Zeitschrift ›Theater der Zeit‹: »Heute ist mir so, als ob ich den Maquis nie verlassen hätte.« Im selben Gespräch erklärte er: »Ich bin nicht für ein Theater, das vereinigt. Ich bin für ein Theater, das trennt. In einer Gesellschaft, die auf Klassenkampf beruht, kann es kein Theater geben, das jedem paßt. Entspricht dieses Theater den Bedürfnissen aller, so ist es entschärft.« Er ließ freilich auch keinen Zweifel, daß sich revolutionäre Ideen nicht mit einer kleinbürgerlichen Sprache realisieren lassen, ja daß die Sprache des Kleinbürgertums die revolutionäre Idee lächerlich mache.

Gatti betrachtet sich als ein Erbe Erwin Piscators und hat seine eigene Form des Theaters am Théâtre de la Cité Villeurbanne entwickelt, wo er durch Roger Planchon und Jacques Rosner lernte, seine poetischen Phantasien mit Realismus zu nähren. Doch wie realistisch, revolutionär, agitatorisch sein Theater sein mag, Gatti besteht darauf, daß auch das Imaginäre zur Realität des Menschen gehört, und zwar so selbstverständlich wie alltägliche Gebrauchsgegenstände.

So stellt er in seinem Theater die Möglichkeiten dar, die in jedem Menschen liegen und die durch Familie, Milieu und Erziehung entwickelt oder im Extremfall bis zur »Einbahnstraße« eingeengt, wenn nicht gar erstickt werden können. Gatti meint, daß »in jedem Menschen ein möglicher KZ-Häftling und ein möglicher SS-Mann stecken«; sein Theater soll jedem Menschen die in ihm liegenden Möglichkeiten bewußt machen, getreu seiner Überzeugung, daß jeder Mensch mehrere Leben lebt, die parallel nebeneinander herlaufen. Er selbst hat viele seiner Möglichkeiten verwirklicht: Widerstandskämpfer, Fallschirmspringer, Journalist, Gerichtsreporter, Bürgerkriegsteilnehmer 1954 in Guatemala, Bärendompteur, Schriftsteller, Filmregisseur, Dramatiker.

Wenn Gatti historische oder zeitgeschichtliche Personen — wie etwa die Anarchisten Sacco und Vanzetti — nicht als geschlossene Figuren auf die Bühne bringt, sondern heutige, alltägliche Menschen verschiedene Aspekte dieser Figuren als Rollen übernehmen und sie diese Aspektrollen mit ihren eigenen Alltagsproblemen durchdringen läßt, so fächert er in einem imaginären Spiel die Möglichkeiten des Menschen auch als die Möglichkeiten auf, die in seinen gegenwärtigen Zuschauern liegen.

Gattis Theater springt mit Zeit und Raum um, wie es seine politischen Absichten und seine Dramaturgie des Imaginären erfordern. Lichteffekte und eine Dekoration, die »den Raum berichtigt, um seine Mannigfaltigkeit zu ermöglichen«, erlauben jeden Zeit- und Ortswechsel in Sekundenschnelle. Gewiß haben auch Filmerfahrungen zu dieser Ungeniertheit verholfen: Gatti hat 1955 in China und 1956 in Sibirien an Filmen von Chris Marker mitgearbeitet (Dimanche à Pékin, Lettre de Sibirie), hat 1958 in Korea gedreht, 1961 für den Film ›L'Enclos‹ (mit Hans Christian Blech) den Kritikerpreis in Cannes und einen Regiepreis in Moskau erhalten und ist 1963 in Cannes für seinen auf Kuba gedrehten Film ›El otro Cristobal‹ abermals mit dem Kritikerpreis ausgezeichnet worden. Selbstverständlich bringt Gatti auch die seit Piscator gewohnten Projektionsflächen und Filmeinblendungen auf die Bühne, doch nicht als belehrende Illustrationen, sondern als Bilder im Bewußtseinsstrom.

Gattis Zeit- und Ortssprünge gehen über das vom Film Gewohnte hinaus, sie schließen imaginäre Zeiten und Orte ein. Ein Zeitsprung zurück kann in die Erinnerung führen, nicht an einen realen Ort, sondern an einen vergangenen Bewußtseinszustand; ein Zeitsprung nach vorn in eine Utopie, in einen zu erreichenden Bewußtseinszustand. Dabei spielen seine Stücke immer in der Gegenwart — auf sie allein sind alle Blicke gerichtet, und sei es aus der chinesischen Frühgeschichte oder aus einem Science-Fiction-Weltall. Gatti will die Gegenwart so unmittelbar, daß er seine Stücke unermüdlich umschreibt und für jede neue Inszenierung auf den allerneusten Stand bringt. Er ist ein Journalist, der von der Politik ins Feuilleton umsteigen möchte und dabei auf der Seite 3 hängenbleibt.

Sein politisches Theater ist so phantastisch im ganzen wie real im Detail, und er ist stolz darauf, für jedes Detail Dokumente zitieren zu können. Er

füllt die Bühne mit Pathos und Pantomimen, Licht und Lichtspielen, Lyrik
und Prosa, Versen und Vulgärsprache, Zirkusartistik und komplizierten Ri-
tualien. Wer die öffentlichen Angelegenheiten, je mehr sie hysterisiert werden, um so rationaler und pragmatischer behandelt sehen möchte, der wird
sich allerdings von Gattis phantastischen und emotionalen Aufladungen der
Politik eher belästigt fühlen.

    Vom Staatstheater Kassel beauftragt, zum 100. Geburtstag von Rosa
Luxemburg ein Stück zu schreiben, hat Gatti eine Fernseh-Runde auf die
Bühne gebracht mit u. a. einem Offizier jener Regierungstruppen, die Rosa
ermordet haben, einem Spartakuskämpfer, einem NPD-Mitglied, jungen
Leuten aus der DDR, einer von Tupamaros entführten US-Diplomatin,
einem Black Panther. Gattis Verfahren, Menschen und Vorgänge durch ihre
Wirkungen auf andere Menschen und Vorgänge zu aktivieren, ist in *Rosa
kollektiv* (Uraufführung 3. April 1971, Kassel) nur noch ein Mechanismus:
er klappert mit jenen Klischees, die zu vermeiden er erfunden ist.

Meinungen: »Für Gatti ist das ›Absurde‹ kein philosophisches Heil eines
neuen Weltgefühls, sondern eine Technik, mit dem Mittel der Groteske,
einem supra-realistischen Modell, die verborgenen Gesellschaftsmechanis-
men aufzudecken. Sozio-pathologische Zustände will er nicht wie die Land-
vögte des Absurden mystifizieren, sondern diese gerade mittels seiner surrealistischen Entwürfe demystifizieren«: Martin Wiebel. — »Gatti: das ist
Orest unter unseren Poeten. Orestisches Theater ist die Form seiner Bühne:
ein Gehirnspiel, in dem sich abspult, was sich je in ihm niederschlug, das
nichts vergißt und seine großen sprechenden Träume träumt . . . Das Phantastische der Erfindung, ihre rücksichtslos wuchernden Bilder und Sätze, die
rüden und poetischen Einfälle: das gehört zur orestischen Form des Gatti-
schen Traumtheaters, das sein historisches Material nur benutzt, um ahisto-
risch zu sein«: Günther Rühle. — »Gatti versucht, die Figuren aus ihrer
Gegenwärtigkeit zu befreien und sie aufzulösen zu einem Strom geträumter
Ängste und vorgelebter Hoffnungen und unaufhebbarer Erinnerungen;
dann dies zu vereinen und auf der Bühne zusammenfließen, sich verdichten
zu lassen zum Bewußtsein der Menschheit. Ein so pathetisches wie utopisches
Ziel«: Ernst Wendt. — »Der Anarchist Armand Gatti ist ein so großes Talent,
daß in seinem Schatten unsere Vertreter des Dokumentartheaters und der
politischen Agitation auf der Bühne alle miteinander bequem Platz finden.
Im Vergleich zu ihm ist Hochhuth ein Buchhalter«: Hans Daiber. — »Diese
Form des marxistischen Heilsdramas (Gattis ›Schlacht der sieben Tage und
der sieben Nächte‹) kennt im Grunde das Böse nur als Purzelbaum zum guten
Endziel. Es gleicht darin dem barocken Erlösungsdrama«: Hellmuth Karasek.

Der schwarze Fisch (Le poisson noir) 1957. Uraufführung 29. Oktober 1964 im Grenier de Toulouse. Deutsche Erstaufführung 25. März 1966, Städtische Bühnen, Frankfurt, durch Harry Buckwitz. — 221 vor Christus, Kaiser Tsin, ein Gewaltherrscher, hat die Provinzen unterworfen und das erste chinesische Großreich gegründet. Ihm widersteht — jenseits des Grenzflusses, der auch die Bühne teilt — der humanere Herrscher Tan, der Fürst der Provinz Yen. Der Grenzfluß ist zugleich der Fluß der Zeit: in ihm erscheint die riesige Statue eines Affen und fragt sich, wessen Minister sie gewesen sei, des Tsin oder des Tan oder beider. Im Spiel ist der Affe der Minister beider Länder, schwarz gekleidet unter Tsin, grün unter Tan, in jedem Falle ein rigoroser Mehrer der staatlichen und seiner privaten Finanzen. Attentate gegen Tsin scheitern: der Dolch des Weisen Koa Tsun Li trifft nicht Tsin, nur seine Attrappe, Tsin aber ist in den Fluß eingetaucht, er sucht sein Gegenbild, den räuberischen »schwarzen Fisch«, er sucht sich selbst und wird zum »schwarzen Fisch« im Fluß der Zeit. Die Provinz Yen fällt durch Verrat, die Person des Kaisers wird nicht mehr gebraucht, sein Machtsystem ist unschlagbar etabliert und zum Mythos geworden wie er selbst als Fisch. — Im träge dahinströmenden Fluß chinesischer Eroberungszeremonien ist das Treibgut geschichtsphilosophischer Banalitäten zu entdecken — doch auch hier ist das Medium des Theaters mehr als die verworrene Botschaft.

Die zweite Existenz des Lagers Tatenberg (La deuxième existence du camp de Tatenberg). Uraufführung 13. April 1962, Théâtre des Celestins, Lyon, durch Roger Planchon. Deutsche Erstaufführung 9. Januar 1965, Städtische Bühnen, Essen. — Das Stück spielt auf drei Ebenen: die Schaubudenbesitzerin Hildegard Frölick lebt in Gedanken bei der Hinrichtung ihres Mannes, eines deutschen Gefreiten, der an der Ostfront wegen Wachvergehen erschossen worden ist, und die Vorstellungen, die Witwe Frölick davon hat, spielt sie sich mit ihren Marionetten vor; der baltische Jude Ilya Moissevitsch, ein Schaubudenbesitzer mit einem Roboter, wird beherrscht von seinen Erinnerungen an seine Gefangenschaft im Konzentrationslager Tatenberg, und diese Erinnerungen werden durch Schauspieler dargestellt; die Gegenwart auf der Kirmes zu Grein und im Wiener Wurstlprater, wo sie sich begegnen, wird auf eine Leinwand projiziert. Beide, der Jude aus dem KZ und die deutsche Kriegerwitwe, haben durch ihre Toten etwas Gemeinsames, doch als sie zueinander wollen, wird dies von den Toten verhindert. Moissevitsch versucht, die Marionetten und seine eigenen Vergangenheitsgestalten zu erschießen, aber sie lassen sich nicht ausrotten, und Moissevitsch erkennt: »Jenseits dessen, was es war, ist das Lager Tatenberg jeden Abend in seinem furchtbaren Hochzeitsbett, dort wo wir alle einschlafen.« — Eine die Kunstmittel und

Stile mischende Revue über die fortwirkende Existenz der Vergangenheit in der Gegenwart.

Das imaginäre Leben des Straßenkehrers Auguste G. La vie imaginaire de l' éboueur Auguste G. 1962. Uraufführung 16. Februar 1962, Théâtre de la Cité Villeurbanne, durch Jacques Rosner. Deutsche Erstaufführung 2. Oktober 1963, Schaubühne am Halleschen Ufer, Berlin, durch Jacques Rosner. — Der Straßenkehrer Auguste G. (der Vater Armand Gattis), ein Gewerkschaftler, wird im Alter von 46 Jahren bei einer Demonstration während eines Streiks schwer verwundet und stirbt einige Tage später. Im Stück liegt Auguste G. phantasierend auf der Bahre in der Krankenstation und begegnet sich selbst als Neunjährigem, als Einundzwanzigjährigem, als Dreißigjährigem und als altem Mann. Ein »Marathontanz« mit allen Personen seiner Vergangenheit wird zum Bild seines Lebens; von der Revolution konnte er immer nur träumen, und all seine Hoffnungen projiziert er auf seinen Sohn, der einmal Filmregisseur werden soll. Sterbend stellt er sich den Film vor, den sein Sohn über die Revolution drehen und mit dem er auch das Leben des Straßenkehrers G. rechtfertigen soll. — Das autobiographische, rührende Stück, das nicht frei von (auch revolutionärer) Sentimentalität und dadurch wie durch seine Unbeholfenheiten liebenswert ist, kombiniert reale und phantasierte Bruchstücke, erlebtes und erträumtes Leben, Möglichkeiten des Imaginären mit der handfesten Hoffnung auf eine reale Revolution.

Berichte von einem provisorischen Planeten. Chroniques d'une planète provisoire. Beendet 1962. Uraufführung im Jahr 1963 im Grenier de Toulouse. Deutsche Erstaufführung 18. Februar 1966, Ulmer Theater, durch Ulrich Brecht. — Von einer Abschußrampe im Zuschauerraum starten Astronauten und geben mehr als dreißig Berichte von einem »provisorischen Planeten«, von der Erde während des Zweiten Weltkriegs. Die Bühne wird zum Bildschirm der Raumkapsel: sie zeigt Szenen aus dem Krieg des faschistischen Barbarotien mit Pikkadillyzirkensien, Tolstojewskien und den Sternenstaaten. Nichts von dem, was aus dieser astronautischen Perspektive beobachtet wird, ist frei erfunden, sondern historische Personen und Tatsachen werden zu einer höllischen Groteske verzerrt, wobei der als ehemaliger KZ-Häftling völlig unbefangene Gatti auch vor den antifaschistischen Alliierten und den Juden nicht halt macht: er läßt alle Seiten Ungerechtigkeit widerfahren. Seine Barbarotier tragen schwarze Uniformen, aber auch Krachlederne, saufen Bier, kegeln und rotten Juden aus. Ihr Oberst Bonbon spielt Cello, während er seine Vernichtungsbefehle erteilt, und ihr Führer ist eine Maschine, ein bellender syphilitischer Roboter. Ein KZ-Häftling wird in einem giganti-

schen Reagenzglas zu Tode geschüttelt. Die Neutralen und die Vertreter der
Kirchen paktieren mit den Barbarotiern und haben so wenig Neigung wie die
operettenhaft im Gelobten Land lebenden Israelis oder wie die Juden der
freien Welt, den verfolgten Juden zu helfen. Die Vernichtungslager, wie sie
Peter Weiss in seiner ›Ermittlung‹ schildern läßt; das Versagen neutraler und
kirchlicher Instanzen, wie es Rolf Hochhuth in seinem ›Stellvertreter‹ anklagt; Joel Brands schlimme Erfahrungen, wie sie Heinar Kipphardt dargestellt hat; die Korrumpierung der Verfolgten durch ihre Verfolger, wie sie
Arthur Miller in seinem ›Zwischenfall in Vichy‹ skizziert hat, — all diese
Themen hat Gatti vorweggenommen und souveräner behandelt als seine
um biederen Realismus bemühten Nachfolger. Gattis Inferno wird immer
wieder unterbrochen von den Stimmen des KZ-Häftlings Bernard Shertoc
und seiner deutschen Geliebten Pepi, und diese einzigen Menschen auf der
Bühne werden nur projiziert; ihre Vergangenheit trennt sie für immer;
durch den Kontrast ihrer lyrischen Monologe wird die Welt der blutigen Groteske ausdrücklich als eine andere Möglichkeit des Menschlichen
bestätigt — mit der Angst vor ihrer Wiederholung schließt das Stück.

Öffentlicher Gesang vor zwei elektrischen Stühlen. Chant public devant deux
chaises électriques. Uraufführung 17. Januar 1966, Théâtre National Populaire, Paris, durch Gatti. Deutsche Erstaufführung hat bei Redaktionsschluß
noch nicht stattgefunden. — Am 23. August 1927 wurden, sieben Jahre nach
ihrer Festnahme, der Schuhmacher Nicola Sacco und der Fischhändler Bar-
tolomeo Vanzetti in Boston (Massachusetts) auf elektrischen Stühlen hingerichtet für einen Raubmord an zwei Kassierern, den sie nicht begangen
hatten: als Ausländer und Anarchisten wurden sie die Opfer eines Justizmordes, einer durch Fremdenhaß und Angst vor sozialen Veränderungen
hysterisierten Öffentlichkeit, die Verteidiger und Entlastungszeugen nieder-
brüllte. — Gatti versucht, diese alte Geschichte zu vergegenwärtigen, indem
er nicht sie darstellt, sondern ihre Widerspiegelung in Zuschauern. Auf die
Bühne (des Palais de Chaillot in Paris) ließ er fünf Bühnen verschiedener
Städte bauen: Boston (Harvard-Universität), Los Angeles (Neger-Baptisten-
kirche), Hamburg (Schauspielhaus), Turin (Dopolavoro), Lyon (Salle Jean
Moulin). In winzigen Szenen werden die Meinungen der Zuschauer dieser
fünf Theater (auf dem Theater) dargeboten, und dies vor Beginn der imaginären Vorstellung eines Stückes über Sacco und Vanzetti bis zu ihrem Ende,
zu der Stimme Vanzettis von der imaginären Bühne: »Unsere Verurteilung
ist zu unserem Aufstieg geworden ... Wir hätten für Toleranz, Gerechtigkeit
und Verständnis unter den Menschen niemals das vollbringen können, was
wir in der Tiefe dieses Gefängnisses tun konnten ... Unser Todeskampf ist

unser Triumph.« Zu den differenzierten Reaktionen des Publikums (auf der Bühne) gehört: ein Hamburger Anwalt bekennt sich zu Sacco und Vanzetti, weil sie wie er (in Nürnberg als Nazi) von der amerikanischen Justiz verurteilt worden sind; ein Bostoner Jude steht in der Öffentlichkeit auf der Seite der Justiz und nur insgeheim auf der Seite der Opfer; New Yorker Intellektuelle ziehen zum Verständnis des alten Falls den neueren Fall des Ehepaars Rosenberg heran, das wegen Spionage 1953 in Sing-Sing auf dem elektrischen Stuhl hingerichtet worden ist. — Durch die Aufsplitterung der Szenen jagt Gatti der schon von Piscator geliebten Utopie nach, die Grenze zwischen Theater und Publikum niederzureißen und aus Fiktionen Fakten zu machen, und muß dabei doch sein eigenes Publikum auf die Bühne setzen, wo es selbstverständlich Teil eines Theaters wird, das vom echten Publikum im Zuschauerraum so weit getrennt ist wie eh und je, und bei diesem Verfahren geht überdies das Interesse des echten Publikums an Sacco und Vanzetti verloren: über einen rhetorisch erzeugten Märtyrerzustand kommen sie nicht hinaus. Erst als im zweiten Teil Sacco und Vanzetti zwar nicht auftreten, ihre Rollen aber von Zuschauern auf der Bühne übernommen werden, nehmen sie als Opfer eines Justizmordes einigermaßen Gestalt an und werden von Gatti durch religiöse Anspielungen auf die Passion Christi zu mythischen Erlöserfiguren gemacht.

Die Schlacht der sieben Tage und der sieben Nächte. La bataille des sept jours et des sept nuits. 1965. Früherer Titel: Un homme seul. Uraufführung 19. Mai 1966 an der Comédie de St. Etienne, durch Gatti. Deutsche Erstaufführung 14. September 1968, Schloßtheater Celle. — Der chinesische Partisanenführer Li Tschen-liu hat zehn Jahre lang Widerstand gegen Tschiang Kai-scheks Gouverneur geleistet bis zur »Schlacht der sieben Tage und der sieben Nächte«. In dieser Schlacht haben die Partisanen ihr Leben geopfert, um den »Langen Marsch« der kommunistischen Armee Mao Tse-tungs aus der von Tschiang Kai-schek eroberten Provinz Kiangsi abzuschirmen. Die Schlacht ist verloren, der Partisanenführer Li Tschen-liu hat sie überlebt und ruft zu Beginn des Stückes ein »imaginäres Gericht« über sich selber ein: es tagt in seiner Phantasie, in einer Höhle des Long-chen-Gebirges. Aus den Aussagen seiner Familie, seiner toten und lebenden Freunde, seiner Gegner und Genossen schießt ein kommunistisches Heldenepos, die unbesiegbare Legende des roten Partisanenführers zusammen, und es versteht sich, daß die Niederlage für den endgültigen Sieg notwendig und also wenigstens ein Teilsieg gewesen sei: über die Gegenwart entscheidet keine andere Moral und kein anderer Richterspruch als die Zukunft mit dem Sieg der Revolution.

›General Francos Leidenswege‹ von Armand Gatti. Bühnenmodell von Michel Raffaeli
für die Uraufführung in Kassel, November 1967

General Francos Leidenswege. La passion du Général Franco. 1963/1964. Uraufführung 5. November 1967, Staatstheater Kassel, durch Kai Braak. — Die französische Aufführung am staatlichen Théâtre National Populaire — Premiere sollte am 11. Februar 1969 sein — wurde auf Einspruch des spanischen Botschafters verboten. Bonn hat die Einmischung des spanischen Botschafters zurückgewiesen. — Wie Gatti in früheren Stücken das Konzentrationslager Tatenberg und die Anarchisten Sacco und Vanzetti indirekt auf die Bühne gebracht hat, so zeigt er hier Franco und das faschistische Spanien in den Erinnerungen und Vorstellungen spanischer Emigranten. Nicht General Francos Leidenswege werden vorgeführt, sondern die Leiden des spanischen Volkes, dem der falsche Erlöser Franco einen Passionsweg aufgebürdet hat. Die Exilspanier sind als Fliehende und Reisende gekennzeichnet schon durch die vier Schauplätze, durch »Zwischen«-Stationen: »zwischen Kiew und Krasnojarsk, zwischen Madrid und Frankfurt, zwischen Toulouse und Madrid, zwischen Havanna und Mexiko«. Das Stück springt zwischen diesen Schauplätzen rasch hin und her: drei in Rußland lebende Spanier auf dem Flug nach Sibirien, wo sie von Landsleuten als »verbannte Kameraden« begrüßt werden; ein Spanier, dessen Vater in Francos »Blauer Division« für Hitler gefallen

ist, wird Gastarbeiter in Frankfurt, wo ein Franco-Spitzel Material für De-
nunziationen sammelt; die Tochter eines in Toulouse lebenden spanischen
Anarchisten fährt nach Spanien, um Ferien zu machen, und findet es, trotz
Franco, zum Entsetzen ihres Vaters ganz normal; eine Spanierin wird in
Kuba zur Karnevalskönigin gekrönt, und ihren von Castro begeisterten Ver-
ehrer Joaquin zieht es nach Madrid, wo seine studentischen Freunde aus dem
Untergrund inzwischen in die Gefängnisse geworfen worden sind. Das
Stück springt zwischendurch in die Träume dieser und anderer Personen,
ungestrichen wären es rund zwanzig Haupt- und hundert Nebenrollen, sieben Stunden lang; die Träume kreisen um Spanien, um die Greuel des Bürgerkriegs und – in grotesken Satiren – um die Gegenwart unter Franco. So
wird Franco als Kunststoffigur aufgeblasen und in den Himmel seiner Ver-
ehrer hochgelassen; der heilige Franz von Assisi wird als Stier in der spanischen Arena gehetzt, ein Falangist und ein Carlist bearbeiten ihn mit Ban-
derillos, und ein Bischof versetzt ihm den Todesstoß mit einem Krummstab;
auf dem Laufsteg werden Christus-Mannequins vorgeführt, »für jeden Geschmack«, und gegen die opportunistische Staatskirche wird nach dem Evan-
gelium gerufen; die Antiquiertheit der exilspanischen Parteiungen wird karikiert, indem die Spanier in einem Pariser Café mit Sauriermasken aufein-
anderlosgehen. Mit rührender Unermüdlichkeit predigt Joaquin, hinter dem
der idealistische Gatti zu suchen ist, Brüderlichkeit. – Auf historische Analyse
und rationale Argumente läßt sich Gatti auch hier nicht ein; sein Feld ist die
plakative Polemik, und sein Bestes gibt er in der Darstellung des Leidens.

V wie Vietnam. V comme Vietnam. 1966. Uraufführung im Jahre 1967 im
Grenier de Toulouse. Deutsche Erstaufführung 22. Juni 1968, Städtische Theater Leipzig. Erstaufführung in der Bundesrepublik 19. November 1968, Wuppertal. – Das Stück wurde geschrieben im Auftrag des französischen ›Inter-
gewerkschaftlichen Aktionskollektivs für den Frieden in Vietnam‹, das auch
seine Aufführung und eine Tournee durch Frankreich finanziert hat. – Der
Ost-Berliner Zeitschrift ›Theater der Zeit‹ erläuterte Gatti: »In Vietnam
stehen sich zwei verschiedene Konzeptionen vom Menschen gegenüber ...
Diese beiden Weltanschauungen werden einmal durch den Mythos der Maschine verkörpert, zum anderen durch das neue Alphabet, das sich der vietnamesische Soldat auf der Grundlage seines Kampfes schafft.« Für dieses
Alphabet schlägt ein vietnamesischer Bauer im Stück vor: »ein Tier mit
grauem Fell, so grau wie Elefantengras, das schwierig zu fangen ist und das
Gesicht der Welt verändert, wenn es sich erhebt. Zu dem Buchstaben V –
wie Vietnam.« V auch, dies versteht sich, als Zeichen für Sieg, für »Victoire«.
Der Mythos der Maschine wird von Gatti abgebaut: die Maschine, ein Com-

puter namens ›Kastanie‹ steht im Pentagon, in der Mitte der Bühne und des Stückes, in dem die Vietkong nur imaginär wie Zitate auftreten, und meistens reden sie auch nur Zitate, oder sie werden bei einem Manöver der Amerikaner stellvertretend von Amerikanern dargestellt. Wie der Computer das Symbol der amerikanischen Kriegführung ist, so das primitive, aber wirkungsvolle Nagelbrett das Symbol der Vietkong: wenn der Computer versagt und aus ihm leibhaftige Vietkongpartisanen ins Pentagon kriechen, wird er untersucht, ob ihn nicht ein Nagelbrett korrumpiert hat. Die technologische Kriegführung der Amerikaner, die vom Präsidenten »Megasheriff« und vom Verteidigungsminister »Quadratur« angeführt werden, versagt in Vietnam, zumal der Computer so falsch behandelt worden ist, daß ihm Shakespeares König Lear, Richard der Dritte und Macbeth als Symbole für antiquiertes Denken entsteigen. Am Ende der Agitprop-Revue rücken die Vietkong auf das Pentagon zu wie bei Shakespeare der Wald von Birnam zum Schloß des Macbeth – Gatti nimmt den Sieg symbolisch vorweg.

Die Geburt. La naissance. 1966. Uraufführung zur Eröffnung der Theater-Biennale in Venedig, 18. September 1968, Teatro la Fenice, durch die Pariser Production D'Aujourd'hui, Regie: Roland Monod. Deutsche Erstaufführung 26. Juni 1969, Staatstheater Kassel, durch Gatti. — In Guatemala nehmen Regierungssoldaten einige Guerilleros gefangen, unter denen sie — mit Recht — guatemaltekische Offiziere vermuten, die in amerikanischen Militärschulen ausgebildet worden und desertiert sind. (Fünf solcher Offiziere haben 1960 die historische »Bewegung vom 13. November« gegründet, aus der eine Revolutionsarmee hervorgegangen ist.) Die Regierungssoldaten, die von ihrem (farbigen) Berater aus den USA beherrscht werden, graben die Guerilleros bis an den Hals ein — so sind die Gefangenen frei genug, um ihre gesellschaftliche Rolle klären zu können: sobald der Mensch sich für die Selbstbefreiung entscheidet, gibt er seinem Leben eine neue »Geburt«. — Gatti wärmt Sartres Proklamation der Freiheit und Selbstdefinition des Menschen am Dschungelfeuer ein wenig auf und billigt sogar den Amerikanern die Möglichkeit einer Bewußtseinsänderung zu. Für Kassel hat Gatti eine »Autorin« erfunden, gegen deren Klischeevorstellungen sich die von ihr geschaffenen Bühnenpersonen pirandellohaft wehren, doch auch dieses Zerhacken des Stücks, diese Attitüde einer »modernen« Form, kann über die ehrwürdige Banalität der Sprache Gattis und seiner Klischeefiguren, zu denen auch die »Autorin« gehört, nicht hinwegtäuschen.

Arthur Miller: Tendenz und Thesen

Wenn unser Theater es nicht fertigbringt, zur richtigen Erkenntnis der Vorgänge in der Welt um uns vorzustoßen, wird
es meines Erachtens zu billigem Psychologismus herabsinken.
Wir müßten uns dann mit einem Ödipus ohne seine Tragik
begnügen, einem Ödipus, dessen Leiden privat und unabhängig von dem Weiterbestehen seines Volkes sind, mit einem
Wort: einem Ödipus, der — wenn er von seiner Blutschande
erfährt — sich nicht die Augen aussticht, sondern nur eine
Träne abwischt, um uns seine Vereinsamung kundzutun.

Arthur Miller

Jüngeren Nachwuchsautoren warf er vor, sie seien zu zaghaft in der Anwendung ethischer und sozialer Ideen; er klagte:»Niemand macht sich noch
Illusionen — Illusionen gelten als Torheit. Was für Illusionen übrigens? Vor
allem die, daß der Schriftsteller die Welt retten könne. In diesem Punkt ist
man allgemein der Ansicht, daß ihr einfach nicht zu helfen sei.« Jedes seiner
Stücke ist ein Aufruf an seine Mitmenschen; ein Versuch, der Welt zu helfen;
er versteht sich als Moralist.

Als Schuljunge fing er an, Dostojewski zu lesen; auf dem College war
er hingerissen von Ibsen:»In seinen Stücken steht nichts um seiner selbst
willen da, man könnte nicht eine einzige Zeile, nicht eine Geste herauslösen.«
Ibsen und Dostojewski erteilten ihm, wie er sich ausdrückte,»die Vollmacht
zum Schreiben«. An den griechischen Klassikern und an den deutschen
Expressionisten, die er gleichzeitig las, faszinierte ihn, daß sie ihre dramatischen Mittel»zur Darstellung der verborgenen Mächte« benutzten. In
seinen eigenen Dramen ging er von der Technik Ibsens aus und versuchte
zugleich, sie aufzubrechen, sie um expressionistische Techniken zu erweitern, um am realistisch gezeichneten Durchschnittsmenschen, am ›Mann von
der Straße‹, die verborgenen Mächte sichtbar zu machen, die sein ganz besonderes Geschick mit dem allgemeinen Schicksal aller Menschen verbinden.
Er hat den Ehrgeiz, mehr als ein Psychologe zu sein — er will Ideen vermitteln. Seine Stärke allerdings ist der psychologische Realismus, die Kollektion
der Alltagstypen; zur Idee gelangt er nicht ohne einige Gewalt: durch Kommentar und Selbstkommentar. Sein ›Handlungsreisender‹ bleibt im Biographischen, seine ›Hexenjagd‹ im Historischen, sein ›Blick von der Brücke‹
in den Vermischten Nachrichten, sein ›Sündenfall‹ im Autobiographischen
stecken.

Autobiographisch ist auch ›Zweimal Montag‹: der Lehrling im Versandraum des Auto-Ersatzteil-Lagers, der von zwei Dollar die Woche lebt und

die restlichen 13 Dollar seines Lohnes für das Studium zurücklegt, ist er selber. Arthur Miller wurde in New York geboren, in East Side Manhattan, am 17. Oktober 1915, und sein Vater, Isidor Mahler, dessen Familie vor dem ersten Weltkrieg aus Österreich eingewandert war, vermochte zwar seinen beiden Söhnen und seiner Tochter (aus der die Schauspielerin Jane Copeland wurde) das Leben zu erleichtern, indem er mit der amerikanischen Staatsbürgerschaft auch den Allerweltsnamen Miller erwarb, aber er konnte seinen Söhnen kein Studium bezahlen. Der neunzehnjährige Arthur hatte so viel gespart, daß er am Theater-College der Universität Michigan studieren konnte. Er blieb dort vier Jahre, ging 1938 nach New York und schlug sich als freier Schriftsteller durch. Wie Tennessee Williams lernte er in New York im ›Dramatic Workshop‹ des emigrierten deutschen Regisseurs Erwin Piscator, der 1938 nach Amerika gekommen war. Während bei Williams kaum etwas von den revolutionären Ideen Piscators zu spüren ist, von seinem gesellschaftskritisch engagierten Agitationstheater, erscheint Arthur Miller wie ein eigensinniger, aber gelehriger Schüler dieses ideenreichen Meisters der politischen Bühne.

Sein erstes am Broadway gespieltes Stück, die Tragikomödie ›The man who had all the luck‹ (1944) wurde nach sechs Aufführungen abgesetzt. ›Alle meine Söhne‹, drei Jahre später, erklärten die New Yorker Kritiker für das beste Stück der Saison, und der ›Tod des Handlungsreisenden‹, wiederum zwei Jahre später, wurde ein Welterfolg.

Im Juli 1957 wurde Arthur Miller wegen ›Mißachtung des Kongresses‹ zu einem Monat Gefängnis und 500 Dollar Buße verurteilt, weil er sich vor dem ›Kongreßausschuß für unamerikanische Umtriebe‹ geweigert hatte, Angaben über frühere Bekannte zu machen, die kommunistischer Sympathien verdächtigt wurden. Miller hatte vor dem Ausschuß bereitwillig über seine eigenen Sympathien zum Kommunismus ausgesagt, die Ende der vierziger Jahre bestanden hatten und die er als eine überwundene Stufe seiner Entwicklung bezeichnete, deren er sich nicht schäme: »Ich mußte zur Hölle gehen, um den Teufel zu treffen.« Im Juni-Heft des amerikanischen Magazins ›Esquire‹ hatte der Romanschriftsteller John Steinbeck, ein erklärter Gegner des Kommunismus, Millers Haltung verteidigt: »Mir scheint, daß man von einem Menschen, der seine Freunde verrät, keine Loyalität gegenüber seinem Land erwarten kann ... Wer einem Menschen Unmoral in privaten Dingen aufzwingt und seine persönlichen Tugenden verletzt, der untergräbt auch seine staatsbürgerlichen Tugenden ... Wahrhaftig: mit Arthur Miller steht auch der Kongreß vor Gericht.« Die Gefängnisstrafe war zur Bewährung ausgesetzt worden; Miller reichte Berufung ein und wurde vom Appellationsgericht im August 1958 freigesprochen.

Arthur Miller. Nach einer Photographie

In zweiter Ehe hatte er 1956 die weltberühmte Filmschauspielerin Marilyn Monroe (geboren am 1. Juni 1926), ein ehemaliges Modell für Akt-Photos, geheiratet, die auf der Leinwand als Sexbombe verkauft wurde, dabei jedoch Talent besaß. Er schrieb für sie den Film ›Nicht gesellschaftsfähig‹ (The Misfits), in dem Clark Gable (in seiner letzten Rolle) und Montgomery Clift ihre Partner waren. Sie spielte in diesem von John Huston inszenierten Dialog-Film neben drei Männern, die sich der Gesellschaft nicht anpassen können, ein sensibles Mädchen, das in die Welt nicht paßt, weil sie sich mit jeder leidenden Kreatur bis zur Selbstaufgabe seelisch identifiziert. Sie wurden 1960 geschieden. M. Monroe starb — ohne Abschiedsbrief — an einer Überdosis Schlaftabletten am 5. August 1962.

In seinem Schauspiel ›Nach dem Sündenfall‹ hat Arthur Miller, kaum verhüllt, sein Leben mit Marilyn Monroe (›Maggie‹) dargestellt; im Stück trennt sich Quentin von Maggie, weil er nicht Komplize ihres Selbstzerstörungsdranges — durch Pillen und Alkohol — werden will. Auch diesen zumindest autobiographisch stark gefärbten Intimitäten versuchte Miller, eine auf die Gesellschaft bezogene Lebenslehre abzugewinnen, getreu seiner alten Forderung: »In der Tragödie muß es die Möglichkeit des Sieges geben.«

Alle meine Söhne (All my sons). Uraufführung 29. Januar 1947, New York, Coronet Theatre. Deutschsprachige Erstaufführung 1948, Bern. Deutsche Erstaufführung Januar 1949, Weimar. — Josef Keller hat sich in vierzig Jahren mit allen Mitteln zum Fabrikbesitzer hochgearbeitet und zur Mehrung seines Vermögens schadhafte Zylinderköpfe an die Luftwaffe geliefert; er ist schuld am Tod von 21 jungen Männern, und es ist ihm gelungen, einen Unschuldigen für sich im Gefängnis büßen zu lassen. Dies alles hat er, ein skrupelloser, zärtlicher Familienvater, für seine beiden Söhne getan. Die Vertreter der jungen Generation haben in der ständigen Bedrohung des Krieges eine ›neue Art Verantwortung‹ gelernt; Sohn Chris spricht sie aus:

»Ihr könnt bessere Menschen werden. Ihr müßt ein für allemal begreifen, daß die ganze Welt hier hereinreicht, über diesen Zaun hinweg. Da draußen ist ein Universum, und dem seid ihr verantwortlich!« Vater Keller erschießt sich, als er erfährt, daß sein ältester Sohn Peter, der von seinem Verbrechen gehört hat, freiwillig in den Tod geflogen ist. Keller stirbt mit der Einsicht: »Sie sind alle meine Söhne«, auch die andern, für deren Tod er verantwortlich ist. — Konventionell sozialkritisches Familiendrama in der Aufdeckungsmanier Ibsens mit platt formuliertem ethischem Appell.

Der Tod eines Handlungsreisenden (Death of a salesman). ›Zwei Akte und ein Requiem‹. Uraufführung 10. Februar 1949, Morosco Theater, New York, durch Elia Kazan. Deutschsprachige Erstaufführung 1. März 1950, Theater in der Josefstadt, Wien, und Landestheater Linz. Deutsche Erstaufführung 26. April 1950, Kammerspiele München, und Düsseldorf. Verfilmt 1951 mit Fredric March; Regie: Laslo Benedek. — Der sechzigjährige Handlungsreisende Willy Loman, New York, Brooklyn, hat ein Leben lang geschuftet, Raten bezahlt, auch eine Geliebte gehabt, und seine Kraft aus der Illusion bezogen, er sei ein bedeutender Mann. Seine beiden Söhne Happy und Biff sind nicht so geraten, wie er sich dies wünscht: Biff, der das Gefängnis schon von innen kennt, revoltiert gegen die Illusionen des Vaters, und Happy, ein Schürzenjäger, macht sich nicht einmal die Mühe der Revolte. Loman, seiner lebenserhaltenden Lügen beraubt, wird entlassen, fährt mit

›*Der Tod eines Handlungsreisenden*‹ *von Arthur Miller. Bühnenbild-Entwurf von Jo Mielziner für die Uraufführung im Morosco Theatre, New York, 1949; Regie: Elia Kazan*

seinem alten Studebaker gegen einen Baum und verschafft durch diesen Selbstmord seiner Familie die 20 000 Dollar Versicherung. Sein Freund Charly spricht an seinem Grab das ›Requiem‹ auf den Handlungsreisenden: »Er ist ein Mann, der irgendwie in der Luft schwebt, der mit seinem Lächeln reist und mit seiner Bügelfalte. Und wenn sein Lachen nicht mehr erwidert wird — dann stürzt seine Welt ein . . . Ein Handlungsreisender muß träumen. Das gehört zu seinem Beruf.« — Das Thema der guten alten ›Lebenslüge‹ stammt von Ibsen; die Traumtechnik vom deutschen Expressionismus. Miller verwendet nicht mehr die Illusionsbühne. Es gibt keine Wände, die Türen werden nur benutzt, wenn die Handlung in der Gegenwart spielt. Wenn sich Loman erinnert, wenn die Vergangenheit vergegenwärtigt wird und Personen erscheinen, die nur in seiner Vorstellung anwesend sind, wird die angedeutete Dekoration durchschritten, als sei sie nicht vorhanden. Durch solche Mittel soll die so traurige wie rührende Geschichte Lomans verallgemeinert und dem Zuschauer suggeriert werden, seine eigenen Illusionen seien im Prinzip nichts anderes als die Illusionen, für die der Beruf des Handlungsreisenden ein Symbol ist — mit ihnen muß er notwendig zusammenbrechen. Bühnenkräftiger als solche Spekulationen ist die sozialkritische Attacke gegen die erbarmungslose Härte des Existenzkampfes in diesem speziellen Fall. Miller hat später das ›sentimentale Pathos‹ seines Loman eingesehen.

Hexenjagd (The Crucible). Uraufführung 22. Januar 1953, New York, Martin Beck Theatre. Deutsche Erstaufführung 10. Februar 1954, Schiller-Theater, Berlin. Verfilmt 1957 mit Yves Montand und Mylène Demongeot (Abigail); Drehbuch: Jean-Paul Sartre; Regie: Raymond Rouleau. — Die historische Hexenverfolgung schottisch-englischer Puritaner in Salem, Massachusetts, 1692: mehr als zwanzig Männer und Frauen wurden damals wegen Hexerei verurteilt und hingerichtet; zwanzig Jahre später hob die Regierung die Urteile auf und entschädigte die Überlebenden. — Bei Miller entdeckt der Pastor Parris junge Mädchen aus Salem nachts im Wald, nackt beim Tanzen, darunter Tituba, seine Negersklavin. Was nur ein Ausbruch puritanisch unterdrückter Triebe gewesen, wird vom auswärtigen Hexenspezialisten Pastor Hale mit Hilfe der Mädchen, die für diese Ausreden dankbar sind, zu einem Akt der Verhexung: die Beschuldigungen der Mädchen, die nun wie Kämpferinnen gegen den Satan geehrt werden, sind tödlich. Abigail, die Nichte des Pastors Parris, versucht, ihre Machtposition zu benutzen, um die Frau des Pflanzers Proctor an den Galgen und sich an die Seite Proctors zu bringen. John Proctor gesteht zwar, daß er mit Abigail die Ehe gebrochen hat, doch läßt er sich lieber henken, als gegen Wahrheit und Gewissen zu bekunden, daß er Umgang mit dem Teufel habe. Pastor Hale durchschaut schließlich den von Aberglauben, Rache und Machtgier, vor allem aber von Angst genährten Wahn. — Ein historischer Prozeß als bewußte, wenn auch nur mit einiger Gewalt schlüssige Parallele zu modernen ideologischen ›Hexen‹-Verfolgungen, bei denen die Gegner satanisiert und die Geständnisse durch Angst erpreßt werden. Miller wies in einem Selbstkommentar zu seinem belehrenden Zeigefinger-Stück in der Zeitschrift ›Theatre Arts‹, im Oktober 1953, auf die kommunistischen Hexenprozesse in Sowjetrußland hin und auf die wachsenden Gefahren, die den Demokratien drohen durch Konformismus und Unterwerfung unter die Massenmeinung; zweifellos wollte er auch die antikommunistischen Hexenjäger des amerikanischen Senators MacCarthy treffen: »Überall dort, wo die Ablehnung des politischen Gegners grausame Formen annimmt, wo man ihn mißhandelt und austilgt, eben weil man in ihm nicht mehr den Menschen sehen kann, sondern etwas dämonisch Inspiriertes — überall dort wirkt auch in unserem Jahrhundert der alte Hexenwahn.«

Blick von der Brücke (A view from the bridge). Uraufführung 29. Oktober 1955, New York, Coronet Theatre. Deutsche Erstaufführung, April 1956, Schloßpark-Theater, Berlin, und Kammerspiele Hamburg. In Frankreich 1961 verfilmt mit Raf Vallone (Eddie), Raymond Pellegrin (Marco); Regie: Sidney Lumet. — ›Ein Blick von der Brücke‹ (Uno Sguardo dal Ponte), Oper von Renzo Rosselini, Uraufführung 11. März 1961, Rom; deutsche Erstaufführung 7. November 1962, Städtische Bühnen, Frankfurt. — Der Hafenarbeiter Eddie Carbone lebt in Brooklyn mit seiner Frau Beatrice und seiner jungen, hübschen Nichte Catherine. Zwei Vettern seiner Frau sind ohne Einwanderungspapiere aus Sizilien herübergekommen, um hier eine Zeitlang Dollars für ihre hungernden Familien zu verdienen. Eddie nimmt sie in sein Haus auf. Catherine und Rodolfo, der jüngere der beiden Einwanderer, verlieben sich. Eddies, des Vierzigjährigen, Schutzbedürfnis für seine Nichte erweist sich als eine späte, leidenschaftliche Liebe. Mit allen Mitteln versucht er, die beiden jungen Leute auseinanderzubringen: der blonde Rodolfo, so behauptet er, sei homosexuell und wolle Catherine nur aus egoistischen Gründen heiraten, da illegale Einwanderer, sofern sie verheiratet sind, nicht ausgewiesen werden dürfen. Schließlich denunziert Eddie, besinnungslos vor Eifersucht, die beiden Illegalen bei der Einwanderungsbehörde. Rodolfo, der Catherine heiraten wird, darf bleiben. Marco, der ältere, rächt nach sizilianischem Brauch den Verrat: er ersticht Eddie. Der Rechtsanwalt Alfieri, ein Ein-Mann-Chor, begleitet den Vorgang mit Kommentaren, teils in freien Versen; er blickt von der Brooklyn-Brücke auf

›Hexenjagd‹ von Arthur Miller. Bühnenbild-Entwurf (4. Bild) von Teo Otto für eine
Aufführung der Städtischen Bühnen Frankfurt am Main. Regie: Harry Buckwitz

dieses Schicksal und konstatiert seine innere Notwendigkeit. — Miller verzichtet hier auf Belehrung; die Sozialkritik liegt im Stoff und ist nicht sein
Hauptthema. Er erzählt einfach eine wilde Hafenballade, die ihm als ›ge-
heiligte Geschichte‹ erscheint, weil er in ihr das »Wiederaufleben eines griechischen Mythos« entdeckt zu haben glaubt. Einen Mythos ohne Metaphysik,
ohne Götter, gibt es freilich nicht, und so bleibt es beim Trieb-Drama: der
Sexus wird zum Schicksal. Dies wird allerdings so einfach und einleuchtend abgewickelt, daß über dem Reißer, wird er außergewöhnlich gut gespielt,
ein Hauch tragischer Notwendigkeit spürbar werden kann. Miller zu seiner
Geschichte: »Sie zielt nicht in erster Linie darauf ab, das Publikum zu Tränen
zu rühren oder zum Lachen zu bringen, sondern eine besondere Atmosphäre
des Erstaunens zu schaffen über die Art, wie und aus welchen Gründen der
Mensch sein Leben in Gefahr bringt, es aufs Spiel setzt und verliert.«

Zweimal Montag (A Memory of two Mondays). Uraufführung, zusammen
mit der ersten, einaktigen Fassung von ›Blick von der Brücke‹, am 29. Oktober 1955, New York, Coronet Theatre. Deutsche Erstaufführung 24. April
1960, Berlin, Schloßpark-Theater. — Zwei beliebige Montage, einmal im
Sommer, einmal im Winter, im Versandraum eines Auto-Ersatzteil-Lagers.
Vorgeführt werden Typen, ein Laufbursche mit dem Drang nach Höherem
(ein Selbstporträt Millers), ein sentimentaler irischer Packer, eine altjüngfer-

liche Sekretärin, ein versoffener Buchhalter, eine aufreizende Halbreife und so fort: ein trister und komischer Alltagsausschnitt mit Anflügen der Poetisierung.

Nach dem Sündenfall (After the fall). ›Schauspiel in zwei Akten‹. Uraufführung 23. Januar 1964 im New Yorker Anta Washington Square Theatre durch Elia Kazan als erste Aufführung des ersten New Yorker Repertoire-Theaters, des ›Repertory Theatre of Lincoln Center‹. Deutschsprachige Erstaufführung 19. Oktober 1964, Burgtheater Wien. Deutsche Erstaufführung 8. November 1964, Schauspielhaus Düsseldorf. — Der Anwalt Quentin, ein Intellektueller (das kaum verhüllte Selbstporträt Arthur Millers), führt ein Selbstgespräch mit seinem Gewissen. Er ist ständig auf der Bühne; seine Gedanken bestimmen den Ablauf der nicht chronologischen, sondern in Sinnzusammenhängen stehenden Episoden aus seinem Leben. Schauplatz des Stückes ist also Millers eigenes Bewußtsein: er legt sich sozusagen vor dem Theaterpublikum in aller Welt auf die Couch, um ihm seine psycho-

Die Filmschauspielerin Marilyn Monroe; nach einem Photo. Sie war international berühmt als Sex-Idol und hatte ein sympathisches Talent für Komik und Selbstironie. Von 1956 bis 1960 war sie verheiratet mit dem Dramatiker Arthur Miller; 1962 vergiftete sie sich mit einer Überdosis Schlaftabletten. Sie diente Miller als Modell für ›Nach dem Sündenfall‹

analytische Selbstbefreiung vorzuführen — und dies vor dem Hintergrund eines KZ-Wachtturms. — Als Quentin seine zweite Frau Maggie (eine porträtgenaue Doppelgängerin der Filmschauspielerin Marilyn Monroe, mit der Miller von 1956 bis 1960 verheiratet war und die sich 1962 mit Schlaftabletten vergiftet hatte) im Streit beinahe erwürgt, entdeckt er in sich die Möglichkeit zum Mörder. In Deutschland trifft er nach Maggies Selbstmord Holga (Miller heiratete 1962 die österreichische Photographin Ingeborg Morath), die ihn zu einem ehemaligen Konzentrationslager führt; sie sagt: »Niemand ist unschuldig, den sie nicht getötet haben.« Quentin erkennt,

daß jeder Mensch zum Komplizen des Bösen werden kann, so wie er fast
der Mörder Maggies geworden wäre, und daß ›nach dem Sündenfall‹ der
Wunsch zu töten »nie getötet« wird, »aber mit einigem Mut kann man ihm
ins Gesicht sehen, wenn er auftaucht, und mit einer Geste der Liebe — wie
man einen Idioten streichelt — ihm verzeihen. Immer wieder«. — Aus intim-
sten privaten Erlebnissen versucht Miller, indem er Marilyn Monroe und
Konzentrationslager koppelt, ins ethische Drama vorzustoßen: von der neurotischen Ehe-Katastrophe in das Problem des Bösen. Die Anerkennung der
Mitschuld aller Menschen am Bösen wird zur Voraussetzung für den Kampf
gegen das Böse. Maggie im Nachthemd bleibt tot auf der Strecke; Holga wird
zum Symbol für die durch sie erkannte sittliche und gesellschaftliche Aufgabe:
nüchterner Optimismus trotz tragischer Struktur des Menschen, trotz der
Tatsache, daß auch Kain ein Mensch gewesen ist.

Zwischenfall in Vichy (Incident at Vichy). Uraufführung im Anta Washington Square Theatre, New York, am 3. Dezember 1964. Deutschsprachige
Erstaufführung, Mai 1965, Akademie-Theater des Wiener Burgtheaters.
Deutsche Erstaufführung durch das Thalia-Theater, Hamburg, bei den Ruhrfestspielen, Recklinghausen, Juli 1965. — In Frankreich 1942, in Vichy, dem
Sitz der mit den Deutschen kollaborierenden französischen Regierung, sind
von der Geheimen Staats-Polizei zehn Männer als ›judenverdächtig‹ festgenommen und ins Polizeirevier geschafft worden. Sie sind typisiert: ein
klassenbewußter marxistischer Arbeiter, ein Adliger, ein übersensibler Maler,
ein sich selbst etwas vorspielender Schauspieler, ein opportunistischer Kaufmann, ein Zigeuner, ein Kellner, ein orthodoxer Jude (der stumm bleibt),
ein Psychiater. Sie wissen, was sie erwartet, falls sie Juden sind. Sie werden nacheinander in das Zimmer eines deutschen ›Rasseforschers‹ kommandiert und kehren nicht wieder; Todesangst erfaßt sie und steigert sich.
In einem Gespräch zwischen dem österreichischen Grafen von Berg, der
offenbar aus Versehen hierhergebracht worden ist, und dem französischen
Psychiater Leduc, die zuletzt allein übriggeblieben sind, fragt Leduc, wie von
Berg weiterleben könne, wenn er der einzige Überlebende sei. Der Prinz gibt
seinen Passierschein, den er im Zimmer des ›Rasseforschers‹ erhält, dem
Arzt Leduc, der nun frei ist und die Frage, die er dem Prinzen gestellt hat,
für sich selbst beantworten muß. Der Prinz hat mit dem Passierschein sein
Leben aufgegeben: ein Leben, das er sich selbst schon einmal nehmen wollte
und das ihm in einer Welt, in der Auschwitz möglich ist, nichts bedeutet. —
»Ich kann in diesem Stück keine Lösung für die menschliche Schuld anbieten«,
schrieb Miller, »nur eine Art Kommentar, nicht mehr« — es ist auch kein
Stück, sondern die Darstellung des Leidens und ein bitterer Kommentar zu

einem ungeschriebenen Drama, das in Ansätzen in dem Schuldgespräch zwischen dem Prinzen und dem Psychiater spürbar wird, einem moralisch rigorosen Dialog der gegenseitigen Gewissenserforschung.

Der Preis (The Price). Uraufführung im Februar 1968, Morosco Theater, New York. Deutsche Erstaufführung 30. April 1968, Schloßpark-Theater, Berlin. – Ein Dachboden, vollgestopft mit Möbeln, die bessere Tage gesehen haben. Sie werden taxiert von Gregory Salomon, einem 90 Jahre alten, gerissenen und weisen Juden; er zögert, einen Preis zu nennen. Miller nutzt die Einheit des Ortes, der Zeit, der Handlung und Ibsens Technik der Vergangenheitsanalyse: die Möbel repräsentieren Lebensabschnitte, in denen, obwohl der Dollar eine entscheidende Rolle spielt, mit höheren als mit Geld meßbaren Werten gezahlt worden ist. Ausgegraben werden sie von Viktor Franz, seiner Frau Esther und später auch von Walter, dem älteren Bruder Viktors. Der fast fünfzig Jahre alte Viktor, ein Polizist, wird von seiner Frau beschworen, sich pensionieren zu lassen und nun noch sein Studium fortzusetzen. Bei der Wirtschaftskrise 1929 hat Viktors Vater bankrott gemacht, und Viktor hat den verachteten Beruf eines Polizisten ergriffen, um seinen Vater vor bitterster Armut zu bewahren – dafür hat er den Preis eines mediokren Daseins entrichtet. Bruder Walter dagegen, den Viktor nun nach 28 Jahren zum erstenmal wiedersieht, hat Karriere als Arzt gemacht, dem Vater nie mehr als fünf Dollar geschickt und dem Bruder die 500 Dollar zur Fortsetzung seines Studiums verweigert. Doch auch Walter hat einen Preis entrichten müssen: Nervenzusammenbruch, Scheidung, Enttäuschung über die Kinder. Jetzt erst führt er ein sinnvolles Leben, praktiziert die Hälfte seiner Zeit in Harlem und möchte Viktor helfen. Als Viktor ablehnt und Rechenschaft verlangt, packt Walter aus: der Vater hätte die Hilfe Viktors nicht nötig gehabt, denn er besaß noch viertausend Dollar, die Walter für ihn angelegt hatte; Viktor hat hinter Papas Hilflosigkeit seine eigene Hilflosigkeit versteckt – sein »Leben der Selbstaufopferung« hat ihn offenbar so befriedigt, daß Walter es nicht stören wollte. Als sie sich trennen, bleibt Viktor für Walter der neurotische Versager und bleibt Walter für Viktor der moralische Versager. – »Wie die Welt heute beschaffen ist«, kommentierte Miller, »braucht sie beide Brüder und das, was sie jeweils psychologisch und moralisch repräsentieren – ihr Konflikt offenbart den Kern des sozialen Dilemmas.« Doch sein moralisches Gebrauchstheater mündet schließlich in einen Sieg des Psychologen über den Moralisten Miller: Mehr als die angestrebte Sozialkritik gibt er Kritik am Verhalten individueller Menschen – exemplarisch sind nicht seine Figuren, sondern ihre Methoden der Selbstbeschwichtigung und des Selbstbetrugs. In preiswürdiger Bühnentechnik und bei preiswertem szenischem Aufwand drei durch Enthüllungen fesselnde Männerrollen, die sich fast von selbst spielen.

George Tabori: Totenmessen

George Tabori ist vor den deutschen Judenmördern aus Ungarn geflüchtet; sein Vater Cornelius ist im KZ Auschwitz gestorben. Tabori ist englischer Staatsbürger geworden und lebt in Amerika. In der ›Werkstatt‹ des Berliner Schiller-Theaters hat er die deutsche Erstaufführung seines Off-Broadway-Stücks (1968) Die Kannibalen inszeniert (13. Dezember 1969). Der KZ-Häftling Puffi wird in einem großen Topf gekocht, seine bis zum Wahnsinn hungrigen Mithäftlinge wollen ihn essen, außer »Onkel« (dem Bühnenstellvertreter des Cornelius Tabori): er versucht, sie vom Kannibalismus abzubringen, doch sie werfen ihm Mitschuld vor – er hat das Messer, mit dem sie Puffi zerlegt haben, auf dem Transport hierher versteckt, als sie mit dem Messer die Wachen hätten erstechen und fliehen können. »Onkel« besteht darauf, daß sie sich die Methoden des Feindes nicht aufzwingen lassen. Als ein Kapo in die Baracke kommt und von ihnen verlangt, daß sie Puffi essen, ziehen sie den Tod in der Gaskammer vor, mit zwei Ausnahmen, doch auch diesen beiden »Überlebenden« vermag niemand, einen Vorwurf zu machen. Dieses zerschmetternde Stück wird mit Ausdrucksmitteln des »Living Theatre« von einer Schauspielergruppe wie ein alptraumhaftes Ritual dargestellt. Wer imstande ist, sich auf die Voraussetzung einzulassen, daß die Welt der Konzentrationslager darstellbar sei, wird Tabori zustimmen: »Es gibt Tabus, die zerstört werden müssen, wenn wir nicht ewig daran würgen sollen.«

Pinkville (Uraufführung März 1971, St. Clement's Church, New York. Deutsche Erstaufführung 24. August 1971, Dreieinigkeitskirche, Berlin-Buckow; Regie: Tabori) nannten die Amerikaner das Gebiet um das vietnamesische Dorf My Lai, in dem ein amerikanisches Kommando 1968 über 100 Frauen, Kinder und Greise massakriert hat. Tabori zeigt, wie der kriegsunlustige Jerry, durch Drill zum Killer erzogen, am Massaker teilnimmt, als Verwundeter heimkehrt und bei einer pazifistischen Demonstration vorm Weißen Haus von einem Militaristen erschossen und von seinen Freunden ans Kreuz geschlagen wird. Dieser Weg vom Opfer zum Mörder und abermals zum Opfer wird – mit Gesang, Pantomime und Tanz – aus dem Körperspiel einer Gruppe entwickelt. Tabori klagt keine bestimmte Gesellschaft an; er klagt über den Menschen, der verführbar ist: durch jede Gesellschaft.

3. DER SALON DER SPIELER
oder: Dramatiker, die man Komödianten nennt

Wilder: die Würde des Alltags · Zuckmayer: Liebe zum Leben · Anouilh: untröstlich und fröhlich · Dürrenmatt: blutige Späße · Zwischenspiel: Absurdes, Alptraumtechnik, Komik des Scheiterns und dergleichen · Adamov: vom Unheilbaren zum Heilbaren · Audiberti: Feuerwerk über Traumkanälen · Beckett: der tragische Clown · Ionesco: der grausame Humorist · Aus dem internationalen Absurden-Klub: Gombrowicz, Mrozek, Havel, Pinter, Saunders, Stoppard · Genet: Verbrechen, Schönheit, Hochmut · Arrabal: das Komplexikon · Handke: die Sprache der Sprache · Forte: das dämonisierte Portemonnaie

Wirklichkeit und Natürlichkeit auf dem Theater sind die unnatürlichsten Dinge auf der Welt. Glauben Sie nur nicht, daß es damit getan ist, den Ton des täglichen Lebens zu finden! Zunächst ist im Leben der Text immer so erbärmlich! Wir leben in einer Welt, die das Empfinden für ein Semikolon völlig verloren hat ... Und dann die Natürlichkeit der Konversation, die die Schauspieler wiederzugeben behaupten. Dieses Stottern, dieses Schlucken, diese Kunstpausen, dieses Schnaufen — das ist alles wirklich nicht der Mühe wert, daß man fünf- oder sechshundert Leute in einem Saal versammelt, um ihnen dafür eine Aufführung zu verkaufen. Ich weiß, manche Leute wollen es so, weil sie sich auf der Bühne wiedererkennen. Trotzdem muß man eine Komödie besser schreiben und spielen als das Leben. Das Leben kann sehr hübsch sein, doch hat es keine Form.

Jean Anouilh

Ich wollte weder eine Ideologie illustrieren, noch meinen Zeitgenossen den Heilsweg zeigen. Wenn unser Planet heute in Lebensgefahr schwebt, so ist es den Erlösern zuzuschreiben, die sich an ihm versucht haben. Ein Erlöser haßt die Menschheit, er akzeptiert sie nicht.

Eugène Ionesco

Ich hege die ziemlich feste Überzeugung — die ich erst aufgeben werde, wenn mich jemand des Irrtums überführt —, daß kein Kunstwerk (im weitesten Sinne) jemals irgend jemand in irgendeiner Weise bekehrt hat ... Was kann ein Theaterstück von drei Akten oder ein Roman von 500 Seiten ausrichten, verglichen mit einer ordentlich demagogischen Hetzrede.

James Saunders

Für mich ist das Theater keine moralische Anstalt im schillerschen Sinne. Ich will weder belehren noch verbessern noch den
Leuten die Langeweile vertreiben. Ich will Poesie in das Drama
bringen, eine Poesie, die das Nichts durchschritten hat und in
einem neuen Raum einen neuen Anfang findet. Samuel Beckett

Kinder sind imstande, ihren Vater um ein Spielzeug zu bitten, den Laden und
den Preis zu nennen und im gleichen Atemzug zu versichern, der Osterhase
werde es schon bringen. Sie wissen, daß es keinen Osterhasen gibt, aber sie
bauen ihm ein Legenest in den Garten oder unter die Couch, denn sie wollen
es nicht wissen: sie glauben trotzdem an ihn.

Kinder sind imstande, den Vorschlag zu machen: »Wir wär'n Cowboys
und ihr wärt Indianer.« Die zu Indianern ernannten Kinder werden den
interessanten Gedanken weiterspinnen: »Und wir täten lauern, und ihr kämt
von hinten.« Der Konjunktiv, den es in der Umgangssprache kaum mehr gibt
und dessen Hinscheiden der genießerische Leser von Thomas Mann und
Alexander Lernet-Holenia so lebhaft bejammert — in der Umgangssprache
der Kinder tritt er, wenn auch nicht immer richtig, in Massen auf. Das Spiel
im Konjunktiv — »Ihr wärt Indianer, und wir kämen von hinten« — ist die
Steigerung des Lebens in die Möglichkeitsform, und dieses gesteigerte Leben
wird von den Kindern in der Wirklichkeitsform genossen.

Die Kinder wissen, daß Philipp ihr Freund Philipp ist und nicht Winnetou,
aber sie wollen es nicht wissen: den Winnetou nehmen sie dem Philipp ohne
weiteres ab. Und sie wissen, daß der Vater der Osterhase ist, aber sie wollen
es nicht wissen: den Osterhasen nehmen sie ihm lieber ab. Leiden sie an
jugendlichem Spaltungs-Irresein? Keineswegs, sie spielen nur, und dieses
paradoxe seelische Doppelleben, dieses mühelose Vereinbaren von Es-besser-
Wissen und Trotzdem-dran-Glauben, ist die Spielregel Nummer eins.

Jeder Theaterbesucher beherzigt diese Regel wie ein gelerntes Kind: während jeder Sekunde der Vorstellung weiß er, daß der Schauspieler Philipp
keineswegs der Richter von Zalamea ist, aber er denkt nicht daran, das zu
glauben, was er weiß, sondern nimmt Herrn Philipp den Richter von Zalamea mühelos ab. Er läßt sich sogar in das Gefühlsleben des Richters ver-
stricken (während ihn das Gefühlsleben des Herrn Philipp kaum interessiert),
und erst hinterher sagt er: der Philipp war heute aber großartig. Denn vorher, während der Vorstellung, hatte er es nicht mit Herrn Philipp, sondern
mit dem Richter von Zalamea zu tun. Ein paradoxes seelisches Doppelleben
führt auch der Theaterbesucher: das gesteigerte Leben auf der Bühne, das
ihm als Möglichkeitsform stets bewußt ist, genießt er trotzdem in der Wirklichkeitsform.

Für dieses durchaus lustvolle Doppelleben benötigt der Erwachsene freilich Vermittler: die Schauspieler, die das für ihn tun, was die Kinder für sich selber tun. Er verehrt sie mit Recht mehr als die tüchtigsten Vertreter anderer Berufe: stellvertretend erschließen sie ihm das gesteigerte Dasein im Konjunktiv; sie gäben ihm, wenn es denn sein müßte, sogar den Osterhasen seiner Kindheit zurück. Unter einer Bedingung: sofern sie in einem Stück auftreten, das sich an die Spielregel Nummer eins hält.

In diesem Kapitel ist von den Theater-Autoren die Rede, die Spezialisten der Möglichkeitsform sind. Sie haben es nicht unbedingt mit dem Wahrengutenschönen, der Gesellschaftsanalyse, der Sozialkritik, der Katharsis und der moralischen Anstalt. Dafür allein, so meinen sie, ziehe sich kein Theaterbesucher ein weißes Hemd an. Natürlich können auch bei ihnen das Wahreguteschöne, die Gesellschaftsanalyse, die Sozialkritik, die Katharsis und sogar die moralische Anstalt vorkommen, doch sind sie dann nicht mehr als Elemente oder Nebenprodukte des Spiels, das in der Hauptsache um des Spiels willen betrieben wird.

Einen Verfechter dieser Art des Theaters wird man in der klassischen deutschen Literatur schwerlich finden: sie hatte vornehmlich erzieherische Absichten und hätte das Spiel um des Spiels willen für so leichtfertig gehalten wie ein Stadtverordneter oder ein Landtagsabgeordneter, der Subventionen für das Theater zu genehmigen hat und dies ohne Gewissensbisse nur dann tun zu dürfen meint, wenn er vom ›Bildungsauftrag‹ der Bühne überzeugt ist. Wohl aber hat die deutsche Romantik das Theater zum Spielplatz gemacht und sie tut es durch Ludwig Tiecks *Der gestiefelte Kater* (1797) gelegentlich noch heute.

Der vierundzwanzigjährige Ludwig Tieck erzählt in diesem ›Kindermärchen in drei Akten mit Zwischenspiel, einem Prologe und Epiloge‹ die Geschichte vom Kater Hinze, der seinem geliebten Herrn, dem Bauernburschen Gottliebchen, zu einer Prinzessin und zu einem Thron verhilft, und dies bliebe ein naives Märchen, spielte Tieck nicht außerdem mit diesem Spiel: er macht einige Zuschauer zum Teil des Stückes, indem er sie vor, während und nach dem Stück über das Stück disputieren läßt; die Schauspieler fallen aus ihren und reden über ihre Rollen; der Hofnarr, ehemals Hanswurst, wendet sich ebenso unverfroren ans Publikum wie der Dichter, der zu Beginn hoffnungsvoll erklärt: »Ich wollte einen Versuch machen, durch Laune, wenn sie mir gelungen ist, durch Heiterkeit, durch wirkliche Possen zu belustigen«, und am Ende, als die Dekorationen weggenommen werden und der Souffleur aus seinem Kasten steigt, dem Publikum (kurz bevor es faules Obst auf die Bühne wirft) demütig erläutert: »Sie hätten wieder zu Kindern werden müssen.« Tieck wußte, daß beim Spielen nur die Kinder sichere Verbündete sind.

Fast ein halbes Jahrhundert mußte Tieck warten, bis ›Der gestiefelte Kater‹ zum ersten Mal auf die Bühne kam; dies geschah elf Jahre vor seinem Tod, am 20. April 1844, in Berlin, im Königlichen Schauspielhaus. ›Der gestiefelte Kater‹ überspringt spielend die Grenzen zwischen Bühne und Zuschauerraum, Publikum und dem von Schauspielern dargestellten Publikum, zwischen der Rolle des Schauspielers und seiner privaten Existenz, die wiederum eine Rolle ist, zwischen der sichtbar gemachten Bühnentechnik und der Illusion einer Märchenwirklichkeit, zwischen dem Dichter, seinem Werk, seinen parodistischen Ausschweifungen und dem Zuschauer. All dies kehrt, ungemein gesteigert, technisch raffinierter und auch poetischer, bei Luigi Pirandello wieder (der in Bonn studiert und das Werk Tiecks gewiß gekannt hat), dem Erzvater und allzu geheimen Vorbild der modernen Bühnen-Spiele. Er hat sein Leben lang ein verwirrendes Spiel mit Erfindung und Wirklichkeit, mit Realität und Illusion, mit Wahrheit und Wahn, mit Schein und Sein getrieben, und das Theater auf dem Theater, die Maske hinter der Maske sind seine Mittel geworden, um das Sein in einer Fülle von Möglichkeitsformen, in einem Spiegelkabinett des Scheins, aufzulösen.

Fast alle in diesem Kapitel vereinten Autoren haben diese Methoden benutzt und das Theater als den Ort des Spiels wiederum zum Bestandteil eines höheren Spiels mit dem Leben gemacht. Während sich Jean Anouilh, der noch in seiner späten ›Grotte‹ Pirandello, dem Lehrmeister seiner Anfänge, ausdrücklich gehuldigt hat, in gewissen Grenzen hält, hat Jean Genet dieses Spiel mit dem Spiel ins barocke Extrem der Unendlichkeitsperspektive getrieben, ins Spiel mit dem Spielen des Spiels, das ein Spiel mit dem Spiel ist... und schickt nach seinem ›Balkon‹ die Zuschauer »nach Hause, wo alles noch unwirklicher sein wird als hier...«.

Eine Spezialabteilung bilden die Autoren, die – meist recht unwillig – das Etikett ›Theater des Absurden‹ tragen. Ihre Stunde hat, wie so vieles im Theater, mit der Parodie ihrer Vorgänger begonnen, und sie sind, wie so vieles im Theater, so weit gekommen, daß sie wie irgendwelche Vorgänger parodiert werden.

»Habt ihr's schon versucht, den Scherz als Ernst zu treiben«, hatte Ludwig Tieck gefragt, »Ernst als Spaß nur zu behandeln?« Alle Autoren dieses Kapitels haben es versucht, und viele haben es zu ihrer Spezialität gemacht. Jean Anouilhs Komödien sind, genauer betrachtet, tief traurig, und seine tragischen Geschichten schreibt er wie Komödien: auf dieser Anwendung eines dem Stoff unangemessenen, ja ihm strikt entgegengesetzten Stils beruhen sein Ernst und seine Heiterkeit, sein todeslustiger Charme. Tragische Possen haben so verschiedenartige Autoren wie Ionesco und Dürrenmatt geschrieben, und bei Samuel Beckett wird das Spiel zur einzigen Waffe, die

der Mensch gegen den Schmerz des Daseins besitzt – ist das Dasein überhaupt nur durch das Spiel zu ertragen.

Kinder und Theaterbesucher erleben im Spiel eine Möglichkeitsform des
Daseins als Wirklichkeit. Die Autoren dieses Kapitels machen durch ihre
Spiele die Wirklichkeit des Daseins zu einer unter vielen Möglichkeitsformen.
Sie haben nicht den Ehrgeiz der Naturalisten, den Alltag des Menschen auf
der Bühne fortzusetzen, noch den Ehrgeiz der Moralisten, eine Spiel-Welt zu
erfinden, die den Menschen zornig macht über seinesgleichen und über die
Welt und ihn nach Veränderung schreien läßt. Sie glauben nicht daran,
daß sie die Welt oder die Menschen verbessern können; sie zeigen gelassen, was an der Welt und den Menschen unverbesserlich ist. Und noch
das Unverbesserliche, samt Tragik und Tod, ist für sie nur ein Teil ihres
Spielzeugs.

Die Verwandlung seiner Trauer, seines Schmerzes, seiner Angst in ein
Spiel, in – den Puritanern aller weltlichen und geistlichen Richtungen sei die
Wahrheit gestanden – einen Genuß: dies ist eine der staunenswertesten
Erfindungen des Menschen. Sie verschafft ihm seit mindestens dreitausend
Jahren mehr Souveränität als ihm in den nächsten dreitausend Jahren die
Besiedlung des Mondes und die Eroberung der gesamten Galaxis je ver-
schaffen könnte.

Thornton Wilder: die Würde des Alltags

> Kein Schriftsteller, dessen Absichten nicht lehrhaft angehaucht
> wären. Das erst bringt die Maschine in Gang. Oder anders
> ausgedrückt: Vieles wird auf Gas gekocht, aber muß es des-
> halb denn auch nach Gas schmecken?
> Thornton Wilder in einem Interview, veröffentlicht
> in ›Writers at Work‹ von Malcolm Cowley, 1958

Kurt Hirschfeld, Direktor des Zürcher Schauspielhauses, erzählte 1960:
»Ich sitze am Broadway in einem Schauspieler-Restaurant mit dem Dichter
Thornton Wilder. Ein junges Mädchen streicht um uns herum und photo-
graphiert uns von allen Seiten. Wilder ist halt berühmt, auch in Amerika.
Wilder bestellt Photos, und sein Sprachnuancen nie überhörendes Ohr läßt
ihn deutsch sagen: ›Fräulein, sind Sie aus Frankfurt, aus Darmstadt oder
aus Heidelberg?‹ Wohlgemerkt, die Dame sprach englisch. Sie sagte: ›Aus
Dammstadt‹.«

Ein Amerikaner, der in New York eine amerikanisch sprechende Hessin
genau ins Rhein-Main-Neckar-Viereck einzuordnen versteht – das ist wohl

ein einmaliger Fall, und wüßte man nicht, wer dieser Amerikaner ist, so wüßte man doch, daß es eigentlich nur Thornton Wilder sein kann. Einem Dialekt, der Sprechweise Neu-Englands, die zur Ironie und zum trockenen Witz neigt, verdankt er sehr viel. Seine Landsleute haben ihn eine ›Ein-Mann-Universität‹ genannt. Er hat in zahlreichen Schulen und Universitäten und auf ausgedehnten Reisen unendlich viel gelernt und beherrscht die Kunst, sein profundes Wissen beiläufig mitzuteilen, als plaudere er über so simple Dinge wie Windelwaschen oder Rasenmähen. Er ist ein Intellektueller, der sich so einfach ausdrücken kann, als habe er nie ein College von innen gesehen.

Er wurde geboren am 17. April 1897 in Madison im Staate Wisconsin und kam als Achtjähriger nach China, wohin sein Vater, ein Zeitungsredakteur, als Generalkonsul berufen wurde; Thornton besuchte die Missionsschule. Nach fünf Jahren zogen die Wilders nach Kalifornien, der dreizehnjährige Thornton machte seine ersten literarischen Versuche. Am Oberlin College in Ohio begann er seine Studien, setzte sie in Yale — unterbrochen 1918/19 durch Dienst bei der Küstenartillerie — fort, studierte 1920/21 Archäologie an der Amerikanischen Akademie in Rom (worüber man in seinem autobiographisch gefärbten Roman ›Die Cabala‹, 1926, einiges lesen kann), wurde Lehrer und schließlich Dozent für Literatur an der Universität Chicago. 1928 wurde sein Roman ›Die Brücke von San Luis Rey‹ mit dem Pulitzer-Preis ausgezeichnet; er erhielt ihn noch zweimal, 1938 für ›Unsere kleine Stadt‹ und 1943 für ›Wir sind noch einmal davongekommen‹. 1936, nachdem er seine Drei-Minuten-Spiele, seine Einakter und die Romane ›Die Frau von Andros‹ (1930) und ›Dem Himmel bin ich auserkoren‹ (1935) veröffentlicht hatte, verließ er die Chicagoer Universität und wurde freier Schriftsteller. Er schrieb seine großen Stücke, dazwischen noch einen Roman ›Die Iden des März‹, 1948.

Thornton Wilder ist ein gläubiger Christ. Sein Vater war ein frommer Kongregationalist, seine Mutter die Tochter eines presbyterianischen Pastors, sein Bruder Amos N. ist Theologie-Professor in Harvard geworden. Die Behauptung Molières (oder Lope de Vegas), zum Drama sei nichts anderes nötig als zwei Fässer, ein Brett und Leidenschaften, erweiterte Wilder um die ihn kennzeichnende »Leidenschaft zu wissen, was uns das menschliche Leben bedeutet«. Es gibt kaum ein Werk von ihm, in dem er nicht die Frage nach dem Sinn des Lebens stellt. Die manchmal unausgesprochene, doch unüberhörbare Antwort ist christlich. Und es ist außerdem die Antwort eines Humanisten, eines Demokraten, eines Poeten und eines amerikanischen Pragmatikers, der sich wie sein Mr. Antrobus (den Wilder in Sommertheatern einige hundert Male gespielt hat) in ›Wir sind noch einmal davongekommen‹

zwischen den Katastrophen heimisch ein-
richtet, immer gefährdet, manchmal verzweifelt, doch im Endeffekt unverdrossen.

Wilder verteidigt den Sinn der alltäglichen Verrichtungen, der Ehe (die für ihn
nicht zuerst auf Liebe, sondern auf einem
gegebenen Versprechen beruht), der geistigen und technischen Anstrengungen, kurz:
er verteidigt das, was er in dem oben
zitierten Interview die ›Würde des Trivialen‹ genannt hat, die keineswegs ausge-
löscht wird durch die ungeheuren Zeit-
räume, in die der Archäologe Wilder seine
Gestalten gerne stellt: »Ich sehe in mir
also jemanden, der nichts unversucht läßt,
dem trivialen Alltag Würde abzugewinnen. Würde, jawohl, und zwar gerade angesichts der mit dem Absurden paktieren-

*Thornton Wilder, gezeichnet von
B. F. Dolbin für die Zeitschrift ›Die
Literarische Welt‹, 1931*

den, weil unmenschlich großen Zeitspannen. Ich will dem einzelnen sagen,
daß seine Gefühle nicht bloße Illusionen sind.«

In dieser Welt Wilders, in der alles seinen zumindest erahnbaren Sinn hat,
auch Schmerz, Katastrophen und Tod, kann Tragik nicht stattfinden. Er ist
ein Optimist, dem sogar Kain möglicherweise durch Psychoanalyse heilbar
erscheint, und ein durch Geist, Witz, Jux und Ironie getarnter, heimlicher
Sonntagsprediger, der die Literatur einmal ›die Orchestrierung von Gemein-
plätzen‹ genannt hat. Und unter den christlichen Dichtern der Gegenwart ist
er der größte Humorist; gerade unter den Bedrohungen des 20. Jahrhunderts
hält er Humor für unerläßlich, weil, wie er der ›New York Times‹ sagte,
»keine noch so ernste Vorstellung dem wahren Ernst unseres Zeitalters entsprechen kann«.

Seine Predigten, seine Fragen und Antworten, seine Hymnen auf das
Leben, so wie es ist, sind mit Hilfe der raffiniertesten dramaturgischen Tricks
derart zubereitet, daß sie Dramen zum Verwechseln ähnlich sehen, und sie
werden deshalb auch für Dramen gehalten. Extrem anders als die meisten
seiner amerikanischen Kollegen, ist Wilder von Anfang an ein Gegner der
Guckkastenbühne, des Naturalismus, der Psychologie, des Illusionstheaters
gewesen und ist es auch geblieben. Er war es schon, bevor er noch von 1928
bis 1931 mit seiner Schwester Isabel durch Europa reiste und das experimentelle Theater in Paris und in Berlin, das Theater der Pirandello, Meyerhold und der deutschen Expressionisten studierte, die er zu seinen unmittel-

baren Ahnherren zählt — aber auch die Volksstücke Nestroys, den er außerordentlich schätzt.

Er liebt die fast requisitenlose Bühne, die Pantomime, das Ansprechen des Publikums, das Aus-der-Rolle-Fallen der Schauspieler, den kommentierenden Spielleiter (den er in seiner ›Kleinen Stadt‹ oft gespielt hat), das epische Theater: alle Mittel, die es ihm erlauben, Sonderfälle des menschlichen Lebens auszuweiten in ein beispielhaftes, religiöses Welttheater, in ein Volkstheater, das dem scheinbar so banalen, so verzweifelten und elenden Leben des Menschen Sinn und Würde verleiht.

Calderon, Lope de Vega, Kierkegaard, Kafka, James Joyce, Nestroy, Gertrude Stein, die deutschen Expressionisten — nichts wäre überflüssiger, als dieser ›Ein-Mann-Universität‹ nachzuweisen, wo sie mit Erfolg gelernt hat. Er stellte 1957 gelassen fest: »Ich bin nicht einer der neuen Dramatiker, nach denen wir Ausschau halten. Ich wollte, ich wär's. Ich hoffe, ich habe mein Teil dabei geleistet, den Weg für sie vorzubereiten. Ich bin nicht ein Neuerer, sondern ein Wiederentdecker vergessener Güter und, so hoffe ich, ein Wegräumer hinderlichen Gerümpels. Und wenn ich das Werk meiner Zeitgenossen überblicke, glaube ich zu fühlen, daß ich nur in einem außergewöhnlich bin — ich mache (nicht wahr?) den Eindruck, dies ungeheuer genossen zu haben.«

Meinungen: »Für Wilder ist der amerikanische Traum eine Wirklichkeit, die zu erreichen ist; wenn O'Neill den Glauben daran verloren hat, so kennt er zum mindesten die Wirklichkeit des Verlorenen«: Alan Downer. — »Dies spezifisch Poetische entsteht bei ihm dadurch, daß das Ergehen des einzelnen auch dort, wo Pfeil und Schleudern treffen, eingeordnet bleibt in das Ergehen der im Strom der Zeit vorüberziehenden Menschheit«: Carl J. Burckhardt. — »Nur in einem Lande, in dem es Gegenden gibt, in denen noch vor wenigen Jahrzehnten die wilden Tiere hausten und heute Hochhäuser, Benzinstationen und Drugstores für die Anstrengungen der Menschen zeugen, einen Kontinent zu besiedeln, nur dort kann ein solches Gefühl entwickelt werden für die ameisenhafte Winzigkeit der Gattung Mensch im Raum und zugleich für ihre Größe«: Hans Sahl, der Übersetzer Wilders.

Einige Einakter: Der achtzehnjährige Wilder begann seine dramatischen Versuche 1915 mit ›Drei-Minuten-Spielen‹ für drei Personen, mit winzigen, pointierten Szenen, von denen er 1928 eine Auswahl unter dem Titel *Der Engel, der das Wasser bewegte* (The Angel that troubled the Waters) veröffentlichte. Sie sind fast alle religiös, aber, wie er im Vorwort schrieb, »religiös in der verwässerten Art, die eines Gläubigen Zugeständnis an die zu seiner Zeit herrschende Norm guter Manieren ist«. Er betrachtet sie als Beiträge zur ›Wiederbelebung der Religion‹, und dieses schwierige Werk, so meint er, »gemahnt uns wenigstens daran, daß Unser Herr Jesus von uns verlangte, in Seinem Dienst nicht nur sanft wie die Tauben, sondern auch klug wie die Schlangen zu sein«.

Drei Jahre später, 1931, gab er eine Sammlung von vier Einaktern heraus, ›The long Christmas Dinner‹, darin der Titel-Einakter ›Das lange Weihnachtsmahl‹, ›Glückliche Reise‹ (›The Happy Journey‹), *Liebe — und wie man sie heilt* (Love and how to cure it), *Schlafwagen Pegasus* (Pullman Car Hiawatha). *Das lange Weihnachtsmahl* durchmißt neunzig Jahre, von 1840 bis 1930, an Hand eines einzigen Weihnachtsmahles: die Personen werden geboren, indem sie durch die Geburtspforte eintreten, und sterben, indem sie durch die Todespforte abtreten; sie altern pantomimisch und durch weiße Perücken; vier Generationen ziehen in einer Stunde vorüber. Der spaßige Einakter *Glückliche Reise* (The Happy Journey) stellt einen Ausflug der Familie Kirby dar: das ›Automobil‹, eines der ersten, besteht aus vier Stühlen und einem Podium, die ›Reise‹ wird allein durch Gespräche, Gesang und die Kommentare des Spielleiters miterlebbar gemacht. — Der Einakter *Königinnen von Frankreich* (Queens of France, uraufgeführt 1931 in New York) ist die Geschichte eines Rechtsanwaltes in New Orleans, der auf eine nahezu charmante Art wohlhabende Frauen ausplündert: unter dem Vorwand, es bedürfe nur noch weniger Dokumente, um nachzuweisen, daß sie die rechtmäßigen Königinnen von Frankreich seien, zieht er ihnen das Geld aus der Tasche. Die erste Frau ist im Anfangsstadium des Betrugs und glaubt noch nicht recht an ihre königliche Würde; die zweite, auf dem Höhepunkt, bezahlt voll aufgedonnerter Würde gern und alles; die dritte, im Absinken, nimmt zweifelnd Abschied von ihrer königlichen Scheinexistenz, bleibt aber dankbar für die Zeit mit diesem Traum. Die Pointe: wie aus einem schamlosen Betrug doch Lebenshilfe und Glück wachsen können.

Nach seiner ›Alkestiade‹ (1955) schrieb Wilder zwei Zyklen zu je sieben Einaktern: ›Die sieben Todsünden‹ und ›Die sieben Zeitalter des Menschen‹. Der Einakter über die Wollust ›Einer aus Assisi‹ (Some from Assisi) aus dem ersten und die Einakter ›In den Windeln‹ und ›Kindheit‹ aus dem zweiten Zyklus wurden unter dem Titel ›Plays for Bleecker Street‹ in José Quinteros Circle-in-the-Square-Theater in der New Yorker Bleecker Street im Januar 1962 uraufgeführt. *In den Windeln* (Infancy): die Babys Tommy und Moe, geplärrt und gespielt von zwei Erwachsenen in einem Kinderwagen, beklagen sich über die alberne Art, in der die Erwachsenen mit ihnen umgehen, und die Erwachsenen, die Mutter, ein Polizist, ein Kindermädchen, benehmen sich tatsächlich genauso kindisch, wie sich diese Babys erwachsen benehmen. In *Kindheit* (Childhood) durchdringen sich, nachdem die Kinder den Tod der Eltern gespielt haben, in einem symbolischen Traum die Welten der Erwachsenen und der drei acht- bis zwölfjährigen Kinder: die Eltern nehmen sie auf eine kindlich gefährliche Busreise mit, die zum Symbol der Obhut wird, zu einem scheuen Preisgesang auf den väterlichen Chauffeur der Lebensreise, auf die schlichte Bewältigung des scheinbar banalen Alltags.

Unsere kleine Stadt (Our Town). ›Schauspiel in drei Akten‹. Uraufführung 22. Januar 1938, Princeton, New Jersey. Erstaufführung in New York: 4. Februar 1938, Henry Miller Theatre. Deutschsprachige Erstaufführung 9. März 1939, Schauspielhaus Zürich. Deutsche Erstaufführung August 1945 durch das »Schauspieler-Kollektiv des ehemaligen Hilpert-Ensembles« im Deutschen Theater, Berlin; Regie: Bruno Hübner; nach zwei Aufführungen durch die russische Kommandantur verboten. Erste Aufführung in Westdeutschland 4. Dezember 1945, Kammerspiele München. — »Unsere Forderungen, unsere Hoffnungen, unsere Verzweiflungen bestehen im Gemüt — nicht in den Dingen, nicht in der ›Szenerie‹« — so kommentierte Thornton Wilder dieses Stück. Der Spielleiter erläutert Ort und Zeit, führt die Personen ein, kommentiert und lenkt die Szenen, in denen die zwar kostümierten, doch requisitenlosen Schauspieler ihre Verrichtungen pantomimisch darstellen. Dieses Verfahren ist keine Marotte, sondern hebt die Personen des Stückes aus ihrer zeitlich und örtlich genau festgelegten Existenz ins Allgemeine. Der Spielleiter gibt den Ort — Grover's Corners in New Hampshire — nach Länge- und Breitengrad bis auf die Minute genau an und nennt auch die Daten für die drei Akte präzise — 1901, 1904, 1913 —, und gerade aus dieser Festlegung gewinnt er den extrem entgegengesetzten Blickpunkt der Ewigkeit, unter dem sich die alltäglichen Ereignisse in dieser kleinen Stadt zu den großen Ereignissen im Leben jedes Menschen an jedem Ort dieser Erde verwandeln. ›Das tägliche Leben‹ der Familien des Arztes Dr. Gibbs und des benachbarten Verlegers Webb im ersten Akt. ›Liebe und Heirat‹ der Nachbarskinder, der Emily Webb und George Gibbs, drei Jahre später, im zweiten Akt. Neun Jahre später, im dritten Akt, der Tod: Emily wird beerdigt, sie ist bei der Geburt ihres zweiten Kindes gestorben; der Toten, die an ihrem George hängt, wird gestattet, noch einmal einen Tag zu erleben, und sie kehrt an ihrem zwölften Geburtstag auf die Erde zurück. Die tote Emily spricht einen Hymnus auf das Leben, das sie nun doch nicht mehr will, denn auch den Tod bezieht der Christ Wilder in seine Verklärung des menschlichen Lebens ein. »Das Stück will ein Versuch sein«, schrieb er, »einen unbezahlbaren Wert in den kleinsten Ereignissen unseres täglichen Lebens zu finden«, und dieser Wert wird durch den Tod nicht vermindert. »Etwas gibt es da tief im Innern eines jeden Menschen«, sagt der Spielleiter, »das unsterblich ist.« Nichts anderes, als diesen einen schlichten Satz zur ›im Gemüt‹ spürbaren Gewißheit zu machen, ist die Absicht dieses poetischen Spiels — »Du mußt das Leben lieben, um wirklich zu leben, und du mußt wirklich lieben, um das Leben zu lieben.«

Die Heiratsvermittlerin (The Matchmaker). ›Farce in vier Akten‹. Uraufführung der ersten Fassung unter dem Titel ›The Merchant of Yonkers‹, inszeniert von Max Reinhardt, 28. Dezember 1938, Guild Theatre, New York. Uraufführung der kaum veränderten Fassung ›The Matchmaker‹ 23. August 1954, bei den Edinburgher Festspielen. Deutsche Erstaufführung 30. Juni 1955, Berlin, Theater am Kurfürstendamm. – Von Johann Nestroys Posse mit Gesang ›Einen Jux will er sich machen‹ (1842) hat Wilder das Personal, den größten Teil der Intrige und einige witzige Sätze übernommen; Dolly Levin, die Heiratsvermittlerin, und das von Nestroy völlig verschiedene Thema sind originaler Wilder, der dazu meinte: »Nestroys wundervolle und bitter lachende Stücke ... ›handeln von‹ dem Unheil, das Menschen in ihrem eigenen und im Leben anderer durch ihre verschrobenen Illusionen anrichten. Mein Stück ›handelt von‹ dem Streben der Jungen (und nicht nur der Jungen) nach einem größeren, freieren Teilhaben am Leben.« Wie Weinberl und Christopherl bei Nestroy auf Abenteuer ausgehen, so bei Wilder 1880 im Staate New York der Handlungsgehilfe Cornelius Hackl und sein Leidensgefährte Barnaby Tucker. Am Ende sind vier Paare durch ein Spiel zusammengewürfelt worden, das alle Mittel der Posse parodistisch benutzt: Lauscher und erkannte Lauscher, Verwechslungen, zufälliges Zusammentreffen und zufällige Trennung durch eine spanische Wand, Vertauschung der Kleider und der Namen, Anrede des Publikums und Verständigung mit dem Zuschauerraum — die optimistischen ›Ansprachen‹ der Hauptpersonen an das Publikum haben die Stelle der skeptischen Couplets in Nestroys Posse eingenommen. Die Personen des Stücks haben durch ihre possenhaften Wege alle etwas gelernt, was jenseits der Posse liegt: daß der Ausbruch aus der eigenen Einsamkeit gewagt werden muß; daß der Mut zum Risiko dazugehört; daß es kein größeres Abenteuer gibt als das Vertrauen in die Menschen, mit denen man zusammen lebt, und in die Welt, die »so voll von wunderbaren Dingen« ist. Die Kritik der ›Heiratsvermittlerin‹ an dem Leben, das sie korrigiert, richtet sich nicht gegen eine bestimmte Gesellschaftsschicht, sondern gegen eine Lebenshaltung: gegen die trügerische Sicherheit, die das Geld und die Schmoll-Ecke am Rande der Gesellschaft verleihen: »Die Fehler, die wir begehen, indem wir uns verschwenden, fügen uns weniger Schaden zu als jene Jahre, die wir scheu und zurückgezogen verbringen.« Sie erobert sich den zähen Kaufmann Vandergelder. Ihr Happy-End schließt die nüchterne Bereitschaft ein, auch künftiges Unglück zu riskieren und zu ertragen. (Daraus das Musical ›Hello Dolly!‹ von Jerry Herman, 1964.)

Wir sind noch einmal davongekommen (The Skin of our Teeth). ›Schauspiel in drei Akten‹. Uraufführung 15. Oktober 1942, Shubert Theatre in New Haven, Connecticut. Erstaufführung in New York, 18. November 1942, Plymouth Theatre. Deutschsprachige Erstaufführung 16. März 1944, Schauspielhaus Zürich, durch Oskar Wälterlin. Deutsche Erstaufführung 31. März 1946, Landestheater Darmstadt, durch Karlheinz Stroux. – Der erste Akt spielt vor einer Eiszeit, der zweite vor einer Sintflut, der dritte nach einem Weltkrieg. Gleichwohl sind die Menschen auch in den beiden ersten Akten angezogen wie Amerikaner unseres Jahrhunderts und wohnen in einem gemütlichen Heim in Excelsior, New Jersey, wenn sie sich auch einen Dinosaurier und ein Mammut als Haustiere halten. Zur Familie Mensch gehören: Mr. Antrobus, der ewige Adam, der sich ›aus dem Nichts emporgearbeitet‹ hat, der Erfinder des Rades, des Alphabetes, des Dezimalsystems und auch des Bierbrauens – eine Mischung aus mythischem Urvater, parodiertem Daddy, erfinderischem Techniker und philosophischem Kopf; seine Frau, Mrs. Antrobus, die ewige Eva, Erfinderin der Schürze, des Hohlsaums, Hüterin des Feuers und der Familie – eine Mischung von mythischer Urmutter, mütterlicher Mammy und parodierter Frauenvereins-Amerikanerin; Sohn Henry, der seinen Bruder mit einem Stein erschlagen hat, eigentlich Kain heißt und sein Haar über das Kainsmal auf der Stirn kämmt; Tochter Gladys, die nicht recht weiß, ob sie dem Vorbild ihrer Mutter folgen soll oder der Lily Sabina, die zugleich Dienstmädchen und Schönheitskönigin ist und auf eine vertrackte Art auch zur Familie gehört: in ihr steckt die mythische Lilith, die Verführerin, Adams Geliebte.

Im ersten Akt rückt das Eis näher, Mr. Antrobus telegraphiert: »Verbrenne alles außer Shakespeare!«, Flüchtlinge kommen ins Haus, darunter Homer, der Dichter, und Moses, der Richter. Henry-Kain hat wieder jemand umgebracht, und sein verzweifelter Vater möchte eigentlich, weil es ›keine Vernunft‹ gibt, das Feuer austrampeln, aber als Tochter Gladys ein Gedicht aufsagt, wird er doch wieder zum Leben verführt und läßt angesichts des Eistodes seinen Sohn das Einmaleins und seine Tochter den Anfang der Bibel lernen – die Menschheit, falls sie davonkommt, wird beides noch gebrauchen können.

Im zweiten Akt feiern in Atlantic City Herr und Frau Antrobus ihren 5000. Hochzeitstag, Antrobus ist zum Präsidenten des Ordens der Säugetiere gewählt worden und gibt über den Rundfunk die Losung aus: »Amü-

›Wir sind noch einmal davongekommen‹ von Thornton Wilder. *Bühnenbild-Entwurf (2. Akt) von Max Fritzsche für die deutsche Erstaufführung am Landestheater Darmstadt, 1946; Regie: Karlheinz Stroux*

siert euch!« Er geht beispielhaft voran, hat Sabina zur Schönheitskönigin gewählt, verschwindet mit ihr in der Badekabine und will sich anschließend scheiden lassen. Derweilen zieht die Sintflut herauf, Frau Antrobus kauft Regenmäntel, verkündet »Rettet die Familie!« und bringt die Familie in die Arche, samt Sohn Henry, der wieder jemand getötet hat, und samt Sabina, obwohl sie gerade versucht, die Familie zu sprengen.

Im dritten Akt kriechen sie nach dem Ende des Krieges aus den Kellern; Tochter Gladys hat von irgend jemand ein Kind bekommen; Henry kehrt als General, als ›der Feind‹, zurück; auch er ist wieder einmal davongekommen, und dies nimmt seinem Vater den Mut, noch einmal von vorn anzufangen. Doch auch Kain gehört zur Welt, und überdies besteht eine winzige Hoffnung, daß er besserungsfähig sei (und dies ist eine betrübliche Schwäche des Stücks: Kain, das Urböse, schließlich zu einem heilbaren, psychoanalytischen Fall zu machen, durfte sich der Autor nicht gestatten, der den Mut hatte, Kain jede Katastrophe überleben zu lassen und als einen unausrottbaren Teil der Menschenwelt zu akzeptieren). Vor allem aber sind es die Bücher, die überlieferten, ermutigenden Ideen, die Adam-Antrobus zum Weitermachen bringen, Aristoteles und Platon, Spinoza und die Bibel. Und so endet das Stück mit seinem Anfang: Familie Mensch lebt neuen Katastrophen und neuen Rettungen entgegen. »Sie haben viele neue Pläne im Kopf«, sagt Sabina, »und sind zuversichtlich wie am ersten Tag, als sie begannen.«

Wilder schrieb dieses Stück, kurz bevor Hitler den Vereinigten Staaten den Krieg erklärte. Höchst effektvoll mischt er die Zeiten der Menschheitsgeschichte und die Techniken der Bühne, des Films, des Rundfunks. Neu ist nur die Mischung; uralt sind ihre Elemente: aus dem Barock kommt der Gedanke, daß der Mensch eine ihm zugeteilte Rolle spielen muß, ob sie ihm nun paßt, oder ob er sie (wie Sabina) nicht ausstehen kann; aus dem chinesischen Theater kommt die epische Form mit ihrer Symbolik und den Reden ans Publikum; aus der deutschen Romantik stammt die Ironie, die Aufhebung der Bühnenillusion durch die private Existenz des Schauspielers; der Konversationston und die amerikanische Selbstpersiflage sind am Broadway heimisch; Wilder stellte ferner fest, daß dies Stück »tief in der Schuld von James Joyces ›Finnegans Wake‹« stehe, und meinte: »Die Literatur hat immer einem Fackelträger-Stafettenlauf mehr geglichen als einem wütenden Erbstreit.« Seine Mischung ist nicht spielerischer Selbstzweck, sondern steht im Dienst einer Grundidee, die sich nur so darstellen läßt. Der Anachronismus drückt Wilders Überzeugung aus, daß sich der Mensch von der Eiszeit bis zur Gegenwart im Grunde immer gleichgeblieben ist und sich in den wechselnden Katastrophen immer wieder auf die gleiche Weise gerettet hat und retten wird: durch Feuermachen und die Überlieferung seiner Ideen, durch die der Verzweiflung abgerungene Barmherzigkeit und Zuversicht. Zwischen Schöpfung und gerade noch einmal verschobenem Weltuntergang wurschtelt Familie Mensch immer weiter, samt dem mörderischen Kain und der beunruhigenden Lilith. Wilder akzeptiert die Welt, so wie sie ist, mit ihren Katastrophen und mit der Tatsache, daß es immer Mörder gibt und daß auch die Mörder von ihren Müttern geliebt und gerettet werden. Diese Menschheitsrevue eines protestantischen Broadway-Calderon hatte ihre größte Stunde in Deutschland, unmittelbar nach dem zweiten Weltkrieg: da traf fast jeder Satz, angefangen bei Äußerlichkeiten wie der neuesten Erfindung des Mr. Antrobus, der Grassuppe, auf die man keinen Durchfall bekommt, bis zur erschreckenden Einsicht des Mr. Antrobus angesichts seines mörderischen Sohnes: »Der Krieg ist ein Vergnügen, verglichen mit dem, was uns jetzt bevorsteht: den Frieden zu sichern, mit dir in der Mitte.« Das Stück hat einiges von der ehemaligen Gewalt verloren, die es im Krisenjahr 1946 gehabt hat, doch ist es so lange eine Aufführung wert, als der Weltuntergang gerade noch einmal verschoben wird.

Carl Zuckmayer: Liebe zum Leben

Nichts konnte Zuckmayer die Überzeugung nehmen: »Es gibt die lie-
bende Begegnung auf dieser Welt.
Es gibt die Freude. Es gibt die
Freundschaft. Es gibt das Vertrauen.«
Er wurde geboren am 27. Dezember 1896 in Nackenheim am Rhein,
in einem Haus in den Weinbergen; der
Vater besaß eine kleine Fabrik für
Flaschenkapseln. Gymnasium in Mainz,
1914—1918 Kriegsdienst an der West-
front, Studium in Frankfurt und Heidelberg. Erste Premiere am 10. Dezember 1920 im Berliner Staatstheater, dem
Haus Leopold Jessners: *Kreuzweg*, ein
expressionistisches Erlöserdrama im Stil

Carl Zuckmayer,
gezeichnet von B. F. Dolbin.
Aus ›Die literarische Welt‹, 1927

der Zeit, die dieses Stils gerade überdrüssig war; inszeniert von Ludwig Berger.
Der Kritiker Alfred Kerr notierte: »Wann wird der Retter kommen aus diesem
Chaos?« Er kam fünf Jahre später mit dem ›Fröhlichen Weinberg‹: Zuckmayer
hatte sich — nach Volontär- und Dramaturgenzeit an verschiedenen Theatern —
mit einem Volksstück selbst gerettet und wurde zum meistgespielten deutschen
Dramatiker. Die Nationalsozialisten verboten im Frühjahr 1933 die Aufführung seiner Werke, zwangen ihn 1937 zur Emigration aus Österreich und bür-
gerten ihn 1939 aus. Ab 1939 in Amerika; Pächter der einsamen Backwoods-
Farm in Barnard, Vermont, bis 1946. Dann Rückkehr nach Deutschland als
Zivilangestellter der amerikanischen Regierung, für die er Gutachten über
das kulturelle Leben in Deutschland und Möglichkeiten der Hilfe ausarbeitete;
in der Reisetasche ›Des Teufels General‹, das erfolgreichste Stück der Nachkriegszeit. Verheiratet seit 1925 mit Alice von Herdan (die über ihre Ame-
rika-Zeit das bezaubernde Buch ›Die Farm in den grünen Bergen‹ geschrieben
hat); eine Tochter, aus Verehrung für Karl May ›Winnetou‹ genannt. Seit
1958 Wohnsitz in Saas-Fee in der Schweiz. Romane, Erzählungen, Film-
drehbücher, u. a. ›Der blaue Engel‹ nach Heinrich Manns Roman ›Professor
Unrat‹, 1929, mit Emil Jannings und Marlene Dietrich, deren Fürsprache bei
Präsident Roosevelt ihm 1939 auf Cuba die Wartezeit auf die Einreisegenehmigung in die Vereinigten Staaten wesentlich verkürzte.
  Seinen Rechenschaftsbericht ›Die langen Wege‹ (1952) beendete er mit:
»Aber ich liebe das Leben, das menschliche Leben, nicht in einer illusorischen

Vorstellung von seiner Glücksbestimmung, nicht als einen regulierbaren Vorgang zur Erreichung möglicher Zufriedenheit, sondern das bedrohte, umstellte, unendlich tragische und unendlich freudvolle Leben der Geschöpfe, die ein Schöpfer erweckt, erschaffen und beseelt hat. Ich liebe es in Furcht und Ehrfurcht, Vertrauen und Dankbarkeit.« Diese Sätze enthalten das Geheimnis seiner Wirkung: seine Liebe zum Leben und zum Schöpfer ist so ungebrochen und groß, daß sie seine Zuschauer ergreift — und sei es auch nur für die Dauer der Aufführung. Er schenkt seinem Publikum das Gefühl, in einer sinnvollen, harmonischen Welt zu leben — und sei es durch eine todtraurige Geschichte. Manchmal ist er unverblümt sentimental, und wem es an Courage fehlt, einzugestehen, daß Sentimentalität schön sein kann, der mag ihn dafür schelten.

Probleme durch Gedanken aufzufächern, liegt ihm nicht, und auch das vorsätzliche Dichten mit Hilfe von feierlicher Sprache und Symbolen gehört nicht zu seinen Stärken. Er hat das Volksstück um Poesie und Tragik bereichert, und die Fülle des Lebens formuliert er in Rollen, die von den Schauspielern geliebt werden, weil sie das Publikum in die Schauspieler verliebt machen. Er hat ein phänomenales Ohr für Zwischentöne der Umgangssprache und vieler Dialekte, und wenn er sich des heimischen Hessischen bedient, dann weiß sich der Hesse vor Begeisterung nicht zu fassen. Er ist ein herrlicher Geschichtenerzähler, schwelgt in saftigen und in zärtlichen Einzelheiten und kann sich kaum enthalten, das, was er als Dramatiker längst schon durch Handlung klargemacht hat, nachgenießend als Erzähler im Dialog immer wieder zu kommentieren, doch steht ihm das Recht der Klassiker zu, für jede neue Aufführung neu gestrichen zu werden. Und als Klassiker steht er dort, wo in der deutschen Literatur nicht viel steht: bei der Heiterkeit. Das einzige, was ihm im Lande der subventionierten Bühnen fehlt, sind Theaterdirektoren mit ernsthaften Kassensorgen.

Der fröhliche Weinberg (Uraufführung 22. Dezember 1925, Berlin, Theater am Schiffbauerdamm; 23. Dezember 1925, Frankfurt am Main, durch Heinz Hilpert). Weinlese 1921 in Rheinhessen. Der Weingutsbesitzer Jean Baptiste (= ›Schambes‹) Gunderloch möchte seine uneheliche Tochter Klärchen mit dem Assessor Knuzius, einem Fatzke und ehemaligen Corps-Studenten, verheiraten, will aber, da seine verstorbene Frau unfruchtbar gewesen, zuvor untrüglich sicher sein, daß dieser Ehe Kinder entspringen. Tochter Klärchen, um ihre Ruhe zu haben, versichert wahrheitswidrig, sie erwarte von Knuzius ein Kind, während sie doch den Rheinschiffer Jochen Most zum Mann haben möchte. Beim Winzerfest, bei Most, Liedern, einer Prügelei und in einer Ligusterlaube klären sich die Paare: Klärchen kriegt Jochen; Papa Gunderloch die Annemarie, Jochens Schwester; der Weinreisende Isidorche Hahnesand heiratet die Kölner Weinhändlerstochter Stenz, und Babettchen, die Freundin Klärchens, holt sich den berauschten Knuzius vom Misthaufen. — Wie das Knurren einer hungrigen Bestie sei bei der Berliner Premiere der Beifall losgebrochen, hat Zuckmayer erzählt, und sogar der Kritiker Alfred Kerr, der an dem Stück vielerlei auszusetzen hatte, schrieb doch: »Vier Paare. Sic transit gloria expressionismi« und erklärte den triumphalen Erfolg beim Publikum im Jahre 1925, indem er den ›Spaß‹ verteidigte: »Weil er das Theater heute vielleicht vor dem hemmungslosen Literatenmist rettet: vor der anspruchsvollen Unmacht, vor dem sabbernden Chaos . . .«

Schinderhannes (13. Oktober 1927, Lessing-Theater, Berlin). Die knallbunte, eigentlich traurige und dennoch fröhliche Moritat vom ›Schinderhannes‹, dem Räuberhauptmann Johannes Bückler, der in der ›Franzosenzeit‹, als die napoleonischen Soldaten das linke Rheinufer besetzt hatten, zwischen Mainz und Koblenz die Reichen bestiehlt und den armen Bauern im Hunsrück hilft, bis er verraten, gefangen und mit neunzehn Bandenmitgliedern vorm Holzturm in Mainz geköpft wird (1803); sein Julchen, die ein Kind von ihm

›Die Moritat vom Schinderhannes‹,
Federzeichnung von Carl Zuckmayer

bekommen hat, kann in ihrer Trauer den geheimen Stolz nicht unterdrücken, daß so viele Menschen zur Hinrichtung gekommen sind: »Fünfzehntausend Leut!«

Katharina Knie (Uraufführung 21. Dezember 1928, Lessing-Theater, Berlin. Zum ›Musical‹ verarbeitet — Gesangstexte: Robert Gilbert. Musik: Mischa Spoliansky — Uraufführung 19. Januar 1957, Gärtnerplatz-Theater, München). Ein rührendes, doch nicht rührseliges ›Seiltänzerstück‹ um den (historischen) Zirkus Knie, der im Inflationsjahr 1923 an Geld- und Hungersnot zugrunde gehen müßte, wären die junge Katharina Knie nicht und der gutmütige Landwirt Rothacker, der sich in sie verliebt, sie auf seinen Hof nimmt und heiraten möchte — doch als Vater Knie stirbt, übernimmt Katharina den Zirkus und zahlt seine Schulden mit ihrem goldenen Verlobungsring. Der Zirkus geht weiter — Katharina verspricht: »Solang mir lebe!«

Der ›Hauptmann von Köpenick‹, gezeichnet von Fritz Koch für die ›Berliner Illustrirte Zeitung‹ vom 28. Oktober 1906. ›Wer die Uniform trägt, der siegt, nicht weil er besser oder klüger oder weitsichtiger wäre als die andern, sondern weil er uniformiert ist‹, kommentierte das ›Berliner Tageblatt‹ am 17. Oktober 1906 den Streich des Schusters Wilhelm Voigt, der am Tag zuvor in einer schlecht sitzenden Hauptmannsuniform ein Dutzend Gardesoldaten nach Köpenick kommandiert, dort den Bürgermeister verhaftet und die Stadtkasse an sich genommen hatte, und die ›Neue Preußische Zeitung‹ schäumte am 18.: ›Der Gaunerstreich wird bereits zu einer politischen Sensation aufgebauscht. Namentlich soll er gegen den Militarismus ausgenutzt werden.‹

Der Hauptmann von Köpenick (Uraufführung 5. März 1931, Deutsches Theater, Berlin, durch Heinz Hilpert). Die (historische) Geschichte vom mehrfach vorbestraften Schuster Wilhelm Voigt, der am 16. Oktober 1906 in Hauptmannsuniform zwölf Soldaten des IV. Garderegiments nach Köpenick kommandiert, dort den Bürgermeister mit allem militärischen Zeremoniell verhaftet, die Stadtkasse an sich genommen und damit den preußischen Uniform-Gehorsam vor aller Welt lächerlich gemacht hatte. In Zuckmayers ›deutschem Märchen‹, seinem Meisterstück, ist dieser Schuster eine herumgestoßene, arme Kreatur: er braucht zuerst eine Aufenthaltserlaubnis, damit er in Deutschland arbeiten darf, und er braucht zuerst Arbeit, damit er eine Aufenthaltserlaubnis erhält – ein unlösbares Dilemma, verhängt von einer unpersönlichen Bürokratie. Auch ein Auslandspaß wird ihm verweigert. So kauft er eine Hauptmannsuniform beim Trödler; die nötigen militärischen Kenntnisse hat er im Zuchthaus erworben, wo es zugeht wie beim Militär. Er setzt sich nach Köpenick in Marsch, nicht um die Stadtkasse zu beschlagnahmen, sondern um sich einen Paß zu verschaffen. Eine Paßstelle aber gibt es dort nicht. Unvergänglich bleibt jedoch sein Ruhm, daß er durch seine Maskerade die Uniform als einen Fetisch demaskiert hat; dummstolz stellte der Kaiser fest: »Kein Volk der Erde macht uns das nach.« Zuckmayer möchte schließlich fast jeden mit jedem versöhnen. »Ich glaube nicht an Haß als produktive Kraft«, kommentierte er, und »worauf es hier ankommt, ist nicht die Verulkung oder Verspottung, sondern die Spiegelung des deutschen Charakters, dessen helle und lautere Anlagen ebenso wie seine Trübheiten und Abgründe in den Gestalten dieses Stückes gemeint sind«.

Des Teufels General (Uraufführung 14. Dezember 1946, Schauspielhaus Zürich, durch Heinz Hilpert. Deutsche Erstaufführung 8. November 1947, Deutsches Schauspielhaus, Hamburg). General Harras ist Gegner des nationalsozialistischen Regimes und dient ihm dennoch, weil er leidenschaftlich gerne fliegt. Er entdeckt, daß sein Freund und Untergebener, der Chefingenieur Oderbruch, Sabotage treibt in der Überzeugung, daß das Ende der Hitler-Diktatur nur durch die Niederlage der Deutschen zu erreichen ist. Seinem Charakter gemäß kann sich Harras weder dem Saboteur anschließen, noch weiterleben: »Wer auf Erden des Teufels General wurde und ihm die Bahn gebombt hat – der muß ihm auch Quartier in der Hölle machen« – er begeht Selbstmord, indem er mit einer der durch die Sabotage tödlichen Maschinen fliegt, und erhält ein ›Staatsbegräbnis‹.

Das 1942 in Amerika mit einer unerhörten Treffsicherheit im Jargon geschriebene Stück erregte 1947 Diskussionen von einer später nicht mehr vorstellbaren Heftigkeit: angegriffen wurde der verführerische Glanz, der von Harras und den Luftwaffen-Offizieren ausgehe, ebenso wie die Sinnlosigkeit der Sabotage Oderbruchs, die Menschenleben kostete, ohne den Kriegsausgang entscheidend zu beeinflussen. Unbestreitbar blieb: Zuckmayer hatte von der Bühne her die erste öffentliche und freie Diskussion über die jüngste Vergangenheit Deutschlands, über moralische Fragen des aktiven Widerstands und der passiven Duldung, zustande gebracht und vor allem in den jüngeren Deutschen das Bewußtsein erst geweckt, daß sie nun tatsächlich offen diskutieren durften – von Freiheit der Rede war damals in den Zeitungen zwar viel die Rede, doch wurde sie nicht geglaubt.

Zuckmayer schrieb in der Zeitschrift ›Die Wandlung‹ (1948, Heft 4), er habe sich mit Oderbruchs Handlungsweise nie abfinden können, »obwohl sie mir zwangsläufig erschien. Ebensowenig mit der des Generals Harras, der gegen die Nazis war und ihnen diente, bis er an seinem eigenen Zwiespalt zugrunde ging... Wenn man ein Drama schreibt, das Lebensdeutung versucht, so sind seine Gestalten keine Prinzipienträger, sondern Menschen, die leiden und handeln, ihren Weg suchen oder ihn verfehlen.«

Der Gesang im Feuerofen (Uraufführung 3. November 1950, Deutsches Theater Göttingen, durch Heinz Hilpert). Frankreich unter deutscher Besatzung, 1943. Während eine französische Widerstandsgruppe an Weihnachten auf einem Schloß ein Fest feiert, wird das Schloß von deutscher Feldpolizei umstellt und in Brand gesteckt: die Franzosen, wie die Männer im Feuerofen das Tedeum singend, verbrennen. Diesen Vorgang (der sich tatsächlich ereignet hat) will Zuckmayer ins Gleichnishafte steigern, jenseits der Nationalitäten: deutsche und französische Soldaten werden von denselben Schauspielern

›Katharina Knie‹ von Carl Zuckmayer.
Federskizze von Hein Heckroth für die Aufführung in Essen, 1931

dargestellt; zwei Engel klagen den Frevel an und mahnen zur Versöhnung; ›Vater Wind‹, ›Mutter Frost‹, ›Bruder Nebel‹ symbolisieren kosmische Kräfte. Ein französischer Kaplan spricht Zuckmayers Botschaft: »Wir haben die Wahl zu treffen, hier und heute – ob wir das Leben erniedrigen wollen zu einer blinden Funktion – oder ob wir es lieben können, als Gottes Geschenk, in jedem seiner Geschöpfe, noch im Feind, noch in Tod und Verwüstung!« Das realistische Drama ist der religiösen Verkündigung, die Handlung der Symbolik, das Theaterstück der rühmenswerten Absicht untergeordnet.

Das Leben des Horace A. W. Tabor (Uraufführung 18. November 1964, Schauspielhaus Zürich, durch Werner Düggelin). 1879, Colorado. Der (historische) Postmeister und Kneipenwirt Tabor kauft zwei ausgehungerten Hessen für eine Gallone Whisky zwei Drittel Anteile ihres Claims ab, wird reich, kujoniert seine Arbeiter in der Silbermine, wird Gouverneur von Colorado, betrügt seine hausmütterliche Frau ›Lady‹ mit ›Baby‹ Doe, wird von ihrem Zuhälter erpreßt, läßt sich scheiden, heiratet Baby Doe, verliert an der Börse, kehrt in die Blockhütte seines Anfangs zurück und stirbt, von Lady und Baby, der alten und der neuen Frau, umsorgt: arm, aber glücklich.

Jean Anouilh: untröstlich und fröhlich

Wir können uns beleidigen, verraten, massakrieren unter mehr oder weniger noblen Vorwänden, zu scheinbaren Größen aufblasen: wir sind komisch. Nichts anderes — alle zusammen wie wir gebacken sind, einschließlich derer, die wir unsere Helden nennen. Wenn doch die Apostel der Verzweiflung, die immer wieder die Schrecklichkeit der menschlichen Existenz ergründen und uns daran hindern möchten, uns im Theater zu amüsieren, sich in das Unabänderliche fügen wollen: wir sind komisch! Und das ist am Ende noch schrecklicher als die grauenvollen Schilderungen unseres Nichts. Jean Anouilh

*Jean Anouilh.
Französische
Karikatur*

Wer diese Sätze Anouilhs zweimal langsam liest, der braucht über ihn eigentlich sonst nichts mehr zu wissen: er hat ihn in einer Nußschale, diesen Melancholiker, der das Spiel so hochschätzt, weil es imstande ist, den Schmerz zu überspielen. Seinen ersten annehmbaren Erfolg als Dramatiker hatte der Siebenundzwanzigjährige mit ›Der Passagier ohne Gepäck‹. Damals 1937, trug er Shaw und Pirandello ›zerlesen‹ in der Tasche, Claudel ›im Herzen‹, und eine ›Siegfried‹-Aufführung von Jean Giraudoux schenkte dem einsamen und ratlosen jungen Dramatiker den Abend, an dem er »plötzlich verstand«. So begann er in der Nachbarschaft von Claudel, Shaw, Giraudoux und Pirandello, dem er noch als Fünfzigjähriger mit seiner ›Grotte‹ durch eine mindestens ebenbürtige szenentechnische Virtuosität gehuldigt hat. Mehr und mehr jedoch ist Molière zu seinem Schutzpatron geworden: er hat Personen, Muster-Szenen, ja die Kostüme Molières bewußt in seinen Stücken zitiert und abgewandelt, und seine gelegentlichen Äußerungen über Molière treffen alle auf ihn selber zu: »Irgendeiner hat einmal gesagt, ohne an ihn zu denken, der Mensch sei ein untröstliches und fröhliches Lebewesen. Und niemals hat jemand, indem er den Menschen charakterisieren wollte, zwei treffendere Worte gefunden, um Molière zu charakterisieren.«

Untröstlich und fröhlich — das ist Anouilh. Er mag die Welt nicht, sie ist ihm zu schmutzig, und einen christlichen Himmel kann er nicht entdecken. Seine eigene dramatische Welt hat er mit einem ganzen Schwarm reiner junger Mädchen bevölkert, als wolle er die Schöpfung korrigieren — doch in den Stücken, die er die ›schwarzen‹ nennt, gehen sie alle unter, denn diese Trotzköpfe ihrer Ideale wollen das Unbedingte, das Absolute, und dies wird in der bedingten Welt der Kompromisse nicht geboten, außer im Tod. In seinen ›schwarzen‹ Stücken ist die Liebe ein Verhängnis, und sie führt ins Verhängnis. Nur in seinen ›rosa‹ Stücken triumphieren die Mädchen, aber dies ist ein recht trauriger Triumph, denn Anouilhs Welten in Rosa sind Possen oder Märchen.

Je älter Anouilh geworden ist und je mehr er sich Molière genähert hat, desto mehr ist seine Nachsicht gewachsen: seine Unbedingten, seien sie noch Mädchen oder nun auch Männer, nehmen tragikomische, wenn nicht gar komische Züge an, die Schwächen der Bedingten, der Lebenskompromißler, erscheinen verzeihlicher und das simple kreatürliche Glück des Alltags wird akzeptabler. In ›Majestäten‹ ist das Ideal des Absoluten, das der Jugend so naheliegt, dem Ideal des Möglichen gewichen, das der Jugend so billig erscheint und doch so unendlich viel schwieriger zu erreichen ist. Untröstlich ist Anouilh auch dann noch geblieben; kaum vermindert ist seine Verachtung der Gesellschaft, ihrer Ideologien und ihres Geldes, und noch immer ungestillt ist seine Sehnsucht nach der Unschuld. Aber auch fröhlich: er schreibt seine Tragödien, als seien sie Komödien, und seine Komödien sind geheime Tragödien. Er ist der traurige Dramatiker, über den man lacht — das ist, ein bißchen grob gesagt, sein ganzes Geheimnis. Nichts wäre falscher, als seine Dialoge und Handlungen unentwegt auf ihre Philosophie abzuhorchen: daß er aus seinen untröstlichen Gedanken fröhliche Spiele macht — das ist seine Philosophie.

Er schreibt seine Spiele für das Boulevard-Theater, das — ohne irgendwelche Subventionen — unter dem Gesetz der Abendkasse steht. Wer gezwungen ist, sich der Kasse zu unterwerfen, der muß die Gesetze der Unterhaltung kennen, um sich dennoch zu behaupten. Anouilh kennt sie nicht nur, er spielt auch mit ihnen, und das hat ihn zu einem der meist aufgeführten Dramatiker des 20. Jahrhunderts gemacht, auf der Bühne und auf dem Bildschirm, der nach geistreichen Dialogen hungert. »Ich bin ein guter Stückefabrikant«, schrieb er, »und schäme mich gar nicht, ein Handwerker zu sein. So amüsiere ich an die zwanzig Jahre mein gutes Pariser Publikum: ich liefere den Schauspielern einen Vorwand, auf den Brettern den Hanswurst zu machen, und jeden Abend können fünf- oder sechshundert Personen ihren Alltagskram vergessen. Während dreier Stunden die Menschen

ihr Schicksal und den Tod vergessen zu machen, das ist ein gutes, ein nütz-
liches Handwerk, man braucht sich gar nicht noch weiter zu ›engagieren‹.«
Dieses Selbstbekenntnis wird ihm manchmal wie eine Keule an den Kopf
geworfen — als ob es nicht untertrieben sei!

Auf dem Montmartre, im ›Théâtre de l'Atelier‹, das André Barsacq (geboren 1909) von Charles Dullin (1885—1949) übernommen hatte, sind von
1941 bis 1951 Jean Anouilhs Stücke uraufgeführt worden. Barsacq, aus der
Schule von Dullin und Jacques Copeau (1879—1949), ist ein Mann des
Schauspieler-Theaters, des eleganten und präzisen Sprechens, des panto-
mimischen Ausdrucks und der tänzerischen Beschwingtheit. Dieser Stil entspricht vollkommen den Spielwerken Anouilhs: seine tänzerische Stilisie-
rung der Sprache und der Figuren erfordert ebensoviel Distanz wie Vitalität.
»Je mehr unsere Figuren äußerlich wie Marionetten aussehen«, so schrieb er,
»desto mehr fordern wir, daß sie ›Charakter‹ haben, so widersprechend das
auch scheinen mag.« Die Distanz der ›Marionette‹ — das ist der Anteil der
Posse, der Enthüllungen und Maskeraden jenseits der Rampe. Die Nähe
des ›Charakters‹ — das ist der schlicht menschliche Anteil, die über die
Rampe springende Vitalität. Anouilh hat diesen scheinbaren Widerspruch
von Marionette und Charakter, von Distanz und Nähe immer wieder gelöst
und damit die Wirklichkeit des chaotischen Lebens aufgenommen in die
Wahrheit des geordneten Spiels, und dies ist sehr viel mehr als drei Stunden
schieres Amüsement.

Anouilh ist Sohn eines Schneiders und einer Violinspielerin. Seine Vorfahren stammen aus Cerisols, einem kleinen Dorf in Andorra, dessen sämtliche Einwohner — rund fünfzig — Anouilh heißen. Louis Jouvet (1887 bis
1951), der große Schauspieler und Regisseur, dessen Sekretär Anouilh eine
Zeitlang gewesen ist, hat sein dramatisches Talent nicht erkannt, wohl aber
Colette, die Schriftstellerin (1873—1954). Oft ist Anouilh Mitregisseur,
manchmal Regisseur seiner Stücke. Seine Pariser Premieren sieht er sich
aus dem Souffleurkasten an oder von der Galerie.

Er ist verschlossen und lebt zurückgezogen: »Ich habe keine Biographie,
darüber bin ich sehr froh. Ich bin am 23. Juni 1910 in Bordeaux geboren,
kam sehr jung nach Paris, besuchte die Mittelschule Colbert, dann das
Collège Chaptal. Ein und ein halbes Jahr studierte ich in Paris Rechts-
wissenschaften. Zwei Jahre verbrachte ich in einem Verlagshaus, wo ich
Unterricht in Präzision und Scharfsinn nahm, wodurch ich dem Studium der
Dichtkunst verfiel. Nach ›Der Hermelin‹ (1932) habe ich beschlossen, mich
ausschließlich dem Theater und nebenher dem Film zu widmen. Das war eine
Torheit, aber ich habe trotzdem gut daran getan, sie auszuführen. Mit dem
Journalismus habe ich nichts mehr zu tun, und was den Film anbelangt, so

habe ich nur ein oder zwei Possen und einige Singspiele auf dem Gewissen, die in Vergessenheit geraten und nicht signiert sind. Über den restlichen Teil meines Lebens — soweit der Himmel mir die Entscheidung darüber überläßt — behalte ich mir alle Einzelheiten vor.«

Meinungen: »Für ihn ist die Inszenierung Teil eines Ganzen — was auf der Bühne geschieht, folgt nicht auf den geschriebenen Text, sondern ist selbst Teil des Textes, des Stückes, das, kaum begonnen, für Anouilh bereits über die Bühne geht. Das Künstliche ist ihm verhaßt. ›Hüten wir uns vor guten Einfällen!‹ meint er oft. Von allem Anfang an weiß er, was auf der Bühne geschehen wird. Wenn wir über Personen der Handlung sprechen und ihr Verhalten in einem bestimmten Augenblick, höre ich ihn nur zu häufig sagen: ›Seltsam — damals ist er ruhig dagesessen . . .‹«: Roland Piétri, Freund Anouilhs und Regisseur seiner späteren Stücke. — »In seinen besten Komödien erreicht Jean Anouilh die rätselhafte Poesie shakespearescher Komödien . . . Das Wirkliche wird zwar durchaus dargestellt, wie es ist, aber zugleich auch, wie es gesehen werden könnte, wenn man nur den Blickpunkt verändert. Aus solcher Doppelbödigkeit blüht Poesie. Sie verfeinert die Welt, nicht indem sie sie verschönt, sondern indem sie sie enthüllt. Sie verfeinert Geist und Sinne, mit denen wir sie betrachten. Sie versetzt uns selbst auf jenen doppelten Boden, auf dem sich das Entzücken mit der Melancholie vermischt«: Siegfried Melchinger. — »Anouilh neigt dazu, sich zu überschätzen. Wenn er mit den hohlen Kugeln der Jahrmarktsathleten arbeiten kann, fällt es nicht auf. Gerät er indes an wahrhaft schweres Gewicht, bricht er schnell zusammen. Diese Peinlichkeit kennzeichnet fast alle seine sogenannten ›schwarzen‹ Stücke. Hat er jedoch als ›rosafarbner‹ Autor das Glück, eine wirkliche Lustspielfigur zu finden, wie den General Quixotte, dann bezaubert er mit seinem Fund, und man übersieht gerne die Schwächen seiner beeilten Hand«: Walter Kiaulehn. — »Immer wieder ist das Theater nicht nur Medium, sondern zugleich auch Gegenstand seiner Dichtung. Immer wieder ist ihm die Kulisse nicht Abbreviatur der Welt, sondern Zeichen ihrer selbst, der kleinen, aber als Abbildungsbereich der ›großen‹ so umfassenden Welt des Theaters. Im Theatermenschen, im Komödianten, liegen verkürzt alle Möglichkeiten des Menschen überhaupt. Das macht ihn für Anouilh interessant . . .«: K. H. Ruppel. — »Ich mag es, wenn Anouilh von einem Gegenstand, einem Stuhl z. B. sagt: ›Er ist sehr gut, er ist wirklich sehr tüchtig‹, als handele es sich um einen Schauspieler. Recht hat er, denn dieser kleine Stuhl muß seine Rolle spielen«: Jean-Denis Malclès, Bühnenbildner Anouilhs. — »Er folgt dem christlichen Gebot, das auch das der Dichter ist. Er liebt seine Feinde«: Erich Kästner, 1946.

Der Passagier ohne Gepäck (Le voyageur sans bagage). Schauspiel in fünf Bildern. 1936. Uraufführung 17. Februar 1937, Paris, Théâtre des Mathurins, durch Georges Pitoëff. Deutschsprachige Erstaufführung 1937 in Wien. Deutsche Erstaufführung 1946 im Volkstheater, München. — Gaston hat im Krieg sein Gedächtnis verloren; als er mit 36 Jahren die Anstalt verläßt, in die man ihn achtzehn Jahre vorher eingeliefert hat, beanspruchen diesen ›lebenden unbekannten Soldaten‹ rund vierhundert Familien, die alle hinter seinem Vermögen her sind. Gaston ist mit dem Menschen, der er vor seinem Gedächtnisverlust gewesen ist, moralisch nicht mehr identisch: angeekelt erfährt er, daß er ein Tierquäler, Betrüger und Totschläger gewesen ist, ein ›gräßliches Individuum‹. Mit diesem ›Charles‹, seiner ersten Lebenshälfte, will Gaston, die zweite Lebenshälfte, die in der Anstalt bei der Salat- und Parkettpflege entstanden ist, nichts mehr zu tun haben. ›Charles‹ und ›Gaston‹, das sind zwei verschiedene Menschen, die nur den Körper gemeinsam haben. Mit medizinischen und psychologischen Begriffen kommt man diesem Fall (und diesem Stück) nicht näher; er ist kein wissenschaftlicher ›Fall‹, sondern ein dramaturgischer Einfall: ein Pirandello-Streich, (wie ihn Pirandello verübt hat in ›Wie du mich willst‹), ein Gedankenspiel. Dieses Gedankenspiel hat Gaston die Unschuld eines neugeborenen Kindes geschenkt – ein Geschenk, das niemals von der Realität, immer nur von der Phantasie gemacht werden kann. Der durch einen Gnadenakt der Phantasie gereinigte und neugeborene ›Gaston‹ schaudert vor ›Charles‹, vor dem Schmutz und der Roheit der Welt: »Ich bin ein Mann, und ich kann doch, wenn ich will — neu sein wie ein Kind! Es wäre ein Verbrechen, dieses Privilegium nicht auszunützen. Ich lehne euch ab.« Gaston kann seine Reinheit nur bewahren, wenn er das Gepäck seiner Vergangenheit, sobald er es wiederfindet, bewußt wegwirft. So verleugnet er seine richtige Familie und bekennt sich zu einem kleinen Jungen, der ihn zwar auch aus materiellen Gründen benötigt, dies jedoch in schönster Unschuld; überdies ist auch der Junge ohne Familie und wird nun groteskerweise Gastons Onkel — lachend grüßen die beiden das Publikum. So heiter der Schluß dieses ›schwarzen‹ Stückes erscheint, er enthält eine bittere Pointe: nur in der Posse ist Gastons Unschuld zu bewahren. Und schon der Eintritt in die possenhafte Welt des Knaben, diese erste Hilfe, die Gaston der Unschuld praktisch leistet, muß mit dem Betrug einer abgeleugneten und einer vorgetäuschten Verwandtschaft bezahlt werden. Gaston, der nur durch eine Pathologie unschuldige Erwachsene, als betrügerischer Neffe eines kleinen Jungen — dies die Schlußpirouette in einem ironisch-satirischen Ballett des Bösen; nicht des absolut Bösen, sondern des üblichen Schmutzes der Welt. Anouilhs Tanz ist anmutig, sein Gelächter jedoch nicht ohne Hohn.

Das Rendezvous von Senlis (Rendez-vous à Senlis). 1937. Uraufführung Januar 1941, Théâtre de l'Atelier, Paris, durch André Barsacq. Deutsch am 12. Juni 1947 in den Kammerspielen Bielefeld. — Georges träumt von einem ›echten Leben‹: er besäße gern einen Vater, der ein charmanter Herr, ein Kamerad und großer Bruder zugleich wäre, und eine Mutter und einen richtigen Freund. Er muß das ›echte Leben‹ als eine Posse spielen: in Senlis mietet er ein Haus, engagiert zwei Schauspieler und instruiert sie genau, wie sie ihm seine Traum-Eltern vorzuspielen haben. Er führt einen grotesken Kampf mit der Eitelkeit und Borniertheit der Komödianten, die hier Rollen ohne Text zu spielen haben und aus ihrem privaten Fundus nicht schöpfen können, denn auch sie sind von idealen Eltern weit entfernt. Das Leben ohne Betrug ist für Georges nur durch den Betrug des Theaters möglich. Diesem Akt einer Scheinwelt des anständigen Lebens folgt ein Akt der zynischen Selbstentblößung: Robert, in der Traumwelt das Muster eines Freundes, haßt Georges und überläßt ihm doch mit der Moral eines Zuhälters seine Frau als Geliebte; Georges' Eltern haben ihn, um sich vorm Bankrott zu bewahren, zur Heirat mit einer reichen, ungeliebten Frau gezwungen, und Georges mit seiner Sehnsucht, treu zu sein, betrügt doch diese Frau mit der Frau seines Freundes und will nun in Senlis beide mit Isabelle betrügen, für die er seine noble Traum-Familie inszeniert hat. Im dritten Akt prallen die beiden getrennt vorgeführten Welten zusammen, und in das Spiel kommt ein neues Element, das allein das gemäßigte Glück des Schlusses ermöglicht: zur schmutzigen Realität und zur künstlich geschaffenen Illusion der Reinheit tritt die Realität der Reinheit, Isabelle, das zarte und intelligente junge Mädchen. Sie wird fertig mit dem Haß der realen Welt, mit der Lüge der Scheinwelt und — das schwierigste — mit dem Selbsthaß und der Mutlosigkeit Georges'. Die Schmarotzer werden aus Senlis vertrieben, Isabelle konstatiert: »Das Glück hat immer etwas Schreckliches« — das ist klar, skeptisch und realistisch. Mit einer ironischen Geste setzt der Komödiant Anouilh noch rasch die Komödianten-Eltern an den Familientisch: er ist am Ende des ›rosa‹ Stückes doch fast der richtige geworden.

Antigone (Antigone). 1942. Uraufführung 4. Februar 1944 in Paris, Théâtre de l'Atelier. Deutsche Erstaufführung am 30. März 1946 in Darmstadt. — Die ›Antigone‹ des Sophokles (um 422 v. Chr.), in die Gegenwart versetzt und neu gedeutet. Ein ›Sprecher‹, (mit den kartenspielenden Wächtern) der Ersatz für den antiken Chor, wendet sich erläuternd an das Publikum, leitet und unterbricht kommentierend die Vorführung der Geschichte von Antigone im Konversationsstil und im Gewand der Gegenwart: der Ausgang liegt von Anfang an so fest wie die ›Rollen‹, die nun von den Beteilig-

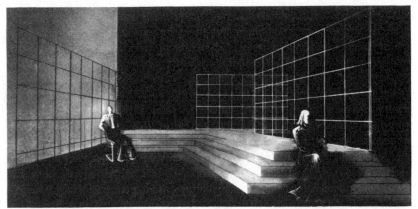

›Antigone‹ von Jean Anouilh. Bühnenentwurf von Rudolf Schulz für Erich-Fritz Brücklmeiers Inszenierung am Landestheater Hannover, Ballhof, 1946

ten ausgefüllt werden müssen — schon mit dem ersten Satz des Sprechers »Also diese Damen und Herren werden vor Ihnen die Geschichte der Antigone spielen« ist der in der Geschichte enthaltene Untergang als ein festgelegtes Schicksal, ein in den Personen begründetes Fatum, ausgesprochen. Antigone wird von ihrer Forderung, ihren im Kampf gegen den Staat gefallenen Bruder beerdigen zu dürfen, nicht ablassen, und der Staatschef, ihr Onkel Kreon, wird nicht davon ablassen, diese Beerdigung aus Gründen der Staatsraison zu verbieten. Kreon versucht mit allen Mitteln, seine Nichte Antigone von der Richtigkeit seines Standpunktes zu überzeugen, sie von ihrem Vorsatz mit Vernunftgründen abzubringen und damit für das Leben zu retten, doch Antigone, da sie Antigone ist, bleibt keine Wahl: »Ich bin nicht da, um zu verstehen. Ich bin da, um dir ein Nein entgegenzusetzen und zu sterben.«

Das Stück, während des Krieges in dem von den Deutschen besetzten Paris uraufgeführt, ist von beiden Parteien politisch mißdeutet worden: es ist weder — durch Kreon — eine Rechtfertigung der faschistischen Staatsgewalt, noch ist Antigone die Rechtfertigung der französischen Résistance. Individualismus und Ordnungsprinzip sind bei Anouilh gleichwertig und in ihrer durch Antigone und Kreon verkörperten Übersteigerung unvereinbar. Die todessüchtige Antigone geht für ein abstraktes Reinhaltsideal zugrunde, denn nur im Tod kann sie die bleiben, die sie ist, und der lebenstüchtige Kreon, der nur als Praktiker der Macht der bleiben kann, der er ist, muß die unausweichlichen, furchtbaren Folgen des Machtgebrauchs erleben. Antigone erhängt sich; Hämon, ihr Verlobter und der Sohn Kreons, tötet sich angesichts seines Vaters mit seinem Degen; die Königin, Kreons Frau, durchschneidet sich den Hals; Kreon bleibt allein: »Sie sagen, es sei eine schmutzige Arbeit. Aber wer soll sie tun, wenn man sie nicht tut?« Das irdische Leben der Erwachsenen ist notwendig ›schmutzige Arbeit‹, Kompromiß und Lüge, auch dann, wenn man wie Kreon versucht, »die Ordnung dieser Welt etwas weniger sinnlos zu gestalten«. Wer wie die junge Antigone daran nicht teilnehmen, nicht erwachsen werden und sich seinen kindlichen Traum von der Reinheit des irdischen Daseins bewahren will, dem bleibt nur der Tod — dies ist Anouilhs pessimistischer Befund. Er hat die antike tragische Fatalität durch Psychologie und modernen Stil nicht aufgehoben, sondern bestätigt — dies freilich unter einem gegenwärtigen, götterlosen Himmel ohne jeden jenseitigen Trost.

Einladung ins Schloß oder Die Kunst, das Spiel zu spielen (L'invitation au château). 1947. Komödie in vier Bildern. Uraufführung 1947, Théâtre de l'Atelier, Paris, durch André Barsacq. Deutsche Erstaufführung am 7. Januar 1948, Staatstheater München. Ins Englische übersetzt und bearbeitet von Christopher Fry: ›Ring round the moon‹. Deutsche Fassung von Helmut Käutner unter dem Titel *Schloß im Mond.* — Zwillinge, äußerlich gleich, innerlich verschieden: Horace, ein zynischer, kalter Weltmann, und Frederic, ein stiller, sanfter Träumer — zwei entgegengesetzte Rollen: eine Doppelrolle für einen Schauspieler. Horace lädt ein ins Schloß zu einem Ball, um Frederic von seiner unglücklichen Liebe zu Diana, der Tochter eines Finanz-

›Einladung ins Schloß‹ von Jean Anouilh. Bühnenbild von André Barsacq für seine Inszenierung der Uraufführung am Pariser Théâtre de l'Atelier, 1947

mannes, zu heilen; seine Waffe gegen Diana ist Isabelle, die kleine, herzensgute Tänzerin — sie soll Frederic bezaubern, doch sie liebt längst ihn, Horace. Das Finanzgenie Messerschmann, der Isabelle enorme Summen bietet, falls sie das Feld seiner Tochter Diana überläßt, scheitert mit seinem Geld an der Tugend Isabelles: sie läßt sich nicht für etwas bezahlen, zu dem sie ohnehin entschlossen ist. Die elegant verwickelten Intrigen werden von der Schloßherrin zum guten Ende gebracht: Frederic bekommt doch Isabelle, und Horace bekommt Diana. Der Reiche, der arm, aber anständig werden will, wird für seinen Reichtum dadurch bestraft, daß er noch reicher wird. — In dieser graziösen Komödie, die alle Spielarten der Ironie durchtanzt, blitzen immer wieder Anlässe zu ernsten Dramen auf — Anouilh zeigt sie und läßt sie gelassen fallen. Er hat gestanden, daß er an diesem leichtfüßigen Wirbel Jahre gearbeitet hat, während ihn seine Varianten antiker Tragödien immer nur wenige Wochen gekostet haben. »Seit Goldoni lacht kein Mensch mehr über Zwillinge«, heißt es im Stück; seit diesem Anouilh, hier erstmals unverkennbar in der Molière-Tradition, wird über Zwillinge wieder gelacht.

Jeanne oder Die Lerche (*Jeanne ou L'alouette*). Schauspiel in zwei Teilen. 1953. Uraufführung am 16. Oktober 1953 im Théâtre Montparnasse-Gaston Baty; Regie: Jean Anouilh, Roland Piétri. Deutsche Erstaufführung 15. Dezember 1953, Städtische Bühnen, Frankfurt. – Vorgeführt wird die Geschichte der Jungfrau von Orleans (1431 in Rouen verbrannt und 1920 heiliggesprochen) als bewußtes Spiel: die Darsteller in angedeuteten historischen Kostümen, Johanna in neutraler Männerkleidung, erwarten, auf Bänken sitzend, ihren Auftritt. Während des Prozesses in Rouen werden die wichtigsten Stationen aus dem Leben Johannas dargestellt. Als sie verurteilt ist und der Scheiterhaufen schon brennt, erinnert man sich, daß man den Höhepunkt ihres Lebens nicht gezeigt hat und holt ihn als »das wahre Ende der Geschichte unserer Jeanne« nach: die Krönung von Reims — »das ist die Lerche hoch im Himmel, das ist Jeanne zu Reims in ihrem Glanz und Ruhm ... Das wahre Ende der Geschichte Jeannes ist fröhlich«.

Soviel Ironie hier mitschwingen mag, auf eine unbeschreibliche, fast unbegreifliche Weise fröhlich ist das ganze Stück, eine Legende des Lächelns und des Lachens, selbst dort, wo Bitterkeit und Trauer das Geschehen bestimmen. Der Zauber geht von der Musikalität des Dialogs aus, der noch das Härteste in Heiterkeit faßt, Skepsis in Lyrik, Lyrik in Witz, Witz in Schwermut, Schwermut in Anmut, und von Jeanne, dem schönsten der vielen unschuldigen Mädchen, die Anouilh auf die Bühne gebracht hat. Sie ist nicht pathetische Heldin, nicht irrationale Heilige, nicht leidende Märtyrerin, sie setzt schon durch ihre schlichte Anwesenheit die Richter ins

Unrecht — eine klare Stimme aus dem Herzen, die gegen die Stimmen der
Ankläger darauf besteht, daß der Mensch das größte Wunder Gottes ist: »Er
stirbt rein und verklärt. Und lächelnd empfängt ihn Gott. Denn er hat zweimal wie ein Mensch gehandelt, indem er das Böse und das Gute tat. Und
gerade für diesen Gegensatz hat ihn Gott erschaffen.« Indem Jeanne Mut
hat zu sich selber, zu ihren ›Stimmen‹, die ihre eigene Stimme sind, macht
sie dem einzelnen Mut, gegen alle Mächte der Welt er selber zu sein. Mit
dieser Jeanne spricht der dreiundvierzigjährige Anouilh, der gelernt hat, das
Böse als einen Teil des Menschlichen zu betrachten, und der den Weg vom
Ekel vor der Welt zum Erbarmen auch mit dem erbärmlichsten Menschen gegangen ist.

Ornifle oder Der erzürnte Himmel (Ornifle ou Le courant d'air). 1955. Uraufführung 3. November 1955 in der Comédie des Champs Elysées mit Pierre
Brasseur. Deutsche Erstaufführung 28. Dezember 1955 im Schloßpark-Theater, Berlin, mit Martin Held, und im Staatstheater Stuttgart, mit Paul Hoff-
mann. — Don Juan, modernisiert (Don Juan ist erfunden von Tirso de Molina,
1617). Ornifle ist ein ehemaliger Dichter, jetzt groß verdienender Revue-
Texter, der sein Herz für den Genuß verkauft hat und einer anständigen Tat
höchstens noch zum Amüsement fähig ist. Mit beispiellosem Zynismus fertigt er gleichzeitig ein frommes Kinderlied und ein frivoles Chanson an,
charmiert er gleichzeitig eine Pulloverschönheit und einen Pater. Dieser
sexuelle Großunternehmer lebt nur für das Vergnügen; Gott hat für ihn im
großen Spiel den ersten Stich gehabt, er spielt nun den zweiten nach seinem
Geschmack aus, und wenn er auch weiß, daß Gott alle Asse hat, so kümmert
es ihn doch wenig, wann sie den letzten Stich gewinnen werden. Als ein
junger Mann erscheint, der Sohn einer seiner verlassenen Geliebten, um
seine Mutter zu rächen und seinen Vater zu erschießen, geniert sich Vater
Ornifle sofort nach dem ersten Schreck nicht, unverzüglich der Braut des
Sohnes nachzustellen (die bei der Uraufführung von Anouilhs Tochter
Cathérine gespielt wurde). Von einem Pater muß Ornifle erfahren, daß
sogar zum bloßen Vergnügen mehr als Materialismus gehört, und wenn er
auch vor nichts mehr Angst hat als davor, bemitleidet zu werden, so muß
man nach seinem Tod — Herzschlag bei einem Blitzschlag vor einem geplanten Abenteuer — Mitleid mit ihm haben: er geht zwar in guter Laune,
aber er geht doch an sich selbst und ohne es zum rechten Genuß gebracht zu
haben, zugrunde. Daß er seiner Umwelt überlegen erscheint, liegt nur
daran, daß seine Umwelt noch nichtiger ist als er: sie bringt nicht einmal
den Mut zur Einsicht in die eigene Nichtigkeit und den Charme seiner Selbstironie auf.

Der arme Bitos oder Das Diner der Köpfe (Le pauvre Bitos ou Le dîner des têtes). Uraufführung 10. Oktober 1956 im Théâtre Montparnasse. Deutsche Erstaufführung 21. Dezember 1961 im Schloßpark-Theater, Berlin. — In einer französischen Provinzstadt wollen ehemalige Schulkameraden dem Staatsanwalt Bitos, ihrem einstigen Mitschüler und einstigen Mitkämpfer in der Résistance, eine gründliche Lektion erteilen; er hat sich durch seine Erbarmungslosigkeit bei der Verfolgung von Kollaborateuren verhaßt gemacht.

›Der arme Bitos‹ von Jean Anouilh. Bühnenskizze von Franz Mertz für Heinrich Kochs Inszenierung an den Städtischen Bühnen Frankfurt, 1962

Bei einem ›Diner der Köpfe‹, zu dem alle die Perücke einer Gestalt der Französischen Revolution tragen, erscheint Bitos im Kostüm Robespierres. Es wird auf ihn — zum Spaß — geschossen; er fällt in Ohnmacht und träumt, er sei Robespierre in der Todeszelle, vor seiner Hinrichtung. Wie an Robespierre, dem ›Unbestechlichen‹, der die Tugend selbst zu verkörpern meinte und unzählige blutige Opfer für sie forderte, wird an Bitos die Unmenschlichkeit der verabsolutierten Tugend bloßgestellt. Dies freilich geschieht durch eine hämische Bande, und Anouilh zeigt nicht nur, daß der selbstgerechte Tugendbold moralisch noch unter diesen Hämischen steht, sondern auch, daß er in dieser seiner schrecklichsten Erniedrigung doch noch immer ein Mensch ist, bedürftig des Mitleids. Nur ein junges Mädchen fühlt mit ihm — und an ihr wird sich Bitos, sollte er einmal dazu fähig sein, zuerst rächen.

»Anouilh sagt nicht, daß sein Doppelheld (Robespierre-Bitos) ungerecht sei«, kommentierte Wolf Jobst Siedler, »er zeigt, daß die konsequente Gerechtigkeit Hekatomben von Opfern fordert. Er demonstriert, daß die Tugend inhuman ist. Er gibt die anrüchige Moral bekannt, daß die menschliche Zivilisation von der Ermüdbarkeit der Nerven, von der Nachsichtigkeit des Denkens, von der Weitherzigkeit des Gefühls, vom vorsichtig dosierten Egoismus lebt.«

Anouilh hatte es gewagt, die Unmenschlichkeit der absoluten Prinzipientreue, des ideologischen Fanatikers ausgerechnet an einem Staatsanwalt zu demonstrieren, der (durchaus nach dem Gesetz) Kollaborateure anklagt, und diesen Staatsanwalt überdies noch mit den Prinzipien Robespierres identifiziert – dies ergab wütende Angriffe der Pariser Presse aller Richtungen und bei der Pariser ›Générale‹ einen ungeheuren Skandal. Der Filmregisseur H. G. Clouzot berichtete darüber: »Als der Vorhang nach dem ersten Akt gefallen war, drehte ich mich zum Parkett: ich sah 300 Bitos' hinter mir, kreideweiß vor Wut. Hätte man ihnen Maschinengewehre geliefert und ihnen von vornherein Straffreiheit zugesichert, sie hätten Anouilh auf der Stelle im Hof des Theaters erschossen.« Fünf Jahre lang gab Anouilh das Stück für Aufführungen im Ausland nicht frei.

General Quixotte oder Der verliebte Reaktionär (L'Hurluberlu ou Le réactionnaire amoureux). Uraufführung 5. Februar 1959 in der Pariser Comédie des Champs-Elysées. Deutschsprachige Erstaufführung 6. Mai 1959 im Wiener Theater in der Josefstadt. – Ein pensionierter General, der auf dem Lande lebt, tobt sein Mißvergnügen an den Zuständen in Frankreich durch einen unerschöpflichen Vorrat nationaler und reaktionärer Phrasen, aber auch mit höchst witzigen Formulierungen aus und zettelt eine lächerliche Verschwörung an. Er rief 1959 beim französischen Publikum einige Gedankenverbindungen an General de Gaulle hervor wie sein Gegenspieler Mendigalès an den französischen Politiker Mendès-France, doch hat Anouilh kein Tendenzstück geschrieben, sondern eine Tragikomödie, eine freie Variation über Molières ›Misanthrope‹, mit aktuellen, zeitsatirischen Anzüglichkeiten. Der junge, fortschrittliche Mendigalès hat mit seinen Argumenten zweifellos die Zukunft für sich, aber er weist so viele egozentrische, snobistische, herzensrohe Züge auf, daß er ausgesprochen unsympathisch wirkt, und der alte General mit seiner Verschwörung, die die ›Würmer‹ in Frankreich beseitigen und eine hoffnungslos veraltete Gesellschaftsordnung wiederherstellen soll, ist zweifellos ein phrasendreschender Reaktionär, aber, wie schon der Untertitel à la Molière sagt, ein ›verliebter‹, also ein menschlich gesehener, und da er überdies scheitert – mit seiner Verschwörung und mit seiner Liebe zu seiner sehr jungen Frau – wirkt er ausgesprochen sympathisch. Was selbstverständlich nicht heißt, daß nun die reaktionäre Haltung sympathisch würde – sympathisch wird nur dieser verliebte Reaktionär. Er ist es noch dann, wenn er das ›Theater von morgen‹ ablehnt: »Was soll das sein, Theater von morgen? Schön, dann komme ich morgen wieder« — Anouilh hat hier eine hurtige, eher liebenswürdige als boshafte Parodie auf den Ionesco-Beckett-Stil eingebaut. Abermals nimmt Anouilh den Menschen wichtiger als das, was dieser Mensch denkt: der alternde, vereinsamte General ist tragikomisch, wie reaktionär er im übrigen auch sein mag.

Becket oder die Ehre Gottes (Becket ou L'honneur de Dieu). Schauspiel in vier Akten. Uraufführung 1. Oktober 1959 im Théâtre Montparnasse, Paris, inszeniert von Roland Piétri und Anouilh. Deutschsprachige Erstaufführung 22. Oktober 1960 im Wiener Burgtheater. — England im 12. Jahrhundert; die seltsame Freundschaft zwischen König Heinrich II., einem Normannen, und Thomas Becket, einem angelsächsischen Intellektuellen, dem Sauf- und Luderkumpan seiner Jugend, der statt ›Ehre‹ nur eine Leere in sich fühlt, bis ihn der König zum Erzbischof von Canterbury macht und Becket nun ›die Ehre Gottes‹ als seine eigene Sache empfindet: sein Gewissen und die Pflicht seines Amtes, alle Gläubigen zu schützen, stehen ihm höher als Dank und Freundschaft. Becket wird in der Kathedrale von Canterbury von den Vasallen des Königs ermordet (T. S. Eliots ›Mord im Dom‹ von 1935 und Christopher Frys ›König Kurzrock‹ von 1961 behandeln den gleichen Stoff), und der König muß sich doch der ›Ehre Gottes‹ unterwerfen; er kniet vor Beckets Grab im Dom und läßt sich von Mönchen geißeln. (Dies zu Beginn und am Schluß, das Stück ist eine Art Rückblende.) Den Verlust des Freundes wird er nie verwinden.

So schwer der verschlossene Becket mit seinem plötzlichen Sprung vom Lebemann zum Gottesmann zu begreifen ist, so leicht der König, die faszinierendste Figur dieses mit Witz und Psychologie virtuos instrumentierten Schaustückes einer tragischen Freundschaft, dem die historischen Konflikte zwischen weltlicher und geistlicher Macht, England und Frankreich, Normannen und Angelsachsen, untergeordnet sind. Becket wächst sich aus zu einem jener kompromißlosen und darum zum Tode bestimmten Menschen, die in den frühen Anouilh-Stücken meist junge Mädchen gewesen sind, doch Heinrich, der dem Absoluten abgeneigte Mensch, ist in all seiner Wüstheit mit nachsichtiger Sympathie gezeichnet, und die Freundschaft, unzerstörbar durch politische Geschäfte, ja nicht einmal zerstörbar durch die Ermordung des Freundes, behält in der Totenklage Heinrichs das letzte Wort — in dieser Historie siegt der private Konflikt über das Historische.

Majestäten (Foire d'empoigne). Uraufführung 14. Mai 1960 in Den Haag. Deutsche Erstaufführung 16. Juli 1960 bei den Ruhrfestspielen in Recklinghausen. — Napoleon kehrt von Elba zurück, keineswegs aus politischen Gründen; er weiß, daß er bald wieder scheitern wird, er will sich nur einen besseren Abgang verschaffen: die Hundert Tage betrachtet er lediglich als Theatercoup. Ludwig XVIII. (vom gleichen Schauspieler wie Napoleon gespielt) kehrt aus der Emigration zurück, gefräßig und urvernünftig, der eigentliche Held des Stückes. Er weigert sich, Frankreich zu ›säubern‹, zu entnapoleonisieren; er meint: »Ich kann nicht nur der König der Handvoll Leute sein, die mir treu geblieben sind«, und er schluckt alles, was Napoleon an sinnvollen Einrichtungen geschaffen hat. Er schluckt sogar den mehr als windigen Fouché, den perfekten, hocheleganten Zyniker, der insgeheim darunter leidet, daß er noch nie geliebt worden ist: »Ich brauche die Kanaille nämlich noch.« Bittere Anmerkungen zu Kollaboration, Résistance, Emigration und Säuberung. Der idealistische, reine junge Mensch, von Anouilh sonst in den Tod geschickt, wird hier in die Ehe entlassen. Er ist der Sohn Fouchés, will immerfort für Napoleon, für ein Absolutes, sterben, doch Napoleon ist dieser Idealismus lästig (er zieht käufliche Seelen vor, denn sie sind berechenbar), und König Ludwig empfiehlt dem Jungen dringend »nach Hause zu gehen, und wenn er ein nettes Mädchen findet, heiraten, Kinder haben, im Beruf seinen Mann stehen . . . das allein ist schon ein ganzes Abenteuer«. Napoleons Abschiedswort: »Erzählen Sie Ihren Kindern nicht zuviel von Idealen, das ist kein Gepäck fürs Leben« ist wie ein Echo auf Ludwigs Satz: »Und wenn Ihnen einer sagt, die Jugend braucht ein Ideal, dann ist er ein Dummkopf. Sie hat eines, das ist sie selbst und die wunderbare Vielfalt des Lebens, des eigenen, persönlichen, des einzig wahren Lebens.« — Anouilh feiert nicht mehr den trotzig-tragischen Untergang, er feiert die praktische Vernunft. Sein Held ist der Bürger; sein Abenteuer: in der von machthungrigen Zynikern und bornierten Idealisten vermurksten Welt das Ideal des eigenen und persönlichen Lebens zu verwirklichen.

Die Grotte (La grotte). Uraufführung im Oktober 1961 im Théâtre Montparnasse, Paris. Deutschsprachige Erstaufführung im Mai 1962 im Akademie-Theater des Wiener Burgtheaters. — Die Bühne, um die Jahrhundertwende, ist waagrecht zweigeteilt; unten, in der ›Grotte‹, hausen die Dienstboten, oben wohnen die Herrschaften. Der Autor, auf der Bühne, wendet sich an das Publikum, erklärt die Situation — unten ist die Köchin ermordet worden »unter Begleitumständen, die nie ganz klar waren, selbst für mich nicht« — und behauptet: »Dieses Stück konnte ich einfach nicht zu Ende schreiben.« (Er erinnert, jeden Einwand vorwegnehmend, an Pirandello — ›Sechs Personen suchen einen Autor aus dem Jahre 1921 –, und meint, »daß offenbar auch er Schwierigkeiten hatte mit seinen Stücken, der gute Pirandello.«) Der Autor

probiert mit den Schauspielern Szenen aus, kommentiert sie, belustigt sich
über Kritiker, Theaterdirektoren, sich selbst und geht dabei der Frage nach:
Wer hat die Köchin ermordet? Eine grauenvolle Geschichte wird ans Licht
gebracht: die Köchin hat (vom Grafen, ›oben‹) einen unehelichen Sohn, der
nun vor der Priesterweihe steht und ›oben‹ die Kinder unterrichtet; ›unten‹
liebt er Adele, das Küchenmädchen, das freilich der Kutscher, zugleich Geliebter der Köchin, zu vergewaltigen pflegt, und von ihm erwartet sie ein Kind;
die Köchin gibt ihr Abtreibungsmittel. Der Kriminalkommissar findet heraus,
daß der Kutscher die Köchin ermordet hat, doch nicht auf diese kriminalisti-
sche Feststellung kommt es dem Autor an; er konstatiert durch sein Stück
vielmehr: daß die Welten oben und unten im gleichen Schmutz waten, nur
ihr Stil ist verschieden; daß sie unüberbrückbar sind, ja, unten besteht man
noch strenger auf der Trennung als oben, und wenn sich ein Mensch guten
Willens von oben zu einem leidenden Menschen guten Willens nach unten
begibt, so vertieft gerade dies die Trennung; daß dies jetzt so ist wie in der
Zeit, als die Köchin noch jung war, und daß es immer so bleiben wird:
Anouilh gibt keine Sozialkritik zugunsten der Armen, nicht einmal einen
sanften Anstoß zur Änderung der Verhältnisse, denn er glaubt nicht daran,
daß diese Veränderung etwas am Bestand des Weltleids verändern würde.

Madame de . . . (Uraufführung 29. Januar 1959, London, Arts Theatre;
deutsch 5. Oktober 1960, Frankfurt, Theater im Zoo) ist ein Einakter nach
dem Roman der Louise de Vilmorin. Ein Paar Ohrgehänge, herzförmige
Brillanten, das Hochzeitsgeschenk von Monsieur de . . ., wandert zwischen
Madame, Monsieur, dem Juwelier und dem Gesandten, dem Geliebten von
Madame, hin und her, verkauft und verschenkt, und jeder sieht den Schmuck
mit anderen Augen als die andern: bedeutet er für Madame gerade einmal
die Liebe, so bedeutet er zugleich die Untreue für Monsieur und die Enttäuschung für den Geliebten. Mit jedem Besitzwechsel wechseln die Perspek-
tiven, doch bleibt der Schmuck immer der Inbegriff des unausrottbaren Miß-
verständnisses, und das Mißverständnis ist die Ursache für die unüberbrück-
bare Einsamkeit. Der Schmuck, das Hilfsmittel zur Herstellung menschlicher
Beziehungen, wird zum Symbol für die Unmöglichkeit jeder Beziehung —
diese Melancholie lebt hinter den Späßen des ironisierten Melodramas.

Das Orchester (L'orchestre, Uraufführung 10. Januar 1962, Comédie des
Champs-Elysées; 10. Mai 1962, Berlin, Schloßpark-Theater): eine Caféhaus-
kapelle, sechs Damen und ein Klavierspieler; Alltagstratsch und Streit zwischen (und auch in) den unsäglichen Musiknummern, der hingequälten pro-
fessionellen Erheiterung; die Cellistin, die den Klavierspieler liebt und auf
ihre Baß-Bossin eifersüchtig ist, erschießt sich auf der Toilette; der Wirt sagt
den Gästen, die Kaffeemaschine sei explodiert, und das Orchester spielt ›Die

Gavotte des kleinen Marquis‹ mit ›höfisch-graziösen Faxen‹ — der Selbstmord einer empfindsamen, abgestandenen Seele, hergerichtet als giftige
Posse; Trostlosigkeit, mit entlarvendem, boshaftem Witz skizziert.

Bäcker, Bäckerin und Bäckerjunge. ›Eine Fabel‹. (Le boulanger, la boulangère
et le petit mitron, 1968. Uraufführung 13. November 1968, Paris, Comédie
des Champs-Elysées. Deutsche Erstaufführung 15. März 1969, Berlin, Schloßpark-Theater). — Erst im Unglück, als Ludwig XVI. und Marie Antoinette nur
noch »Bäcker« und »Bäckerin« gewesen sind, haben sie sich versöhnt und
wieder geliebt — also erträumt sich der Junge Toto, daß seine im permanenten Ehekrieg befindlichen Eltern ins Unglück geraten, und schon erscheinen
die Eltern auf der Bühne im Kostüm der gestürzten Majestäten. Den größten
Teil seines Witzes bezieht das Stück daraus, daß sich erträumte Figuren mitten in der trostlosen Realität bewegen und nur von den realen Personen bemerkt werden, von denen sie geträumt sind. — Die Eltern, Adolphe und
Elodie, sind so erfinderisch in den Haßtiraden ihres Überdrusses wie in ihren
Wachträumen, in denen sie sich an der Realität rächen. So träumt Elodie
mitten im Streit mit ihrem Mann von idealen Geliebten, vom mächtigen
Börsianer und vom aristokratischen Kapitän, und Adolphe, ihr Mann, träumt
zwischendurch, er demütige seinen Chef, der ihn in der Realität demütigt:
im Traum jagt er ihm einen Stockdegen durch die Brust und seine Sekretärin
und Geliebte Josyane ab; dieser Traum freilich schlägt in einen Alptraum um,
wenn Adolphe schließlich Josyane heiratet und bei ihrer Entschleierung entdecken muß, daß sich im Brautkleid seine Frau Elodie verbirgt. Die Träume
des Sohnes Toto sind voller Sehnsucht nach elterlicher Harmonie: geträumte
Indianer geben seinen Eltern Gelegenheit, als treue Helden zu sterben — sie
werden erschossen vom Chef seines Vaters, der hier Viehdieb im Wilden
Westen ist. — Harmonie wird dem Jungen nur im Traum geliefert, und auch
da erst, als seine Eltern getötet sind — finsterer kann ein Happy-End schwerlich sein. Anouilh hat das Stück aus seinen altbewährten Lieblingsthemen
zusammengeknotet: gegen die Elternwelt, die aus Betrug und Selbstbetrug,
aus Egoismus und Geldgier besteht, wird die Sehnsucht der Kinderwelt nach
Friede und Reinheit gestellt, und noch die Glücksträume haben hier die
Neigung, sich in Alpträume zu verwandeln. Oft ist Anouilh so bitter, noch
nie so unelegant, unpoetisch und unverblümt zynisch gewesen wie in dieser
Kinderzimmerschlacht.

Friedrich Dürrenmatt: blutige Späße

> Wer so auf dem letzten Loch pfeift wie wir alle, kann nur noch
> Komödien verstehen. Romulus in ›Romulus der Große‹
> Humor ist, glaube ich, wie die Ironie eine der philosophischen
> Grundhaltungen des Menschen und ist gerade nicht Verzweif-
> lung. Komödie ist gar nicht aus der Grundhaltung der Ver-
> zweiflung zu machen. Man glaubt irrtümlich, es sei Verzweif-
> lung, wenn etwas Schreckliches nicht tragisch, feierlich ist.
>
> Dürrenmatt, 1969

Seine erste Auszeichnung, eine Uhr, erhielt er mit zwölf Jahren: im Zeichen-
Wettbewerb des Pestalozzi-Kalenders hatte er mit dem blutrünstigen Blatt
›Schweizerschlacht‹ den Ersten Preis gewonnen. Der Maler Cuno Amiet
meinte dazu: »Der wird Oberst.« Dürrenmatt erzählt die Geschichte in einem
autobiographischen Aufsatz: »Der Meister hat sich in diesem Falle geirrt:
ich brachte es in der schweizerischen Armee nur zum Hilfsdienst-Soldaten
und im Leben nur zum Schriftsteller.«

Er ist der Sohn eines Pfarrers, wurde am 5. Januar 1921 in Konolfingen
im schweizerischen Kanton Bern geboren, ging in Bern ins Gymnasium und
studierte dort und in Zürich Philosophie, Theologie, deutsche Literatur und
Kunstgeschichte. Er war Zeichner und Graphiker und brachte noch 1963 ein
Buch mit bitterbösen satirischen Zeichnungen heraus, ›Die Heimat im Plakat‹. Da er auch Theaterkritiken (für die Zürcher ›Weltwoche‹) geschrieben
hat, kann er es nicht lassen, immer wieder gegen Theaterkritiken zu polemi-
sieren. Die Lust zum Schreiben brach so plötzlich und unwiderstehlich aus,
daß er darauf verzichtete zu promovieren. Er schrieb Kriminalromane — drei
Seiten am Tag — mit moralphilosophischen Pointen, Hörspiele und Novellen.
Mit 26 Jahren hatte er seine erste Uraufführung, ›Es steht geschrieben‹, samt
einem Skandälchen; mit 31 war er durch seine ›Ehe des Herrn Mississippi‹
berühmt, mit 35 Jahren durch seinen ›Besuch der alten Dame‹ weltberühmt;
der englische Regisseur Peter Brook setzte ihn in Amerika und in England
durch, und Hollywood erwies ihm die Ehre, den ›Besuch‹ zu verfilmen und
mit Hilfe der zu jungen und zu glatten Ingrid Bergman zu verfälschen.

»Aus Hitler und Stalin lassen sich keine Wallensteine mehr machen«,
meint er, denn das Drama benötige eine sichtbare Welt, und die moderne
Macht sei zu kompliziert, unsichtbar, abstrakt. Gestalt zu schaffen, sei nur
noch in der Komödie möglich, die dann ihre Stunde habe, wenn eine gestaltete
Welt zerfällt, während die Tragödie die gestaltete Welt voraussetze. So sei
der Held der Tragödie heute nicht mehr möglich, wohl aber der heldenhafte
Mensch der Komödie. Die Komödie verschafft Abstand, und wer Abstand

hat, der verzweifelt nicht. Die Komödie setzt Freiheit voraus und ist selbst Beweis der menschlichen Freiheit.

Dürrenmatt baut in seinen Komödien künstliche Welten auf, in denen er mit Personen, auch mit Zeit und Raum, mit illusionistischen und antiillusionistischen Wirkungen, mit symbolischen und kabarettistischen Effekten schaltet und waltet, wie es ihm gerade notwendig erscheint; Anregungen von Wedekind, Pirandello, Sternheim, Brecht, vor allem aber von seinen geliebten Satirikern Aristophanes und Nestroy hat er auf seine Weise weitergeführt. Wenn man ihn theoretisieren hört oder liest, so könnte man meinen, es käme ihm nur darauf an, auf der Bühne eine Geschichte zu erzählen in einer künstlichen, aber möglichen Welt, und nicht etwa darauf, mit dieser Geschichte Diskussionen zu erregen oder gar eine Moral zu verkünden. Schon bei seiner ›Ehe des Herrn Mississippi‹ hat er sich gegen seine Kritiker gewehrt und behauptet: »Ich schreibe nicht über unsere Zeit, sondern eine Komödie unserer Zeit. Von hier aus ist mein Stil zu begreifen, der Leidenschaft zur Sprache ist und nicht Wille zur Aussage, dichterisch auch gerade dort, wo es nach der Meinung der Kritiker nur Leitartikel gibt.«

Dennoch enthalten alle seine Komödien eine mehr oder minder deutlich ausgesprochene Moral: er ist ein Moralist wider Willen, der sich für einen Spieler hält. Manchmal freilich verlieren seine ›möglichen Welten‹, in ›Romulus der Große‹ etwa oder in ›Frank V.‹, so viele Beziehungen zur ›wirklichen Welt‹, daß sie tatsächlich nur noch Spiele sind — dies aber sind nicht seine besten Stücke. Die Qualität seiner Komödien hängt völlig ab von dem Beziehungsreichtum und der inneren Richtigkeit seiner Fabeln — sind diese schwach, so zerflattern seine Stücke in Ulk und Witzchen, die man bei ihm nicht für möglich halten möchte. Seine besten Komödien sind Gedankenspiele und folgen ihren eigenen Gesetzen; sie sind nicht deckungsgleich mit einer erlebbaren Realität, treffen sie aber doch in der Pointe ihrer Handlungsführung, in szenischen und dialogischen Anmerkungen zur Lage des Menschen.

Die Familie Dürrenmatt bewohnt ein Haus in Neuchâtel; im Arbeitszimmer steht der Eßtisch aus dem väterlichen Pfarrhaus in Konolfingen — er ist mehr als ein ehrwürdiges Erinnerungsstück: Dürrenmatt ist nicht nur Protestant gegen den Zustand der Welt, für den er — in striktem Gegensatz zu Bertolt Brecht — nicht die gesellschaftlichen Verhältnisse, sondern die Menschen verantwortlich macht; er ist mitten in seinen blutigen Späßen ein geheimer Prediger, ein Lobsänger der Schöpfung, ein Hymniker der Schönheiten dieser Erde, des scheiternden, aber unverzagten Menschen und der Gnade des Himmels — seine stärkste Provokation geht keineswegs von seinen grausamen Scherzen aus, sondern von seiner Religiosität, die freilich so versteckt ist, daß mancher sie gar nicht entdecken mag: »Wenn wir auch wenig Chancen haben, die Welt zu retten — es sei denn, Gott sei uns gnädig —, bestehen können wir sie immer noch.«

Die Ehe des Herrn Mississippi. Komödie in zwei Teilen. Uraufführung am 26. März 1952, Kammerspiele München. — Fünf Hauptpersonen. 1. Mississippi, Staatsanwalt, unerschütterlich davon überzeugt, daß er, mit der Bibel aufgewachsen, die sittliche Weltordnung hinter sich hat und ihren Willen vollstreckt, indem er das Gesetz Moses' mit seiner ganzen Strenge wieder einführt; unerschütterlich von dem Irrtum überzeugt, daß er tief religiös sei und im Namen der Gerechtigkeit des Himmels die Welt rette, indem er sie richtet. Er heiratet Anastasia, um mit dieser Ehe seine Frau und sich selbst zu bestrafen. Er ist ein Utopist der absoluten Sittlichkeit mit impotentem Herzen. 2. Saint-Claude, Weltrevolutionär, unerschütterlich davon überzeugt, daß er, mit dem ›Kapital‹ von Marx aufgewachsen, die Geschichte hinter sich hat und ihren Willen vollstreckt, indem er im Namen eines irdischen Zukunftsparadieses die Gesellschaftsordnung stürzt; unerschütterlich von dem Irrtum überzeugt, daß er als Atheist, wenn es sein muß, auch durch Mord, für die Gerechtigkeit der Erde kämpfe und die Welt verbessere, indem er sie revolutioniert. Er will Anastasia, um sie für seine Ziele zu benutzen. Er ist ein Utopist der absoluten irdischen Gerechtigkeit mit impotentem Herzen. Beide handeln mit bestem Gewissen: Weltverbesserer aus sogenanntem Idealismus, der, wenn ihm die Liebe fehlt, die Welt auf dem Altar des Ideals schlachtet. Beide scheitern sie: nicht einen einzigen Menschen, geschweige denn ›die Welt‹, haben sie gebessert oder gar gerettet. Ihr Scheitern wird offenbar an: 3. Anastasia, die Dürrenmatt, wie es im Stück heißt, »weder dem Himmel noch der Hölle, sondern allein der Welt nachgebildet« hat, einer Welt, die »nur existiert, die keine Idee besitzt«. Anastasia lebt ausschließlich dem Augenblick; sie tötet nicht aus Gerechtigkeit und nicht für einen politischen Zweck, sie lügt und greift zum Giftzucker, um ihren Hals zu retten — an ihrer rein animalischen Existenz gehen die Weltverbesserer zugrunde. 4. Der Minister Diego, der die Welt nimmt, wie sie ist, und für seine kleinlichen genußsüchtigen Zwecke verwendet, ist der zynische, opportunistische Machtpolitiker mit impotentem Herzen. Er hat einen billigen und schmutzigen Erfolg, denn es scheitert auch: 5. Graf Übelohe-Zabernsee, der Utopist der Wahrheit und des grenzenlosen Mitleids. Er ist der ewige Besiegte, immer aber aus Noblesse gescheitert und aus Liebe lächerlich geworden. Er steht dem Herzen Dürrenmatts am nächsten; in seinem Part wird die Sprache rhapsodisch. Und wenn er tausendmal durch den unwürdigen Gegenstand seiner Liebe, durch Anastasia, entwürdigt scheint, so ist es doch immerhin Liebe. Er ist, ›ein letzter Christ‹, ein Ritter des Glaubens und der Hoffnung

›Die Ehe des Herrn Mississippi‹ von Friedrich Dürrenmatt. Bühnenskizze von Wolfgang Znamenacek für Hans Schweikarts Inszenierung der Uraufführung an den Münchener Kammerspielen, 1952

— der Idealist mit dem höchst potenten Herzen: Don Quichote, anstürmend gegen die Windmühlenflügel der Geschichte, einen Preisgesang auf den Lippen: »Daß aufleuchte seine Herrlichkeit, genährt durch unsere Ohnmacht.« Auch er verbessert die Welt nicht, aber er besteht sie, im Scheitern und in der Lächerlichkeit, mit Anstand.

Fünf Personen, vom Autor zu Versuchszwecken zusammengesperrt, Reinkulturen spätbürgerlicher Ideenbazillen unterm Deckglas — sie bringen Mord hervor, Revolution, rasende Lebensläufe mit krematoriumsreifem Ende. Dürrenmatt läßt seine Hauptpersonen distanzierende Conférencen halten und sie mit naivem Ernst agieren. Er arbeitet mit doppelter Ironie: der direkten der kommentierenden Zwischenbemerkungen und der indirekten der in Kolportage-Kurven dahinschießenden Handlung. Er blendet wie im Kino vor und zurück. Er episiert im Zeitraffer und montiert Simultanszenen. In der stilistischen Spur Wedekinds, Pirandellos und Brechts hat er mit dieser Komödie seinen eigenen Weg gefunden: in grellen Moritatenfarben ein blutiger Spaß. Der, wie eine seiner Personen sagt, »zäh schreibende Protestant« Dürrenmatt benutzt die Kolportage als Kunstmittel: sie macht den Hintertreppenroman der Fanatiker unserer Zeit sichtbar, den Ganovencharakter und die Unmenschlichkeit der Utopisten mit dem ruhigen Gewissen.

Ein Engel kommt nach Babylon. Komödie in drei Akten. Uraufführung am 12. Dezember 1953, Kammerspiele München. — Die ›Gnade des Himmels‹ wird in Gestalt des Mädchens Kurrubi von einem Engel nach Babylon gebracht; sie soll dem ›geringsten der Menschen‹ übergeben werden, Akki, dem letzten Bettler Babylons. Der Gewaltherrscher Nebukadnezar aber, der sich, als Bettler verkleidet, mit Akki auf ein Wettbetteln eingelassen und als Amateur dabei verloren hat, muß dem Engel noch geringer als Akki erscheinen, und so erhält Nebukadnezar das Mädchen Kurrubi. Doch er stößt sie, die ›Gnade‹, von sich, weil er sie als Bettler und nicht als König empfangen hat, und tauscht sie ein gegen die Macht über seinen Widersacher Nimrod. Kurrubi kann auch bei dem Bettler Akki auf die Dauer nicht bleiben, denn jeder begehrt sie — das Volk revoltiert und möchte sie wenigstens als Königin haben. Doch Kurrubi, die nur den als Bettler verkleideten, hilflosen König Nebukadnezar lieben konnte, weist den von der Macht besessenen Gewaltherrscher Nebukadnezar zurück: er will nicht lernen, »daß das Weltregieren dem Himmel zukommt und das Betteln dem Menschen«, aber er begreift, daß jeder vom Haß der Menschheit verfolgt wird, der ›die Gnade des Himmels‹ besitzt, und übergibt deshalb Kurrubi dem Henker. Dieser Henker aber ist kein anderer als der verkleidete Bettler Akki, der ›geringste der Menschen‹. Während der König die Herausforderung des Himmels, den Turmbau zu Babel, beschließt, zieht der Bettler, begnadet mit Kurrubi und berauscht von der Schönheit der Erde, »einmalig an Glück und einmalig an Gefahr«, einem neuen irdischen Land entgegen — »tauchend aus der Dämmerung, dampfend im Silber des Lichts, voll neuer Verfolgung, voll neuer Verheißung, und voll von neuen Gesängen«.

Dürrenmatt ist hier mehr moralisierender Allegoriker als satirischer Moralist. Lebt der Bettler Akki, eine prachtvolle Komödiengestalt, ganz aus kreatürlicher Menschlichkeit, so steht sein Gegenspieler Nebukadnezar schon mit einem Bein im allegorischen Gedankenexperiment, zu dem das Mädchen Kurrubi ganz und gar gehört, denn ihre ›Liebe‹ ist reine Abstraktion. Bester Dürrenmatt sind die Hymnen des Engels und der Schlußhymnus Akkis auf die Schönheit der Erde. Das Stück, gemischt aus scharfer Satire und bloßen Witzen, aus Dramatik und Kabarett, aus Poesie und Conférence, wirkt als Allegorie mit eingebauter Herzpumpe, die gelegentlich stockt und manchmal ganz aussetzt.

Der Besuch der alten Dame. ›Tragische Komödie‹. 1955. Uraufführung am 29. Januar 1956, Schauspielhaus Zürich. — Claire Zachanassian, geborene Wäscher, eine amerikanische Multimillionärin, kehrt als ein geschminktes Wrack in ihr Heimatdorf Güllen zurück, um sich zu rächen: vor Jahrzehnten hat sie aus dem inzwischen durch ihren Einfluß völlig verarmten Dorf fliehen müssen, denn sie bekam ein Kind von Ill, ihrem Geliebten, und dieser Ill hat damals die Vaterschaft betritten und Zeugen bestochen, die beschworen haben, daß auch sie etwas mit Claire gehabt hätten — Ill wollte die Tochter des reichen Krämers heiraten. Auf dem Umweg über das Bordell ist Claire die Frau und Witwe des Multimillionärs Zachanassian geworden, hat die meineidigen Zeugen blenden und kastrieren lassen, und jetzt hat sie nach Güllen einen Sarg mitgebracht, der für Alfred Ill bestimmt ist: sie bietet der Stadt eine Milliarde, wenn man ihr den noch lebenden Ill tot vor die Füße legt. Die Empörung über diese Zumutung legt sich rasch — schon die Aussicht auf Reichtum korrumpiert die Bewohner, sie verfallen in einen Rausch des Kaufens und erwarten von Ill, daß er sich opfere. Claire spielt grausam mit Ill; sie besucht mit ihm die Plätze, an denen sie sich einst geliebt haben, und sie bleibt unerbittlich. Ill bricht zusammen, stellt sich, wird von einem Turner erwürgt, die Stadt erhält ihre Milliarde, und Claire zieht, den Jugendgeliebten im Sarg, triumphierend nach Capri, wo sie ihm ein Mausoleum bauen wird — in Güllen aber ist der Wohlstand ausgebrochen.

Der dissonante Schluß, der Triumph einer Gerechtigkeit, die nicht Gerechtigkeit, sondern Rache ist, soll schockieren — doch die Moral dieser einleuchtenden, in ihren Konsequenzen wahrscheinlichen und absolut humorlosen, grausamen Geschichte liegt auf der Hand; sie braucht nicht ausgesprochen zu werden, und sie wird auch nicht ausgesprochen.

So bösartig grotesker Mittel sich Dürrenmatt bei diesem ins Extrem getriebenen Gedankenspiel bedient, er verhöhnt weder Ill, den gehetzten, späten Büßer, dieses Todesopfer der Konjunktur, noch seine Jäger, die Einwohner von Güllen: in das Grauen mischt sich unaufdringlich, doch unabweisbar Mitleid mit der Verführbarkeit des Menschen. Im Nachwort zur Buchausgabe vermerkte Dürrenmatt: »Der Besuch der alten Dame ist eine Geschichte, die sich irgendwo in Mitteleuropa ereignete, geschrieben von einem, der sich von diesen Leuten durchaus nicht distanziert und der nicht so sicher ist, ob er anders handeln würde.« Ein Meisterwerk: groteske Fabel und realistische Folgen, Lehre und Leben, Parabel und sogar Poesie sind zur unauflösbaren Einheit eines in sich richtigen Bühnenspiels geworden, das hinter der Rampe lebt, doch mit einem Gewissensschock über die Rampe vorstößt.

Die Physiker. Komödie. Uraufführung am 21. Februar 1962 im Schauspielhaus Zürich. — In einer privaten Irrenanstalt leben drei verrückt gewordene Physiker: einer hält sich für Newton, einer hält sich für Einstein, und einer heißt schlicht Möbius. Als sie ihre Wärterinnen ermorden, stellt sich heraus, daß sie alle drei Simulanten sind, die ihre Wärterinnen umbringen, weil sie sich durchschaut fühlen: Möbius spielt den Irren, weil seine Entdeckungen so ungeheuerlich sind, daß sie das Ende der Menschheit bedeuten, falls sie in die Hände der Macht fallen, und die beiden andern sind Geheimagenten, aus Ost und West, die ihm seine Formeln abjagen wollen. Alle drei Physiker werden zum Entschluß geführt, daß sie lieber freiwillig im Irrenhaus bleiben, als daß sie die Welt in ein Irrenhaus verwandeln. Die Irrenärztin aber hat

21 Punkte zu den 'Physikern

1 Ich gehe nicht von einer These, sondern von einer Geschichte aus.

2 Geht man von einer Geschichte aus, muss sie zu Ende gedacht werden.

3. Eine Geschichte ist dann zu Ende gedacht, wenn sie ihre schlimmst-mögliche Wendung genommen hat.

4. Die schlimmst-mögliche Wendung ist nicht voraussehbar. Sie tritt durch Zufall ein.

5. Die Kunst des Dramatikers besteht darin, In einer Handlung den Zufall möglichst wirksam einzusetzen.

Die ersten fünf von 21 Punkten zu seiner Komödie ›Die Physiker‹, am 13. Februar 1962, acht Tage vor der Uraufführung, formuliert von Friedrich Dürrenmatt

sich längst in den Besitz der Geheimnisse gebracht — sie ist die einzige wirklich Irre, und darüber werden die Physiker so verrückt, wie sie am Anfang nur simuliert haben.

Mit dieser so einfachen wie grotesken Fabel hat Dürrenmatt eine Bühnen-Formel gefunden für eine reale Situation, die jederzeit eintreten kann. Er scheut vor der Konsequenz nicht zurück, daß das, was einmal ausgedacht worden ist, das Mittel zur Massenvernichtung, nie mehr zurückgenommen werden kann — das ist der tödliche Ernst in dieser wahrhaft aristophanischen Posse, in der wilde Komik und blankes Grauen so dicht nebeneinander liegen, daß sich der Zuschauer mit seinem eigenen Gelächter verwundet.

Meisterhaft die Architektur des Stückes, die Rolle ›Newtons‹, Pfiffigkeit über einem Abgrund von Brutalität, ›Einsteins‹, Verschüchterung über einem Abgrund von Fanatismus, Möbius' mit seinen Spannungen zwischen gespieltem Irrsinn, Normalität, Erregung bis zum Irrsinn und Irrsinn. Je harmlos heiterer das Stück gespielt wird, desto schockierender wirkt es. Dürrenmatt, befragt, in welchem Verhältnis seine ›Physiker‹ zu Brechts ›Galilei‹ stünden, antwortete mit einem genau treffenden Bonmot: »Ich wollte keine Tragödie, sondern das Satyrspiel *vor* der Tragödie schreiben.«

Der Meteor. Komödie. Uraufführung 20. Januar 1966, Schauspielhaus Zürich. – Der mit dem Nobelpreis ausgezeichnete Dramatiker Wolfgang Schwitter (mit grimmig selbstironischen Zügen Dürrenmatts) ist in der Klinik gestorben, aber vom Tode auferstanden und in das Maler-Atelier geflüchtet, das er vor vierzig Jahren bewohnt hat, um hier zu sterben, in seinem alten Bett. Aus diesem Grundeinfall lassen sich die grotesken Situationen geradezu mathematisch ableiten: Schwitter will sterben, aber er stirbt nicht, und nicht sterben wollen die Menschen, die ihn im Atelier besuchen, aber sie sterben oder werden zumindest ruiniert. Der von Glaubenszweifeln gequälte Pfarrer weigert sich, an einen Scheintod des Nobelpreisträgers zu glauben; für ihn ist das Wunder der Auferstehung geschehen, ein Glaubensgrund, und damit verbleicht er still. Dem Ateliermieter und Kunstmaler Nyffenschwander nimmt Schwitter die Frau ab: sie kommt zu ihm ins Bett, und durch ihn erkennt sie, daß Nyffenschwander weder als Maler noch als Mann etwas taugt, und so verläßt sie ihn. Der Maler wird vom ›großen Muheim‹, dem skrupellosen Unternehmer, die Ateliertreppe hinuntergeworfen, bricht sich dabei das Genick, und Muheim, dem Schwitter nachträglich das Bewußtsein einer treu geführten Ehe zerstört hat, muß ins Gefängnis. Seinen Sohn und seinen Verleger ruiniert Schwitter, indem er sein Vermögen verbrennt, seine erschriebene Million und mit ihr auch eine halbe Million, die dem Verlag gehört. Seinen Arzt, die Kapazität Professor Schlatter, ruiniert Schwitter, indem er, obwohl zweimal einwandfrei als tot diagnostiziert, einfach weiterlebt. Schwitters Frau Olga, ein ehemaliges Callgirl, vergiftet sich, weil sie ihn liebt und die diversen Todesabschiede von ihm nicht mehr ertragen kann. Schwitters Schwiegermutter, eine Abortfrau und Kupplerin, die einzige, die ihm gewachsen ist, scheint als einzige ihren eigenen Tod zu sterben. Schwitter, der zu Beginn des zweiten Teils endlich tot geschienen, mit Kränzen bedeckt und geehrt durch einen infam formulierten Nachruf des ›Starkritikers‹ Friedrich Georgen, ist abermals lebendig geworden, und der letzte Satz der Komödie, während die Heilsarmee ihn als Auferstandenen feiert, ist sein Schrei: »Wann krepiere ich denn endlich?«

Das rapide Ableben von Menschen, die weiterleben wollen, während der einzige, der ableben will, weiterlebt — dies entspricht dem Muster der ›verkehrten Welt‹, das in diesem Stück immer wieder die Gelächter-Situationen bestimmt: vom billigen Witz, wie sich hier Mutterliebe ausgerechnet darin äußert, daß die Mutter die Heirat ihrer Callgirl-Tochter bedauert, weil sie dadurch ihrem Beruf entfremdet wird, bis zu den Variationen der Zentral-Pointe: nicht der Tod ist übel, sondern das Leben und die Auferstehung. Bei der Uraufführung in Zürich und bei der deutschen Erstaufführung, am 10. Februar 1966 im Hamburger Thalia-Theater, wurde über das Stück wie über eine brillant böse Posse gelacht. Beziehungen zu theoretischen Äußerungen Dürrenmatts waren nicht zu entdecken. So hat Dürrenmatt geäußert, der ›Meteor‹ sei »der symbolische Titel eines Stückes, das von der Kraft handelt, die ein Sterbender entwickeln kann«; er sei ein »Stück vom falschen Leben«, sei »die Geschichte eines Wunders«, nämlich der Auferstehung: »Die Auferstehung ist in meinem Stück als das genommen, was sie eigentlich ist, als ein Skandalon, als ein anstößige Geschichte ... Schwitter kann seine eigene Auferstehung nicht glauben.« Solche Konsequenzen aus seiner Fabel, Anspielungen gar auf den biblischen Lazarus, von Dürrenmatt offenbar gewollt, hat er allerdings mit grotesken Szenen zugeschüttet: Schwitters Auferstehung wirkt auf der Bühne als purer Theatercoup, als szenischer Anlaß für eine Serie blutiger Witze.

Blick auf andere Stücke. — In seinem Erstling *Es steht geschrieben* (einem ›Drama‹ mit dem Untertitel ›Untergang eines Reiches, das nicht von dieser Welt war‹. Uraufführung 19. April 1947, Schauspielhaus Zürich) hat Dürrenmatt im Bistum Münster der Wiedertäuferjahre (1534—1536) antithetisch gegeneinandergestellt: den armen Bockelson, den König der Wiedertäufer, der seine Gier nach Frauen, Geld und Macht in seiner Schreckensherrschaft stillt, und den reichen Bürgermeister Knipperdollinck, der büßend seine Habe verteilt und Gott in der Armut sucht. Die barock wuchernde Bilderfolge bezeugt den Aufbruch Dürrenmatts aus dem Umkreis Wedekinds und die Entbindung seiner eigenen Sprache aus lyrischem Expressionismus. Zwanzig Jahre später hat Dürrenmatt sein unbeholfenes religiöses Symboldrama verengt in ein geöltes, obenhin witziges politisches Parabelspiel, eine ›Komödie in zwei Teilen‹ *Die Wiedertäufer* (Uraufführung 16. März 1967, Schauspielhaus Zürich, durch Werner Düggelin. Deutsche Erstaufführung 8. November 1967, Münster) — eine ›Komödie‹, die seiner inzwischen entwickelten Dramaturgie entspricht: »Die schlimmst-mögliche Wendung, die eine Geschichte nehmen kann, ist die Wendung in die Komödie.« Aus Bockelson ist ein Schmierenkomödiant geworden, der beleidigt ist, weil ihn der

JETZT

EINE PFEIFE

In den Ferien zeichnete Friedrich Dürrenmatt gallenbittere Plakatentwürfe für seine Kinder. 1963 veröffentlichte sie der Diogenes-Verlag, Zürich, in einer einmaligen Auflage mit numerierten Exemplaren unter dem Titel ›Die Heimat im Plakat, ein Buch für schweizer Kinder‹. Eines der Plakate, ›Jetzt eine Pfeife‹ nimmt eine Grundsituation aus Dürrenmatts Komödie ›Der Meteor‹ vorweg: Schwitter raucht ungerührt auf dem Totenbett, allerdings Zigarren

theaterverliebte Bischof von Münster nicht in seine Truppe aufgenommen hat. Dürrenmatt meint: »Bockelson ist ein Thema jeder Macht: ihre Begründung durch Theatralik.« Nicht mehr Machtgier treibt Bockelson, sondern komödiantische Lust (und dies beraubt Knipperdollinck seiner Antithese und damit seiner Existenzgrundlage). Für Bockelson ist die Herrschaft der Wiedertäufer, diese religiös begründete Völlerei und Hurerei, nur eine Inszenierung, in der er die Hauptrolle spielt und seine Anhänger – mit Anspielungen auf Hitler – durch Theatertricks fanatisiert. Statt seiner wird schließlich ein Doppelgänger gehenkt: Bockelson, der so glänzend um die Macht gespielt hat, wird in die Theatertruppe des Kardinals aufgenommen und von den großen Machtspielern für das »Theater dieser Welt« gerettet. Am Ende sind die seriösen Themen Dürrenmatts unter einem Haufen kleiner Witze und aufgeputzter Possen-Effekte erstickt. – Ein grotesker Schwank ist *Romulus der Große*, eine ›ungeschichtliche historische Komödie‹ (Uraufführung am 23. April 1949 im Stadttheater Basel). Kaiser Romulus Augustus hält das römische Weltreich für unmoralisch und will es als ›Richter Roms‹ liquidieren, indem er 467 n. Chr. tatenlos die einmarschierenden Germanen erwartet. Germanenfürst Odoaker freilich, ein leidenschaftlicher Hühnerzüchter wie Romulus, hat keinen sehnlicheren Wunsch, als sich zu unterwerfen, um so zu verhindern, daß die Germanen »endgültig ein Volk der Helden« werden. Romulus lehnt ab, geht in Pension, und Odoaker muß die Herrschaft antreten, schon ahnend, daß sein Neffe Theoderich ihn ermorden und ein blutiges Regiment errichten wird. Der Grundgedanke – das Scheitern des humanen Pazifisten Romulus unter den Bedingungen der inhumanen, geschichtlichen Wirklichkeit – geht in burlesken Scherzen unter; die Personen sind lediglich Pointenvollstrecker. – *Frank V.*, die ›Oper einer Privatbank‹ (Uraufführung 3. März 1959, Schauspielhaus Zürich) mit Musik von Paul Burkhard ist ein abendfüllend verlängerter, grimmiger Kabarett-Scherz mit einigen brillanten Details schwarzen Humors. Frank der Fünfte hat sein Bankhaus in ein Gangster- und Huren-Unternehmen verwandelt. Alt geworden inszeniert er seine Scheinbeerdigung, verkleidet sich als Priester, um sich nach der ordnungsgemäßen Liquidierung der Bank zur Ruhe zu setzen, doch sein Sohn, Frank der Sechste, schließt ihn im Geldschrank ein, auf daß er dort verhungere – Franks Kinder werden die Bank wieder ehrlich machen, weil damit noch mehr Geld als durch Verbrechen zu erwerben sei. Wie einer seiner Bühnengangster schießt Dürrenmatt in so viele Richtungen, daß kein Ziel, kein realer Bezug zur Welt mehr erkennbar ist. – *König Johann von Friedrich Dürrenmatt nach Shakespeare* (Uraufführung 18. September 1968, Stadttheater Basel, durch Werner Düggelin): Gegen das von König Johann von England, von König Philipp von Frankreich und von dem Kardinal von

Mailand repräsentierte feudale System setzt Dürrenmatt den Bastard Faulconbridge, nicht wie Shakespeare als englischen Patrioten, sondern: »Mein Bastard ist weder Ideologe noch Moralist, für ihn sind die Könige die Machthaber und die Völker die Opfer dieser Machthaber.« Bei Dürrenmatt gehört der Bastard zu den Opfern; als Berater des dumm brutalen Königs Johann (1199–1216) ist er die Stimme der Vernunft, die in der von Dummheit und Zufall beherrschten Geschichte immer wieder scheitert. Am Ende, als König Johann aus taktischen Gründen, um den Adel zu schwächen, dem Volk durch die Magna Charta mehr Rechte verschafft, geht der Bastard unters Volk, um – geistig, aber auch physisch – die Demokraten zu zeugen, die mit ein wenig mehr Vernunft den Feudalstaat verändern werden. Aus einer entlegenen Shakespeare-Historie hat Dürrenmatt ein zupackendes politisches Stück gemacht mit humanem Pathos im zynischen Witz. – *Play Strindberg*, ›Strindbergs Totentanz, arrangiert von Dürrenmatt‹ (Uraufführung 8. Februar 1969, Stadttheater Basel, durch Dürrenmatt und Erich Holliger). In Strindbergs ›Totentanz‹ (1900) benutzen nach fünfundzwanzig Jahren Ehe Kapitän Edgar und seine Frau Alice in ihrem Ehekrieg den in ihrem Festungsturm auf der Schäreninsel auftauchenden Kurt, den Vetter Alices, als Waffe gegeneinander. Bei Dürrenmatt versuchen sie dies auch, doch hier ist Kurt stärker, und am Ende ist er der Stärkste: unter Schurken der souveränste Schurke, im Ehekrieg »geistig wieder fit geworden« für die Geschäftswelt, die ebenfalls von Erniedrigung, Erpressung und Haß beherrscht wird. Dürrenmatt hat aus Strindberg das sentimentale Fett herausgekocht, bis nur noch ein Skelett des Hasses übrig geblieben ist; er schildert sein Verfahren: »Strindbergs Dialog wird als Vorlage für einen Anti-Strindberg-Dialog benutzt; aus einem Schauspielerstück wird ein Stück für Schauspieler ... Aus einer bürgerlichen Ehetragödie wird eine Komödie über die bürgerliche Ehetragödie: ›Play Strindberg‹.« In zwölf mit Titeln versehenen »Runden« spielen Schauspieler den Text, als führten sie mit innerer Distanz Zitate aus Strindberg vor. Die Runden sind knapp, lapidar, nach dem Muster: Rede, Gegenrede und eine schauerliche Pointe. Dem Strindberg hat Dürrenmatt die Qual, den Ernst, die Tragik ausgetrieben, bis nur noch der Dauerzynismus routinierte Wortgefechte mit sich selbst aufführt. Durch Verknappung des Dialogs und gesteigertes Tempo erhalten auch die Partien schrecklicher gegenseitiger Verletzungen ihre Komik. – *Portrait eines Planeten* (Uraufführung 10. November 1970, Düsseldorf; Regie: Erwin Axer). Mit Adam, Eva, Kain und Abel eine Blitztour durch die Geschichte der Erde vom Matriarchat bis zur Zerstörung durch eine Supernova; zwei Dutzend Blackout-Glossen zum Tage und zur Ewigkeit; eine Anthologie von Einfällen, die andere Autoren und Dürrenmatt schon besser gehabt haben. Hier bildet er die Banalitäten des Schreckens und der Ermutigung – »Die Erde ist eine Chance« – auf erschreckend banale Weise ab: Skizzen zu einem Stück, das noch nicht geschrieben ist. – *Titus Andronicus nach Shakespeare von Dürrenmatt* (Uraufführung 12. Dezember 1970, Düsseldorf; Regie: Stroux). Mohr Aaron, bei Shakespeare an allem mitschuldig, ist bei Dürrenmatt für alles entschuldigt: da er als Schwarzer behandelt wird, hat er sich entschlossen, als Schwarzer zu handeln. Mangelnde Gerechtigkeit ist verantwortlich für die Greuel der Welt und der blutigen Tragödie, die in allgemeiner Sinnlosigkeit endet: »Der Weltenball, er rollt dahin im Leeren und stirbt so sinnlos, wie wir alle sterben: Was war, was ist, was sein wird, muß verderben.«

Zwischenspiel: Absurdes, Alptraumtechnik,
Komik des Scheiterns und dergleichen

> Was die kleinen Kinder zum Lachen bringt, macht den großen
> Leuten Angst.   Alfred Jarry in ›König Ubu‹

Man kann in dieser ein Dutzend Häuser langen, verwinkelten und dunklen Gasse im Pariser Quartier Latin, nahe dem Boulevard Saint Michel, zwischen Algeriern und Clochards in einer tristen Kneipe Rotwein trinken, bei einem Armenier Zuckerbäckereien kaufen, in einem Buchladen spiritistische Werke erstehen, ein Stundenhotel aufsuchen oder einen der achtzig Plätze des kleinsten Pariser Theaters einnehmen, des ›Théâtre de la Huchette‹ in der Rue de la Huchette, der Straße des kleinen Hifthorns. Von hier aus ist der Begriff des ›absurden Theaters‹ in alle Welt gegangen, und es wäre schön, wenn es ihn nicht gäbe, denn ›absurd‹ heißt widersinnig und sinnlos, und dies alles ist das absurde Theater nicht.

Selbstverständlich ist das ›Absurde‹, sei es als Theaterstil, sei es als Lebensgefühl, keine Pariser Nachkriegserfindung dreier Nichtfranzosen, des Russen Adamov, des Rumänen Ionesco und des Iren Beckett, die alle französisch schreiben, doch diese drei haben nun einmal in der Weltmeinung dieses Banner in ihrem Lager, ob sie wollen oder nicht — und sie wollen alle drei nicht oder doch nicht mehr, und daß sie ein Lager bilden, würden sie mit Recht bestreiten: auch dies ist absurd an den Absurden.

Sehen wir uns ein paar ältere absurde Hervorbringungen an — nicht, um Abhängigkeiten zu konstruieren, sondern um vom Vertrauteren zum Unvertrauten zu gelangen, wie sich dies gehört.

»Es war einmal ein arm Kind und hatt kein Vater und keine Mutter, war alles tot, und war niemand mehr auf der Welt. Alles tot, und es is hingangen und hat gesucht Tag und Nacht. Und weil auf der Erde niemand mehr war, wollt's in Himmel gehn, und der Mond guckt es so freundlich an; und wie es endlich zum Mond kam, war's ein Stück faul Holz. Und da is es zur Sonn gangen, und wie es zur Sonn kam, war's ein verwelkt Sonneblum. Und wie's zu den Sternen kam, waren's kleine goldne Mücken, die waren angesteckt, wie der Neuntöter sie auf die Schlehen steckt. Und wie's wieder auf die Erde wollt, war die Erde ein umgestürzter Hafen. Und es war ganz allein. Und da hat sich's hingesetzt und geweint, und da sitzt es noch und is ganz allein.«

Das arme, elternlose Kind, das vom Himmel enttäuscht und dem die Rückkehr zur Erde versperrt wird, auf ewig weinend und ganz allein – es stammt nicht aus der zweiten Nachkriegszeit und nicht von einem ›Absurden‹, sondern aus dem Jahre 1836, die Großmutter erzählt seine Geschichte im ›Woyzeck‹ des deutschen Dramatikers Georg Büchner (1813 bis 1837), doch wenn es im Jargon der zweiten Nachkriegszeit reden könnte, dann würde es wohl sagen, daß nicht nur sein Leben, seine ›Existenz‹, sondern daß die ganze Welt ›absurd‹ sei. Das Lebensgefühl des Absurden, des Sinnlosen, steckt in dieser Geschichte und auch eine beliebt gewordene Technik des Absurden: das negative Märchen, das statt zu einem glücklichen Ende in ein unbegreifliches Scheitern führt, besonders schmerzhaft dadurch, daß es in Großmutters liebvertrautem Ton erzählt wird. Arthur Adamov, einer der Erfinder des absurden Theaters, hat Georg Büchner nicht ohne Folgen ins Französische übersetzt.

Von Büchner ist es nur ein kleiner Schritt bis zu Franz Kafka (1883–1924), ohne den die Pariser Avantgarde gleichfalls nicht denkbar ist. Er hat zwei unvollendete Romane hinterlassen, ›Der Prozeß‹ und ›Das Schloß‹, die beide dramatisiert worden sind und in dieser vergröberten Form, an der Kafka schuldlos ist, zu den Geburtshelfern des modernen absurden Theaters gehören.

Der Prozeß, dramatisiert von André Gide und Jean-Louis Barrault, uraufgeführt 1947 im Pariser Théâtre Marigny (Deutsche Erstaufführung 1950 im Berliner Schloßpark-Theater): Josef K. wird an seinem 30. Geburtstag verhaftet; er erfährt nicht, wessen er angeklagt ist; nie bekommt er das Gericht zu Gesicht, immer nur niedere Angestellte; je heftiger er versucht, seine Unschuld zu beweisen, desto stärker wächst in ihm das Gefühl, schuldig zu sein, und als er schließlich, ohne je eine Gerichtsverhandlung erreicht zu haben, von zwei schäbigen Henkern erstochen wird, fragt er sich, schon das Messer im Rücken: »Ist es, weil ich nie geliebt habe?« *Das Schloß*, dramatisiert von Max Brod, uraufgeführt 1953 im Berliner Schloßpark-Theater: So vergeblich wie Josef K. im ›Prozeß‹ versucht hat, seine obersten Richter zu

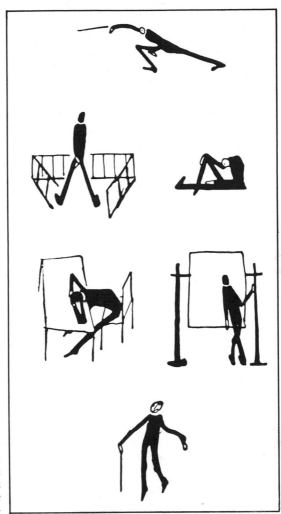

Federzeichnungen
von Franz Kafka
zu seinem hinterlassenen
Roman-Manuskript
›Der Prozeß‹

erreichen, so vergeblich versucht er hier, ein ortsfremder Landvermesser, Einlaß ins ›Schloß‹ zu erhalten; er stirbt auf dem Instanzenweg, er hat »das Tor ins rechte Leben« verfehlt; die Nachricht vom ›Schloß‹, daß er zugelassen sei, kommt zu spät.

Für Max Brod, den Nachlaßverwalter Kafkas, hat Kafka im Sinne der Kabbala »die beiden Erscheinungsformen der Gottheit, Gericht (›Der Prozeß‹), und Gnade (›Das Schloß‹),« dargestellt. Was der zweifellos vieldeutigere Kafka, in dessen Symbolschlösser mehr als ein Schlüssel paßt, mit seinen

Romanfragmenten (um deren Vernichtung nach seinem Tod er — vergeblich — gebeten hatte) auch immer gemeint haben mag, einige seiner Techniken führen zum absurden Theater.

So die Technik des Scheiterns: jede Bewegung, die Josef K. zu seiner Befreiung macht, verstrickt ihn tiefer in seine Gefangenschaft. Die Absurden haben entdeckt, daß dieses boshafte Dauerscheitern, an dem man selbst widerwillig beteiligt ist, auch komisch sein kann: ein Effekt, den jeder Zirkusclown beherrscht — wenn er seiner Sehnsucht folgt, irgend etwas zu erreichen oder zu vollenden, was ihn entzücken könnte, dann fällt er immer wieder auf die Nase und wird jubelnd belacht. Wenn es dem genialen Münchener Komiker Karl Valentin (1882—1948) als ›Buchbinder Wanninger‹ nicht gelingt, einen Termin für die Ablieferung seiner Bücher und seiner Rechnung zu erhalten, wenn er sich derart auf dem Instanzenweg der Telefonate verheddert, daß er schließlich seinen eigenen Namen nicht mehr weiß, vornehm ausgedrückt: seine Identität verliert, dann gelangt Valentin durch den Bereich der Komik an die Grenze des Tragikomischen, an der auf der anderen Seite, durch den Bereich der Tragik gedrungen, Kafkas nicht ins Schloß gelassener Josef K. steht — Valentin und Kafka sind sich hier so nahe, daß sie sich über die Grenze, an der Komik und Tragik das gleiche sind, die Hand reichen könnten. Als Jean-Louis Barrault 1957 ›Das Schloß‹ im Pariser Théâtre Sarah Bernhardt inszenierte, ließ er Max· Brods Fassung durch Pol Quentin auf bezeichnende Weise bearbeiten und erweitern: die französische Aufführung lebte von der Komik des Scheiterns, und Barrault spielte einen K., über den mehr gelacht als gedacht wurde. Diese Art des ›schwarzen Humors‹ erfüllt das absurde Theater.

Man kann den vergeblichen Kampf des Josef K. um den Nachweis seiner Unschuld als einen durch Gerichtsinstanzen sichtbar gemachten, inneren Kampf des Josef K. mit sich selbst betrachten: das Todesurteil fällte dann sein strenges Gewissen, dem allmählich klar wird, daß »auch die geringste Abweichung vom Zustand der Vollkommenheit schon Schuld« ist. Entsprechend wäre die Nichtzulassung zum ›Schloß‹ der sichtbare Ausdruck für die innere Unfähigkeit des Josef K., im irdischen Leben heimisch zu werden. Diese Verbildlichung innerer Vorgänge durch groteske äußere Handlungen gehört zu den Kunstgriffen des absurden Theaters. Sie kann bei Kafka studiert werden, aber auch schon bei Strindberg, besonders bei seinem ›Traumspiel‹ (aus dem Jahre 1901). Ionesco hat 1956 halb ironisch, halb ernst gestanden: »Man hat mir bewiesen, ich sei stark von Strindberg beeinflußt. Das hat mich gezwungen, den skandinavischen Dramatiker zu lesen. Ich habe mir Klarheit darüber verschafft, daß das wirklich zutrifft.«

Verbildlichung innerer Vorgänge – um sie zu studieren, braucht man den

Umweg über Strindbergs ›Traumspiel‹ nicht; man kann sie auch an den eigenen Träumen lernen. Adamov hat seinen ›Professor Taranne‹ nach einem Alptraum geschrieben, und Ionescos ›Mörder ohne Bezahlung‹ hat wie viele andere Stücke des absurden Theaters den Charakter und die Technik eines Alptraums.

Seelische Vorgänge, die sich am Tage nur mit Hilfe abstrakter Begriffe beschreiben ließen, werden nachts im Traum zu greifbaren Bildergeschichten. Wer beispielsweise vor einer Prüfung abwechselnd von Furcht und Hoffnung gebeutelt wird, dem kann es passieren, daß er nachts einen schweißtreibenden Hindernislauf zu bewältigen hat: er fühlt, daß er ein bestimmtes Ziel rechtzeitig erreichen muß, und läuft möglicherweise mit heraushängender Zunge durch eine brüllendheiße Wüstenlandschaft; er spürt, daß er bald am Ziel sein muß, da erblickt er plötzlich entsetzt einen breiten Fluß, den er unmöglich durchqueren kann, aber schwupps, ist es frostklirrender Winter, der Fluß ist zugefroren, der Mensch saust glücklich übers Eis, und schon reißt das Eis, der Abstand zwischen den Schollen wird größer, der Mensch muß immer längere Sprünge machen, bis er endlich ins Eiswasser fällt und aufwacht. Diese Bildergeschichte ist, mit der Logik des Tages betrachtet, ausgesprochen blödsinnig: Wie kommt in die Sonnenwüste ein zugefrorener Fluß, und wie könnte die Eisdecke so rasch zu Treibeis werden? Ausgesprochen logisch jedoch wird die Geschichte, wenn man ihre Bilder als Ausdruck des Wechsels von Furcht und Hoffnung betrachtet: die Furcht holt den unüberquerbaren Fluß in die Wüste, die Hoffnung gibt ihm die praktische Eisdecke, und die Furcht reißt sie auf. Das ist ein sehr simples Beispiel einer Traumdeutung, für das Verständnis einer Technik des absurden Theaters aber reicht sie aus: die Bilder, die mit Hilfe der Personengruppierungen und der Dekorationen auf die Bühne gestellt werden, sind ebenfalls nichts anderes als Ausdruck seelischer Vorgänge. Die Innenwelt eines Menschen wird in seine Außenwelt projiziert; die Außenwelt wird dadurch zum Bild seiner Innenwelt. »Innenwelt, Außenwelt«, sagt Ionescos Behringer in ›Mörder ohne Bezahlung‹, »das sind unpassende Ausdrücke, es gibt keine wirklichen Grenzen zwischen diesen zwei Welten.«

Die Logik, mit der die Bilder einander folgen, ineinander übergehen oder mit der sich irgendeine Person ohne weiteres in irgendeine andere Person verwandelt, ist nicht die Logik des Tages, einer äußeren Handlung, sondern die Logik des Traums, eines inneren Vorgangs, der die Verwandlung der Bilder oder Personen bewirkt.

Manche Stücke des absurden Theaters erinnern an diese etwas aus der Mode gekommenen Bilderrätsel, über denen ›Rebus‹ stand: ›durch die Dinge‹ drücken auch diese Stücke etwas aus, was man entschlüsseln kann. Im

Gegensatz zum ›Rebus‹-Rätsel aber sind die Bildergeschichten auf der Bühne keineswegs eindeutig, sondern verwirrend vieldeutig wie die Träume.

Dafür ein Beispiel, das kräftig genug scheint, sich länger auf den Bühnen zu halten. Der Verfasser ist Boris Vian, geboren 1920, Ingenieur, Jazztrompeter, Filmschauspieler, Dramatiker, Romanschriftsteller, Übersetzer der Kriminalromanautoren Raymond Chandler und Peter Cheyney, eine der vielseitigsten und explosivsten Figuren im ›existentialistischen‹ Saint-Germain-des-Prés nach dem zweiten Weltkrieg, gestorben 1959: er war schwer herzkrank und sah sich, als ihm das Trompetespielen vom Arzt verboten wurde, langsam zu Ende gehen. Wie Kafka möglicherweise durch seine Tuberkulose den Anstoß erhielt, einen schuldlos plötzlich zum Tode Verurteilten darzustellen, so ist vielleicht Boris Vian durch das Bewußtsein seines sich nähernden Todes zu einem merkwürdigen Stück gekommen: *Die Reichsgründer oder Das Schmürz* (Les bâtisseurs d'empire ou Le Schmurtz, uraufgeführt ein halbes Jahr nach Vians Tod, am 22. Dezember 1959 auf der Experimentierbühne Jean Vilars, im Saal des Théâtre Récamier; deutsche Erstaufführung 30. September 1960 in der ›Werkstatt‹ des Berliner Schiller-Theaters). Das dem deutschen ›Schmerz‹ verwandte künstliche Wort ›Schmürz‹ gehörte wohl zu Vians Privatmythologie — er benutzte gelegentlich das Pseudonym ›Adolphe Schmurtz‹.

Das Schmürz ist ein menschenähnliches Gebilde, das, blutend und mit Binden umwickelt, über die Bühne kriecht und immer wieder geschlagen und getreten wird. Es spricht nichts, es wird nicht angesprochen, aber es gehört zur Familie und taucht nach jedem Umzug in der neuen Wohnung wieder auf. Umgezogen wird oft, und immer liegen die Wohnungen höher und sind enger. Im zweiten Akt bezieht die Familie — Vater, Mutter, die Tochter und ein Dienstmädchen — eine elende Bude mit einer Nebenkammer; das Dienstmädchen hat die Nase voll und geht, und sobald es weg ist, läßt sich die Tür zur Kammer nicht mehr öffnen; als die Tochter ein Bett beim Nachbarn ausleihen will, fällt hinter ihr die Dielentür zu, und sie bleibt auf ewig ausgesperrt. Im dritten Akt kommt der Vater herauf in die Mansarde, höher und enger geht's nun nicht mehr, die Endstation ist erreicht, die Mutter kann ihm nicht mehr folgen, sie stirbt unten, er ist allein — allein mit dem Schmürz.

Diese Umzüge, bei denen die Familie erst ihren Besitz, dann sich selbst verliert, geschehen nicht freiwillig; sie sind Fluchten vor einem grauenerregenden Geräusch, das die Eltern zwingt, sich mit immer engeren, elenderen Verhältnissen abzufinden. Das Geräusch ist die Zeit, das Altern, das Bewußtsein des sich nähernden Todes. Dies meint jedenfalls Martin Esslin, der ein informiertes und informierendes Buch ›Das Theater des Absurden‹

(1961) geschrieben hat, und seine Deutung leuchtet ein. Die Zeit nimmt den Besitz, die Nachbarn, die Kinder, ja sogar die Erinnerung, und sie treibt in die Lebensenge und in die Einsamkeit des Alterns, die Vian durch immer engere Behausungen greifbar macht. Das Schmürz scheint mit der Zeit verbündet oder doch von ihr genährt: es wird immer dann verprügelt, wenn von der Zeit die Rede ist, trete sie nun als dieses in die Flucht schlagende Geräusch auf, oder als Erinnerung an die Vergangenheit, oder als ein Problem, das die Zukunft stellt. Von der Zeit gepeitscht, peitschen die Menschen das Schmürz, diese Ausgeburt der Zeit.

Das Schmürz ist ein sichtbar, greifbar, prügelbar gewordener Seelenzustand — die groteske Gestalt alles dessen, was dem Menschen hassenswert erscheint: ein bandagierter Sündenbock; eine Alptraumgeburt des vom Todesbewußtsein gequälten Menschen; ein Schreckenspopanz des Lebensendes, den man in seiner Ohnmacht schlagen, aber nicht besiegen kann, denn er stirbt erst mit dem Menschen. Merkwürdigerweise braucht man gar nicht so genau zu wissen, was das Schmürz sei, und sieht doch sofort ein, daß es in unseren trauten Heimen mindestens so weit verbreitet ist wie beispielsweise das Fernsehgerät.

Das Sichtbarmachen von Seelenzuständen gehört ebenso zum absurden Theater der Adamov und Ionesco wie die fast unerträgliche Grausamkeit, mit der das Schmürz gepeitscht wird. Das ›Theater des Absurden‹ beruft sich ausdrücklich auf das ›Theater der Grausamkeit‹, das ›Théâtre de la Cruauté‹, das von dem surrealistischen Dichter, dem Schauspieler, Regisseur und Theatertheoretiker Antonin Artaud (1896–1948), gefordert worden ist. Artaud war fasziniert vom symbolischen balinesischen Theater und von den japanischen Nô-Spielen, von ihrem irrationalen Ritual, von ihrer Verwurzelung in Religion und Mythos, im Märchen und im Traum. »Das Publikum wird die Träume des Theaters glauben«, so schrieb er, »in dem Maße, wie man sie für wahre Träume und nicht für einen Abklatsch der Wirklichkeit nimmt ... Das Theater kann nur dann wieder es selbst werden, ... wenn es dem Publikum wahrheitsgetreu die sich jagenden Traumbilder bietet, in denen seine verbrecherischen Neigungen, seine erotischen Zwangsvorstellungen, seine Wildheit, seine Chimären, seine utopischen Vorstellungen vom Leben und von den Dingen, ja, sein Kannibalismus, sich entladen, und zwar auf einer Ebene, die nicht die Illusion der Außenwelt ist, sondern innerlich.«

Zusammen mit Robert Aron und Roger Vitrac (1895–1952), dem Verfasser der bitterbösen, surrealistischen Posse ›Victor oder Die Kinder an der Macht‹ (die Vitracs Freund Jean Anouilh 1962 in Paris und 1963 in München wieder inszeniert hat) gründete Artaud das am 1. Juni 1927 eröffnete Théâtre Alfred Jarry‹ (ohne festes Haus), mit dem er auch Strindbergs ›Traum-

Antonin Artaud,
porträtiert von André Masson,
1925

spiel‹ inszenierte. Für Artaud, einen höhnischen Feind des Naturalismus und der Psychologie, bildet das Theater nicht die Wirklichkeit nach, sondern schafft selbst eine Wirklichkeit: Dekorationen, Kostüme, Musik, übersteigerte Gesten, die Sprache des Körpers, groteske Marionetten- und Kasperle-Effekte, Schreie, blutige Riten und Beschwörungen sollen den Zuschauer mitreißen und in einen Mitspieler verwandeln. Er forderte: »Jedes Handeln ist grausam. Durch eine extreme Handlung muß sich das Drama erneuern ... Wir begreifen das Theater als magischen Vorgang ... Wichtig ist vor allem, daß das Spiel auf der Bühne Raserei ist und sich mitteilt ... Das Theater der Grausamkeit beabsichtigt das Massenschauspiel, in der Aufwallung großer Massen, konvulsivisch gegeneinandergeworfen, ein bißchen von jener Poesie lebendig zu machen, die sich in den nur allzu seltenen Festen zeigt, wenn das Volk auf die Straße strömt.«

Artaud konnte seine (widerspruchsvollen) Theorien nur einmal, im Frühjahr 1935 im Théâtre de l'Etoile verwirklichen mit einem eigenen Stück, der Geschichte der Cenci nach Stendhal und Shelley, und einer eigenen Inszenierung – nach siebzehn Vorstellungen wollte niemand mehr dieses ›Theater der Grausamkeit‹ besuchen, doch war sein Einfluß außerordentlich: Regisseure wie Jean-Louis Barrault und Roger Blin (beide Regie-Assistenten bei der Cenci-Aufführung), Jean Vilar und Roger Planchon haben Artauds Ideen aufgegriffen, Adamov war sein Freund, und die Stücke von Jean Genet, diese grausamen Zeremonien, sind ohne Artaud nicht zu denken. Selbst das ›Marat‹-Stück von Peter Weiss gehört in seine Linie.

Daß Artaud sein Theater nach Alfred Jarry nannte, war ein Programm: Jarry (1873–1907) hat mit seinen ›König-Ubu‹-Stücken zunächst das klassische Historientheater parodiert, dann das surrealistische Theater begründet und schließlich die Vorformen des absurden und dadaistischen Theaters geschaffen. Bei der Uraufführung des *König Ubu* (Ubu-Roi. Deutsche Erstaufführung 9. Mai 1959, Werkraum-Theater, München) im Pariser Théâtre de l'Œuvre am 10. Dezember 1896 brach der Skandal schon nach dem ersten Wort los, das auf der Bühne gesprochen wurde. Vater Ubu rülpst es hervor: »Merdre!« Es ist ein Wort, das es gar nicht gibt, doch deutlich genug an ein anderes Wort erinnert, das inzwischen so beliebt geworden ist, daß es heute schwerlich einen Theaterskandal entfesseln könnte — in der deutschen Fassung heißt es »Schreiße!« Es geht als eine Art Leitmotiv durch das Stück.

Alfred Jarry hat sich sein ganzes, kurzes Leben lang mit Vater Ubu beschäftigt. Schon auf dem Gymnasium in Rennes, dessen Mathematiklehrer das Modell für Ubu lieferte, führten Jarry und seine Mitschüler Ubu-Stücke auf, und noch aus seinem Nachlaß hat man Ubu-Szenen zu dem Stück ›Ubu Hahnrei‹ vereinigt. Unter vielen anderen hat auch Picasso den König Ubu gezeichnet: unter einer Rüsselnase sind Wüstlingslippen über Eberzähnen geschürzt, und das Kinn sieht aus wie ein

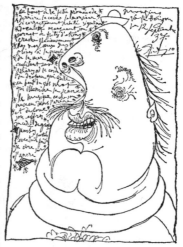

Alfred Jarrys ›König Ubu‹, gezeichnet von Picasso

Gesäß — das Gesicht ist in seinem behaglichen Fett so spießbürgerlich wie gefährlich in seiner höchst unbehaglichen Deformation; ein Untier, das dem von Jarry so geliebten Rabelais entlaufen sein könnte.

Alfred Jarrys ›König Ubu‹, gezeichnet von Alfred Jarry

Vater Ubu, ordinär, feige und tückisch, ist ein barockes Monstrum: die gewaltiges Fleisch gewordene Lust am Fressen, Rauben und Morden, die sich schamlos zu sich selbst bekennt. Grenzenlose Menschenverachtung ist der Urgrund, aus dem er lebt. In *Ubu Hahnrei* (Ubu-Cocu) führt er in einem von Spinnweben überzogenen Koffer sein Gewissen mit sich — seinen Doppelgänger im Nachthemd —, um es gelegentlich zu befragen und seinen Ratschlägen *nicht* zu folgen. Ubu ist das frei gesetzte Ungeheuer, das im Menschen steckt. Jarry hat das Böse ins Groteske überzeichnet bis dorthin, wo das Grauen in Gelächter umschlägt. Es ist die Sorte Humor, für die der Surrealist André Breton die populär gewordene Bezeichnung ›schwarzer Humor‹ eingeführt hat.

›König Ubu‹ aus der Gymnasialzeit Jarrys ist nicht viel mehr als ein gigantischer Schülerwitz, eine freche Parodie auf das Geschichtsdrama. Vater Ubu schwingt sich durch Verschwörung, Mord und Verrat zum Herrscher über Polen auf, immer seinen Lebensgrundsatz »Ich will reich werden« auf den verfressenen Lippen. Was es auch an pathetischen Szenen im hohen Geschichtsdrama gibt, hier wird es als reine Finanzfrage des barbarischen

Alfred Jarrys ›König Ubu‹ im Pariser Théâtre Antoine. Karikatur von de Losques, im ›Figaro‹ vom 16. Februar 1908

Hanswursts Ubu in eine possenhafte Kolportage verwandelt. Der Pennälerwitz nimmt dämonische Züge an: das Böse steht so ordinär und lebfrisch im Saft, daß man nur mit äußerstem Unbehagen darüber lachen kann.

In *Ubu in Ketten* (Ubu enchaîné; uraufgeführt 1937 in der Comédie des Champs-Elysées, Paris) steigert Jarry nicht mehr nur Realitäten ins Absurde, sondern erfindet absurde Situationen, für die es kein Realitätsvorbild gibt, die aber Realitäten als absurd enthüllen sollen. Ubu, das Ungeheuer, weiß, daß er »am Ende alle Leute umbringen wird«. So kann er nun gelassen den Sklaven spielen: »Ich werde nicht mehr befehlen: man gehorcht mir so viel besser.« König Ubu hat die Welt als Herrscher zerstört; Ubu in Ketten zerstört und beherrscht die Welt als Sklave. Die ›Freien‹ müssen absurderweise in der ›Freiheit‹ gedrillt werden: der Ungehorsam wird auf dem Exerzierplatz

gehorsam eingeübt. Ubu zwingt diesen Sklaven ihrer Freiheit seine Sklaven-
dienste auf und macht sich damit zu ihrem Herren. Er genießt es, daß das
Gericht ihm dienen muß, indem es ihn verurteilt. Er bringt die Freien so weit,
daß sie mit der Parole »Die wahre Freiheit ist die Sklaverei« freiwillig ins
Gefängnis gehen. Sklaverei steckt an. Die Welt gehorchte dem Ungeheuer
Ubu, wenn er als König befahl; die Welt gehorcht ihm jetzt sogar dann,
wenn er nichts als ihr Sklave sein will: dem Ungeheuer gelingt es gar nicht,
Sklave zu sein, denn keiner ist da, der sein Herr sein will — eine wahrhaft
schauerliche, prophetische Pointe.

Der Umgang mit Ubus, in welcher Maske sie auch auftreten, ist immer
unbequem: eher folgt man ihnen, als daß man sie bekämpft. Mit solchen
absurden Pointen legt Jarry melancholische Gedanken nahe über die Verführbarkeit des Menschen durch das Ungeheuer, das ein Teil seiner selbst ist
und dem er nur allzugern gehorcht. Man kann Jarrys Ubu-Stücke auch als
reine Groteske nehmen, als Spiel um des Spieles willen, als puren Quatsch,
über den man lacht — doch meint schon Jarry im Stück: »Was die kleinen
Kinder zum Lachen bringt, macht den großen Leuten Angst.«

Von Jarry gibt es eine unmittelbare Verbindung zu einem deutschen Dramatiker des parodistischen und grotesken, des grausamen Theaters voll der
schwarzen Humore, zu Christian Dietrich Grabbe in seinem Lustspiel
›Scherz, Satire, Ironie und tiefere Bedeutung‹ aus dem Jahre 1822 (Uraufführung erst 1907): Jarry hat es unter dem Titel ›Les silènes‹ frei ins Französische übersetzt und erweitert — die innere Verwandtschaft der beiden
liegt auf der Hand.

Büchner, Grabbe, Jarry und Artaud; Artaud, Adamov, Ionesco, Boris Vian
— Verbildlichung innerer Vorgänge; die Welt als Alptraum, der Alptraum als
Parodie der Welt; die Komik des Scheiterns, das grausame Kasperle-Spiel und
der schwarze Humor: diese höllische Mixtur hat das Theater des Absurden
ergeben. Wie es aus vielfältigen Elementen zusammengewachsen ist, so
wuchern seine Elemente einzeln weiter.

Adamov und Ionesco haben zwischen Symbol und Allegorie begonnen,
zwischen unausdeutbarem poetischem Bild und ausdeutbarem Sinnbild; Adamov ist zum politisch engagierten Theater übergegangen; Ionesco nähert
sich mit zunehmendem Gebrauch von Allegorien einem verweltlichten barocken Welttheater. Beckett war von Anfang an und ist noch immer eine
Klasse für sich. In England haben die Absurditäten in dem traditionellen
›Nonsense‹, dem spielerischen Unsinn, wie er bei uns etwa durch Lewis
Carrolls ›Alice im Wunderland‹ (1865) bekannt geworden ist, einen fruchtbaren Nährboden gefunden, und in den zensurfreudigen Staaten des Ostens
sind die Absurditäten politisch geworden.

Arthur Adamov: vom Unheilbaren zum Heilbaren

> Ich versuche, in meinen Stücken das Heilbare und das Unheil-
> bare aufzuzeigen. Das Leben läßt sich in wichtigen Punkten
> transformieren, damit es weniger unmenschlich sei.
>
> Adamov in einem Gespräch mit Wolfgang Sauré, 1963

Nach der Aufführung seines Stückes ›Die Invasion‹ in Darmstadt, im Februar
1953, reiste er weiter nach Hamburg, St. Pauli, um sich zu amüsieren; wenn
er ›Saint Pauli‹ französisch aussprach, klang es wie der Name eines Gnaden-
ortes. Bevor er zum Bahnhof ging, ließ er sich durch die zerbombte Darm-
städter Grafenstraße führen, die damals noch nicht wiederaufgebaut war,
und suchte das Haus, in dem Georg Büchner ›Dantons Tod‹ geschrieben hatte
(siehe auch Seite 271); da stand nur noch die Gartenmauer, über die Büchner in die Emigration geflohen war.

Für Jean Vilars ›Nationales Volkstheater‹ hatte Adamov ›Dantons Tod‹,
›La Mort de Danton‹, übersetzt; er liebt Büchner, zumal seinen ›Woyzeck‹,
den er als einen Ausgangspunkt für die Erneuerung des Theaters betrachtet,
und hat von seiner Szenentechnik gelernt. Die Personen in seinen frühen
Stücken, sind, wie es bei Büchner heißt, »Puppen, von unbekannten Gewalten
am Draht gezogen«, doch anders als beim lebensprallen Büchner sind sie
abstrakte Schemen; die ›unbekannten Gewalten‹ hat Adamov versucht, sichtbar zu machen: durch optische Symbole wie etwa die allmähliche Verengung
eines Raumes oder seine Verstopfung mit Möbeln und Papieren. Zu seinen
literarischen Hausgöttern gehören auch Franz Kafka, dessen anonyme
Mächte in Adamovs ›Ping-Pong‹ als Spielautomatensyndikat versinnbildlicht
sind, und August Strindberg, dessen ›Traumspiel‹ (aus dem Jahre 1901)
eines der Vorbilder für die Alptraumtechnik des Adamov-Theaters ist.

Arthur Adamov, Übersetzer von Büchner, Dostojewski (›Schuld und
Sühne‹), C. G. Jung, Gogól (›Die toten Seelen‹), Tschéchow, Strindberg,
Gorki, Kleist (›Der zerbrochne Krug‹) wurde am 32. August 1908 im Kau-
kasus geboren, ein Armenier mit dem Namen Adamian. Seine wohlhabenden
Eltern verließen Rußland, als er vier Jahre alt war, und reisten in Westeuropa. Arthur lernte Französisch wie seine Muttersprache; die Adamovs
lebten zu Beginn des ersten Weltkriegs im Schwarzwald, später in Genf und
in Mainz; der Sechzehnjährige ging 1924 nach Paris und schloß sich zunächst
den Surrealisten an.

Die Dramen, die er in dem Jahrzehnt zwischen 1944 und 1954 schrieb,
vom ›Rendezvous‹ bis ›Ping-Pong‹, verbildlichen die Suche nach dem Sinn
des Lebens, die für Adamov ergebnislos bleiben muß, aber auch nicht auf-

gegeben werden kann. Martin Esslin deutet in seinem Buch ›Das Theater des
Absurden‹ (1961) diese Stücke als eine Selbstbefreiung Adamovs von einer
schweren Neurose. Durch die Darstellung des Unheilbaren hätte er sich dem-
nach geheilt. Der geheilte Adamov hat diese Stücke verworfen und mit
›Paolo Paoli‹ (1956) begonnen, in der Nachfolge Bertolt Brechts gesellschaftskritische Bilderbogen zu schreiben, in denen konkrete gesellschaftliche Schäden als heilbar dargestellt werden. Er dramatisierte das erste Buch des Romans
Tote Seelen von Gogól (Uraufführung im November 1959 in Stuttgart);
dieses epische Stück, die allerdings nur vergnügliche Geschichte eines Betrü-
gers, der den Gutsbesitzern tote Leibeigene abkauft, um mit ihnen zu speku-
lieren, und dabei die Dummheit und Korruptheit der Gutsbesitzer enthüllt,
bleibt weit hinter Gogóls satirischer Komödie ›Der Revisor‹ (uraufgeführt im
Jahre 1836) zurück. *Frühling 71* (Le Printemps '71. 1961. Uraufführung in
London, Juli 1962) ist ein Bilderbogen über die Pariser Kommune mit grotesken Zwischenspielen, in denen historische Gestalten karikiert auftreten.

Den Kommunisten steht Adamov schon seit Ende des zweiten Weltkrieges
sehr nahe; er glaubt freilich nicht, daß die ›gerechte Güterverteilung‹, die er
sich vom Kommunismus erhofft, den Menschen von seinem eingeborenen
Unglück befreien könne. Immerhin verfolgt er mit seinen neueren Stücken
eine lehrhafte Absicht: »Der Zuschauer soll auf der Bühne seinen gesellschaftlichen und moralischen Zustand einsehen lernen und zum Abstellen von
Fehlern aufgefordert werden.« Er ist zu einem Wortführer des politisch
engagierten Theaters geworden und polemisiert gegen die ›Avantgarde‹ der
Ionesco und Beckett, zu der er einst gerechnet worden ist; nach seiner Meinung bauscht sie »den Nihilismus ästhetisch zum absurden Theater auf«.
Adamov starb am 15. März 1970 an einer Überdosis Schlaftabletten.

Meinungen: »Die Entwicklung Adamovs von ›La Parodie‹ bis zu ›Paolo
Paoli‹ zeigt, daß es dem Autor mehr und mehr gelingt, sich dank seiner
schöpferischen Tätigkeit von dem Alp der Neurose und seinem schweren
persönlichen Leiden zu befreien. Die Literaturgeschichte hat wohl kaum ein
überzeugenderes Beispiel für die Heilkraft des künstlerischen Schaffenspro-
zesses und seine sublimierende Wirkung anzubieten . . . Und doch kann man
einwenden, daß dieser Gewinn an Rationalität und Bewußtheit erkauft ist
mit einem Verlust der Besessenheit, der peinigenden Macht der Neurose, auf
die sich die magnetische, dichterische Wirkung der früheren Stücke gründet«:
Martin Esslin. — »Die Aussichtslosigkeit menschlichen Handelns und die
Monotonie der Existenz bestimmen das Klima vieler Stücke Adamovs. Eine
Art entsetzlicher Langeweile triumphiert selbst noch dort, wo die nackte
Gewalt, wo Unterdrückung und Ausbeutung das Feld beherrschen . . . Auch

der Tod ist im Werk Adamovs ohne Größe. Er vollendet nur die stetig fort-
schreitende Reduktion des Individuums, indem er dem Untergang noch den
Fluch der Lächerlichkeit hinzufügt«: Franz Norbert Mennemeier.

Das Rendezvous (La Parodie. 1944. Uraufführung Juni 1952 Paris, Lancry,
durch Roger Blin. Deutsche Erstaufführung 1958, Celle.) Der ›Angestellte‹
und ›N.‹ lieben Lili, die davon nichts weiß, beide miteinander verwechselt
und Beziehungen zu vielen anderen Männern hat, die mit dem Leben
fertig werden, während die beiden an ihm zugrunde gehen. Der ›Angestellte‹ ist ununterbrochen aktiv, eilt eifrig zu Rendezvous' mit Lili, von
denen er irrtümlich glaubt, sie seien verabredet, während ›N.‹, sein Gegen-
typ, passiv auf der Straße herumliegt und darauf wartet, daß Lili vorbei-
kommt, von der er in pervertierter Liebe getötet werden möchte. Beide
scheitern, der ›Angestellte‹ kommt ins Gefängnis, wo er seinen unermüd-
lichen Eifer in Plänen austobt, und ›N.‹ wird überfahren und zum Müll
geworfen. – Adamovs dramatischer Erstling versucht (nach seinen Worten),
Seelenzustände und innere Bilder »in die Welt des sinnlich Wahrnehmbaren
zu projizieren«. Es sind Seelenzustände der Kontaktlosigkeit und des Scheiterns, die sich in grotesken Begebenheiten ausdrücken – in einer ›Parodie‹
auf die ›Einsamkeit des Menschen‹. Die Männer um Lili sind schemenhaft
und auswechselbar: ein Schauspieler wechselt, um sie darzustellen, immer
nur das Jackett.

Alle gegen alle (Tous contre Tous. Uraufführung 14. April 1953, Paris, Théâtre
de l'Œuvre. Deutsche Erstaufführung November 1953, Pforzheim). Massen
von staatenlosen Flüchtlingen dringen in ein Land; alle hinken sie. Jean, der
sein Mädchen an einen Flüchtling verloren hat, hetzt aus Eifersucht die Einwohner gegen die Flüchtlinge auf. Doch die Verfolger, denen auch das Mädchen zum Opfer fällt, werden zu Verfolgten: Jean, hinkend, gibt sich als
Flüchtling aus und verliebt sich in ein Flüchtlingsmädchen. Abermals werden
die Verfolger zu Verfolgten: Jean könnte sich retten, wenn er sich als ehemaliger Flüchtlingsverfolger zu erkennen gäbe, doch verlöre er damit das
Flüchtlingsmädchen – er geht in den Tod. – Verzweiflung und Selbstmord
angesichts der Absurdität, daß Verfolger und Verfolgte austauschbar sind
und der Mechanismus ihrer Umkehr unaufhaltsam erscheint. Adamov hat
sich später von der Unbestimmtheit des Schauplatzes und den schematischen
Figuren seines Stückes distanziert, das beide Parteien in einer Symbolwelt
ins Unrecht setzt, »aber ich fühlte mich außerstande, einen gesellschaftlichen
Konflikt zu behandeln und ihn, losgelöst von der Welt der Archetypen, so zu
sehen, wie er ist«.

Jacques Audiberti: Feuerwerk über Traumkanälen

> Der literarische Wert eines Stückes und sein Bühnenerfolg sind zwei grundverschiedene Dinge. Viele Abgrenzungen sind möglich außer der Unterscheidung und Trennung in ›Avantgarde‹ und ›Arrièregarde‹. Jede Generation bringt neue Nuancierungen, in allen Kunstzweigen und allen Berufen: Originalität, Wagemut, neue Einfälle. Ist ein Bühnenwerk ein Zugstück, hört es auch sofort auf, ›Avantgarde‹ zu sein.   Audiberti

»Alles was ich sagen kann: da reckt sich ein Fels. Grau und gedrungen, lang und gewunden, Gras zwischen den Tatzen, schaut er nach irgend etwas aus. Er schaut nach dem Verzauberer aus, der ihm Zucker gibt. Aber im Augenblick kommen nur Wolken, so weiß wie das eisige Blau des Sommers. Der Tagmond, zernagt wie das Profil des Käses, hängt seine schwermütige Note am Gipfel dieses restlichen sonnigen Nachmittags auf. Im Glauben, die Dauer könnte mit etwas zu viel Beharrlichkeit anhalten und zu lang den Abend und die Suppe hinausschieben, weinen die Grillen in den Schattenlöchern und die Vögel kreisen sehr hoch. Vor lauter Anstrengung gucken sie sich die Augen aus dem Kopf, ob auch alles mit der nachlassenden Ankerwinde des Erdentages in Ordnung geht. Man muß wissen, es ist drei oder vier Uhr und genau der Augenblick, da es der letzte Rauch der Mittagsruhe liebt, daß der Apfel und das Vesperbrot ihn rosa und beige färben.« Dies sind nicht etwa Sätze aus einem lyrischen Roman, sondern aus einer Regie-Anweisung zu der Komödie ›Das schwarze Fest‹ — Jacques Audiberti scheint einfach nicht imstande, auch nur einen einzigen nüchternen Satz zu schreiben. Worüber er sich auch äußerte, er sprudelte mit fliegenden Lippen poetische Bilder hervor. Und so wie er reden fast alle seine Bühnenfiguren. Orthodoxe Kritiker nennen dies ›undramatisch‹.

Klarheit war Audibertis Stärke nicht: er war ein Feuerwerker und brannte seine Raketen ab. Auch ein Feuerwerk ist nicht besonders hell, aber es ist farbig, verblüffend, voller Überraschungen. Die Logik seiner gedanklichen Konstruktion — falls sie überhaupt deutlich erkennbar werden sollte — verschwindet hinter der Montagelogik der Bilder, unter Variationen über Nebenthemen, unter episodenhaften Arabesken und lyrischen Sturzbächen. Jeder Montageteil freilich ist eine hochdramatische Szene: man ist dauernd gespannt, man weiß allerdings manchmal nicht recht, worauf. Seine Sprache strömt aus Traumkanälen; sie schießt in surrealistischen Metaphern dahin, teils witziger, teils symbolischer, teils grausiger Natur. In sich versponnen, kultivierte er den heidnischen und christlichen Boden seiner mittelmeerischen

Heimat und ließ aus ihm, mit Blut begossen, seine bizarren Blumen sprießen, während der Teil seines Publikums, der nach dem nahrhaften Gemüse handfester Begriffe verlangt, langsam in der Luft verhungert. Pfiffe und Buh-Rufe gehörten zu seinen Uraufführungen, sei es in Bochum, sei es in Paris. Unbestreitbar ist der literarische Wert seiner Stücke: sein Einfallsreichtum und seine Sprachphantasie scheinen unerschöpflich. Als Dramatiker hatte er zwar nach dem zweiten Weltkrieg in den winzigen Pariser Avantgarde-Theatern (und auf deutschen Bühnen) begonnen, doch gehörte er eher in die Comédie Française. Als sie 1962 seine ›Ameyß im Fleische‹ herausbrachte (ein Stück, das seine Uraufführung in Deutschland schon erlebt hatte), gab es den gewohnten Protest der Traditionalisten, die nicht sehen wollen, daß dieser angebliche Avantgardist die große französische Tradition der rhetorischen Poesie fortsetzt, der Marivaux, Musset und Giraudoux. Audiberti war damals 63 Jahre alt.

Sein Vater war Maurermeister. Am 25. März 1899 wurde er geboren: »In Antibes, an der Côte d'Azur, erblickte ich in einem dreistöckigen Häuschen das Licht der Welt. Die schwarze geteerte Rückfront ging zum Meer, mit Sonne, Wind, Wetter, die Vorderfront auf eine typisch provençalische Straße. Auf ihr spazierte für mich die katholische Gegenwart. Sie strömte aus beiden Kirchen der Nachbarschaft. Denn Antibes ist die Heimat der Heiligengeschichten. – So verzahnten sich Mystik und Natur.«

Mystik (aber auch Lust an der Mystifikation) und Natur; Katholizismus und Heidentum; Frömmigkeit und Blasphemie; Jungfräulichkeit und die Gewalt des Fleisches; irrationale Mythen und rationale Zivilisation; Realität und Traum; Barock und Boulevard – aus solchen Spannungen lebt seine Dramatik, und wenn in seinen Stücken Heidentum, Sexus und Traum nicht zu bändigen sind, so scheint dies Audiberti zu amüsieren; man hört ihn lachen wie einen Faun – einen fröhlichen Faun, dem man gleichwohl die Inbrunst des Gebetes zutraut. Seine Mystik der Liebe umschließt frivole erotische Späße ebenso selbstverständlich wie das himmlische Lamm.

Der junge Audiberti wurde zunächst Gerichtsschreiber in Antibes, ging 1925 nach Paris, war Journalist, Mitarbeiter am ›Journal‹ und am ›Petit Parisien‹, veröffentlichte 1930 den ersten einer Reihe von Gedichtbänden, 1938 den ersten von rund zwanzig Romanen, und als ›Quoat-Quoat‹ 1945 aufgeführt wurde, das erste seiner Stücke, das auf die Bühne kam, war er schon 46 Jahre alt und wurde in die Avantgarde der Adamov und Ionesco eingereiht, doch hatte er mit ihnen nicht mehr gemeinsam als einige Beziehungen zum Surrealismus. Seine wachsende Vorliebe für Allegorien, für phantastische Kapriolen, für Ballette und Pantomimen, für barocke Figurationen und Ausschweifungen brachte ihn in die Nähe der Oper. Sein *Falken-*

mädchen (La Houbereauté), im Dezember 1960 in Bochum mit dauer-
haftem Buh und leidenschaftlichem
Bravo aufgenommen, ist ein Libretto, für das sich kein Komponist
gefunden hat; Audiberti meinte dazu: »Man spricht auf einer Sprech-
bühne nicht, wie man im Leben
spricht. Es gibt eine Überhöhung.
Es war interessant, diese Überhöhung bis zur Übertreibung des
Operntheaters zu steigern.«

Der deutsche Theaterbesucher,
dem der Zugang zu Audiberti
schwerfällt, mag sich des negativen
Märchens bei Georg Büchner erinnern (siehe auch Seite 271) und
der melancholischen Heiterkeit seines ironisch-poetischen Lustspiels
›Leonce und Lena‹. Auch Audiberti

*Jacques Audiberti, nach einem Holzschnitt
von Suzanne Laugier*

war ein trauriger Mann, der die Scherze liebte: im schmerzverzogenen Mund
trug er eine den Schmerz vertiefende, heitere Blume. Er starb am 10. Juli 1965
in Paris. Was er der Welt durch seine Skepsis genommen hatte, das schenkte
er ihr wieder durch den artistischen Zauber seiner Sprache.

Meinungen: »Man nimmt ihn gleichsam als Gießbach, der die Quellkraft
des Rabelais über die Klippen Lautréamonts führt. Er selbst will den Menschen als Kampfplatz von Engel und Bestie zeigen. Aus dem Kampf sollen
Funken sprühen und Feuer zünden«: Albert Schulze Vellinghausen. — »›Den
Menschen‹ an seinen Platz im Universum stellen, ist ein durchaus universi-
tätsmäßiges Verfahren, und dem widersetzt sich Audiberti. Jeden einzelnen
Menschen an seinen Platz stellen in der ungeheuren und unaufhörlich erneuten Konstruktion eines Weltalls, das die Tiere enthält, wunderbare Minera-
lien, Blumen und Pflanzen, Frauen auch, und Bonzen und Chefs und Sklaven,
Künstler und Wüsten, Tänzerinnen und Bleiarbeiter, Vulkane auch und
Bahnhofsvorsteher — das ist der (legitime) Ehrgeiz Audibertis«: Jacques
Lemarchand, Theaterkritiker des ›Figaro Littéraire‹. — »Argot, Handwerker-
sprache, altertümliche, seltene Wendungen aus den Dialekten Südfrank-
reichs, italienische, spanische und lateinische Satzformen und Wortbildungen,
ferner eigene, neue Wortschöpfungen dienen Audiberti dazu, sich ein Medium

prallen, von Sinnlichkeit und Witz überquellenden, trotz aller barocken Fülle spezifisch romanischen, genauen Ausdrucks zu schaffen«: Franz Norbert Mennemeier.

Quoat-Quoat (Quoat-Quoat). ›Stück in zwei Bildern‹. 1945. Uraufführung 28. Januar 1946, Paris, Théâtre de la Gaîté Montparnasse. Deutsche Erstaufführung 18. Januar 1957, Städtische Bühnen, Köln. — Der junge Archäologe Amédée fährt auf einem Postschiff aus der Zeit des zweiten Kaiserreichs nach Mexiko, um Forschungen zu betreiben, besonders über den mexikanischen Gott Quoat-Quoat. Er wird vom Kapitän als ein Geheimagent der französischen Regierung behandelt, der hinter dem Maximiliansschatz her ist. Der Kapitän macht ihn darauf aufmerksam, daß er nach dem strengen Reglement, das für Geheimagenten gilt, jede Berührung mit Frauen bei Todesstrafe vermeiden muß. Doch Amédée verliebt sich in Clarisse, die Tochter des Kapitäns, in der er die Jugendfreundin erkennt, und ist damit zum Tode verurteilt. Eine erotisch geladene Mexikanerin verschafft ihm einen Splitter vom Stein des Gottes Quoat-Quoat, mit dem das All in Nichts verwandelt werden kann, aber Amédée will diesem Mittel, das die Sicherheit des Schiffes gefährdet, seine Rettung nicht verdanken und gibt den Stein an den Kapitän weiter, der ihn ungerührt erschießen ließe, könnte die nach Absinth stinkende Frau Batrilant nicht nachweisen, daß Amédée weder Geheimagent ist, noch einen Schatz besitzt — sie nämlich ist der wahre Agent, und Amédée war nur zum Schein beauftragt. Doch da er sich, Schein oder nicht, als Versager bei dieser Prüfung fühlt, will er jetzt sterben. Der Kapitän, überdrüssig des »unaufhörlichen Kampfes zwischen meinem Reglement und den Fahrgästen«, hebt den allesvernichtenden Stein gegen das Publikum: »Haltet euch fest!!!« — Ende des Stückes.

Ein phantastisches Abenteuer mit verblüffenden Wendungen wird in der Alptraumtechnik (siehe auch Seite 271) hinfabuliert; vieldeutig schillernde Personen spielen ironische Beziehungen an — Amédée, der brave ›Gottlieb‹, auf seiner Lebensreise, unterworfen einem Auftrag, dessen Sinn er nicht durchschaut, und einem Reglement, an dem er notwendig scheitern muß; der Kapitän eine Art Gott, wenn nicht gar Gott selber, der die Lust am ewigen Scheitern der Menschen verliert — ohne daß die Fabel ein eindeutig auslegbares Gleichnis wäre. Die Geschichte stürzt von einem Schrecken in den andern und ist zugleich schockierend komisch: schon durch die historische Kostümierung, die an Collagen, an Holzstichmontagen des Surrealisten Max Ernst erinnert, an die komische Dämonie und die dämonische Komik martialischen Schnurrbarts- und Büsten-Kitsches; durch die Selbstverständlichkeit, mit der die verrücktesten Situationen kommentiert werden.

Die scheinbar so enge Verwandtschaft Audibertis mit dem Theater der
›Absurden‹ besteht jedoch nur darin, daß beide einige Techniken des Surrealismus übernommen haben. Im übrigen bleibt die Sprache der ›Absurden‹
in ihren dramatisch gebauten Fabeln karg, Audiberti aber treibt schon in
diesem ersten Stück rhetorische Metaphern-Wildlinge hervor — sie werden
später zu kapitalen Dschungeln auswuchern. Man kann sich an ihnen
ergötzen, ohne die geringste Lust zu verspüren, sie zu entschlüsseln.

Der Lauf des Bösen (Le mal court). ›Spiel in drei Akten‹. Uraufführung
25. Juni 1947, Paris, Théâtre de Poche. Deutsche Erstaufführung 5. April
1957, Ruhrkammerspiele Essen. — Staatsaktionen im Schlafzimmer einer
Märchenprinzessin. Alarica, Tochter des Königs von Duodezien, muß entdecken, daß König Perfekt von Okzidentalien sein ihr gegebenes Ehever-
sprechen nicht einhalten will: es war nur Teil einer groß angelegten Intrige,
um die Thronerbin von Spanien eifersüchtig zu machen und zu gewinnen.
Okzidentalien schickt Alarica einen höchst ansehnlichen Geheimagenten ins
Schlafgemach, der sie durch Verführung und Skandal unmöglich machen soll.
Das Böse hat seinen Lauf genommen, und die zarte Alarica, sobald sie dies
begriffen, lenkt es in ihre Bahn: sie stürzt ihren Vater, der schon die okzi-
dentale Abfindung eingestrichen hat, macht den Geheimpolizisten zu ihrem
›Leibroß‹, zum Liebhaber und Ratgeber, und wird mit der Abfindung Sümpfe
trockenlegen und industrialisieren. — Audibertis durchsichtigstes (und erfolg-
reichstes) Stück ist ein melancholisches Märchen, bei dem man sich an Büchners ›Leonce und Lena‹ erinnern darf: die Desillusionierung reiner Mädchen-
träume, die drastische Aufklärung über das Wesen des Bösen und die traurige
Lektion, daß das Böse fröhlich genutzt werden muß, wenn das Gute getan
werden soll. Dies freilich ohne jedes lehrhafte Pathos, mit vehementem Witz
und einer kapriziösen Poesie.

Das schwarze Fest (La fête noire). ›Komödie in drei Akten‹. Uraufführung
3. Dezember 1948, Paris, Théâtre de la Huchette. Deusche Erstaufführung
26. Februar 1960 Landestheater Darmstadt, durch G. R. Sellner. — Das Stück,
1938 geschrieben, hieß in der Buchausgabe von 1945 nicht ›La fête noire‹,
›Das schwarze Fest‹, sondern ›La bête noire‹, ›Das schwarze Tier‹: ein mäd-
chenfressendes, höchst irrationales Untier tobt sich — nicht ohne Audibertis
Ironie — ausgerechnet gegen Ende des rationalistischen achtzehnten, des aufgeklärten Jahrhunderts aus, und dies mag auch ein ›schwarzes Fest‹ sein. Es
beginnt scheinbar harmlos mit zwei Bauernmädchen, die Wiesen mit frischer
Wäsche tapezieren, und mit Dr. Felix, einem erfolglosen Arzt und erfolglosen Lüstling; am Ende des ersten Aktes aber ist Mathilde, das eine

Mädchen, ermordet und zerfetzt von einem schwarzen Untier mit eisernen
Krallen, und Dr. Felix, in dem man das Tier vermuten darf, wird von der
Bevölkerung zum Befehlshaber der Truppen ernannt, die das grauenhafte
Vieh erledigen sollen: der Bock wird zwar nicht zum Gärtner, doch zum Jäger
des Bockes gemacht. Der zweite Akt ist erfüllt von dieser Jagd, an der sich
eine groteske Geistlichkeit mit Chorälen und Gottvertrauen und die nicht
minder grotesken Truppen des Königs mit Gewehren und Kanonen beteiligen. Die Jagd wird zur schmerzlichen Posse, weil statt des Untiers eine
armselige Ziege erlegt, und weil diese Ziege zur allgemeinen Beruhigung für
das Untier ausgegeben wird. Während des Siegesjubels wird wieder ein
Mädchen vom schwarzen Vieh getötet, doch der gefeierte und vor der Entdeckung bewahrte Dr. Felix verfügt, daß dies ein Fall von Grippe sei und
verordnet Lindenblütentee. Die Pointe des Aktes: das Untier ist durch institutionelle Mittel, durch Choräle und Kanonen, durch Kirche und König, nicht
zu erlegen. Hinter ›Hochwürdens‹ gefährlicher Vergnügtheit werden die
Einsicht in den Abgrund alles Menschlichen und eine Weltweisheit spürbar,
in die sich Gläubige und Ungläubige teilen mögen. Die Institutionen jedenfalls geben sich mit einem Scheinsieg über eine unschuldige Ziege zufrieden.
Im dritten Akt wird mehr oder weniger klar, weshalb das Untier nicht zu
besiegen ist. Alice, das zweite Wäschemädchen, verstört von den fortdauern-
den Greueln, dringt zu Dr. Felix vor, der sich selbstzufrieden als Untier-Töter
feiern läßt und mit angeblichen Überbleibseln des Monstrums einen schwung-
haften Handel treibt. Alice enthüllt Felix als Urheber des Untiers: »Pfeifen
Sie durch die Finger, es kommt Ihnen zugelaufen und kehrt in Ihre Drüsen
und Traumkanäle zurück.« Das Untier ist eine fleischgewordene, mörderische
Ausgeburt des Dr. Felix, genauer: seines schiefen Verhältnisses zu den
Frauen, die er verfolgt mit seiner Gier und doch nicht lieben kann, während
die Frauen ihn lieben und sich ihm doch nicht geben können. Felix selber
leidet unter seinem Monstrum; er fühlt sich als Opfer der »verhaßten Mathe-
matik der Geschlechter«. Und weil auch Alice und Felix sich nicht lieben
können, muß das Untier von neuem entstehen, wie es überall dort entsteht,
wo die Gier des Mannes und die Verweigerung der Frau zusammentreffen —
als Alice und Felix schließlich erschossen werden, sind sie zwei Opfer auf
dem Schlachtfeld des Sexus. — So wäre denn das reißende Untier die bildliche
Entsprechung für das Versagen der Liebe, für den ungebändigten Sexus, und
das ›schwarze Fest‹ so etwas wie ein ins Negative verkehrtes Märchen: nicht
nur Rotkäppchen leidet unter dem Wolf, auch der Wolf leidet — er weint, daß
er Rotkäppchen fressen muß. Felix, der Drachentöter, kann den Drachen nicht
töten, weil der Drache aus ihm selber kommt. Die Ursache des Drachens, des
Wolfes ist die unerfüllbare Liebe. Und ein Stück vom schwarzen Tier steckt

deshalb in jedem Menschen. Drum: »Laßt uns sterben hier auf Erden, um im Tod geheilt zu werden« — dies die traurige Moral dieser Schreckens-Commedia und Horror-Operette.

Die Zimmerwirtin (La Logeuse). ›Stück in drei Akten‹. 1954. Uraufführung 7. Juni 1960, Städtische Bühnen Köln, durch Hans Bauer. — Homers Circe verabreicht den Männern des Odysseus Zauberkraut in Mus und verwandelt sie damit in neunjährige Mastschweine. Audibertis Madame Cirqué verwandelt ihren politisch begabten Gatten in einen vertrottelten Putzmacher, den Verlobten ihrer Tochter in einen Defraudanten, hetzt Kriminalbeamte gegeneinander auf und treibt ihre Tochter zu Selbstmordversuchen. Bei ihren Untermietern grassieren Wahnsinn, Selbstmord und Totschlag. Dies in einem bürgerlichen Pariser Milieu, und der Zaubertrank der Madame Cirqué ist ein Pferdestärkungsmittel in Kaffee, eine Roßkur der Demoralisierung. Gegen sie wird Monsieur Tienne eingesetzt: er ist ›soziologischer‹ Geheimpolizist im ›Sonderdezernat für Gesundheit‹ und muß, wie die Ärzte die Tbc, die ›moralische Fäulnis‹ bekämpfen. Wie sich schon in Audibertis ›Schwarzem Fest‹ herausstellte, daß durch institutionelle Mittel das ›schwarze Tier‹ der anarchischen Sexualität nicht zu besiegen ist, so versagt vor Madame Cirqué, diesem fleischgewordenen Lebenshunger, der zerstörerisch, weil ewig unbefriedigt ist, die Institution der moralischen Polizei. Tienne verfällt Madame und reiht sich willig mit einem Schürzchen in die Schar ihrer Opfer ein. Es ist ein Scheintriumph der Madame Cirqué: von Tienne hatte sie erhofft, daß er ihr Herr und Meister werde und sie selbst verwandle — nichts enttäuscht sie mehr als ihr eigener Triumph, und so traktiert sie den neuen Untermieter, der zum Schluß erscheint, mit gelangweilter Routine. Daß ihr Hunger nicht zu befriedigen ist, daß Circe Circe bleiben muß — das ist ihre Tragödie. Schielt man noch einmal zu Homer zurück, so ist der mit göttlichem Gegenzauber begnadete Odysseus bei Audiberti nicht gekommen — Circe wütet weiter, als Elementarkraft unbesiegbar durch staatliche Eingriffe, doch enttäuscht, überdrüssig und der Erlösung bedürftig. Audiberti bedient sich zwar der äußeren Form des Boulevard-Stückes und verschmäht sogar das berüchtigte Bett im zweiten Akt nicht, doch fragen das mythische Hintergrunds-Muster und seine explosive Sprache mitten im Gelächter über aparte Bilder — wie Komödie und Tragödie — nach den Geheimnissen des Menschen in der Welt, nicht nach seinem gesellschaftlichen Ärger.

Der Glapion-Effekt (L'effet glapion). ›Komödie in zwei Teilen‹. 1958/59. Uraufführung 9. September 1959, Paris, Théâtre de La Bruyère. Deutsche Erstaufführung 7. Februar 1961, Kleines Theater am Zoo, Frankfurt am

Main. — Mittagstisch bei Dr. Blaise Agrichant, Rheuma-Facharzt in Orleans; er speist mit seiner jungen Frau Monique, die er vor einem Jahr von der Sprechstundenhilfe zur Verlobten befördert hat, und mit dem Hauptmann der Gendarmerie. Während die Männer schwadronieren, nutzt die mit sich und der Welt unzufriedene Monique den ›Glapion-Effekt‹: schlicht ausgedrückt, flüchtet sie sich in einen Tagtraum. (Audibertis parodistische Lust läßt einen Professor Emile Glapion in seinem ›Handbuch der angewandten Psychologie‹ den nach ihm benannten Effekt erklären als »Auswertung einer konkreten objektiven Tatsache durch die visionäre subjektive Logik«.) Ausgangspunkt ihres ›Glapionierens‹ ist der Tag ihrer Verlobung: Wie wäre es, wenn statt des Doktors, der damals auf der Jagd war, der Gendarmerie-Hauptmann um sie geworben, sie vielleicht mit Gewalt bestürmt hätte? Die Antwort auf diese Frage erlebt Monique mit der Bilderlogik des Traums, in dem sich erlebte Wirklichkeit, Angst- und Wunschvorstellungen unentwirrbar mischen: der Gendarmerie-Hauptmann verwandelt sich in eine alte Patientin, unter deren Röcken sich ein Gangster versteckt hat; der Gendarmerie-Hauptmann verwandelt sich in diesen Gangster und schießt mit Parfüm aus einer Wasserpistole; der Gangster wiederum verwandelt sich in den Ordonnanzoffizier einer Illustrierten-Märchenprinzessin, in die sich nun Monique verwandelt, kurz: Moniques geheime Ängste und Sehnsüchte werden zu Gestalten (die gespielt werden) — Monique ›glapioniert‹, ja »nicht nur daß ich glapionierte«, gesteht sie gegen Ende, »ich glapionierte über das Glapionieren«. Sie tut es so lange, bis der Doktor von der Jagd heimkommt und Monique seine Liebe erklärt — das Glapionieren ist mit dem Mittagessen am Schluß angelangt. — »Das Leben besteht aus Illusionen«, läßt Audiberti hier verkünden, »manche nehmen Gestalt an. Diese bilden die Realität.« Die drei glapionierenden Figuren, deren Gestalt gewordene Illusionen zu einer anderen, phantastischen Realitäten werden, sind nichts anderes als Ausgeburten des glapionierenden Audiberti: der ›Glapion-Effekt‹, das Leben in der Möglichkeitsform, ist das wichtigste Instrument des Poeten. Hier glapioniert er aus einem Boulevard-Stück angedeuteten platonischen Tiefsinn und ironisierten psychoanalytischen Unsinn auf die amüsanteste Weise.

Die Ameyß im Fleische (La fourmi dans le corps). ›Stück in zwei Aufzügen‹. Uraufführung 14. Oktober 1961, Landestheater Darmstadt, durch Hans Bauer. Französische Erstaufführung 3. April 1962, Paris, Comédie Française, durch André Barsacq. — Seinen barocken Neigungen geht Audiberti hier gleich im Barock nach. Die fürstliche Abtei von Remiremont, Sitz einer Ordensgemeinschaft adliger Damen, schwebt 1695 in der Gefahr, von Marschall Turenne niedergebrannt zu werden. Das hält die Damen nicht davon

ab, zunächst einen kleinen Privat-
krieg zu führen: obgleich sie kein
klösterliches Gelübde abgelegt haben, lebt ein Teil von ihnen in freiwilliger klösterlicher Zucht; sie werden die ›Ameisen‹ genannt, während sich ihre weltlicher gesonnenen
Ordensschwestern des Beinamens
›die Bienen‹ erfreuen. Ihrer Erziehung nach eine ›Ameise‹, ihrem
Wesen nach eine ›Biene‹ ist die Heldin des Stückes, Jeanne-Marie Bartholomäus de Pic-Saint-Poc, eine
Jungfrau, die von philosophischen
Freunden die Verachtung des Körpers gelernt hat. Aus intellektuel-
lem Hochmut setzt sie sich an die
Spitze der ›Ameisen‹ und stört mit
ihrer Hilfe ein Fest der ›Bienen‹,
die eine barocke Allegorie um Nebukadnezar aufführen. Sie zer-
schlägt diesen Nebukadnezar, der
den Kampf des Menschen mit seinem eigenen Leibe allegorisiert. Es
ist ihre letzte Attacke gegen das
Fleisch, dessen sich diese Ameise
bald bewußt wird. In ihrem Bett
findet sie einen dreijährigen Kna-

*Pic-Saint-Pop, die jungfräuliche Heldin in
Jacques Audibertis ›Die Ameyß im Fleische‹,
gezeichnet von Audiberti während der Proben zur Uraufführung dieses Stückes am
Landestheater Darmstadt; Regie: H. Bauer*

ben; von seiner Zartheit wird sie auf der Stelle verwandelt: »Es ist die
Liebe.« Die Liebe zu retten, geht sie in das Lager Turennes, um die Be-
schießung des Stiftes abzuwenden. Inzwischen nämlich haben in einer grotesken Szene zwei uralte ›Ameisen‹ die Kanone von Remiremont versehent-
lich abgefeuert; der Marschall ist dem Tode nur dadurch entronnen, daß ihn
ein Bedürfnis sein Bett für einen Augenblick verlassen ließ. Pic-Saint-Pop
listet ihm den Frieden ab, und dann zwingt sie einen seiner Offiziere, sie, da
sie die Liebe durch das Kind nur in der Verkleinerung kennengelernt, nun
auch über ihre erwachsene Form praktisch zu unterrichten. Auch diese Ver-
gewaltigungs-Operette hat ihre allegorische Bedeutung: sie ist eine Station
auf dem Wege der jungen Dame zu sich selbst. Damit kein Zweifel bestehe,
daß Turenne das Gegenprinzip der Liebe, das Prinzip des Krieges ist, wird

eine kommentierte Pantomime aufgeführt, und ungeniert erklärt sich Turenne von der Liebe besiegt. Das Kind freilich, das für Pic-Saint-Pop zu einer mystischen Vereinigung von himmlischem Lamm und irdischem König geworden ist, wird von seiner Mutter mit einem dreißigjährigen, sabbernden Kretin vertauscht, doch Pic-Saint-Pop hat ihre Lektion von der ›Barmherzigkeit des Fleisches‹ gut gelernt: sie akzeptiert auch das kleine Scheusal, sie nimmt das Leben an noch in seiner schauerlichsten Ausgeburt — am Ende hat sie Barmherzigkeit und Liebe ›im Fleische‹ begriffen. — So unverblümt die Allegorie, so leicht ist der Komödienton mit entwaffnend witzigen und saftigen Formulierungen, mit grotesken Arabesken, kleinen Ironien, Poetereien und frivolen Späßen.

Die Frauen des Ochsen (Les femmes du bœuf). ›Stück in einem Akt‹. 1949. Uraufführung 30. März 1962, Stadttheater Basel. Deutsche Erstaufführung 7. Oktober 1962, Städtische Bühnen Oberhausen. — Der ›Ochse‹ in diesem poetisch-ironischen Spiel ist ein Metzger, der vierzig Dörfer in der Languedoc mit Fleisch beliefert: ein gutmütiger Riese, ganz hingegeben seinem blutigen Alltag; fast dreißig Frauen, Verwandte und Hilfskräfte, muß er versorgen, und diese harte Tagesarbeit hat ihm mönchische Nächte aufgezwungen. Sein Sohn aber, der einfältige Schäfer, ist ein Träumer, und er lebt gut dabei: jede Nacht wird er von einer Fee besucht, und jede Nacht hat diese Fee eine andere Gestalt. Als sich durch die Geschenke der Fee herausstellt, daß diese wandlungsreiche Dame aus den Frauen des Ochsen besteht, die alle dem verträumten Schäferpoeten verfallen sind, macht der Ochs' Schluß mit der Schlachterei, übergibt das Geschäft seinem Sohn und zieht auf die Landstraße, seinen Träumen von einem freieren Dasein entgegen.

Äpfelchen — ... Äpfelchen ... (Pomme ... pomme ... pomme ...). ›Komödie in zwei Akten‹. Uraufführung 7. September 1962, Paris, Théâtre de La Bruyère. Deutsche Erstaufführung 26. November 1962, Forum-Theater, Berlin. — Die Eheseligkeit des turtelnden Dichterpärchens Adonis und Evangeline, das mit der Erfindung brennbaren Wassers reich zu werden hofft, wird schwer bedroht durch ›Äpfelchen‹, die Assistentin des Zauberers Zozo: sie hat ihren Namen von ihren körperlichen Auffälligkeiten, und ihre mystische Formel, die Reichtum verspricht, meint nur das älteste Frauengewerbe. Partout will sie Adonis haben, und dies würde gefährlich, da sie über einige Fertigkeiten verfügt, die Evangeline erschrecken, griffe nicht der weise Zozo ein. Das Nichts von einer Handlung ist nur die Abschußrampe für Audibertis phantastisches Wortfeuerwerk.

Samuel Beckett: der tragische Clown

Ich konnte nicht die Antworten geben, die man erhofft hatte.
Es gibt keine Patentlösungen. Samuel Beckett

Richard Ellmann erzählt in seiner Biographie über James Joyce, den Autor des ›Ulysses‹ (1922) und Erzvater aller experimentellen Literatur des 20. Jahrhunderts: »Beckett hatte, ebenso wie Joyce, einen Hang zum Schweigen; sie vertieften sich in Gespräche, die oft nur aus gegeneinander gerichtetem Schweigen bestanden, beide tieftraurig, Beckett meist über die Welt, Joyce meist über sich selbst« — dies könnte eine Szene aus einem Stück von Beckett sein, und in der Tat ist vermutet worden, daß in Becketts ›Endspiel‹ in das Verhältnis zwischen dem erblindenden Hamm, der immer im Mittelpunkt der Welt stehen will, und Clov, der ihn immer dorthin schieben muß, einige autobiographische Züge eingegangen seien.

Samuel Beckett, am 13. April 1906 im katholischen Dublin geboren und wie fast alle großen irischen Dramatiker, wie Shaw, Wilde, Yeats, Synge, O'Casey, der Sohn einer protestantischen Familie, lernte seinen Landsmann Joyce 1928 in Paris kennen und hatte es nur seinen starken Nerven zu verdanken, daß er nicht von der Joyce-Tochter Lucia geheiratet wurde. Der zweiundzwanzigjährige Beckett hatte in Dublin Französisch und Italienisch studiert, seinen Doktor gemacht und war in Paris Lektor für Englisch an der École Normale Supérieure geworden, ein Kollege Jean-Paul Sartres. Er blieb dies drei Jahre, lebte dann in Irland, England und Deutschland und machte 1937 Paris zu seiner Wahlheimat. Die Romane ›Murphy‹ (1938) und ›Watt‹ (1942) schrieb er noch in seiner Muttersprache; für die meisten seiner folgenden Werke bediente er sich des Französischen.

Während der deutschen Besetzung blieb er in Paris, in seiner Wohnung in der Gegend des Montparnasse, bis es ihm, einem Mitglied der Résistance, 1942 nach der Verhaftung einiger Freunde aus seiner Widerstandsgruppe geraten schien, in die unbesetzte Zone zu gehen, wo er bei Avignon Landarbeiter wurde und den Roman ›Watt‹ schrieb. 1945 arbeitete er als Freiwilliger für das Irische Rote Kreuz und zwischen 1947 und 1952 entstanden in Paris seine Romane ›Molloy‹, ›Malone stirbt‹, ›Der Namenlose‹, sein erstes (unveröffentlichtes) Stück ›Eleutheria‹ und ›Warten auf Godot‹, das Stück, das ihn nach der Uraufführung im Januar 1953 weltberühmt machte. Als es im gleichen Jahr im Berliner Schloßpark-Theater herauskam, wurde es mit einer Mischung von Befremden und Verblüffung, Ablehnung und Begeisterung aufgenommen; ein Dutzend Jahre später, abermals in Berlin inszeniert, diesmal auf der großen Bühne des Schiller-Theaters nahm es das

Publikum mit der selbstverständlichen Zuneigung auf, die man einem Klassiker entgegenbringt. Niemand rätselte mehr darüber, wer denn ›Godot‹ nun eigentlich sei, die Mißverständnisse waren so geschwunden wie das Bedürfnis, Beckett irgendwelchen Gruppen, sei es die ›Avantgarde‹, seien es die Dramatiker des ›Absurden‹ zuzurechnen. Beckett hatte sich als einzigartige Erscheinung erwiesen; seine Vagabunden sind nicht das Produkt literarischer Theorien, sondern eher Verwandte der blinden Landstreicher seines irischen Landsmannes Synge.

Jean Anouilh, sonst ein Spötter über die ›Avantgarde‹, behielt recht mit dem, was er über die Uraufführung 1953 gesagt hatte: »›Godot‹ gehört zu den Meisterwerken, die die Menschen im allgemeinen und die Dramatiker im besonderen hoffnungslos machen. Ich glaube, daß der Abend im ›Théâtre Babylone‹ die Bedeutung der ersten Pirandello-Aufführung 1923 in Paris bei Pitoëff hat. Man kann nichts anderes tun, als den Hut ziehen — selbstverständlich eine Melone, wie im Stück — und den Himmel noch um ein wenig Talent bitten.«

Becketts Stücke lassen sich nicht ausdeuten, denn die Pointe dieser Spiele besteht eben gerade darin, daß sie nichts anderes als Spiele sind, doch wenigstens andeuten lassen sich ihre Zusammenhänge. Das Leben als Schein, als Spiel, in dem jedem Menschen eine bestimmte Rolle zugeteilt wird und Gott der Regisseur, der Kritiker und Richter ist — das war ein Grundgedanke des katholischen Barock. Bei Beckett bleiben nur die zugeteilte Rolle und das Spiel übrig — über den Regisseur und Richter, reduziert auf Scheinwerfer im ›Spiel‹, auf einen Wecker in ›Glückliche Tage‹, auf einen Boten in ›Godot‹, verweigert Beckett wie ein Agnostiker die Aussage: über das absolute Sein gibt es keine Gewißheit. Beckett hat keine Ahnung, wer oder was ›Godot‹ ist, und Luckys Refrain »Man weiß nicht warum« ist sein eigener. Noch das einsame Verenden ist ein Teil des undurchschaubaren Spiels: »Da es so gespielt wird«, sagt der zerfallende Hamm am Schluß des ›Endspiels‹, »spielen wir es eben so ... und kein Wort mehr darüber ... kein Wort mehr.« Und er bedeckt sein Gesicht mit einem Tuch.

Becketts Gestalten leben in gleichnishaften Situationen, in Metaphern aus Fleisch und Blut. Die alte Mysterienbühne war eine Metapher für die Willensfreiheit, für die Entscheidung zwischen Engeln und Teufeln. Auch Becketts Figuren stehen auf einer Mysterienbühne, auf der Erde zwischen Zenit und Grube, doch kein Engel kommt aus dem Himmel und kein Teufel aus der Hölle; die Menschen sind mit sich, mit der Erde, in die sie versinken, mit dem Tod, dem sie entgegenwachsen, mit der ablaufenden Zeit allein. Das einzige Mysterium in diesen Mysterienspielen einer metaphysikfreien Erde: daß der Mensch weitermacht im Schmerz, den die Zeit ihm zufügt.

Um den Schmerz zu lindern, gibt es bei Beckett Augenblicke des Erbarmens, der Liebe, und seien ihre Äußerungen noch so dürftig, ihre Erscheinungsformen noch so lächerlich, und seien sie nur Selbsttäuschung. Doch eine gemeinsame Hauptwaffe gegen den Schmerz haben alle Beckett-Figuren: das Spiel. Der götterlose Mensch spielt Commedia dell'arte, und ihr Canevas, der Rahmen ihrer Auftritte, Verwicklungen und Abgänge, ist durch eine Instanz festgelegt worden, über die sich nichts sagen läßt. Solange der Mensch spielt und sich mit den kleinen ihm möglichen Varianten und Improvisationen beschäftigt, schweigt der Schmerz darüber, »daß alles fällt«, wie im ›Spiel‹ gesagt wird, »alles gefallen ist, von Anfang an, ins Leere«. Die vorgezeichneten Spiele der Macht, der Kunst, der Metaphysik sind abgedroschen; sie werden von Becketts Figuren als komische Abteilungen eines abgeleierten Varieté-Programms vorgeführt. Fallen Becketts Figuren aus diesem Spiel, so dringt der Schmerz in ihre Sätze, und gepeinigt von der ›Pause‹, von der Zeit, bringen sie die Possen hastig wieder in Gang.

Beckett stellt die ältesten religiösen Fragen der Menschheit und beantwortet sie, da er keine ›Patentlösungen‹ kennt, durch das Spiel: mit den ältesten Mitteln des Theaters, mit Mimus und Maske. Er arbeitet in einem Bereich, in dem nicht wie im herkömmlichen Theater alte Mythen umgeschaffen, sondern neue Mythen geschaffen werden: Mythen vom Menschen, der ohne Antworten auskommen muß, jenseits der Sinnfragen und Wertungen, doch auch jenseits einer behaupteten Sinnlosigkeit und ihrer Abwertungen. Sein ›Godot‹ ist ein Mythos des glaubenslosen, glaubensbedürftigen Menschen, und seine ›Glücklichen Tage‹ haben das Zeug dazu, ein Mythos vom fröhlichverdrossenen Sisyphos zu werden.

Beckett ist der Tragiker jenseits der klassischen, der metaphysik-bedürftigen Tragödie; auch die Tragik gehört bei ihm zum vorgefertigten Programm, das gespielt werden will. Nur indem man sie als Ritus bewußt spielt, sind die Rollen, die das Leben bietet, zu ertragen — manchmal sogar zum Lachen. Seine Spiele offenbaren ihren vollen Schmerz nur dem, der von ihrem vollen Lachen ausgeht. Wer ihre Bedeutung inszeniert, dem entschlüpft sie ins Dunkel. Wer sich ans Dreidimensionale, an Fleisch und Blut der Clowns und an ihre Späße hält, der erhält den Blick in die vierte Dimension, jenseits der Späße, gratis.

Die Welt als Clowns-Arena, als Commedia-Gerüst und das Leben als Theater, als ein Ritus von Stegreifnummern — das ist die Antwort Becketts auf die Fragen, über die sich der Autor des Lebenstheaters, der Rollenverteiler auf der Weltbühne, so gründlich ausschweigt. Es ist eine souveräne Antwort: sie fordert Komik heraus. »Nichts ist komischer«, sagt Nell im ›Endspiel‹, »als das Unglück, das gebe ich zu.«

.

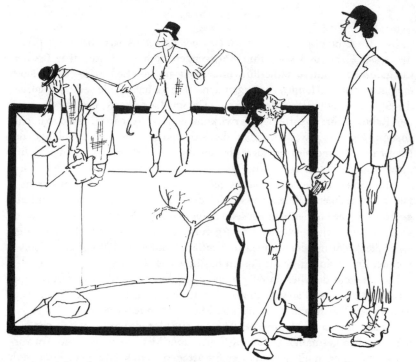

›Warten auf Godot‹ von Samuel Beckett im Berliner Schiller-Theater, 1965. Regie:
Deryk Mendel. Bühne: H. W. Lenneweit. Mit Klaus Herm als Lucky, Bernhard
Minetti als Pozzo, Hintergrund, und Horst Bollmann als Wladimir und Stefan Wigger
als Estragon, vorn rechts. Pressezeichnung: Ring

Warten auf Godot (En attendant Godot). 1952. Uraufführung 5. Januar 1953,
Théâtre de Babylone, Paris, durch Roger Blin. Deutsche Erstaufführung
8. September 1953 Schloßpark-Theater, Berlin, durch Karlheinz Stroux. —
Die Vagabunden Wladimir und Estragon warten auf ›Godot‹. Beckett, von
dem amerikanischen Regisseur Alan Schneider befragt, was mit ›Godot‹
gemeint sei, antwortete: »Wenn ich das wüßte, hätte ich es im Stück gesagt.«
Es kommt nicht auf ›Godot‹ an, sondern auf das Warten. Wladimir und
Estragon erwarten sich von dem Warten etwas: Rettung und Erlösung. Alles,
was sie während des Wartens tun, sind Versuche, sich die Langeweile zu
vertreiben, bis der jenseitige ›Godot‹ ihnen den Sinn des Lebens erschließt
und sie vor der Langeweile rettet. In höchster Ungewißheit, zwischen Furcht
und Hoffnung, leben sie allein auf ›Godot‹ hin — so sind sie alles andere als
Nihilisten; sie sind religiöse Optimisten. Sie sind wie so mancher getaufte
Christ: der Glaube an den Gott der Bibel ist dahin; ein paar biblische Bilder,
ein Rest biblischer Sittlichkeit und das Gefühl der Abhängigkeit von etwas

Ungewissem sind geblieben; die Tage vergehen wie leeres Geschwätz, und auch die Arbeit ist nicht mehr als das, was Wladimir und Estragon tun: Schuhe an, Schuhe aus, Hut auf, Hut ab; Spiel mit dem Selbstmord, mit dem nie ernst gemacht wird — und irgendwo verborgen ein bißchen Angst und ein bißchen Hoffnung, das Ungewisse könnte hereinbrechen und von dieser Trostlosigkeit erlösen. Inzwischen reden sie dummes Zeug, weil sie nicht schweigen können; spielen sich Gefühle vor, die sie nicht empfinden können; schlafen, träumen, zanken sich, beschimpfen sich, freuen sich über alles, was ihnen die Zeit etwas weniger zäh vergehen läßt, und in seiner tiefsten Verzweiflung schreit Estragon um Erbarmen und wendet sich unverblümt an Gott — sie spielen die Tragikomödie der ungestillten Fragen nach dem Sinn des Lebens, des unerfüllten Glaubensbedürfnisses.

Nun tritt Pozzo auf, der Herr, peitschenknallend wie ein Zirkusdirektor, und hält Lucky, den Knecht, der einen sinnlos mit Sand gefüllten Koffer schleppt, an einem langen Halsstrick. Pozzo, der Machtmensch, fühlt sich als Träger der Welt, und Lucky, der Sklave, ist stolz auf seine Sklavenrolle und wehrt sich gegen jegliches Mitgefühl. Lucky ist ein Künstler und Intellektueller in der bösesten Verzerrung: Am Stricke der Macht tanzt er wie ein Tier und würgt, zum Denken gezwungen, beziehungslose Wissens- und Bil-

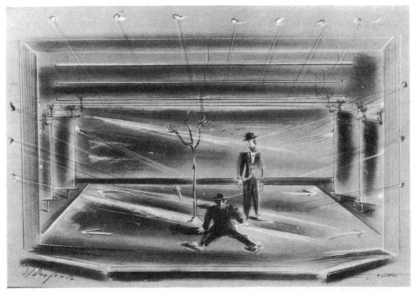

›Warten auf Godot‹ in den Städtischen Bühnen, Frankfurt am Main, 1965. Regie: Stavros Doufexis. Bühnen-Skizze von Franz Mertz

dungsfetzen mechanisch hervor mit dem ewigen Refrain »man weiß nicht warum« — ein schauerliches Symbol dafür, daß es auf keine Sinn-Frage eine intellektuell befriedigende Antwort gibt. Pozzo ist im Zerfall begriffen: dauernd verliert er etwas, bröckelt etwas von ihm ab; sein Gedächtnisverlust ist Verlust gelebter Vergangenheit und damit Verlust der Person. Im strikten Gegensatz zur Brüderlichkeit der Vagabunden, die außerhalb der Gesellschaft stehen, quält sich dieses Paar und leidet aneinander — es demonstriert in rohester Symbolik das Abhängigkeitsverhältnis der Menschen, das jeder Gesellschaft zugrunde liegt. Pozzo und Lucky warten nicht auf Godot — sie sind das Gegensatzpaar ohne jedes Glaubensbedürfnis. Als Daseinsgrund genügt ihnen, was Pozzo über die Menschen sagt: »Sie gebären rittlings über dem Grabe, der Tag erglänzt einen Augenblick, und dann von neuem die Nacht« — Aufklärung vom Jenseits über den Sinn des Daseins wird von ihnen nicht erwartet. Und den Augenblick, da der Tag erglänzt, benutzen sie, selbst langsam in Nacht zerfallend, das uralte Gesellschaftsspiel von Herr und Knecht lust- und qualvoll zu spielen.

Becketts Stück trifft weitverbreitete Spielarten derer, die, auf irgendeinen Ersatzgott ›Godot‹ wartend, auf daß er ihnen den Sinn ihres Daseins erschließe, mit sich selber spielen, und derer, die ohne eine Beziehung zu irgend etwas Jenseitigem die Sinnfrage gar nicht erst stellen und die Brutalitäten des Daseins als ein selbstverständliches Spiel im Gange halten. So abstrakt die Figuren Becketts scheinen, abgezogen aus einem religiösen Verhältnis oder auch Mißverhältnis, so konkret spielen sie auf der Bühne im Fleische der Vagabunden und der Clowns. Wenn in der Manege der große Clown aus einem herzzerreißenden Scheitern das Gelächter der Zuschauer schlägt, so zerreißt Beckett, indem er seine scheiternden Menschen auf der Bühne als Manegenclowns zeigt, das Herz der Zuschauer. Wie komisch und wie entsetzlich, wenn sie sich, da ›Godot‹ abermals nicht gekommen ist, mit Hilfe der Kordel erhängen wollen, die Estragon um den Leib trägt, und nun die Kordel reißt und wie im billigsten Zirkus Estragons Hose bis auf die Knöchel rutscht: Tod aus Verzweiflung mündet in den dümmsten Spaß des dummen August — sie wollen ihr Leben verlieren, und sie verlieren nur die Hose.

Wenn die Scheintätigkeit der Vagabunden aufhört und wenige Sekunden lang nichts anderes getan als tatsächlich nur gewartet wird, dann wird im Schweigen, in der ›Pause‹, die Verzweiflung laut. Die ›Pause‹ ist ihr Feind: die Pause zwischen Geburt und Tod, zwischen Nichtsein und Nichtsein, muß mit dem ›Spiel‹ gefüllt werden.

Endspiel (Fin de partie). 1957. Uraufführung 3. April 1957 im Royal Court Theatre, London, in französischer Sprache durch eine französische Truppe unter Roger Blin, der am 27. April 1957 mit dieser Aufführung nach Paris ins Studio des Champs-Elysées-Theaters zieht. Deutsche Erstaufführung 30. September 1957, Schloßpark-Theater, Berlin. — Wie in ›Godot‹ sind vier Personen im Spiel, deren zwei nichts anderes sind als Varianten von ›Godot‹-Figuren, von Pozzo, dem Herrn, und Lucky, dem Sklaven. Im ›Endspiel‹ heißen sie Hamm (und es ist niemand verboten, dabei an einen verstümmelten ›homme‹ zu denken) und Clov (und es ist niemand verboten, dabei an einen verstümmelten ›esclave‹ zu denken). In ›Godot‹ wird auf etwas Unbestimmtes gewartet; im ›Endspiel‹ auf etwas ganz Bestimmtes, eben auf das Ende. Wie lebt der Mensch, der nur noch auf das Ende hinlebt? Hamm vegetiert im Rollstuhl, er kann nicht aufstehen und ist blind hinter seiner schwarzen Brille, doch lebt er auf Kosten des anderen, will immer genau im Mittelpunkt stehen, und wenn er pfeift, so kommt Clov, der noch sehen, sich aber nicht mehr setzen kann, und gehorcht seinen Befehlen. So klar das Herr-Diener-Verhältnis ist, so wissen doch beide, daß sie aufeinander angewiesen und unlösbar miteinander verkettet sind: sie sind Ergänzungs-Krüppel.

Die beiden anderen Personen heißen Nagg und Nell und sind die Eltern Hamms. Sie hocken in Mülltonnen; irgendwann stirbt die Mutter, die Trauer ist kurz, und irgendwann sähe Hamm die Tonnen samt Inhalt am liebsten im Meer — die Alten beim Müll, das ist ein brutales, in nicht seltenen Fällen aber durchaus realistisches Bild. Jenseits ihrer vier Wände ist, wie Hamm sagt, »die andere Hölle« — das schiere Nichts. Es ist nicht notwendig, einen Atomkrieg für dieses Nichts verantwortlich zu machen: das Leben auf der Erde geht auch ohne Katastrophen zu Ende — »es geht von selbst«. Wenn die Faszination durch das Ende die Sinne des Menschen verkrüppelt, dann lebt er nicht mehr, dann bleibt wiederum nur noch ›das Spiel‹: Hamm und Clov spielen sich das Leben vor.

Diese Stegreifspiele des Lebens werden als bewußte Programm-Nummern vorgeführt. Als da beispielsweise sind: das Blindekuh-Spiel, mit dem sie sich ihrer gegenseitigen Anwesenheit versichern; das Rollstuhl-Spiel, mit dem sie sich die Beschränktheit ihrer Welt bestätigen, in der gleichwohl der Herr die Mitte einnehmen will; das Religions-Spiel, das ihnen mit seinem unerfüllten Gebet erneut ihr Dasein als unbegreiflich klarmacht; das Kunst-Spiel, diese Erfindung eines logisch entwickelten Romans, für den sie sich nur interessieren können, wenn sie sich gegenseitig das Interesse an den Konventionen der Kunst einreden. Was Hamm und Clov auch philosophisch bedeuten mögen — »Wir sind doch nicht im Begriff, etwas zu... zu... bedeuten?« fragt sich Hamm erschrocken — als Gestalten des Theaters sind sie die pure Poesie, Erben des Mimus, Figuren der Stegreifposse: Hamm ist

›Endspiel‹ von Samuel Beckett. Bühnenskizze von Walter Gondolf für die Inszenierung von Friedrich Siems, Städtische Bühnen, Köln, 1957/58

eine Variante des alten, reichen Geizkragens Pantalone, und Clov ist der aufsässige Diener Arlecchino, der seinen Herrn ärgert, wo es nur möglich ist, und ihn doch nicht verlassen kann. Beckett hat zwei Commedia-Figuren mit dem Bewußtsein des Todes und mit dem Schmerz begabt, denn Hamm und Clov müssen mehr als die Commedia vom Herrn und vom Hanswurst, sie müssen ihr Leben angesichts des sicheren Endes aus dem Stegreif spielen.

Das letzte Band (Krapp's last tape). 1958. Uraufführung zusammen mit der englischen Erstaufführung des ›Endspiels‹ am 28. Oktober 1958 im Royal Court Theatre, London. Deutsche Erstaufführung 28. September 1959 in der ›Werkstatt‹ des Berliner Schiller-Theaters. — Ein krächzender Greis im Clowns-Habit tastet seine Taschen nach den Schlüsseln der Schubladen ab, in denen er Bananen vor sich selbst versteckt; dann tastet er die Schubladen seiner Vergangenheit ab: sie liegt vor ihm, in Schachteln mit Tonbändern, von ihm besprochen vor vielen Jahren, und wenn Krapp in seiner Vergangenheit kramt, das Ohr am Tonband wie an einem Schlüsselloch der abgelaufenen Zeit, so sucht er glückliche Tage; weniger noch — einen glücklichen Moment. Er sucht ihn auf einer ganz bestimmten Spule: ›Abschied von der Liebe‹. Damals war er neununddreißig Jahre alt, kerngesund, und schaukelte mit einem Mädchen im Nachen. Zu diesem Augenblick der Vergangenheit will er — alles andere, das Pathos dieser frühen Jahre mit ›Glaube‹ und ›Licht der Erkenntnis‹, fegt er wütend beiseite; nur diesen Blick in den Augen des Mädchens sucht er noch einmal: »Da lag alles drin, der ganze alte Dreckball, alles Licht und alles Dunkel, alle Hungersnot und alle Völlerei der Jahrhunderte!« Es war sein erfüllter Augenblick; dreimal spielt er ihn sich vom Band; er weiß, daß seine besten Jahre dahin sind — »da noch Aussicht auf Glück bestand« — aber er wünscht sie nicht mehr zurück: »Jetzt nicht mehr, wo dies Feuer in mir brennt«, das Feuer dieses vergangenen Augenblicks. Das ist am Ende geblieben: Eros, nichts sonst, und dies war offenbar nicht einmal mehr als das Glück eines versäumten Glücks. Krapp ist damit zufrieden — ein schäbiger, tapferer Ritter der Stoa im Clownsgewand.

Glückliche Tage (Happy Days). ›Ein Stück in zwei Akten‹. Uraufführung 17. September 1961 in New York im Cherry Lane Theater. Am 30. September 1961 in der ›Werkstatt‹ des Berliner Schiller-Theaters. — Das ›Endspiel‹ konstatierte den Zerfall; ›Glückliche Tage‹ konstatiert, daß der Zerfall den Menschen nicht daran zu hindern braucht, in einem gewissen Maße glücklich zu sein. Winnie und Willie in ›Glückliche Tage‹ sind Varianten von Nell und Nagg aus dem ›Endspiel‹. Winnie, eine Frau um die Fünfzig, steckt im ersten Akt bis über die Hüften in einem kleinen Hügel auf einer versengten Grasebene. Im zweiten Akt ist sie noch tiefer eingesunken, nur der Kopf ragt heraus. Daß einer mit einem Bein im Grabe stehe, ist eine gebräuchliche

›Endspiel‹ von Samuel Beckett, inszeniert von Hans Bauer am Berliner Schloßpark-Theater, 1957. Mit: Else Ehser, Werner Stock und Bernhard Minetti: Bühne: Werner Kleinschmidt

Redensart: Winnie, die alternde Frau, ist bis über die Hüften ins Grab gesunken. Man kann dieses szenische Bild für das Altern gar nicht einfach genug verstehen. Hinter dem Hügel haust Willie, ein Mann um die Sechzig, Winnies Mann. Er lebt hinter Winnies Rücken — auch diese Redensart muß ganz einfach, wörtlich und ernst genommen werden. Das Leben hat die beiden so weit auseinander gebracht, doch auch nicht weiter: noch gehören sie zusammen. Auch der Titel ›Glückliche Tage‹ ist einfach und wörtlich zu nehmen, ohne jede Ironie: der Wecker, der zum Erwachen und Schlafen läutet, grenzt die Tage ein — Winnie ist soweit glücklich, als dies überhaupt möglich ist. Winnie altert zwischen einem endlosen Himmel und einer endlosen Erde. Zu Ende geht es mit ihr wie mit ihren Utensilien, und von allen Menschen ist ihr nur Willie geblieben, den sie freilich schon aus den Augen verliert, doch noch einmal vor Augen haben möchte, auf ihrer Seite des Hügels.

Fragen nach dem Sinn sind für Winnie ›Quatsch‹: sie ist darüber hinaus. Winnie ist glücklich, daß sie fast ohne Schmerzen ist und daß der Mensch sich jeder Lage anpaßt — auch der steigenden Hitze, diesem Signal der kommenden Auflösung; auch dem Grab, das ihn langsam verschluckt. Sie ist glücklich, daß sie das Bewußtsein haben kann, es höre Willie ihr zu; noch ist sie nicht allein mit ihrem Spiegel. Sie ist glücklich, daß sie die Beweglichkeit verloren hat und daß es zu Ende geht; eine Emse mit einem Ei, dieses Symbol des sich erneuernden Lebens, erscheint ihr als fauler Witz Gottes, zu dem sie doch betet: »Vielleicht nicht umsonst, das Beten.« Sie ist glücklich, denn: »Es könnte die ewige Finsternis sein.« Mit ihrem Gerede und ihren kleinen Alltäglichkeiten schiebt sie den Stein der Zeit vor sich her. Winnie lehnt die Frage nach dem Sinn ihrer versinkenden Existenz radikal ab. Sie hat sich eingerichtet im Ungewissen, sie macht ihrem Leben kein Ende, und sie ist glücklich über die ›Gnaden‹, die kleinen Hilfen, die von irgendwoher kommen. Willie gelingt es doch noch, getrieben von einem letzten Aufbegehren des Sexus, auf ihre Seite des Hügels zu kriechen und ihr ins Gesicht zu blicken, und sie singt aus der ›Lustigen Witwe‹: ». . . 's ist wahr: Du hast mich lieb!« Zum Nihilismus fehlt es ihr an Kraft — oder an Schwäche; sie hält durch.

Daß Sisyphos, der den immer wieder herabrollenden Stein immer wieder auf den Hügel schieben muß, glücklich sei, das hat schon Albert Camus behauptet, der die Absurdität als Einwand gegen die Tätigkeit des Menschen nicht gelten ließ. Winnie rollt ihren Stein, indem sie ›spielt‹, indem sie als ein weiblicher Clown, als eine Commedia-Rosetta ihre Requisiten für kleine Stegreif-Nummern benutzt: das Muster des Ablaufs liegt fest, doch gibt es gemütserregende Varianten. Und wenn Winnie aufseufzt: »Oh, dies ist ein

›Glückliche Tage‹ von Samuel Beckett. Europäische Erstaufführung in der ›Werkstatt‹ des Berliner Schiller-Theaters, 1961. In der Rolle der Winnie: Berta Drews. Bühne: H. W. Lennweit. Regie: Walter Henn

glücklicher Tag, dies wird wieder ein glücklicher Tag gewesen sein! (Pause) Trotz allem. (Pause) Bislang«, so weiß sie, daß der Tag erst dann vollkommen glücklich ist, wenn er gewesen, wenn er Erinnerung geworden sein wird — im ›Spiel‹, dem nächsten Stück Becketts, ist alles Erinnerung geworden.

Spiel (Play). ›Ein Akt‹. Uraufführung Ulmer Theater, 14. Juni 1963. — Von den drei Personen sind — wie von Winnie im zweiten Akt der ›Glücklichen Tage‹ nur noch die Köpfe zu sehen: sie sitzen in Urnen, und überdies ist ihnen vom Autor jegliche Mimik untersagt: »Die Gesichter sind während des ganzen Stückes teilnahmslos.« Das Spiel hat schon stattgefunden, wenn das ›Spiel‹ auf der Bühne beginnt, es ist nur noch die Erinnerung des Mannes M an die Frauen F1 und F2 und die Erinnerung jeder Frau an den Mann und an die andere Frau. F1 wünscht sich, sie könnte denken, »dies hat keinen Sinn . . . auch dies nicht, nicht den geringsten«, aber sie kann es nicht, und F2 nimmt an, daß sie denselben Fehler macht wie einst, »nach Sinn suchen, wo möglicherweise keiner ist«. Beide Frauen müssen, wie viele Beckett-Figuren, ob sie wollen oder nicht, ›nach dem Sinn‹ fragen; der Mann aber glaubt, ihn gefunden zu haben: »Ich weiß jetzt, all das war nichts anderes als . . . Spiel.«

Spiel ist der Sinn der Erinnerungen, und mehr zu erkennen, ist niemand gegeben. Wenn diese Erinnerungen dreier Stimmen keineswegs zu Ende sind, sondern irgendeinen Punkt erreicht haben, dann beginnen sie Wort für Wort von vorn, und erst durch diese Wiederholung werden die Erinnerungen ebenfalls zum Spiel: ›Leben‹ kann man nicht repetieren; nur das Spiel ist wiederholbar.

Wenn Beckett auf der Wiederholbarkeit des Lebens besteht, so definiert er damit ausdrücklich das Leben als Spiel und die Menschen als Mitspieler, als Rollenträger. Scheinwerferlicht erzwingt das Spiel der Erinnerung, das Nachspielen des vergangenen Spiels — eine Kraft von außen, auf die die Spieler keinen Einfluß haben: es wird mit uns gespielt, es wird uns mitgespielt, also spielen wir, also spielen wir mit, also spielen wir uns mit. Dies ist der geheime Refrain aller Beckett-Stücke von ›Warten auf Godot‹ an; im ›Spiel‹ hat er nur seinen schärfsten, weil kargsten Ausdruck gefunden.

Der Dichter und der Clown: Samuel Beckett (links) schrieb ein Drehbuch für den Kurzfilm ›Film‹ mit dem Komiker Buster Keaton (rechts), inszeniert 1965 von Alan Schneider. Späße einer Stummfilmgroteske drücken ein Thema des Tragikers Beckett aus: der Mensch auf der Flucht vor dem Blick des andern und vor dem Blick auf sich selbst. Buster Keaton befördert Hund und Katze aus dem Zimmer, verhängt Fenster, Vogelkäfig, Aquarium, Spiegel, zerfetzt Familienbilder und muß sich schließlich doch in einer Vision erblicken: Großaufnahme von Buster Keaton, den man bis dahin nur von hinten gesehen hat — ein Gesicht des blanken Entsetzens vor sich selbst, dies ist die Schlußpointe

Eugène Ionesco: der grausame Humorist

Molière ist unser aller Meister. Trotz seines Realismus. Aber wenn die alten Autoren das Komische mit dem Tragischen zusammen verwenden, sind ihre Figuren letztlich nicht zum Lachen. Was überwiegt, ist das Tragische. Bei dem, was ich mache, verhält es sich umgekehrt. Meine Figuren gehen vom Komischen aus, sind für einen Augenblick tragisch und enden im Komischen oder Tragikomischen.

Ionesco in einem Gespräch
mit Edith Mora, 1960

Eugène Ionesco. Nach einem Photo

Wie er angefangen hat, erzählt Ionesco in einem Artikel, der 1956 in ›Arts‹ erschienen ist; man kann ihn nachlesen in seinem Buch ›Argumente und Argumente‹, in dem seine Aufsätze, Interviews und Polemiken gesammelt sind. »Es ist nun schon einige Jahre her, als ich eines schönen Tages auf die Idee kam, die banalsten, aus sinnentleerten Wörtern, ausgetretenen Klischees gebildeten Sätze aneinanderzureihen, die ich meinem eigenen oder dem Wortschatz meiner Freunde oder, in geringerem Umfang, in fremdsprachlichen Konversations-Handbüchern fand. Unglückliches Beginnen: von der Anhäufung dieser Wortleichen erdrückt und von den Automatismen der Konversation abgestumpft, erlag ich beinahe dem Ekel und einer unnennbaren Traurigkeit, einer nervösen Depression und einer richtigen Erstickung. Trotzdem konnte ich die mir selbst gestellte unsinnige Aufgabe zu Ende führen. Ein junger Spielleiter, in dessen Hände dieser Text ganz zufällig geriet, hielt ihn für ein Theaterstück und führte ihn auf. Wir haben es ›Die kahle Sängerin‹ betitelt. Das Stück hat die Leute oft zum Lachen gebracht. Das hat mich verblüfft, mich, der ich im Glauben war, die ›Tragödie der Sprache‹ geschrieben zu haben.«

›Die kahle Sängerin‹ schrieb Ionesco 1949; ein Jahr später wurde das ›Anti-Stück‹ ohne jeden Erfolg im kleinen ›Théâtre des Noctambules‹ aufgeführt. Erst 1957 wurde es neu inszeniert, wieder von Nicolas Bataille und diesmal zusammen mit ›Die Unterrichtsstunde‹ im kleinsten Pariser Theater, dem ›Théâtre de la Huchette‹ mit 80 Sitzplätzen, und seitdem werden dort beide Stücke jeden Abend gezeigt, Jahr für Jahr, ununterbrochen. 1957, als diese Serie begann, kam es in Darmstadt bei der von G. R. Sellner inszenierten deutschen Erstaufführung von ›Opfer der Pflicht‹ zu einem explosiven Theaterskandal, dessen donnerndes Echo Ionesco die großen Bühnen Europas öffnete — sie alle wollten nun ihren Skandal, aber es kam keiner mehr. Deutschland ist für Ionesco sehr wichtig geworden: nach Sellner nahm sich Karlheinz Stroux seiner an und brachte von den ›Nashörnern‹ an (1959) die Uraufführungen seiner neuen Stücke heraus, mit Karl-Maria Schley, dem vollendeten ›Jedermann‹ Ionescos, der in Frankreich ›Bérenger‹, in Deutschland ›Behringer‹ heißt. 1957, als er seinen großen Durchbruch hatte, war Ionesco 45 Jahre alt.

Er ist der Sohn eines Rumänen und einer Französin, wurde geboren am 26. November 1912 in Rumänien, in Slatina, verbrachte seine Kindheit von 1913 bis 1924 in Paris, lebte von 1925 bis 1938 wieder in Rumänien, studierte in Bukarest romanische Philologie und Literaturwissenschaft, schrieb Gedichte, Essays, Kritiken, und als er 1938 ein rumänisches Staatsstipendium erhielt, damit er in Paris seine Dissertation über Baudelaire verfasse, blieb er in Paris, schlug sich als Korrektor durch, im zweiten Weltkrieg als Mitarbeiter der Zeitschrift ›Cahier du Sud‹ in Marseille. Er schrieb die ›Kahle Sängerin‹, ein ›Anti-Stück‹, das zunächst resonanzlos blieb. 1950 wurde es uraufgeführt, und elf Jahre später, 1961, waren seine ›Nashörner‹ in Deutschland mehr als tausendmal gespielt worden, hunderte Male in Frankreich und in den Vereinigten Staaten, oft in England, Italien, Polen, Japan, Skandinavien, der Tschechoslowakei, Jugoslawien und in vielen anderen Ländern.

»Das ›Soziale‹ hängt vom ›Menschlichen‹ ab, nicht umgekehrt«, meint Ionesco, »ein Dramatiker hat keine belehrende Botschaft zu vermitteln — er drückt seine persönlichen Ängste aus und die Ängste und Nöte der andern, oder — aber das ist seltener — sein Glück.« So hält er nicht viel von den ›Moralisten‹, nennt Sartre einen ›Autor politischer Melodramen‹ und macht sich lustig über Bertolt Brecht, weil er »die künstlerischen Mittel nur einsetzt, um eine willkürliche marxistische Ideologie zu beweisen. Er unterwirft auf diese Art das Wesentliche dem Unwesentlichen.«

In seinem *Impromptu oder Der Hirt und sein Chamäleon* (L'Impromptu de l'alma, uraufgeführt im Februar 1956 im Studio des Champs-Elysées, Paris) tritt Ionesco selbst auf, im Begriffe, ein Stück zu schreiben, als der Kritiker Bartholomäus I ihn besucht, ein Gespräch mit ihm führt und verlangt, daß er sein neues Stück vorlese — Ionesco liest vor, wie er von Bartholomäus I besucht wird, wörtlich die Szene, die man gerade auf der Bühne erlebt hat, und nach diesem Spaß erscheinen die Kritiker Bartholomäus II und III, und alle drei fallen nun über ihn und sich selber her, um Ionesco zu belehren, wie er ein Stück zu schreiben habe. Der eine ist für Brecht, der andere für das Boulevard-Theater, der dritte ein Opportunist, und fast alles, was sie sagen, hat Ionesco den Artikeln dreier Pariser Kritiker, der Herren Roland Barthes, Bernard Dort und Jacques Gautier, wörtlich entnommen. Die Hauptstoßrichtung dieses ironischen Scherzes richtet sich gegen Brecht und sein schulmeisterliches Verfremdungstheater, und als Ionesco selber ins — abermals ironisierte — Dozieren gerät, fordert er: »Für mich ist Theater die Projektion der inneren Welt auf die Bühne. Ich behalte mir das Recht vor, den dramatischen Stoff meinen Träumen, meinen Ängsten, meinen dunklen Wünschen und meinen inneren Widersprüchen zu entnehmen. Und da ich nicht allein auf der Welt bin, da jeder von uns im Grunde seines Wesens nicht nur er selber ist, sondern zugleich auch alle andern, gehören meine Träume, Ängste und Zwangsvorstellungen nicht mir allein, sie sind ein von den Vorfahren überkommenes Erbteil, ein Gut von alters her und Allgemeinbesitz. Dies ist es, was über alle äußeren Verschiedenheiten hinweg die Menschen verbindet und unsere tiefe Gemeinschaft, die Universalsprache, darstellt.«

Bliebe es nur bei den Träumen, Ängsten und Zwangsvorstellungen, so wäre dieser Ionesco eine ziemlich trostlose Angelegenheit. Doch wie er verblüfft war, daß über ›Die kahle Sängerin‹ gelacht worden ist, so verblüfft sich sein Publikum selbst, indem es über Ionescos Stücke lacht. Sie werden im übrigen immer ernster, allegorischer und nähern sich einer barocken Art Lehrtheater.

Im Dreißigjährigen Krieg folterte man die Menschen, indem man eine Ziege Salz von ihren nackten Fußsohlen lecken ließ — sie lachten sich zu Tode. So ungefähr kann man sich auch über Ionescos Stücke zu Tode lachen — bei ihm ist das Zwerchfell der Sitz des tragischen Lebensgefühls.

Meinungen: »Ionesco, ob er es wahrhaben will oder nicht, steht in einer sehr starken Tradition, er ist nicht durch puren Zufall zu dieser H-Bombe ›Banalität‹ gekommen. Es ist die Tradition der harten Humoristen«: Albert Schulze Vellinghausen. — »Ionesco hat eine Welt von einsamen Robotern geschaffen, die untereinander nur eine Zwiesprache führen, die jener in den amerikanischen Comic-Strips ähnelt. Seine Dialoge bringen manchmal zum Lachen. Manchmal sind sie Hokuspokus. Oft sind sie aber weder das eine noch das andere. Dann rufen sie eine abgründige Langeweile hervor«: Kenneth Tynan. — »Je absurder es auf der Bühne zugeht, um so natürlicher und verdaulicher erscheint uns die Wirklichkeit, was natürlich ein Vergnügen ist, man braucht sich mit der Wirklichkeit beispielsweise unserer politischen

Verhältnisse gar nicht zu befassen. Wenn ich Diktator wäre, würde ich nur Ionesco spielen lassen«: Max Frisch. —»Ionesco tummelt munter das Roß seiner abenteuerlichen Phantasie, beschreibt aber exakt Phänomene, welche die moderne Soziologie analysiert. Insofern gibt seine Phantasie nur die Metaphorik für Fakten ab, die heute niemand mehr bestreitet«: Marianne Kesting.

Die kahle Sängerin (La Cantatrice Chauve). ›Anti-Stück‹. 1949. Uraufführung 11. Mai 1950, Théâtre des Noctambules, Paris. Deutschsprachige Erstaufführung 21. Juni 1956, Kleintheater Bern. — Ein gutbürgerliches Ehepaar, Mr. und Mrs. Smith, unterhält sich nach dem Abendessen, das heißt: sie sondern die ausgelaugten Schablonen einer inhaltsleeren Konversation ab und reden aneinander vorbei. Sie werden besucht von einem Herrn und einer Dame, die auf die gleiche Weise mündlich miteinander verkehren und nach einem langwierigen Fragespiel herausfinden, daß sie, da sie im gleichen Bett schlafen, wohl verheiratet und Mr. und Mrs. Martin sein müssen. Das zweite Paar ist die Steigerung des ersten: ihre innere Beziehungslosigkeit ist dadurch grotesk verbildlicht, daß sie nur noch mit Mühe die Tatsache ihrer Ehe rekonstruieren können. Eine ›kahle Sängerin‹ tritt nicht auf; die Frage nach ihr wird mit dem abstrusen Satz beantwortet: »Sie trägt noch immer dieselbe Frisur« — auch er ein übersteigerter Ausdruck für das von jedem Sinn entleerte Alltagsgewäsch. Es wird am Schluß in einen rhythmischen Dialog getrieben, der nur noch aus Buchstaben und Silben besteht, das Licht geht aus, und wenn es wieder hell wird, sitzen die Martins so da wie zu Beginn die Smiths, und es fängt wieder von vorne an. — Dieses erste Stück Ionescos ist zunächst eine Parodie auf die herkömmlichen Konversations-Stücke des Boulevard-Theaters, die Ionesco durch sein ›Anti-Stück‹ als bloßes Bla-bla-bla attackiert; über die Theater-Parodie hinaus wird es zur Lebens-Parodie, zur komischen Illustration der Einsicht Ionescos: »Die Menschen leben in Konventionen, Gewohnheiten, Formeln, sie führen ein mechanisiertes Leben in der Stumpfheit. Das heißt, sie sind schon nicht mehr am Leben.«

Die Unterrichtsstunde (La Leçon). ›Komisches Drama in einem Akt‹. 1950. Uraufführung 20. Februar 1951, Théâtre de Poche, Paris. Deutsche Erstaufführung Juni 1956, Zimmerspiele Mainz. — Ein älterer Professor versucht, eine ungewöhnlich dumme, aber eifrige Privatschülerin zu unterrichten, die beispielsweise kaum zählen, wohl aber die kompliziertesten Multiplikationen ausführen kann, da sie »sämtliche Ergebnisse, die bei sämtlichen Multiplikationen nur irgendwie möglich sind, auswendig gelernt« hat. Doch es bleibt nicht beim Veralbern der Sprachschablonen wie bei der ›Kahlen Sängerin‹:

der Professor beherrscht die sprachlichen Konventionen, die beim Unterricht gebraucht werden, die Schülerin aber nicht, und dies verleiht ihm die Herrschaft über das Mädchen — er ermordet sie. Dieser Mord, mit so viel körperlicher Inbrunst er vollzogen wird, ist nicht mehr als ein wörtlich genommenes Bild, ein geistiger Mord: wer die sprachlichen Konventionen nicht beherrscht, der wird von ihnen umgebracht. So ermordet der Professor logischer- und auch groteskerweise alle seine Schülerinnen — sie ist an diesem Tag das vierzigste Opfer, und das einundvierzigste wartet schon vor der Tür.

Roberta, die Braut mit den drei Nasen und neun Fingern, in Ionescos ›Jakob oder Der Gehorsam‹ inszeniert von Gustav Rudolf Sellner am Landestheater Darmstadt, 1959. Maske: Franz Mertz. Roberta: Renate Steiger

Jakob oder Der Gehorsam (Jacques ou La Soumission). ›Naturalistische Komödie in einem Akt‹. 1950. Uraufführung Oktober 1955, Théâtre de la Huchette, Paris. Deutsche Erstaufführung am 2. Oktober 1958, Tribüne, Berlin. — Jakob ist entschlossen, die von seiner Familie und der Familie seiner Braut vertretene Welt nicht zu akzeptieren. Diese Familien werden beherrscht von der Konvention, der Sexualität und von der Begierde, jeden Menschen in ihre Welt der Konvention und Sexualität hineinzuziehen. Marionettenhaft verfratzt, versuchen sie mit allen Mitteln, Jakob zur Anerkennung ihrer Werte zu zwingen. Als er widerwillig ›Bratkartoffeln mit Speck‹ akzeptiert, ist es nur noch eine Frage der Zeit, bis er völlig kapituliert: Bratkartoffeln ziehen konsequent die Anerkennung der Familie, der Tradition, der Nation, der Rasse nach sich. Es hilft Jakob nichts, daß er die Braut ablehnt, weil sie zwei Nasen hat, und eine Braut mit drei Nasen verlangt: wenn ein Einzelgänger kirre gemacht werden soll, so ist die Welt auch imstande, ihm eine Braut mit drei Nasen zu beschaffen. Mit der dreinasigen

Roberta unternimmt Jakob einen letzten Fluchtversuch in eine visionäre Welt wilder, sexusgeladener Poesie. Aber gerade dieser gemeinsam genossene Ausbruch ins Irreale kettet ihn an die Braut und an die reale Welt. Jakob ist unterworfen, er wird heiraten. Mit dem Triumphgemaunze liebestoller Katzen umtanzen ihn die Familien.

Die Zukunft liegt in den Eiern oder Wie fruchtbar ist der kleinste Kreis (L'Avenir est dans les Œufs). Uraufführung 2. Dezember 1959, Theater am Dom, Köln. — Dieser Einakter setzt ›Jakob oder Der Gehorsam‹ als satirische Hanswurstiade fort: seit drei Jahren hockt das Paar, »katz-katz-katz« jaulend, in Liebe entrückt, doch ohne Nachwuchs, auf dem Fußboden; nun wird es von der empörten Familie zur ›Produktion‹ angetrieben, um zur »Erhaltung der weißen Rasse« beizutragen — Roberta produziert endlich Eier, und Jakob brütet sie im »Dienst für das Vaterland«, der Moral und der Wirtschaft aus.

Die Stühle (Les Chaises). ›Tragische Farce‹. 1951. Uraufführung 22. April 1952 im Théâtre du Nouveau Lancry, Paris. Deutsche Erstaufführung 22. September 1957, Tribüne, Berlin. — ›Der Alte‹ und ›die Alte‹ geben eine Abendgesellschaft, zu der die ganze Menschheit eingeladen ist; die Klingeln läuten, die Türen öffnen sich, die Alten schleppen unermüdlich Sitzgelegenheiten herbei, bis die Wohnung mit sichtbaren Stühlen und unsichtbaren Gästen vollgestopft ist, mit denen die Gastgeber rege Konversation machen. Sie erwarten den Redner: er soll der Menschheit die Lebensbotschaft des Alten, das ›Licht seines Geistes‹, den Sinn seines Daseins verkünden, doch die Alten stürzen sich noch vor der Rede aus dem Fenster, und es kann auch gar nicht zu einer Rede und zu einer Botschaft kommen — der Redner ist taubstumm und das, was er auf eine Tafel kritzelt, ist unleserlich. — Diese grausame Parabel vom zerschwatzten und verpaßten Leben, von der Lächerlichkeit der Illusion und von der absoluten Unbegreiflichkeit des Daseins ist komödiantisch sehr variationsreich, falls die beiden Schauspieler imstande sind, die unsichtbaren Gäste pantomimisch lebendig zu machen und eine Posse von tödlichem Ernst zu spielen — den tödlichen Ernst in der Posse. Ein Meisterwerk Ionescos: die Komik des Nichts und zugleich die Tragik der Komik des Nichts. Das Stück blieb zunächst erfolglos, obwohl sich Adamov, Beckett, Queneau, Audiberti dafür eingesetzt hatten. Erst die zweite Pariser Inszenierung, 1956, brachte den Durchbruch. Jean Anouilh rühmte ›Die Stühle‹ im konservativen ›Figaro‹: »Ich glaube, es ist besser als Strindberg, weil es einen ›schwarzen Humor‹ à la Molière hat, auf eine manchmal irre komische Art, weil es entsetzlich, drollig, ergreifend, immer wahr ist und weil es — abgesehen von einer Spur eines ziemlich altmodischen Avantgardismus am Schluß, den ich nicht mag — klassisch ist.«

Opfer der Pflicht (Victimes du Devoir). ›Pseudodrama‹. 1952. Uraufführung Februar 1953, Théâtre du Quartier Latin, Paris. Deutsche Erstaufführung am 5. Mai 1957, Landestheater Darmstadt. — Beim Ehepaar Choubert erscheint ein Polizist, um sich zu erkundigen, ob der frühere Mieter ihrer Wohnung seinen Namen ›Mallod‹ oder ›Mallot‹ geschrieben hat, und aus dieser harmlosen Frage entwickelt sich eine fieberhafte Suche nach ›Mallot‹: der Polizist wird zum Psychoanalytiker und zwingt Choubert, in sein Unterbewußtsein zu steigen, um dort ›Mallot‹ zu suchen; Frau Choubert assistiert, indem sie verschiedene Rollen als Partnerin ihres sich im Unterbewußtsein verwandelnden Mannes übernimmt. Der Nachbar Nikolas macht dem grausamen Spiel ein Ende, indem er den Polizisten ermordet, doch, von Frau Choubert daran erinnert, daß ›Mallot‹ immer noch nicht gefunden ist, übernimmt er die Rolle des Polizisten und peinigt Choubert weiter — jeder ist ein ›Opfer der Pflicht‹, ›Mallot‹ zu suchen, und ›Mallot‹ scheint ein Symbol für die sinnlose Jagd des Menschen nach einem unbekannten Ziel — eine Pflichtjagd, der er alles opfert. Zugleich debattiert Ionesco im Stück und durch die Form des Stückes die Formen des Dramas von der Antike bis Ionesco — Thematik und Symbolik sind bis zur Unkenntlichkeit vieldeutig verschlungen. — Bei der deutschen Erstaufführung in Darmstadt ließ Regisseur G. R. Sellner den stereotypen Befehl »Kauen! 'runterschlucken!« ins Publikum sprechen — nicht gesonnen, Ionesco 'runterzuschlucken, protestierte es: dieser bis dahin größte Theaterskandal in der Bundesrepublik, ein ungeheurer Tumult, bei dem sich soignierte Herren unflätig beschimpften, führte zum endgültigen Durchbruch Ionescos von den Experimentierbühnchen zu den großen Theatern Europas.

Amédée oder Wie wird man ihn los (Amédée ou Comment s'en débarasser). 1953. ›Komödie in drei Akten‹. Uraufführung 14. April 1954, Théâtre de Babylone, Paris. Deutsche Erstaufführung 25. März 1956, Schauspielhaus Bochum. — Schriftsteller Amédée und Frau Madeleine im boshaften Kleinkrieg eines quälend gewordenen Lebens; im Schlafzimmer liegt eine Leiche: es ist der Geliebte der Ehefrau, von Amédée vor fünfzehn Jahren ermordet, und zugleich die Leiche ihrer Ehe, und dies wörtlich genommen: die Leiche wächst knarrend seit fünfzehn Jahren; ihre gigantischen Schuhe dringen jetzt ins Wohnzimmer vor, dann ihre Beine, »wie wird man ihn los?« Amédée schleppt die Leiche in die Seine, wird von der Polizei verfolgt, doch sobald er die Leiche los ist, schwebt er befreit in der Luft, brennt ein Freudenfeuerwerk ab und läßt Hut und Bart der Leiche seiner verlassenen Madeleine auf den Kopf fallen. Ein einfaches Gleichnis und ein vertrackter Jux, ausreichend für einen Sketch, sind von Ionesco zu einem (seinem ersten) abendfüllenden Stück aufgeblasen worden: teils mit amüsantem bizarrem Humor, teils auch nur mit Luft.

Das Gemälde (Le Tableau). ›Hanswurstiade in einem Akt‹. Uraufführung 1955, Théâtre de la Huchette, Paris. Deutsche Erstaufführung 29. März 1958, Staatstheater Stuttgart. – Ein reicher Dicker haut einen Maler übers Ohr – der Maler zahlt schließlich noch die Miete dafür, daß der Dicke so gnädig ist, sein Gemälde an die Wand zu hängen. Nach diesem satirischen Beginn schlägt der Einakter um in eine Zirkus-Clownerie, bei der der Dicke durch Pistolenschüsse die Menschen seiner Umwelt in kitschige Märchengestalten verwandelt, selbst aber nicht verwandelt werden kann, weil das Publikum auf ihn nicht schießen will. »Nur durch Unwahrscheinlichkeit und Idiotie«, meinte Ionesco, »kann diese Posse Wahrscheinlichkeit erlangen«, und da hat er wohl recht.

Der neue Mieter (Le nouveau Locataire). ›Ein Akt‹. 1954. Uraufführung September 1956 Arts Theatre, London. Deutsche Erstaufführung 15. Dezember 1957, Landestheater Hannover. – Der neue Mieter wird in seinem leeren Zimmer vom Straßenlärm und von der Concierge mit sinnlosem Gerede überschüttet; er läßt sich von den Packern mit Möbeln einmauern, bis er ganz in ihnen verschwunden ist – sie werfen ihm ein paar Blumen in seine Möbelgruft und gehen. – Das Dilemma, entweder der Banalität des Alltags standzuhalten oder zu vereinsamen, ist ins Groteske übersteigert: den Ernst des erlöschenden Lebens durchdringt die Komik der sich ins Phantastische vermehrenden Möbel, die körperliche Clownerie der Packer und die sprachliche Clownerie der Concierge.

Mörder ohne Bezahlung (Tueur sans Gages). ›Stück in drei Akten‹. 1957/58. Uraufführung 14. April 1958, Landestheater Darmstadt. In Frankreich im März 1959, Théâtre Récamier, Paris. – Ionescos zweites ausgewachsenes Stück bedient sich der Alptraumtechnik. Die Bühne ist, äußerlich betrachtet, leer; innerlich betrachtet, ist sie bebaut mit einer ›Sonnenstadt‹ – sie entspricht der seelischen Verfassung Behringers, der Hauptperson: er bringt sie sozusagen aus sich selbst hervor und macht sie für das Publikum miterlebbar, ›sichtbar‹ durch Sprache und Pantomime. Die Sonnenstadt ist für Behringer die verwirklichte Harmonie mit dem Universum. Es stellt sich jedoch heraus, daß dieses Paradies von den Menschen verlassen wird, weil ein unbekannter Mörder pro Tag drei Einwohner umbringt. Zum Entsetzen

Behringers wird der Mörder nur nachlässig verfolgt: mit achselzuckendem Realismus hat sich der Architekt, dieser Planer des Alltags, mit der Unausrottbarkeit des Bösen abgefunden. Nicht so der Idealist Behringer, der das Bild eines harmonischen Universums als Erinnerung und als Hoffnung in sich trägt; er will den Mörder im Polizeipräsidium abliefern. Die Suche nach Beweismaterial wird für ihn mehr und mehr zu einem Alptraum, einer Kette von kleinen Hoffnungen und großen Vereitelungen. Eine absurde Verkehrsstauung beispielsweise mit gigantisch großen Polizisten verbaut den Weg zum Präsidium, und als Behringer endlich frei wird, verirrt er sich. Schluß und Schlüssel des Stückes: der verzweifelte Versuch Behringers, das Motiv aus dem Mörder herauszufragen und den Mörder damit in seine begreifbare Welt einzubauen. Behringers lange, gehetzte Rede bietet dem Mörder alle in der Welt Behringers denkbaren Motive an: psychologische, pathologische, materielle, politische, soziale, philosophische, weltanschauliche, religiöse Motive – der Mörder kichert, aber er spricht nicht. Behringer kann den Mörder in seine ethische und idealistische Welt nicht einordnen – der Mörder ist das absolut Böse, motivlos und unbegreifbar. Vor dieser Sinnlosigkeit des Bösen streckt Behringer die Waffen. Während der Mörder das Messer gegen ihn zückt, stammelt er hilflos:»Was kann man machen . . .«, Vorhang.

Die Alptraum-Technik als ein Mittel, die alte, gleichnishafte Form des Theaters wieder zu beleben. ›Mörder ohne Bezahlung‹ ist eine Parabel: Behringer, der ›Jedermann‹, den Ionesco auch in seinen künftigen Stücken als Hauptperson beibehalten wird, vor der Tatsache, daß es in dieser Welt das Böse gibt – Moral: die Glückseligkeit ist auf dieser Erde nicht zu verwirklichen, denn das Böse ist stärker als die menschlichen Ordnungskräfte, die es nicht einmal begreifen können. Dieses Gleichnis ist zugleich Posse und Tragödie: tragisch und komisch ist die Gleichgültigkeit der Menschen vor dem Bösen, ihre leichte Verführbarkeit; tragisch und komisch ist aber auch die Idee Behringers, das Urböse mit Hilfe eines Polizeipräsidiums aus der Welt zu schaffen, und sogar der Mörder ist bei aller Tödlichkeit so komisch, wie eine Figur nur sein kann, deren Habitus aus dem Hintertreppen-Roman kommt.»Diese menschliche Ohnmacht, diese Vergeblichkeit unserer Anstrengungen kann in gewissem Sinne auch komisch sein«, schreibt Ionesco. Er ist grausam: dies hat er mit allen großen Humoristen gemeinsam.

Die Nashörner (Rhinocéros). ›Stück in drei Akten‹. Uraufführung 31. Oktober 1959, Schauspielhaus Düsseldorf. Französische Erstaufführung im Januar 1960, Théâtre de l'Odéon, Paris, durch Jean-Louis Barrault. – Plötzlich wird es schick und empfehlenswert, sich in ein Nashorn zu verwandeln, in eine bösartige, alles zertrampelnde Bestie. Wie sehr die Menschen zunächst gegen

die Nashörner sind — irgendwann gewöhnen sie sich daran und reihen sich
in den Marsch der Rhinozerosse ein, teils instinktiv, teils mit den bekannten
Argumenten des Mit-der-Zeit-Gehens, des Sich-Angleichens und des Widerstandes ›von innen‹. Die pantomimische Vernashornung zweier Bürger auf
offener Bühne ist so schauerlich wie komisch, und grauenhaft komisch ist der
Marsch der zu Nashörnern gewordenen Menschheit. Nur Behringer, der
ängstliche, unintellektuelle, unsichere ›Jedermann‹ Ionescos (der in ›Mörder

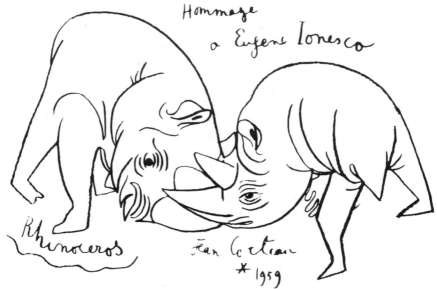

*›Nashörner‹, von Jean Cocteau gezeichnet und dem Autor der ›Nashörner‹ Eugène
Ionesco gewidmet, 1959*

ohne Bezahlung‹ durch die unbegreifliche Existenz des Bösen in die Ohnmacht
getrieben worden ist), scheint hier, in dieser Tierfabel über Massenpsychose,
Opportunismus und die Ansteckungskraft des Bösen, entschlossen, nicht vor
der Rhinozeritis zu kapitulieren. — ›Die Nashörner‹ wurde zu einem Welterfolg: nie vorher war Ionesco so unpoetisch, simpel, aber auch satirisch treff-
sicher und witzig. Er arbeitet nicht mehr mit Symbolen, die immer ein unauf-
lösbares Geheimnis enthalten, sondern mit einem klaren Gleichnis, das mit
dem Verstand ohne Rest zu erfassen ist. Selbst Ionescos französische Gegner
haben ihn nach diesem Stück mit dem Erzrationalisten Molière verglichen.

Fußgänger der Luft (Le Piéton de l'Air). Uraufführung am 15. Dezember
1962, Schauspielhaus Düsseldorf. Französische Erstaufführung im Februar

1963, Théâtre de l'Odéon (Théâtre de France), Paris. — Behringer, hier ein französischer Schriftsteller und auch ein wenig ein Selbstporträt Ionescos, mit Frau und Tochter zur Erholung in England, kann aus eigener Kraft fliegen: »Es ist eine Sache der Gesundheit. Wir fliegen nur nicht, weil wir verkrüppelt sind.« Zur Verblüffung der englischen Spaziergänger, zum Entsetzen seiner Frau verschwindet er schließlich in der Luft und läßt sie mit den Qualen des Menschenlebens zurück, die ihr die Tochter vergeblich als schlechte Träume auszureden versucht. Aus der Luft zurückgekehrt, wird Behringer interviewt: er hat nur Endzeitschrecken gesehen, wie sie in der ›Offenbarung Johannis‹ zu lesen sind, und »unergründliche Höhlen, Bomben, Bomben . . .« — die Engländer gehen zum Teetrinken, Behringers Tochter hat das Schlußwort: »Vielleicht werden sich die Abgründe schließen . . . vielleicht werden die Gärten . . . die Gärten . . .«, Vorhang. — Behringer, Ionescos ›Jedermann‹, ist, sofern Dichter, zum geistigen Höhenflug fähig und bringt von ihm nur Blicke in den Abgrund zurück — das Böse, in den seitherigen Behringer-Stücken in der Menschenwelt lokalisiert, nimmt kosmische Ausmaße an; schüchtern ertönt die Botschaft der Liebe. »Die literarische Tätigkeit ist für mich kein Spiel mehr«, hatte Behringer-Ionesco gesagt, »ich möchte vom Tod genesen« — mit einem amüsanten Spiel hat es begonnen und mit der Apokalypse geendet; von ›Genesung‹ kann nicht die Rede sein. Barockes Schaustück mit zahlreichen Selbstparodien, Weltuntergangsschauern und humaner Predigt — mehr rhetorisch als bildkräftig, mehr belehrend als visionär.

Der König stirbt (Le roi se meurt). Uraufführung im Dezember 1962 im Théâtre de l'Alliance Française, Paris. Englische Erstaufführung im September 1963 im Royal Court Theatre, London, mit Alec Guinness. Deutsche Erstaufführung am 16. November 1963, Schauspielhaus Düsseldorf. — Ionesco hat den Behringer seiner letzten drei Stücke zum König avancieren lassen: als Behringer der Erste sitzt er auf dem Thron, doch schon zu Beginn wird ihm verkündet: »Du wirst am Ende dieses Schauspiels sterben.« Seine Agonie beginnt. Sein Reich zerbröselt wie sein Palast. Margarete, seine erste Frau, begleitet seinen Zerfall mit kühler Einsicht und Vernunft; sie wird zur Personifizierung des Todes. Maria, seine zweite, jüngere Frau, mit Liebe und blinder Hoffnung; sie wird zur Personifizierung des Lebens. Der Arzt ist zugleich Astrologe und Henker, Blick in die tödliche Zukunft und Vollstrecker des Todes. Ein einfältiger Wächter verkündet in ungerührtem Eifer die Stadien des Zerfalls. — Behringer ist noch immer Ionescos ›Jedermann‹, hier nur zum König geworden, damit der Prozeß des Sterbens mehr Verluste einschließen kann, als dies bei einem Kleinbürger möglich wäre: König Behringer, der jahrhundertelang gelebt, Paris gegründet und das Schieß-

pulver erfunden hat (eine Parallel-Figur zu Thornton Wilders ›Mr. Antrobus‹), stirbt stellvertretend für die Menschheit; er repräsentiert ihre Größe,
ihre Komik und ihr Elend. Vor dem Pathos des Todes verliert Ionesco mehr
und mehr die Lust an der Ironie und an grotesken Späßen, wenn auch nicht
ganz: sein König möchte allein am Leben bleiben, »um über alle anderen
Gestorbenen zu trauern – Ihr seht, ich denke immer an die andern«. Nach
diesem letzten Aufbäumen der Ichsucht folgt das Lob des bescheidenen Erden-
glücks. Das Stück hat wie eine Posse begonnen, und am Ende ist es eine Klage
über die Vergänglichkeit und fast so etwas wie ein Mysterienspiel, ein mittel-
alterlicher Totentanz gewesen. Was Ionesco über Shakespeares ›Richard II.‹
gesagt hat, gilt für seinen Behringer I.: »Richard II. macht mir eine ewige
Wahrheit hell bewußt, eine Wahrheit, die wir im Fluß der Begebenheiten
immer wieder vergessen und die im Grunde einfach und beinahe banal ist:
ich sterbe, du stirbst, er stirbt.«

Hunger und Durst (La soif et la faim). Uraufführung 30. Dezember 1964
Schauspielhaus Düsseldorf. In der Comédie Française am 1. März 1966. –
Im ersten Teil, ›Die Flucht‹, verläßt Jean-Hans (Bérenger-Behringer), an-
geekelt von der drohenden Abstumpfung, Frau und Baby und bricht auf in
die Freiheit, um Erkenntnis und Erlösung zu suchen. Im zweiten Teil, ›Die
Verabredung‹, wird er in das ›Museum der Ideen‹, wo er mit der Dame
›Freiheit‹ verabredet ist, von den Wächtern nicht eingelassen. Im dritten
Teil, ›Schwarze Messe in der guten Herberge‹, beichtet er einer geheimen
Bruderschaft seine Qualen und seine Lebensangst. Sie führen ihm in einem
›Lehrstück‹, einem ›Spiel der Umerziehungs-Erziehung‹, zwei Clowns vor:
Tripp, einen christlichen Dichter, und Brechtoll, »einen Schriftsteller des
Linkskonformismus materieller Weltsicht« à la Bertolt Brecht. Die beiden
Clowns werden durch Hunger und verweigerte Suppe dazu gebracht, ihre
Grundsätze zu wechseln: Brechtoll lernt beten, und Tripp lernt, allein an die
Suppe zu glauben. Jean, weiter die Freiheit suchend, wird vom Bruder Buch-
halter mit Zahlen eingegittert und als Gegengabe für den gewährten ›Schutz‹
zur ewigen Fronarbeit gezwungen. Seine Frau Marie mit inzwischen fünf-
zehnjährigem Töchterlein, von denen Jean nun weiß »Ich habe euch immer
geliebt, das verstehe ich jetzt«, wird zum visionären Trost in blühender
Landschaft: sie werden auf ihn warten – »Ich warte auf dich, solange es
nötig ist, ich warte auf dich bis in die Unendlichkeit.« – Der nun einund-
fünfzigjährige Ionesco, der als Dramatiker fünfzehn Jahre vorher satirisch
begonnen und Demaskierungs-Clownerien über das in der Gewöhnung ver-
sumpfte Leben geschrieben hat, ist auf dem Weg über das schon stark allegorische Behringer-Dramen-Quartett zum unverhohlenen Prediger duldender

Liebe geworden. Sogar bei seiner Attacke gegen die engagierte Literatur, sei sie nun christlich oder materialistisch, hat ihn seine spielerische Souveränität verlassen: sie ist mehr Rüpelei als Persiflage, und ihre vielleicht ungewollte Pointe besteht darin, daß sie durch den Erfolg der Hungerfolter die Materialisten, die Brechtoll-Brechts, bestätigt. Das ›Lehrstück‹ verachtend, hat Ionesco ein Lehrstück geschrieben: über das Scheitern des Menschen auf der Suche nach der Freiheit; nicht ohne Sentimentalitäten und Symbolkitsch, gepflückt auf Strindbergs ›Nach Damaskus‹-Stationen. – Der Theaterkritiker Ulrich Seelmann-Eggebert meint: »Man kommt um den Eindruck nicht herum, es sei eine mindest zum Teil autobiographisch-selbstkritische Auseinandersetzung Ionescos, der sich in einer Sackgasse verrannt fühlt und dem auch die Rückkehr zu den Anfängen nicht hilft, der daraufhin in die Ungewißheit eines Neulandes flieht, das sich alsbald als Ödland herausstellt, und schließlich erkennt, daß weder eine Bindung an Ideologien noch die Isolation in der Freiheit einen davor bewahrt, das aussagen zu müssen, was jene verlangen, von denen man die Suppe erhält.«

Triumph des Todes oder Das große Massakerspiel (Jeu de Massacre). Uraufführung 24. Januar 1970, Schauspielhaus Düsseldorf. – Jede der rund zwanzig Szenen endet letal: es sterben einzelne, Paare und ganze Menschenansammlungen. Politiker und Ärzte werfen sich vor, sie seien schuld am Sterben. Die Todesursache wird vergeblich gesucht, man glaubt an eine Art Pest, doch als die Epidemie abflaut, bringt eine Feuersbrunst das Ende: gegen »das Sterben ohne erkennbare Ursache«, gegen den allgemeinen Tod gibt es kein Mittel. – Ein Totentanz von grotesken Blackouts mit dem immergleichen Lebens-Blackout erinnert in einer von Utopien berauschten, metaphysikfeindlichen und den Tod verdrängenden Zeit hartnäckig und monoton an den Tod als eine banale metaphysische Tatsache, die zwar uns aus der Welt schafft, selbst aber nicht aus der Welt zu schaffen ist.

Aus dem internationalen Absurden-Klub

WITOLD GOMBROWICZ nannte als »die drei Musketiere der polnischen Avantgarde zwischen den Kriegen«: Witkiewicz, Bruno Schulz und sich selber. Für seinen philosophisch grotesken Roman »Ferdydurke« (1937; deutsch 1960) wird Gombrowicz von seinen Freunden als Genie und Bahnbrecher der modernen polnischen Literatur gerühmt und von seinen Feinden als intellektueller Snob verspottet. Der Roman setzt – wie später auch die Theaterstücke – philosophische Ideen, sprachliche Bilder, innere Vorstellungen in

Handlung um: ein Intellektueller wird in seine Schulzeit zurückversetzt, in infantile Ohnmacht, und mit ihm dringt Gombrowicz zur Kehrseite der erwachsenen, konventionellen Formen des Lebens vor. »Gombrowicz überreicht uns das Inventar dieser Hinterhofseite«, kommentierte Mit-Musketier Bruno Schulz, »das Hinterhaus unseres Ichs – ein erstaunliches Inventar: im vorderen Salon verläuft alles formell nach der Etikette, während in der Küche unseres Ichs, hinter den Kulissen offizieller Handlung, ein Haushalt schlimmster Provenienz geführt wird. Es kann gar nicht so viel ideologischen Schund geben und Schmutzformen, die hier nicht immer noch hoch im Kurs wären und sich bestens verkaufen ließen.«

Am 4. August 1904 wurde Gombrowicz in Maloszyce/Opatow in Polen geboren. Er entstammt einer Landadelsfamilie, studierte Jura und Philosophie in Warschau und Paris und brachte 1933 seinen ersten Erzählungsband heraus. Zwei Jahre nach seinem ersten Roman »Ferdydurke« wurde er 1939 in Argentinien, wo er nur zwei Wochen bleiben wollte, vom Kriegsausbruch überrascht und blieb zwanzig Jahre. Seine Bücher waren im kommunistischen Polen bis 1957 verboten. Von 1964 bis zu seinem Tod am 25. Juli 1969 lebte Gombrowicz in Vence an der Côte d'Azur.

Yvonne, Prinzessin von Burgund. 1938. Uraufführung 1957, Krakau. Deutsche Erstaufführung 17. Dezember 1964, Schauspielhaus Dortmund. – Am Hof eines fabulösen Königreichs Burgund geht Yvonne allen auf die Nerven: sie spricht kaum, bewegt sich träge, niemand kann sie ändern oder gar erziehen, sie spielt die Zeremonien des Hofstaates – Symbol für eine erstarrte Form des Lebens – nicht mit. Durch ihre Passivität wirkt sie als Herausforderung: da sie nicht mitspielt, müssen sich alle vor ihr aufspielen, und dies demütigt. Der Prinz fühlt sich aufgereizt, sie zu heiraten, doch kann er sie so wenig in seine formelle Hofwelt ziehen wie sie ihn aus der Hofwelt holen. In ihrer Gelassenheit bleibt sie eine Provokation. Also muß sie weg, und dies ist für den König kein Problem, gemordet hat er schon früher. Auch der Prinz und die Königin wollen Yvonne umbringen, können freilich mit der Methode des Königs nicht konkurrieren: er sorgt dafür, daß sie bei einem Gastmahl an einer Gräte erstickt. – Bei amüsantem Dialog ein melancholisches Märchen über die Unfähigkeit des Menschen, eine eigene Form zu finden, und eine Satire auf seine Gefangenschaft in überindividuellen Formen. Eine vorweggenommene »Tragifarce« aus vorgefertigten Klischees, aus Formparodien, wie sie später Ionesco kultiviert hat: noch der Mörder verhält sich so, daß er in den Konventionen des Mordes bleibt. (Um das provokante Außenseitertum Yvonnes zu betonen, hat Wilfried Minks diese Rolle in Bremen, 1971, von einer Zwergin spielen lassen.)

Die Trauung. Schauspiel. Geschrieben 1945 in Argentinien. Uraufführung 1964 in Paris, Compagnie Jorge Lavelli. Deutsche Erstaufführung 9. Januar 1968, Schiller-Theater, Berlin, durch Ernst Schröder. – In einer bedrückenden Landschaft stehen Henrik und sein Freund Wladzio im Soldatenmantel; sie meinen, sie seien an der nordfranzösischen Front. Traumhaft schweben Möbel heran, ein ganzes Zimmer: eine Kneipe mit Personen, in denen Henrik mühsam seine Eltern erkennt, die zu Wirtsleuten geworden sind, und seine Braut Mania, nunmehr Dienstmagd und Dirne. Diese ihm teils vertraute und teils völlig fremd gewordene Elternwelt wird tyrannisiert von dem namenlosen »Säufer« und seinen Kumpanen. Der Vater möchte, daß Henriks Trauung stattfindet mit Mania, in der er eine schuldlos vergewaltigte Jungfer sieht. Henrik will diese Welt erhöhen, und schon verwandelt sie sich in einen Königshof – in das legendäre »Burgund« des vorangegangenen Stückes »Yvonne« –, Vater und Mutter werden zu König und Königin, Mania zur Prinzessin, Henrik zum Prinzen und sein Freund Wladzio zu einem Höfling. Verführt vom Säufer, stürzt Henrik seinen Vater vom Thron, wird zum Despoten und Mörder – er zwingt Wladzio, den er der Unzucht mit Mania beschuldigt, zum Selbstmord –, will für sich die Trauung erzwingen, doch daraus wird ein Leichenbegängnis für Wladzio – aus König und Königin sind wieder Vater und Mutter geworden, Henrik beteuert seine Unschuld, und ein Trauermarsch beendet das Stück. – Ein Traumspiel, in seiner unverblümten Symboltechnik näher bei dem noch grobschlächtigen Strindberg als bei dem raffinierteren Ionesco (›Mörder ohne Bezahlung‹). Der Szenenablauf wird in Gang gesetzt durch die Vorstellungskraft Henriks: die Außenwelt ist eine Umstülpung, eine Projektion seiner Innenwelt, in die nun freilich die Realität korrigierend einbricht. So will Henrik zurück in eine unzerstörte Welt und bringt Bilder seiner Eltern und seiner Braut hervor – die Traumzensur der Realität zeigt aber, daß die Welt nicht mehr unzerstört ist, sondern heruntergekommen wie die Braut. Als Henrik seine Welt ins Königliche steigern will, besteht diese Zensur darauf, daß die zerstörte Reinheit nicht wiederherstellbar ist und läßt Henrik, der sie erzwingen will, schuldig werden. Henriks Wunschtraum verkehrt sich in Alpträume, deren Refrain das Scheitern ist – die »Trauung«, dieses Symbol für die Fortsetzung eines heilen Lebens, ist unmöglich, und aus dem Hochzeitsmarsch wird ein Trauermarsch. »Denn nicht nur die Welt hat man ihm ruiniert, er selbst ist dem Ruin unterlegen«, kommentierte Gombrowicz das Stück in seinem »Tagebuch«, in dem er es als einen gegenwärtigen Traum auslegt, »der die Qualen unserer Zeitgenossenschaft ausdrückt, aber auch ein der Epoche vorauseilender Traum, der zu erraten versucht«. Eine Aufführung stellt er sich vor »als eine Entladung der Seele, die schwanger ist von dem undeutlichen

Vorgefühl kommender Zeiten, als einen Gottesdienst der Zukunft«; er verlangte freilich, daß »diese Aufführung ebenso sinnlich wie metaphysisch
sein muß«, ein Genuß am Spiel und zugleich die Offenbarung der Tragik,
die »in dem Entsetzen des Menschen liegt, der sieht, daß er sich auf eine
von ihm unvorhergesehene Weise gestaltet – in der Dissonanz zwischen
Mensch und Form«.

Operette. Aus dem Nachlaß. Uraufführung 17. November 1969, Teatro
Stabile in L'Aquila; Regie: Antonio Calenda. – In Paris, TNP, am 20. Januar 1970; Regie: Jacques Rosner. Deutsche Erstaufführung 6. März 1971,
Bochum; Regie Jacques Rosner. Schweizer Erstaufführung 9. Juni 1971,
Basel; Regie: Hans Hollmann. – Gombrowicz fordert: »Der monumentale
Operetten-Idiotismus, Hand in Hand mit dem monumentalen Geschichts-
pathos – die Maske der Operette, unter der mit lächerlichem Schmerz das
verzerrte Antlitz der Menschennatur blutet . . .« In die »heilige Dummheit«
der Operette, in ihre parodierte Puppenwelt, dringt Geschichte ein: die Diener machen plündernd und mordend Revolution, und auch sie wird parodiert – unter dem »Wind der Geschichte« krümmen sich Aristokraten und
Revolutionäre, und der Ernst ihrer Kämpfe wird immer wieder in den Wal-
zertakt gezwungen. Sympathie des Autors und Triumph im Operettenfinale
gehören dem nackten Albertinchen – an den Händen kann man noch Klas-
senunterschiede und Konventionen erkennen, am Popo nicht.

SLAWOMIR MROZEK, Pole, hatte seinen ersten Mißerfolg, als er in Paris versuchte, das Schicksal des Emigranten, seine Auseinandersetzung mit der
Diktatur, der er entflohen ist, und mit seiner neuen, von Ausbeutern beherrschten Heimat in einem Tiermärchen darzustellen: *Watzlaff* (Uraufführung am 11. Februar 1970, Theater am Neumarkt, Zürich) ist durch Alle-
gorienverschlingung undurchschaubar. Seit Mrozek nicht mehr in Polen lebt,
hat er Schwierigkeiten, einen Gegner zu finden, der durch eine simple
Allegorie so leicht zu fassen ist wie eine Diktatur. So sind die Verhältnisse in Westeuropa zu kompliziert für *Ein freudiges Ereignis* (Uraufführung
30. Oktober 1971, Schauspielhaus Düsseldorf): ein Reaktionär verhindert
die Geburt alles Neuen, indem er seinen Sohn am Zeugen hindert. Der
Sohn, ein Demokrat und Reformer, holt einen theoretischen Anarchisten zu
Hilfe, der den Alten ablenkt, so daß das Kind gezeugt werden kann – dieser
Säugling aber ist ein praktizierender Anarchist, er sprengt die Wohnung in
die Luft und plärrt nach seiner »Mama«. Der Terror kommt hier eindeutig
von Links, vom Bündnis des Liberalen mit dem Anarchisten.

Mrozek, geboren am 26. Juni 1930 in Bozerzin, war Karikaturist für Zeitungen und Zeitschriften. Sein erster Satirenband ›Der Elefant‹ und sein erstes Stück ›Die Polizei‹ wurden Welterfolge; beide kamen 1958 heraus. Damals versuchten die Sowjets den polnischen Freiheitswillen einzudämmen und ihren beherrschenden Einfluß zurückzugewinnen; sie hatten ihn zwei Jahre vorher verloren, nach dem Beginn der Entstalinisierung auf dem XX. Parteitag der Kommunistischen Partei der Sowjetunion, nach dem Oktober 1956, in dem das Zentralkomitee der polnischen Vereinigten Arbeiterpartei Gomulka gegen den Einspruch des sowjetischen Ministerpräsidenten Chruschtschow zum Ersten Sekretär wählte. 1958 frostete dieses ›Tauwetter‹ ein, der rebellische polnische Schriftsteller Marek Hlasko emigrierte in den Westen, der offene Widerstand war nicht mehr möglich, wohl aber der versteckte Widerstand literarischer Grotesken.

Viele Stilmittel des absurden Theaters tauchen in Mrozeks Grotesken auf, und was sich auf den ersten Blick wie der pure Spaß am Absurden ausnehmen mag, wirkt wie bewußte Tarnung, sobald man den politischen Kern entdeckt hat: die bizarren Einfälle, die zunächst einer verspielten Phantasiewelt anzugehören scheinen, treffen satirisch die diktatorischen Gelüste in der realen Welt — nicht nur des Ostens, versteht sich, sondern überall. Mrozek stellt seinem Stück ›Die Polizei‹ die Sätze voran: »Dieses Stück enthält nichts außer dem, was es enthält, also: keine Anspielungen auf irgend etwas und keine Metaphern. Zwischen seinen Zeilen steht nichts; zwischen ihnen lesen zu wollen, ist daher verlorene Liebesmüh. Der nackte Text ist eindeutig; die Sätze und Szenen haben ihren logischen Sinn — es braucht also nichts in sie hineingelegt zu werden.« Das klingt nach Selbstschutz und ist sublimer Hohn: es braucht in der Tat nichts in den nackten Text hineingelegt zu werden, denn er enthält schon alles, sobald man nur den richtigen Blickpunkt gefunden hat, die richtige Einstellung eines Auges, während das andere Auge die exzentrische Drapierung mustert — weshalb die polnische Kritik für diese Grotesken den Begriff ›schielende Literatur‹ geprägt hat.

Das Fernsehen hat sich mit großer Liebe der Stücke Mrozeks angenommen: die Phantastik seiner Handlungen und Kostümierungen kommt den Möglichkeiten des Bildschirms entgegen, und der reale Bezug in der phantastischen Kostümierung erreicht das Publikum leichter als das absurde Theater ohne durchschaubares politisches Engagement.

Über Mrozek erzählt sein deutscher Verleger Karl H. Henssel: »Selten ist mir ein Schriftsteller begegnet, dessen Lebensführung mit seiner Art zu schreiben so sehr übereinstimmt. Ich lernte Mrozek auf einer Party kennen, die sein Übersetzer Ludwig Zimmerer in Warschau gab. Er, der Menschenkenner und Gesellschaftskritiker, saß abseits auf einer Couch. Während er mit einer dicken Schnur Fesseln und Entfesseln übte, beobachtete er ernst und genau die heftig diskutierenden Menschen um sich herum. Dies war der günstigste Augenblick für mich. Aus dem ersten Gespräch entstand unsere Freundschaft. Ich habe viel von Mrożek gelernt, denn obwohl seine Werke sehr polnisch sind, treffen sie auch auf die Verhältnisse unserer Welt zu. Mrożek sagte einmal von sich: ›Ich bin Pole, und das läßt sich nicht ändern. Als Mensch — bin ich völlig frei, und zwar dank der großen Entdeckung, daß die Freiheit die Einsicht in die Notwendigkeit, das heißt in den Zwang ist. Deshalb meide ich peinlich alle Zustände der Verdunklung, um nicht in irgendeine Gefangenschaft zu geraten‹ . . .«

Die Polizei (Policja. ›Drama aus dem Gendarmenmilieu in drei Akten‹. Uraufführung 27. Juni 1958, Teatr Dramatyczny, Warschau. Deutsch 1. Dezember 1959, ›Kleines Theater am Zoo‹, Frankfurt). — Eine Diktatur im lächerlichen Schnurrbarts- und Säbel-Milieu des 19. Jahrhunderts hat alle Bürger zum schweigenden Gehorsam gegenüber dem Staat erzogen, zu einem Gehorsam aus Furcht, den sie ›Freiheit‹ nennt. Der Polizeikommandant kann seinen letzten Gefangenen entlassen, der willig eine Loyalitätserklärung unterschreibt. Die Polizei ist arbeitslos geworden — also will sie Widerstand provozieren, doch die Bürger fallen nicht darauf herein. So muß ein Sergeant im Auftrag der Polizei den Verschwörer spielen, damit jemand zum Verhaften vorhanden ist. Er wird im Gefängnis mit Girlanden empfangen, doch unter der Last der Aufgabe, die ihm als ›künstlichem Verschwörer‹ gestellt ist, wandelt er sich zum echten Aufrührer; während die Polizei ihren Kampf gegen eine Scheinverschwörung genießt, bricht er plötzlich in den Ruf aus: »Es lebe die Freiheit!« — In der perfekten Diktatur bleibt der Polizei nichts anderes übrig, als sich selbst zu verhaften: bei Mrożek ist die Absurdität zur satirischen Waffe geworden.

Das Martyrium des Peter O'Hey (Meczentstwo Piotra O'Heya. 20. Dezember 1959, Krakau, Teatr Groteska). Dem Kleinbürger O'Hey reden Beamte, Wissenschaftler und ein Zirkusdirektor ein, in seinem Badezimmer habe sich ein Tiger versteckt. Sie verlangen im Namen der Gesellschaft, daß er seine Wohnung für wissenschaftliche Untersuchungen und für eine Zirkusvorstellung zur Verfügung stellt, und schließlich muß er im Interesse des Staates einem Maharadscha gestatten, daß er in seinem Heim eine Tigerjagd veranstaltet — als der Tiger nicht zu fassen ist, der Maharadscha mit diplomatischen Repressalien droht, verlangt der Staat, daß O'Hey den Tiger aus dem Badezimmer holt oder selbst als Tiger auftritt. O'Hey — »Ich verlasse euch, um den Forderungen der Staatsraison, den Ansprüchen des modernen Wissens, den Verlockungen der Musen, den Befehlen der Obrigkeit Genüge zu tun — und um ihrer Herrschaft zu entrinnen« — geht ins Bad und läßt sich erschießen: ein harmloser Mensch wird, wenn es die gesellschaftlichen Forderungen verlangen, wie ein Tiger zur Strecke gebracht.

Auf hoher See (Na penym morzu. Einakter. 1. Juni 1961, Lublin, Teatr Osterwy). Schiffbrüchige, der Dicke, der Mittlere und der Schmächtige hungern auf einem Floß: Einer soll geschlachtet und verspeist werden! Jeder appelliert an die beiden andern mit menschlichen, praktischen, familiären, politischen, sozialen Argumenten, bis der Schmächtige, vom Messer des Mittleren bedroht, sich zum ›freiwilligen‹ Selbstopfer entschließt: »Die wahre Freiheit gibt es nur dort, wo es keine gewöhnliche Freiheit gibt« — ein blutiger Hohn auf das, was Mrozek die große Entdeckung genannt hat, »daß die Freiheit die Einsicht in die Notwendigkeit, das heißt in den Zwang ist«.

Karl (Karol. Einakter. Dezember 1961). Großvater will einen Menschen erschießen, und der muß partout Karl heißen. Sein Enkel hilft ihm bei der Suche des Opfers. Der Augenarzt, voller Angst, die beiden könnten ihn für Karl halten, verschreibt dem mörderischen Opa eine Brille, damit er besser treffen kann, und behauptet, sein nächster Patient heiße Karl — der Großvater erschießt ihn. Als ein Patient eintrifft, der tatsächlich Karl heißt, ruft der Arzt den Großvater händereibend herbei — eine groteske Rutschbahn von der Angst, erschossen zu werden, in die Lust, sich am Erschießen zu beteiligen. — Am 31. Dezember 1961 in Zoppot, Teatr Wybrzeze, zusammen mit:

Striptease (Striptease. Einakter. Dezember 1961). Zwei völlig gleichgekleidete Herren werden in eine Gefängniszelle gestoßen. Zunächst sieht es so aus, als könnten sie wieder hinaus. Der eine, der Aktive, will etwas für seine Befreiung tun. Der andere, der Passive, rechtfertigt mit selbstmörderischer Logik die ›innere Freiheit‹: »Mit dem Augenblick aber, wo ich aufstehe und hinausgehe, treffe ich die Wahl, beschränke also die Möglichkeiten meines Handelns und verliere die Freiheit. Ich werde zum Sklaven meines Hinausgehens.« Eine gigantische Hand erscheint und zwingt beide Herren, sich auszuziehen; noch immer verteidigt der Passive die ›innere Freiheit‹, und der Aktive will ihn dafür verprügeln — die Hand schließt sie mit Handschellen aneinander, setzt ihnen Papierhelme über Kopf und Augen und führt sie ab. Bevor sie im Nichts verschwinden, haben beide die Hand um Verzeihung für ihre bloße Existenz gebeten — zorniger Humor über die Freiheitsdiskussionen angesichts der Gewalt; ohnmächtiger Galgenhumor angesichts des Scheiterns beider Freiheitsbegriffe vor der Gewalt. — Mrozek hat, möglicherweise ohne es zu wissen, hier eine Parallele gezogen zu dem

Freiheitsdrill in ›Ubu in Ketten‹ von Alfred Jarry, einem Stammvater des absurden Theaters.

Tango (Tango. 1964. Uraufführung Januar 1965, Belgrad. 7. Juli 1965, Zeitgenössisches Theater, Warschau, durch Erwin Axer. Deutsche Erstaufführung 8. Januar 1966, Schauspielhaus Düsseldorf, durch Erwin Axer). Der erste Akt wird von der Elterngeneration beherrscht, die das Ergebnis der Revolte gegen die bürgerlichen Konventionen auf groteske Weise repräsentiert: Vater Stomil mit offenem Pyjama und Künstlermähne ist eingeschworen auf die Zertrümmerung von Konventionen, auf ›Dynamik‹ und ›Experiment‹, und es interessiert ihn kaum, daß seine Frau Eleonore (wie er ein Relikt der zwanziger Jahre) ›ab und zu‹ die Geliebte Edeks ist, des scheinbar gutmütigen Naturburschen mit Ganovencharakter. Angesteckt von ihrer absoluten Konventionslosigkeit sind Großmutter Eugenia und eine Vertreterin der jüngsten Generation, die in völliger Gleichgültigkeit verschlampte Nichte Ala. Onkel Eugen steht zwischen den Fronten und trägt zu den kurzen Hosen der Anarchie den Frack der alten bürgerlichen Ordnung. Sohn Artur, Medizinstudent, haßt das Chaos seiner Familie, die er für ein ›Bordell‹ hält, »in dem nichts funktioniert, weil alles erlaubt ist, in dem

Photographierpose, bürgerlich: Zweiter Akt des Schauspiels ›Tango‹ von Slawomir Mrožek. Deutsche Erstaufführung am Schauspielhaus Düsseldorf, 1966. Regie: Erwin Axer. Bühne: Eva Starowieyska.

es keine Regeln und keine Vergehen gibt«. Seinen Eltern wirft er ›moralischen Zwang zur Unmoral‹ vor; entschlossen, eine Weltordnung zu schaffen, ein Wertsystem mit festen Normen, gewinnt er Onkel Eugen als Verbündeten, diesen Opportunisten mit der reaktionären Sehnsucht nach der
Welt der Großeltern. Im zweiten Akt hat Artur seinen Kampf gewonnen:
Großmutter und Eltern tragen die Kostüme ihrer vorrevolutionären Zeit,
der Jahrhundertwende; Edek ist zum Butler geworden, und Ala, die kleine
Sexschlampe, hat sich bereit erklärt, in weißem Brautkleid Artur zu heiraten, mit dem Segen der Oma, »ganz wie früher, wie es sich gehört«. Im
dritten Akt kommt Artur zur Hochzeit zu spät, betrunken und mit der
(unmotiviert gewonnenen) Einsicht, daß es keine Rückkehr vergangener
Normen gibt; er hat erkannt, daß die Welt nicht durch die Form erlöst werden kann, und mustert nun mit der Familie die ›Ideen‹ durch, Gott, Sport,
Experiment, Fortschritt. Erst der (unmotivierte) Tod der Großmutter entzündet Artur: er hält den Tod für die richtige Idee, und (abermals unmotiviert) wird er vom Rausch der Macht über Leben und Tod hingerissen,
macht er Edek, den ›Repräsentanten einer kollektiven Vernunft‹, zu seinem
Mordwerkzeug und fordert ihn auf, Onkel Eugen zu töten. Als ihm freilich
Ala sagt, daß sie Edek zu ihrem Geliebten gemacht hat, tobt Artur in gut-
bürgerlicher Eifersucht, und Edek schlägt ihn kurzerhand tot: Artur, der
intellektuelle Verführer, wird zum ersten Opfer seines brutalen Büttels. Der
zieht Arturs Jacke an und übernimmt die Macht: die Familie kuscht vor ihm,
und Onkel Eugen, das Monokel im Auge, weigert sich nicht, mit Edek den
Tango ›La Cumparsita‹ zu tanzen, über die Leiche Arturs hinweg. Dieses
Bündnis des alten Bürgertums mit dem neuen Barbaren und dieser Tanz sind
von der gleichen schauerlichen Obszönität — der Tango brüllt über die Lautsprecher im Zuschauerraum und läßt das Publikum seine Verführbarkeit
spüren.
      Für die polnische Kritik ist Edek ›der Faschist‹, und diese eindeutige
Interpretation macht die Aufführung des vieldeutigen Stückes in Warschau
möglich. Mrozek hat eine merkwürdige Begabung, aus absurden Familien-
späßen im Stile Ionescos Menschheitsprobleme springen zu lassen.

VACLAV HAVEL, Tscheche, geboren 1936, macht in seinem mit mario-
nettenhaften Personen bevölkerten Stück Das Gartenfest (Uraufführung
3. Dezember 1963, Prag, Theater am Geländer. Deutsche Erstaufführung
2. Oktober 1964 in der ›Werkstatt‹ des Berliner Schiller-Theaters) die Entwürdigung der Sprache durch den Menschen und die Entwürdigung des
Menschen durch die zur Phrase herabgewürdigte Sprache zum Motor einer
grotesken Handlung — die Technik des frühen Ionesco der ›Kahlen Sänge-

rin‹ im Dienst einer begrenzten politischen Satire. Eine Variation über das gleiche Thema ist sein Stück *Die Benachrichtigung* (Uraufführung 26. Juli 1965, Prag, Theater am Geländer. Deutsche Erstaufführung 13. Dezember 1965 in der ›Werkstatt‹ des Berliner Schiller-Theaters): ein Amtsvorsteher in einer total bürokratisierten Welt erhält eine Benachrichtigung in der neuen künstlichen Amtssprache ›Ptydepe‹, kann sie nicht entziffern und sinkt deshalb in der Verwaltungshierarchie nach unten ab, bis er dadurch rehabilitiert wird, daß sich ›Ptydepe‹ als Mißerfolg erweist und durch eine neue künstliche Sprache, durch ›Choruktor‹ ersetzt wird — eine Satire auf die ›Sprachregelung‹ diktatorischer Staaten, auf das Partei- und Amtschinesisch, das den Menschen, der es nicht beherrscht, jeglicher Verständigungsmöglichkeit beraubt.

HAROLD PINTER, Engländer, geboren am 30. Oktober 1930 in London, Schauspieler und Schriftsteller, scheint auf den ersten Blick naturalistischer als die Naturalisten: seine Stücke fangen irgendwo an und hören unvermittelt auf; London lacht über seine verblüffende Fähigkeit, die Sprache der untersten Schichten (seines Geburtsviertels Hackney im East End) präzise wiederzugeben; seine Dialoge sind wie Alltagsgespräche eben keine Dialoge, sondern jeder redet, ohne viel Rücksicht auf das, was der andere gesagt hat, mehr oder minder so vor sich hin, ohne Neigung und Fähigkeit zu brillanter Rede und Gegenrede, zu der bei den Naturalisten noch die geistig Schwachen fähig sind — allerdings mit spezifisch britischen Trockenheiten und Nonsense-Spielereien. Die Beweggründe seiner Personen sind wie bei jedem lebenden Menschen weder ganz durchschaubar, noch gar berechenbar, und ihre Handlungen können deshalb auch keine Idee vom Leben, sondern nur das Leben selber ausdrücken, das auch keine Idee offenbart. Das Merkwürdige ist, daß dieses sozusagen vom Leben abgeschriebene Bühnenleben sich ganz von selbst als absurd, auf der Oberfläche als komisch und im Grunde als unheimlich, ja tragisch erweist.

Der Hausmeister (The Caretaker). Uraufführung 27. April 1960 in London, Arts Theatre. Deutsche Erstaufführung 29. Oktober 1960 in Düsseldorf. — Aston, ein gutmütiger, milder Irrer, nimmt den alten Landstreicher Davies in seine mit Plunder vollgestopfte Elendsbude auf, bietet ihm Tabak, Bett und schließlich eine Stelle als ›Hausmeister‹ an. Das gleiche Angebot erhält Davies ein bißchen später von Mick, dem sarkastischen, von großen Geschäften phantasierenden Bruder Astons, dem eigentlichen Besitzer des Hauses. Davies ist sehr wählerisch bei der Annahme von Arbeit wie von Geschenken, er nörgelt und quengelt pausenlos unzufrieden herum. Er lebt unter einem falschen Namen, doch seine wahre Identität wiederherzustellen, indem er seine richtigen Papiere holt, dies schiebt er unter demselben Vorwand immer wieder auf: es regnet, und er hat keine passenden Schuhe. Als er immer unverschämter wird und versucht, Mick gegen seinen Bruder Aston auszuspielen, verlangen beide Brüder, unabhängig voneinander, daß er ihr Haus verläßt — darüber fällt der Vorhang. — »Für mich ist dieses Stück wirklich nur eine besondere menschliche Situation, die drei bestimmte Leute angehen und nicht etwa Symbole«, hat Pinter in einem Interview gesagt. Diese drei bestimmten Leute haben eines gemeinsam: sie wissen, daß sie eigentlich etwas tun könnten, und sie tun es nicht. Aston könnte seinen Verschlag bauen, und er wird es nicht tun. Mick könnte die Wohnungen und ein Geschäft ausbauen, und er wird es nicht tun. Der Landstreicher könnte seine Papiere holen, und er wird es nicht tun. Das ist so komisch wie schrecklich: jeder ist in sich selbst gefangen und handelt mit unausweichlicher Notwendigkeit, die in seiner Beschaffenheit begründet ist. Dazu Pinter in einem Zeitungsartikel: »Ich finde den ›Hausmeister‹ komisch bis zu einer bestimmten Grenze. Jenseits dieser Grenze ist er nicht mehr komisch, und um dieser Grenze willen habe ich das Stück geschrieben.«

Ein leichter Schmerz (A slight ache). Einakter. Uraufführung 18. Januar 1961, London, Arts Theatre. Deutsche Erstaufführung 12. April 1962, Kammerspiele Düsseldorf. — Einem Ehepaar geht ein Streichholzverkäufer vor dem Gartentor auf die Nerven; sie bitten ihn herein, um ihn zu verscheuchen, packen aber statt dessen vor dem schweigenden Mann ihre Lebensgeschichten und geheimen Wünsche aus: Langeweile der Lebensmitte. Die Frau schickt schließlich ihren Mann, der von ihrem Geld geruhsam leben wollte, mit dem Kasten des Streichholzverkäufers auf die Straße, und den Streichholzverkäufer wird sie zunächst unter die Dusche und dann ins Bett bringen — ihr Mann hat nur die Chance, daß es ihm als Streichholzverkäufer auch einmal so ergehen wird.

Die Kollektion (The Collection). Einakter. Uraufführung 18. Juni 1962, London, Aldwych Theatre. Deutsche Erstaufführung 2. Oktober 1962, ›Werkstatt‹ des Berliner Schiller-Theaters. — Zwei Paare: ein Ehepaar und ein Männerpaar. Es sieht ganz so aus, als sei zwischen der Frau des einen Paares und dem durchaus unmännlichen Mann des anderen Paares etwas geschehen, was man bei der homoerotischen Beschaffenheit dieses Mannes nicht für möglich halten sollte. Eifersucht bei den beiden Partnern, die sich betrogen fühlen. Die Wahrheit kommt nicht ans Licht: nur eine Fülle sich wandelnder Aspekte aus den Blickwinkeln der vier Beteiligten.

Der Liebhaber (The Lover). Einakter. Uraufführung 18. September 1963, London, New Arts Theatre Club. Deutsche Erstaufführung 8. Mai 1965, Kammerspiele München. — Richard verläßt das Haus, um eine, wie seine Frau andeutet, Hure aufzusuchen, und um seine Frau nicht bei den Vorbereitungen zum Empfang ihres Liebhabers zu stören. Der Liebhaber erscheint: es ist, in der Aufmachung des Routine-Verführers, der Ehemann, und die ›Hure‹, die er damit besucht, ist, in entsprechendem Habit und Benehmen, seine Frau. Nach diesem Spiel der Eheauffrischung durch die Reize des Abenteuerlichen und leicht Ordinären bleiben melancholische Fragen: Wer sind diese beiden nun eigentlich, und wann spielen sie, und was lieben sie aneinander?

Die Heimkehr (The Homecoming). Schauspiel in zwei Akten. Uraufführung: 26. März 1965 in Cardiff, durch Peter Hall. Deutsche Erstaufführung: 11. Oktober 1965, Schloßpark-Theater Berlin, durch Hans Schweikart. — In einem tristen Haus im Norden Londons wohnen fünf Männer: Max, der faule und unflätige Vater, der vor seinen Söhnen der Vergangenheit und seiner verstorbenen Frau eine kleinbürgerliche Gloriole andichtet, aber auch unvermittelt die brutale Wahrheit sagt; sein Bruder Sam, ein offenbar homosexueller Chauffeur; sein Sohn Joey, der auf eine Zukunft als Boxer hofft; sein Sohn Lenny, ein geschniegelter Zuhälter. Aus den Vereinigten Staaten, wo er als Philosophie-Professor Karriere gemacht hat, kommt Sohn Teddy mit seiner Frau Ruth zu Besuch, die ebenfalls diesem Milieu entstammt und früher Aktfoto-Modell gewesen ist. Der intellektuelle Teddy ist ebenso angezogen wie abgestoßen von seiner Familie; er kehrt schließlich nach Amerika zurück, zu seinen drei Söhnen. Für seine Frau Ruth dagegen wird der Besuch zur gewollten ›Heimkehr‹: sie bleibt bei den vitalen Männern, um ihnen in einem von Zuhälter Lenny besorgten Apartment als Prostituierte, als zahlungskräftiges erotisches Objekt zu dienen. Selbst Großvater Max ist sich nicht zu alt für sie — wenn er auf allen Vieren zu ihr kriecht, fällt der Vorhang. — Jede Person reagiert in jeder Situation anders, als man von ihr zunächst erwartet, doch nach der Verblüffung scheint diese Reaktion paradoxerweise die psychologisch einzig richtige. Diese Technik, zugleich absurd und naturalistisch zu sein, beherrscht Pinter hier mit einer solchen Vollkommenheit, daß er nur noch von ihr beherrscht ist, wenn er im letzten Akt seine schmuddelig-komische Geschichte in unappetitliche Extreme treibt, in hämische Effekte, offenbar nur um der Effekte willen.

Pinter hat die Absurdität in einem von dem Theater des Absurden sonst verachteten psychologischen Naturalismus entdeckt, in einer Mikropsychologie der winzigsten Reaktionen. Seine aus dem Alltag geholten Banalitäten sind in ihrer Wiederkehr und in ihrer Verflechtung streng komponiert und geben seinen naturalistisch gezeichneten Menschen einen Zug ins Stilisierte, in die von außen gelenkte, absurde Zwangsbewegung der Marionette. »Ich bin kein maßgeblicher oder verläßlicher Kommentator des Theaters, der Gesellschaft, der Comédie humaine überhaupt. Ich schreibe Bühnenstücke — das ist alles«, hat Pinter von sich gesagt: er schreibt Boulevard-Theater mit moderneren Mitteln.

Darauf läuft auch die Arbeit seines Landsmannes JAMES SAUNDERS hinaus. »Sogar die da unten wissen, daß die Welt nicht komisch ist und nicht einmal tragisch. Nein, wir bringen sie zum Lachen, damit sie auf ihren Plätzen ihre Popos hin- und herschieben können, ohne daß es ihnen bewußt wird« — so redet ›Staub‹ in ›Ein Eremit wird entdeckt‹ vom Publikum, und sein Autor James Saunders scheint ihm durch seine Stücke recht zu geben: er bringt sein Publikum immer zum Lachen, auch dann, wenn er auf der Bühne todernste Fragen stellt. Die Tricks des absurden Theaters samt den Desillusionierungs-Effekten des von ihm hochgeschätzten Pirandello brennt er wie ein Feuer-werks-Virtuose ab, ausgelernt und mühelos, und die Ironie ist seine beson-dere Färbung: »Die Ironie, dieses wunderbare Werkzeug, kann im gleichen Augenblick der großen Geste und der Hand, die den Hintern kratzt, recht geben. Nur die Ironie kann das Erhabene und das Lächerliche vereinen (oder doch zumindest so tun).« Saunders vereint immer wieder den Tiefsinn mit dem Unsinn, den Schmerz mit dem Witz: er macht seine Stücke so unter-haltsam wie er — zwischen Erhabenem und Lächerlichem — das Leben findet (oder doch zumindest so tut).

Seine Biographie hat er so skizziert: »Geboren in Islington, London, 1925 ... Kriegsdienst in der Marine unter Deck ohne Auszeichnung, ver-schiedene Berufe als Hersteller von Lacken, Hersteller von Pflastersteinen, Kellner und Lehrer. Erstes Bühnenstück 1955, kaum ein toller Erfolg.« 1959 wurde in Scarborough sein Einakter *Wirklich schade um Fred* aufgeführt (Alas, poor Fred. Deutsche Erstaufführung 7. Mai 1965 in der ›Werkstatt‹ des Berliner Schiller-Theaters — mit einem leicht vergilbten Ionesco-Porträt auf der Bühne). Saunders nennt es einen »Duolog in Ionescos Manier«: Mr. und Mrs. Pringle, ein Ehepaar, das seine Ehe längst überlebt hat, trauert um einen gewissen Fred, der ihnen einmal sehr nahegestanden hat, möglicherweise sogar mit Mrs. Pringle verheiratet gewesen, jetzt aber, da irgendwann einmal von irgend jemand in zwei Teile geschnitten, tot sein muß. Die Ionesco-Technik des absurden Dialogs ist so zugespitzt, daß jeder dem andern so lange widerspricht, bis der andere seine Ansicht aufgibt und nun selbst zum Angriff übergeht, bis sein Gegner sich widerruft und immer so fort — auf diese ungemein komische Weise kommt nicht mehr Gewißheit

heraus, als daß es um Fred ›wirklich schade‹ sei. — Schon mit diesem Einakter ist der vierunddreißigjährige Saunders von seinem Vorbild Ionesco,
indem er es benutzte und zugleich parodierte, in seinen eigenen Bereich ab-
gesprungen, in dem der traditionelle britische Nonsense wuchert, begossen
von Saunders' spezifischer Ironie.

The Ark (Die Arche) wurde vom Westminster Theatre in London aufgeführt. Über dieses sein erstes ausgewachsenes Stück erzählte Saunders im
Gespräch mit Wilhelm Viola: »Es handelt von der Arche Noah. Das Thema
ist das der moralischen Verantwortlichkeit. Der älteste Sohn Noahs ist ein
starker, praktischer Mann, der jüngste ein Schwächling, der jemandem folgen muß, und der mittlere der immer Fragende, der nichts leistet. Der älteste
baut die Arche, für ihn eine notwendige Arbeit, die getan werden muß,
damit die Familie überlebt. Der jüngste folgt ihm. Der mittlere hat Beden-
ken, daß seine Familie auf Kosten all der andern gerettet werden soll. Er
kann zwischen Recht und Unrecht nicht unterscheiden. Zum Schluß wird er
vom ältesten gezwungen, gesunden Menschenverstand anzunehmen. Meine
Sympathie ist bei ihm, dem Zweifler; doch, mag man eine Zeitlang moralisch recht behalten — schließlich kommt der Augenblick, wo dies nicht mehr
wesentlich ist; wo der Überlebende recht hat.« — Saunders erhielt für das
Stück vom britischen Arts Council ein Stipendium und schrieb in Kent ›Next
time I'll sing to you‹.

Ein Eremit wird entdeckt (Next time I'll sing to you). Uraufführung 1962 in
einem Vorstadt-Theater in Ealing; am 21. Januar 1963 im Londoner New
Arts Theatre. Deutsche Erstaufführung 11. Oktober 1963 in der ›Werkstatt‹
des Berliner Schiller-Theaters. — Drei junge Männer und ein junges Mädchen treffen sich allabendlich, um dem Geheimnis eines abgeschlossenen
Menschenlebens auf die Spur zu kommen. Sie versuchen, den Einsiedler
Jimmy Mason zu rekonstruieren, der tatsächlich gelebt und 36 von seinen
84 Jahren in der Einsamkeit verbracht hat. Was ist geschehen zwischen
seiner »zufälligen Empfängnis und seinem beiläufigen Tod«? Sie haben
einen Komödianten engagiert, füttern ihn wie eine Hollerith-Maschine mit
Daten und Beschreibungen des Einsiedlers und erwarten, daß ihnen der
Komödiant das Leben des Eremiten begreifbar vorspiele — sinnvoll erscheinen lasse. Sie rekonstruieren den Tod und die Zeugung des Einsiedlers,
seinen Altersrückblick und sein Gebet, doch der Komödiant hat eine ver-
kitscht idyllische Auffassung von dieser Rolle; eine Auffassung, die diese
Skeptiker gar nicht überzeugt: er will eine Art heiligen Franziskus aus ihm
machen, ein glaubensstarkes, zweifelsfreies Leben spielen, er besteht auf

einem göttlichen Plan, trieft vor Selbstmitleid, fühlt sich unverstanden und identifiziert sich so stark mit seiner Rolle, daß sein Umhängebart anwächst und er schließlich mit dem gespielten Eremiten stirbt. Der Einsiedler aber ist so unbegreifbar geblieben, wie sie sich selbst unbegreifbar sind und bleiben werden. Der Eremit wurde nicht entdeckt; die verwirrenden Fragen nach dem Sinn des Lebens sind auf die unterhaltsamste Weise *nicht* beantwortet worden. Das Mädchen meint abschließend: »Eines kann man von uns sagen — wir sind wenigstens nicht tot«, und dies ist für einen Briten, der so zur Untertreibung neigt wie Saunders, ein geradezu rauschhaftes Bekenntnis zum Leben.

Die Eremitengeschichte ist nicht das ganze Stück: sie ist nur das Theater auf dem Theater. Zum Stück gehören die Reaktionen der Mitspieler aufeinander und auf den Eremiten. ›Staub‹ ist ein Pessimist: »Die Krankheit ist das Leben, die Gesundung ist der Tod.« ›Rosch‹ ist ein religiöser Optimist mit Anfällen einer gewissen Heilserwartung. ›Meff‹ ist ein Pragmatiker; er nimmt's, wie's kommt, überspielt die Sinnfrage mit allerlei Unfug, und sei es mit ›Lizzie‹, dem eineiigen Zwilling, der seiner Identität so wenig sicher ist, daß er sich mit sich selbst verwechselt. So überwältigend einfältig Lizzie auch nach ihrer Bestimmung fragt, sie hat gesunden Weibsverstand und macht in der metaphysischen Fragestunde mal Pause, um sie mit Liebe auszufüllen. Jeder fühlt sich eingesperrt in ein Geheimnis, das nur der Tod lösen kann; jeder spielt eine Rolle. Im Eremitenspiel spielen sie die Rolle, die ihnen ›Rosch‹, ihr Anführer, der Schreiber des Stückes auf der Bühne, vorgeschrieben hat, doch auch der Rollenschreiber Rosch fühlt sich nur als ihr ›Leiter‹ im Spiel, nicht als ihr ›Lenker‹ im Leben — als Rollenschreiber spielt er die Rolle, die ihm der ›Lenker‹ vorgeschrieben hat. Sie spielen, um zum Sein des Eremiten vorzudringen, doch hinter seinem biographischen Schein liegt wie in der barocken Unendlichkeitsperspektive immer wieder ein Schein, und das Sein wird davon nicht erhellt. Schon der erste Satz des Stückes schlägt dieses Thema an: »Hinter jedem Sein ist ein Schein und hinter diesem Schein noch ein Schein« — dies könnte wörtlich von Pirandello stammen, dessen Stück ›Sechs Personen suchen einen Autor‹ hier Konstruktionsvorbilder geliefert hat.

Ein Duft von Blumen (A scent of flowers). Uraufführung 30. September 1964 London, Duke of York's Theatre. Deutsche Erstaufführung 20. Februar 1965 Schloßpark-Theater, Berlin. — Im ersten Akt wird ein Sarg ins Haus gebracht, im zweiten eingesegnet und im dritten in die Friedhofserde versenkt. Er ist für Zoe bestimmt, ein junges Mädchen, das zu viele Schlaftabletten genommen hat. Zoe, obschon durch Selbstmord geendet und eigentlich im

Bühnenmodell von Hansheinrich Palitzsch für ›Ein Duft von Blumen‹ von James Saunders, inszeniert von Willi Rohde am Badischen Staatstheater Karlsruhe, 1965

Sarg, steht die drei Akte lang auf der Bühne, empfängt die Herren vom Bestattungsinstitut und spielt in zahlreichen Rückblenden Szenen aus ihrem verblichenen Leben. Anlaß ihres Freitodes ist ein verheirateter College-Professor und das Sündenbewußtsein, das sie als Katholikin quält; Ursache ist ihre Einsamkeit. Niemand hilft ihr, und wer ihr helfen will, der kann es nicht. Von ihr bleibt nur ›ein Duft von Blumen‹. — »Wer in der Tatsache, daß er jetzt zwar am Leben ist, später aber tot sein wird, nicht wenigstens eine gewisse wunderliche Unlogik erblickt, der sollte jetzt am besten weggehen«, meint Saunders zu seinem Stück; noch immer fasziniert vom Tod, geht er, wie in seinem ›Eremiten‹, den Geheimnissen eines abgeschlossenen Lebens nach. Wurde sein gestorbener Eremit von einem Schauspieler nachgespielt, so spielt seine tote Zoe sich selber. Ihre Geschichte ist Klischee, und sie ginge in Friedhofsblumen-Lyrismen und Sentimentalitäten unter, pfefferte Saunders nicht immer wieder krasse Zynismen, makabre Witze, handfeste Clownerien dazwischen. Aus Leben und Tod, Vergangenheit und Gegenwart, Verzweiflung und Unfug, Elegie und Blödsinn, Messe und Liebesbeichte ein bittersüßer Beerdigungscocktail, mit geübter Hand mondän gemixt.

In der Arbeitsgruppe von James Saunders nahm 1964 am Literarischen Colloquium in Berlin TOM STOPPARD teil. Der am 3. Juli 1937 in der Tschechoslowakei geborene, in Indien und Groß-Britannien aufgewachsene Engländer hatte sich durch sein erstes Theaterstück, die Tragikomödie *Der*

Spleen des George Riley (A Walk on the Water, 1963; deutsche Erstaufführung am 30. Juni 1964, Hamburg, Thalia-Theater) empfohlen.

Rosenkranz und Güldenstern (Rosencrantz and Guildenstern are dead). Schauspiel. Uraufführung Oxford Theatre Group, Edinburgher Festspiele, 1966. Londoner Aufführung National Theatre im Old Vic, 11. April 1967. Deutschsprachige Erstaufführung 14. Oktober 1967, Akademie-Theater des Wiener Burgtheaters. Deutsche Erstaufführung 2. November 1967, Schiller-Theater Berlin. – Aus Rosenkranz und Güldenstern, zwei Episodenfiguren im »Hamlet«, hat Stoppard Hauptpersonen gemacht; Shakespeares Hauptpersonen – Hamlet, Claudius, Gertrude, Polonius, Ophelia, Horatio – huschen als Nebenfiguren, ihre originalen Verse auf den Lippen, vorüber. Rosenkranz und Güldenstern, die Stoppards Prosa sprechen, verstehen nicht recht, was ihnen in Shakespeares Vers befohlen wird: sie sind der Hofintrige, die ihnen schließlich das Leben nimmt, nicht gewachsen. Auf dem Schiff nach England lesen sie zuerst den Brief, der ihnen klarmacht, daß sie Hamlets Todesurteil überbringen, und nach dem Piratenüberfall erfahren sie aus dem von Hamlet ausgetauschten Brief, daß sie selber in England in den Tod befördert werden sollen. Auf dem Schiff hat sich die Schauspielertruppe versteckt und führt nun pantomimisch den Schluß des »Hamlet« vor mit seinen acht Leichen, und Güldenstern resümiert: »Unsere Namen wurden gerufen ... Es muß einen Augenblick gegeben haben, gleich zu Anfang, da hätten wir noch nein sagen können. Aber den haben wir irgendwie verpaßt.« – Stoppard füllt die Zeit, die Rosenkranz und Güldenstern verwarten müssen, mit allerlei Clownerien und absurden Späßen aus und ist deshalb – zu Unrecht – mit Beckett verglichen worden. Am »Hamlet« schmarotzend, hat er eine geistreiche Marginalie zu Shakespeare geliefert, nichts weiter. In seinem nächsten Stück hat er am englischen Kriminalstück schmarotzt, speziell an Agatha Christies »Mausefalle«, die seit dem 25. November 1952 jeden Abend in London gespielt wird:

Der wahre Inspektor Hound (The Real Inspector Hound). Uraufführung 17. Juni 1968, Criterion Theatre, London. Deutsche Erstaufführung 7. Juni 1969, Deutsches Theater, Göttingen. – Zwei Theaterkritiker werden bei einer Premiere durch ein Bühnentelefon, dessen Läuten sie nicht widerstehen können, auf die Bühne und damit in die Handlung eines Kriminalstücks gezogen und schließlich erschossen. Ein absurder Spaß, zumal der falsche Inspektor Hound, der die Kritiker erschießt und ebenfalls erschossen wird, auch ein Kritiker ist – wie Tom Stoppard, bevor er anfing, Theaterstücke zu schreiben. Ein selbstironisches Gemetzel unter Kritikern.

Das Theater des Absurden, das als Parodie begonnen hat, ist Anlaß zur Parodie geworden: nach seiner Entdeckung und seiner Vollendung scheint es damit in die dritte, die letzte Phase aller Neuheiten geraten — die geläufig gewordenen Effekte werden ausgeschlachtet, sei es zu politisch-satirischen Zwecken in der östlichen, sei es zum gewinnbringenden Jux in der westlichen Welt.

Jean Genet: Verbrechen, Schönheit und Hochmut

> Die Atmosphäre des Planeten Uranus, sagt man, ist so schwer, daß die Farne am Boden kriechen; die Tiere schleppen sich mühsam vorwärts, erdrückt vom Gewicht der Gase. Zu diesen Gedemütigten, die ständig auf dem Bauch liegen, will ich gehören. Wenn die Seelenwanderung mir eine neue Wohnstatt gewährt, wähle ich diesen verdammten Planeten, und ich bewohne ihn mit den Sträflingen meiner Rasse.
>
> Jean Genet in seinem
> ›Tagebuch eines Diebes‹, 1949

»Ich wurde am 19. Dezember 1910 in Paris geboren. Als Zögling der öffentlichen Fürsorge war es mir unmöglich, mehr über meine Herkunft zu erfahren. Mit einundzwanzig Jahren erhielt ich eine Geburtsurkunde. Meine Mutter hieß Gabrielle Genet. Mein Vater war unbekannt. Ich bin zur Welt gekommen im Hause Nummer 22 der Rue d'Assas. — Ich werde also einige Auskünfte über meine Abstammung erhalten, sagte ich mir, und begab mich in die Rue d'Assas. In der Nummer 22 befand sich die Entbindungsanstalt. Man verweigerte mir jede Auskunft.« Bei lieblosen Pflegeeltern auf einem Bauernhof bei Morvan aufgewachsen, ist Genet schon als Junge zum Dieb geworden, mit fünfzehn Jahren ins Gefängnis, dann in die berüchtigte Besserungsanstalt Mettray gesteckt worden. Er brach aus, schlug sich nach Nordafrika in die Fremdenlegion durch, aus der er nach wenigen Tagen desertierte, nicht ohne einige Offizierskoffer mitzunehmen. Drei Jahre lang zog er durch Spanien, lebte im Barrio Chino von Barcelona unter Zuhältern und Bettlern, wurde bei der Rückkehr nach Frankreich verhaftet und vagabundierte nach seiner Entlassung aus dem Gefängnis durch Italien, Albanien, Jugoslawien, Österreich, die Tschechoslowakei, Polen, Deutschland und Holland. Zwischen 1937 und 1943 wurde er dreizehnmal zu Gefängnis verurteilt und aus fünf europäischen Ländern ausgewiesen. Im Gefängnis von Fresnes begann er 1942 seinen ersten Roman ›Notre-Dame des Fleurs‹; er schrieb auf braunes Tütenpapier (wofür er zunächst mit drei Tagen Einzelhaft bestraft wurde) und entwickelte eine Art negative Theologie, die das Verbrechen — Diebstahl, Raubüberfall und Verrat — mit ästhetischer Verzückung preist und hochmütig heiligspricht.

Abermals vor Gericht, wurde er 1943 als ›krankhaft veranlagt‹ freigesprochen, nachdem Jean Cocteau für ihn eingetreten war, der ihn im Zeugenstand einen der größten lebenden Schriftsteller Frankreichs nannte. Seine Romane ›Wunder der Rose‹, ›Pompes Funèbres‹ und ›Querelles de Brest‹ und sein autobiographischer Roman ›Tagebuch eines Diebes‹ (erschienen 1949) spielen unter Zuhältern, Homosexuellen und Mördern. 1948 sollte er lebenslänglich eingesperrt werden und wurde, nachdem sich u. a.

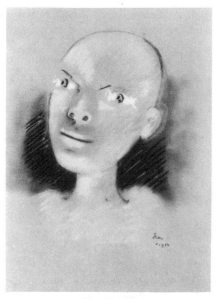

Jean Genet,
mit der Halskrause eines Harlekins,
porträtiert von Jean Cocteau, 1956

André Gide, Jean Cocteau und Jean-Paul Sartre für ihn verwendet hatten, von Auriol, dem Präsidenten der Französischen Republik, begnadigt. Nur mit Mühe konnte er davon abgehalten werden, in einem Rundfunk-Vortrag gegen die unangebrachte Milde der bürgerlichen Justiz zu protestieren, die den Verbrecher des Erlebnisses seiner Haft beraubt.

Den Verbrecher, sich selbst, möchte Genet als die Erfüllung dessen verstehen, was die Umwelt von ihm erwartet; als das willige Produkt der Vorstellung, die sich die Gesellschaft von ihm macht. »Ich will zunächst, daß mich die Menschen verachten, mich richten«, notierte er in seinem ›Tagebuch eines Diebes‹, einem der widerlichsten und erschütterndsten Bücher unseres Jahrhunderts. Er fühlte sich damals als Erfüller einer Rolle, die ihm von der Gesellschaft abgefordert wird, und die gut zu spielen — das heißt: bis zur erbarmungslosen Vollendung des absolut Bösen zu spielen — sein Stolz war. So unannehmbar diese Zwangsvorstellung des Anarchisten Genet als verallgemeinerter Lebensgrundsatz wäre, so wirkungsvoll nimmt sie sich in seinen Theaterstücken aus, in denen jeder Mensch die Rolle spielt, die andere Menschen ihm auferlegt haben. (Im Barocktheater, mit dem Genets Stücke in der Form und in der Abwertung des Lebens zum bloßen Schein verwandt sind, spielte der Mensch die Rolle, die Gott ihm auferlegt hat; bei Genet gibt es keinen Gott, obwohl er gesagt hat: »Ich glaube, daß ich an Ihn glaube.«)

Der bestehenden Ordnung setzt Genet ein ebenso logisches System mit umgekehrtem Vorzeichen entgegen: das System des Bösen. Sartre schrieb über ihn: »... Rimbaud wollte das Leben und Marx die Gesellschaft ändern. Genet will gar nichts ändern. Man sollte nicht auf ihn rechnen, wenn man Institutionen kritisieren will: er kann ohne sie nicht leben, genau wie Prometheus ohne seinen Adler nicht denkbar ist... Er tut alles, um die soziale Ordnung, aus der er ausgeschlossen ist, lebensfähig zu erhalten: Genet benötigt die strenge Ausschließlichkeit dieser Ordnung, um seine Perfektion im Bösen erreichen zu können.« Diese Perfektion im Bösen ist vor ihm wohl nur von einem einzigen Schriftsteller erreicht worden, vom Marquis de Sade (1740–1814), der ebenfalls nicht aus pornographischer Lust, sondern aus der Zwangsneurose geschrieben hat, zur bestehenden Weltordnung eine Gegenwelt des Verbrechens, ein geschlossenes System des Bösen, mit infernalischer Logik zu schaffen.

Ohne die bestehende Ordnung könnte Genet sein negatives Gegenbild nicht entwerfen. So hat er Hitler-Deutschland verlassen, weil er sich unter einem ›Volk der Diebe‹ fühlte: »Wenn ich hier stehle, so begehe ich damit keine besondere Tat, die zu meiner vollkommeneren Selbstverwirklichung beitragen könnte – ich füge mich nur in die herrschende Ordnung ein.« Seine Theaterstücke leben aus den Spannungen und gegenseitigen Spiegelungen verschiedener starrer Ordnungsysteme – da Genet sie nicht ändern, sondern verewigen will, ist bei ihm keine revolutionäre, sondern nur eine erstarrte Handlung möglich: ein festgelegtes Ritual, eine Zeremonie des Hasses. Genet liebt den Ritus, das Zelebrieren vorbestimmter, durch die Rolle festgelegter Formen mit seinem hohen Pathos ebenso wie den dreckigsten Jargon. Wie er Verbrechen und Schönheit zusammenzuzwingen versucht, so montiert er Morast und Mythos, Suhle und Symbol, Unflat und Urbild, Pissoir und Poesie – ein ruppiger Rabelais im feierlichen Faltenwurf Racines.

Das amerikanische Magazin ›Playboy‹ befragte Genet im April 1964, ob er jemals Interesse an Frauen gehabt habe. Er antwortete: »Ja, vier Frauen haben mich interessiert: die Heilige Jungfrau, die Jungfrau von Orleans, Marie Antoinette und Madame Curie.« ›Playboy‹ fragte weiter: »Wir meinen: sexuell interessiert.« Genet sagte: »Nein, niemals.« Davon müßte hier nicht die Rede sein, bezeichnete Genet die Homosexualität nicht ausdrücklich als einen Segen für seine Arbeit: »Sie machte einen Schriftsteller aus mir und gab mir die Fähigkeit, menschliche Wesen zu verstehen.«

Meinungen: »Die französische Literatur ist über die Grenzen Frankreichs hinaus ihrer humanistischen und rationalen Tendenzen wegen bekannt. Ebenso ist sie aber durch Werke gekennzeichnet, die geheimnisvoll und dunkel im Sinn der schwarzen Magie sind, und diese gehören vielleicht zu ihren schönsten Schöpfungen. Sie legen Zeugnis ab von unserem schuldigen Gewissen. Von den schwarzen Magiern — wie Villon, Sade, Rimbaud und Lautréamont — ist Jean Genet der letzte und vielleicht größte«: Jean-Paul Sartre. — »Jean Genet bewegt sich, wie der Held von ›Unter Aufsicht‹ im Kerker eines Lasters, dessen literarische Nachbildung ihn der Befreiung nicht näherbringt, denn nur hinter dem Drahtverhau dieser engen verfemten Welt nimmt er etwas wahr. Er ist der Dichter des Gefängnisses, der Orpheus des Abschaums, ein begnadeter Onanist: seine Freude am Verbotenen nährt sich von Bildern, deren Mechanismus dem Uhrenwerk Jean Cocteaus nahekommt. Er hält die Visionen fest, die er für seine Lust braucht. Nicht mehr und nicht weniger«: François Mauriac. — »Jean Genet macht aus seinen Praktiken keinerlei Geheimnis. Verrat, Diebstahl und Homosexualität sind seine Hauptthemen, und er spricht von ihnen, um sie zu verherrlichen: ein Verhalten, das dem geltenden Moralempfinden derart zuwiderläuft, läßt sich nur dann rechtfertigen, wenn es in anderer Hinsicht von Interesse ist, wenn es nämlich zum Verständnis des Menschen in seinen sämtlichen, nicht nur in seinen gesellschaftlichen Dimensionen beiträgt; und das ist, glaube ich, der Fall«: Robert Kanters.

Unter Aufsicht (Haute Surveillance). ›Tragödie‹. Uraufführung Februar 1949, Paris, Théâtre des Mathurins. Deutsche Erstaufführung Januar 1960, Studio der Kieler Städtischen Bühnen. — Drei Verbrecher in einer Gefängniszelle: Grünauge hat eine Prostituierte ermordet; Maurice verehrt ihn als Mann und Mörder, und Lefranc ist eifersüchtig auf Maurice. Ihrer aller Idol aber ist der (nicht auftretende) schon zum Tode verurteilte Neger Boule-de-Neige: als Mörder gegen Honorar nimmt er in ihren Augen den höchsten Rang ein. Grünauge, minderen Ranges, da Mörder nur durch schlechte Nerven, bestreitet, daß Lefranc je zur Welt des Verbrechens gehören könne, und Lefranc, um das Gegenteil zu beweisen, ermordet Maurice. Doch noch immer erkennt ihn Grünauge nicht als echten Mörder an, denn er fühlt sich als ein vom Unglück Auserwählter, Lefranc dagegen hat sein Unglück selbst gewählt. Lefranc bleibt ausgeschlossen und einsam. — Das Stück ist keine naturalistische Gefängnisstudie und hat nichts mit realistischer Verbrecher-Psychose zu tun. Genet, der verlangt, daß es ›wie ein Traum‹ abläuft, baut zur bürgerlichen Welt eine ihr genau entsprechende, künstliche Gegenwelt des Verbrechens auf mit ihrem eigenen Wertsystem, einer präzisen Negativ-Kopie des bürgerlichen Wertsystems — steht z. B. in der bürgerlichen Welt der Berufsmörder unter dem Affektmörder, so muß es in Genets Verbrecherwelt umgekehrt sein. Lefranc hat trotz Mord die Aufnahmeprüfung in die Welt des Verbrechens nicht bestanden: Verbrecher kann man bei Genet nicht durch Entschluß werden, man muß dazu auserwählt sein. Genet überträgt das moralische Pathos der Bürgerwelt auf die Verbrecherwelt: sie ist die seitenverkehrte, moralverkehrte Spiegelwelt des Bürgers, allein auf die theatralischen Qualitäten dieses Spiegels kommt es an – ein Traum vom Bösen, das als unablösbarer Teil der Welt seine eigene Notwendigkeit und Hoheit besitzt.

Die Zofen (Les Bonnes). ›Tragödie‹. Uraufführung 17. April 1947, Paris, Théâtre de l'Athénée, durch Louis Jouvet, der Genet um ein Stück gebeten hatte. — Deutsche Erstaufführung 3. August 1957 im Bonner Kellertheater ›Contra-Kreis‹. — Die ›Zofen‹ sind Schwestern. Haßliebe kettet sie aneinander und an ihre ›gnädige Frau‹. Wenn die ›gnädige Frau‹ abwesend ist, übernimmt eine der Schwestern ihre Rolle, um ihre Zofen-Schwester zu demütigen und zu peinigen und um sich selbst als ›gnädige Frau‹ von ihrer Zofen-Schwester demütigen und peinigen zu lassen. Die eine Zofe hat den Geliebten der ›gnädigen Frau‹ durch anonyme Briefe und falsche Denunziationen ins Gefängnis gebracht. Als sich seine Unschuld herausstellt, fürchten die Schwestern, in ihrem Haß entdeckt zu werden, und wollen deshalb die ›gnädige Frau‹ mit Tee vergiften. Als dies nicht gelingt, übernimmt wieder die eine Zofe den Part der ›gnädigen Frau‹ und zwingt ihre Schwester, sie in dieser Rolle zu vergiften. — Auf der Hintertreppe eines drittklassigen Kriminaldramas werden anarchische Urtriebe ausgespielt und mit eiskalter, amoralischer Logik abreagiert. Eine Würgefingerübung der Perversion, der Mordlust und des Hasses, vorgeführt als pathetische Zeremonie. Wieder — wie schon in ›Unter Aufsicht‹ — sind zwei starre Welten, beide von Genet bejaht, gegeneinandergesetzt und spiegeln sich ineinander: ohne die Welt der ›gnädigen Frau‹ gäbe es die Welt der Zofen nicht, und der Mord, der ›oben‹ mißlingt, kann ›unten‹ stellvertretend vollzogen werden. Um den Abstraktionsgrad dieses Ritus, abermals eines Spieles um des Spieles willen, noch zu erhöhen, verlangt Genet, daß die drei Frauenrollen mit Männern besetzt werden. Das New Yorker ›Living Theatre‹ hat ihm diesen Gefallen getan; dazu Volker Klotz (1965): »Alles, was hier auf den ersten Blick faszinieren könnte, ist nichts als homosexueller Brauch, der, ungewohnt, einmal ans Bühnenlicht kommt: der Rollen- und Kleidertausch; die Redseligkeit; die Polarität von Herrschen und Beherrschtwerden; die Lust, gesehen und bewundert zu werden; das Hochgefühl des Schocks, der beim Gegenüber ausgelöst wird. Schade, daß der Autor als eitler Homosexueller zu abstandslos

in sein Milieu vergafft ist, als daß er es tatsächlich zu einem unbefange-
nen Paradigma umfunktionieren könnte. Die handwerklichen Fähigkeiten
hätte er.«

Der Balkon (Le Balcon). ›Schauspiel‹. 1956. Uraufführung 22. April 1957 im
(geschlossenen) Arts Theatre Club, London. Französische Erstaufführung
Mai 1960 im Théâtre du Gymnase, durch Peter Brook. Deutsche Erstaufführung 18. März 1959, Schloßpark-Theater Berlin. — ›Der Balkon‹ ist ein Bordell, und dieses Freudenhaus ist ein ›Haus der Illusionen‹, ein Traum-
freuden-Haus, in dem zwar der Sexus eine der Triebkräfte ist, in dem aber
vor allem der Wunsch, eine Rolle zu spielen, befriedigt wird. Kleine Leute
kommen hierher, verkleiden sich und spielen, wonach es sie gelüstet: einen
Bischof, der eine Beichte erzwingt; einen General, der eine Schlacht erzwingt;
einen Richter, der ein Geständnis erzwingt. Alles muß Spiel bleiben, darf nie
verantwortlicher Ernst werden — sie suchen ›die reine Erscheinung‹ des
Amtes ohne seine Funktion. Bei einer (romantisch gezeichneten) Revolution
schwingt sich der Polizeipräsident zum Diktator auf, indem er die im Bordell
den Bischof, den General, den Richter Spielenden zwingt, mit der Bordellmutter als Königin, auf den Balkon zu treten — das Volk huldigt ihnen, es
ist durch die verkleideten Traumhausbesucher rasch zu bändigen, das Kostüm
der Idole genügt zu seiner Beruhigung: die Geschichte ist ein wüster Bordell-
traum. Der Polizeipräsident hat keinen anderen Wunsch, als ebenfalls in die
Liste der Gestalten aufgenommen zu werden, die man im ›Haus der Illusionen‹ verlangt, und ausgerechnet einer der Führer der von ihm niedergeschlagenen Revolution tut ihm den Gefallen — für die Nachwelt ist ein neues Idol
geboren, eine neue charismatische Machtfigur. Daß sofort eine neue Revolution beginnt, zeigt nur, daß das alte Spiel von neuem anhebt: die Menschheit
folgt Bildern, nicht Ideen. Die Bilder mögen sich ändern, die Welt verändert
sich nicht. Die Welt des ›Hauses der Illusionen‹ und die Welt der Revolutionäre sind nur die beiden Hälften der gleichen Welt der Illusionen: die
gespielten Figuren der Macht haben dank des verwandelnden Kostüms die
gleiche Macht über die Menschen wie die echten. Und Madame Irma bereitet
die Rollen und Kostüme für uns alle vor. »Sie müssen nun nach Hause
gehen«, sagt sie am Schluß zum Publikum, »wo alles noch unwirklicher sein
wird als hier . . .« — ›Der Balkon‹ lebt aus einer hochstilisierten Sprache, die
ornamental ist wie der Ornat, die Robe und die Uniform — ein barockes,
allegorisches Stück, und wie so viele echte Barockstücke versucht es nicht
nur, Welttheater zu sein, die Welt auf dem Theater abzubilden, sondern auch
die reale Welt als Schein, als bloßes Theater zu denunzieren. Welttheater
freilich nicht als Festspiel Gottes, sondern des Bösen.

Die Neger (Les Nègres). ›Eine Clownerie‹. 1957. Uraufführung 28. Oktober 1959, Paris, Théâtre de Lutèce, durch Roger Blin mit dem Neger-Ensemble ›Les Griots‹. Deutsche Erstaufführung 30. Mai 1964, Landestheater Darmstadt, durch G. F. Hering und Samy Molcho; Genet hat vergeblich versucht, diese Aufführung zu verhindern und hat für die Zukunft Aufführungen dieses Stückes durch weiße Schauspieler verboten. – Schwarze spielen für Weiße: für Weiße im Zuschauerraum und für ›Weiße‹ auf der Bühne. Die ›Weißen‹ auf der Bühne tragen groteske Masken, die erkennen lassen, daß auch sie in Wahrheit Schwarze sind – sie verkörpern die Vorstellungen, die sich die Schwarzen von den Weißen machen. (Dies macht Genet unmißverständlich: er läßt einen als weiße Frau maskierten Schwarzen Puppen gebären, die den ›Weißen‹ auf der Bühne entsprechen: Königin, Gouverneur, Richter, Missionar und Diener.) Vor diesen Symbolfiguren der weißen Herrschaft führen die Schwarzen den Mord an einer weißen Frau vor – sie tanzen um einen verdeckten Sarg, und Village, der schwarze Mörder, demonstriert seine Tat: Sexual- und Ritualmord. Doch es stellt sich heraus, daß unter dem Tuch weder ein Sarg noch eine Leiche ist – damit wird dieser von allen Schwarzen ekstatisch mitvollzogene Mord zu einem Wunschrausch, zur symbolischen Ermordung aller Weißen. Die Schwarzen führen dies vor, weil sie damit dem Bild entsprechen, das sich die Weißen von ihnen gemacht haben – Archibald, der Spielleiter der Schwarzen, stellt fest: »Wir sind das, was man will, daß wir sein sollen«; der Haß der Schwarzen ist die Antwort auf den Haß der Weißen.

Wie die Schwarzen die weißen Erwartungen erfüllen, so erfüllen die von Schwarzen gespielten ›Weißen‹ die schwarzen Erwartungen: sie ziehen betrunken zu einer Strafexpedition in den Urwald. Alle Schwarzen verwandeln sich pantomimisch in einen höhnisch meckernden Dschungel, und in einem grandiosen, hochpoetischen Rededuell führen die weiße und die schwarze Königin ihre Welten, ihre Symbolgestalten und ihre Mythen, in einen Kampf, an dessen Ende die Schwarzen die Herrschaft der Weißen ablösen werden. Die Weißen werden von den Schwarzen grausam getötet, und auch dies ist eine groteske Clownerie: sie werden nur durch Worte und Feuerwerksknallerbsen exekutiert, ihre ›Leichen‹ gruppieren sich malerisch, und sie ziehen gemeinsam in die Hölle, die sie den Schwarzen gebracht haben.

Die Schwarzen und die Weißen: jede Gruppe ist das Spiegelbild der Vorstellungen, die sich die andere Gruppe von ihr macht, und in dieser gegenseitigen Spiegelung löst sich jegliches Sein auf der Bühne in Schein auf. – Nun läßt Genet dieses Spiegelspiel überdies (nach einem überflüssigen Vorschlag von Jean-Paul Sartre) nur vorführen, um das weiße Publikum vor der Bühne von dem abzulenken, was indessen unsichtbar hinter der Bühne

*Der Hofstaat der Weißen, Richter, Diener, Missionar und Gouverneur, gespielt von
Weißen, die Neger spielen, bei der deutschen Erstaufführung der Clownerie ›Die
Neger‹ von Jean Genet am Landestheater Darmstadt, 1964. Regie: Gerhard F. Hering
und Samy Molcho. Bühne, Masken und Kostüme: Ruodi Barth*

geschieht: dort nämlich ist, wie ein Bote berichtet, ein Gericht von Schwarzen
zusammengetreten, erschießt einen schwarzen Verräter und empfängt einen
neuen Chef, der den Kampf gegen die Weißen fortsetzen wird. Das Spiel auf
der Bühne wird dadurch zu einem Scheingefecht, zum kleinen Teil eines
großen Machtkampfes, der in der Wirklichkeit zwischen den Weißen im Zuschauerraum und den Schwarzen stattfindet, die man auf der Bühne *nicht*
sieht. Da aber auch diese ›Wirklichkeit‹ zum Theaterspiel gehört, ist nichts
mehr wirklich, außer der Wirklichkeit der Rolle: alles ist Rolle innerhalb der
Rolle, und ist Rolle innerhalb der Rolle innerhalb der Rolle — der Schein
setzt sich, ein Super-Pirandello-Effekt, ins Unendliche fort. »Ich schreibe
Stücke«, sagte Genet in einem Interview mit ›Playboy‹, »um ein theatra-
lisches, ein dramatisches Gefühl zu kristallisieren. Es kümmert mich nicht,
ob beispielsweise ›Die Neger‹ den Negern helfen. Übrigens glaube ich nicht,
daß dies der Fall ist.«

Wände überall (Les Paravents). ›Phantastisches Schauspiel‹. 1961. Uraufführung 19. Mai 1961, Schloßpark-Theater Berlin, durch Hans Lietzau. Französische Erstaufführung 21. April 1966, Paris, Théâtre de France, durch

Bühnenmodell von Hansheinrich Palitzsch
für die Uraufführung des phantastischen Schauspiels ›Wände‹ von Jean Genet
am Schloßpark-Theater Berlin, 1961; Regie: Hans Lietzau

Roger Blin (Skandale, Straßendemonstrationen gegen und für Genet). — In dem noch von den Franzosen besetzten Algerien stehen sich in dem (fast hundert Personen beschäftigenden) Stück vier Gruppen gegenüber, spiegeln und durchdringen sich wechselseitig: die arabische Dorfgemeinde mit ihren alten Mythen; die (karikierten) französischen Kolonialisten, die einen aussichtslosen Kampf verbissen fortsetzen; die Rebellen gegen die Kolonialherrschaft; die Toten. Genet wünschte sich ein Freilichttheater mit vier Bühnenrängen für die vier Spielebenen, auf denen auch zu gleicher Zeit gehandelt werden sollte. Die ›Wände‹ sind deutlich als bemalte Dekorationen sichtbar gemacht (die Schauspieler sollen sie gelegentlich selbst bemalen); die Schauspieler tragen Masken oder sind übertrieben geschminkt: das Spiel ist immer als Spiel erkennbar, gleichwohl müssen die Spieler diese illusionären Wände als Wirklichkeit nehmen — Sein und Schein fallen zusammen. Obwohl Genets Sympathien den Algeriern gehören, benutzt er die algerischen Verhältnisse nur als Anlaß für ein ›phantastisches‹, poetisches Schauspiel, für sein hier noch komplizierteres, ewiges Spiel mit Schein und Sein und zur Variation seiner Lieblingsthemen. Abermals wird ein Mensch zum Verbrecher — Said, ›der ärmste Sohn des Landes‹ —, weil dies von seiner Umwelt von ihm erwartet wird, und abermals wird eine Untat gerechtfertigt: Said verrät sein Dorf, und dies löst den siegreichen Aufstand der Araber aus; auf einen ordinären Verrat projiziert Genet die Gloriole des Freiheitskampfes: der Verbrecher als Erlöser. Am Schluß springen die Personen durch die ›Wände‹ ins Totenreich — noch der Tod wird zum Spiel.

Fernando Arrabal: das Komplexikon

Manchmal sage ich mir, daß Güte und Reinheit sehr wohl
Erfindungen der Polizei sein könnten, vorfabrizierte Ideen,
von denen sie profitiert, aber ich kann mich nicht davon ab-
bringen, »Güte zu spielen« oder das Gegenteil, Bosheit.

Arrabal in der Zeitschrift »Réalités«, Januar 1967

Einem Mitarbeiter der Wiener ›Kronen-Zeitung‹ schlug Fernando Arrabal im
Juni 1968 angesichts des Burgtheaters lächelnd vor: »Vielleicht sollte einmal jeder zur Abendvorstellung ein Stück Scheiße dorthin mitnehmen. Vielleicht wäre auch dies Fortschritt. Vielleicht«, und das Boulevard-Blatt bastelte
daraus die überflüssige Schlagzeile »Sch... ins Burgtheater tragen.« Mit
dem ihm eigenen sicheren Instinkt hatte Arrabals Exkre-Mentalität auch in
Wien das geeignete Objekt für eine lokale Lästerung mühelos getroffen.

Fernando Arrabal ist Hinterhoflieferant für Lästerungen jeglicher Art, sie
gehören offenbar zu seinem seelischen Stoffwechsel. Er ist von gnomenhafter
Gestalt mit ausgewachsenem Kopf, Toulouse-Lautrec-Bart, düsteren Augen
hinter dicken Brillengläsern, und wenn er lästert, so scheint er nur zurück-
zuzahlen, was er in seiner Kindheit an Spott über seinen Zwergenwuchs und
seinen Kopf empfangen hat. Der 35 Jahre alt gewordene Arrabal sagte: »Ich
lache über mich, ich will mich grotesk angesichts einer organisierten Welt.
Wenn ich ›normal‹ wäre, wäre ich nicht normal.«

Im November 1967 schrieb er in »Les Lettres Nouvelles« über das, was ihn
am meisten beeinflußt hat: er erinnert sich, daß sein Füße im Sand von einem
Mann vergraben worden sind, der Mann ist sein Vater und Arrabal damals
drei Jahre alt. Wenig später wird sein Vater verhaftet, die Arrabals leben in
Spanisch-Marokko, in Melilla, wo am 11. August 1932 Fernando geboren
wird und am 17. Juli 1936 Francos Revolte beginnt. An diesem ersten Tag des
Bürgerkriegs wird der Vater festgenommen; man verurteilt ihn zum Tod,
er wird durch viele Gefängnisse geschleift, bis er 1941 in Burgos entflieht
und für immer verschwindet — falls dies nicht auch eine Lüge der Faschisten
ist. Fernando ist jahrelang auf den Spuren seines Vaters durch Spanien gefahren, und »manchmal«, so hat er geschrieben, »wenn ich an ihn denke,
kleiden sich die Orangen und der Himmel, das Echo und die Musik in Sack-
leinen und Purpur«. Damit nicht genug: er verdächtigt seine Mutter, daß sie
seinen Vater denunziert hat, und er muß seine Mutter dennoch lieben — ein
schmerzvoll-lustvoller Schrei nach der Mutter tönt durch viele seiner Dramen.

Der junge Arrabal studierte Jura in Madrid, er hatte Schwierigkeiten mit
der Zensur und ging, 23 Jahre alt, 1955 nach Paris, wo er ein Stipendium an

der Sorbonne erhielt und die Sprache wechselte: er schreibt französisch. Noch wichtiger für seine literarischen Arbeiten war eine Tuberkulose, die ihm anderthalb Jahre Ruhe in einem Sanatorium verschaffte. Er schrieb 1958 den Roman ›Baal Babylon‹ (1964 deutsch) in Gestalt eines fiktiven Briefes des Sechzehnjährigen an seine Mutter über die von Erwachsenen bedrohte und zerstörte Kindheit, ein Buch, in dem die Themen seiner Stücke vorgeprägt sind.

Sein dramatischer Erstling allerdings, 1952 noch in Spanien geschrieben, war ein pazifistischer Einakter, *Picknick im Felde* (Pique-nique en campagne. 1952. Uraufführung 22. April 1959, Paris, Théâtre de Lutèce. Deutsche Erstaufführung 6. Mai 1959, Städtische Bühnen Frankfurt). Es ist Arrabals Versuch, mit Mitteln des absurden Theaters die Absurdität des Krieges darzustellen: der Soldat Zapo langweilt sich auf Posten, wird von seinen Eltern mit Picknickkörben besucht, sie verhören ihn gutbürgerlich, ob er auch schön seine Zähne putze, während Sanitäter nach Leichen suchen, und sie laden den gefangengenommenen Gegner Zepo zum Essen ein und beschließen, Zapo und Zepo sollen ihren Kameraden sagen, daß niemand Krieg will, und nach Hause gehen; während sie vor Freude darüber tanzen, werden sie von einer Maschinengewehrsalve niedergemacht. Durch das völlig zivile Benehmen der Personen wird die Verwandlung eines ›Feldes‹ in ein Schlachtfeld hanebüchen absurd: das Grauen wird durch eine Idylle greifbar.

Zum Feld und Schlachtfeld der folgenden Stücke wird mehr und mehr das Unterbewußtsein Arrabals. Er entwickelt sich zum Marktschreier psychischer Monstrositäten, zum Zeremonienmeister seelischer Schmerzen, zum dialogisierten Lexikon seiner Komplexe, und dies so penetrant, daß sich der Kalauer ›Komplexikon‹ schwerlich vermeiden läßt.

In *Zeremonie für einen ermordeten Neger* (Cérémonic pour un noir assassiné. 1956. Uraufführung durch eine Studentenbühne in Nancy. Deutsche Erstaufführung 21. März 1968, Staatstheater Kassel) träumen Jérôme und Vincent in ihrer schäbigen Dachkammer von einer großen Karriere auf der Bühne; sie besitzen Kisten voll Kostüme und spielen sich Zeremonien des Lebens unter Menschen vor. Sie nehmen ihre Nachbarin, das Mädchen Luce, bei sich auf, als sein Vater gestorben ist, und sie bestatten den Vater, dem sie mühsam das Gewand Cyrano de Bergeracs anziehen, in einer Kostümkiste. Sie verschaffen Luce, die sie nicht anrühren und wohl auch nicht anrühren können, einen Liebhaber, den sanften und in Musik vernarrten Neger »der heilige Franz«; die passive Luce erträgt ihn, sie setzt sich jedenfalls nicht zur Wehr, wie die beiden Voyeure wissen, doch als sie sich am Morgen davonschleicht, meinen Jérôme und Vincent, sie hätten Luce für ihre Zeremonien verloren, und Jérôme ersticht in einer Eifersuchtszeremonie den schlafenden Neger. Während der Neger unterm Bett verwest, deklamieren die beiden ›Othello‹, bis sie von der Polizei abgeholt werden. Jérôme und Vincent sind so naiv amoralisch wie ganz kleine Kinder; ihre vorzivilisatorischen Gelüste werden durch Ritualisierung erst darstellbar, ja sogar komisch gemacht. In ›Réalités‹ äußerte Arrabal 1967, manchmal denke er, »daß die Liebe gar nicht existiert und daß sie einfach ersetzt wird durch ein Ritual, durch die ›Gesten‹ der Liebe. Man wirft mir vor, daß ich Sadismus, Masochismus auf die Bühne bringe, aber ich glaube ganz einfach, daß im Leiden ein Eindruck von Leben entsteht, ein Hochgefühl, das von einer Selbstliebe herrührt, von dem Gefühl, daß im Grunde nichts wirklich Sinn hat: und deswegen erfindet man die Riten der Liebe, die Zeremonie.«

Die Haßliebe zur Mutter gehört zur ständigen Komplex-Ausrüstung seines ›théâtre panique‹, seines panischen und panerotischen Theaters, wie die daraus resultierende Haßliebe zum Schöpfer alles Ungemachs und aller Sinnlosigkeit, zu Gott. Mehr als unter dem Glauben-Wollen und Nicht-Glauben-Können leidet Arrabal, so scheint es, unter dem Nicht-Glauben-Wollen und doch Glauben-Müssen: seine Stücke strotzen von einer Art Gotteslästerung, deren Voraussetzung der Glaube an die Existenz Gottes ist.

Arrabal hat eine stattliche Reihe von Einaktern und ausgewachsenen Stücken geschrieben, darunter in den fünfziger und sechziger Jahren *Das Dreirad* (Le tricycle), *Das Gebet* (L'oraison), *Das Labyrinth* (Le labyrinthe), *Fando und Lis* (Fando et Lis), *Die beiden Henker* (Les deux bourreaux), *Das Fahrrad der Verdammten* (La bicyclette du condamné), *Der Autofriedhof* (La cimetière des voitures), *Die Krönung* (Le couronnement). Die Stücke *Die Nacht der Puppen* und *Der Architekt und der Kaiser von Assyrien* werden im folgenden ausführlicher betrachtet, weil sie die Themen Arrabals wie Anthologien arrangieren.

Fernando Arrabal hat die Schrecken seines Unterbewußtseins zu Schauerfiguren in einer öffentlichen Geisterbahn verarbeitet: das Publikum wird auf eine verwirrende Fahrt durchs Dunkel gejagt, wo es in den Kurven bei aufblitzendem Licht von heulenden Ungetümen erschreckt wird. Jedes neue Stück Arrabals ist seine alte Geisterbahn, in der nur die Horrorkomplexe in neuer Reihenfolge arrangiert sind. Wer ein Stück von Arrabal besucht, ist auf voraussehbare Schrecken abonniert, und obwohl er weiß, daß die Scheusale auch in Arrabals Geisterbahn vermutlich aus Pappmaché bestehen, kann er von ihnen doch verstört, geschockt und zu ziemlich ergebnislosem Nachdenken gebracht werden.

Meinungen: »Bei Arrabal blühen notfalls Hundeblumen, über denen Hunde das Bein heben«: Heinz Beckmann. — »Arrabal ist vornehmlich als

Dramatiker auf der Linie einer gewissermaßen umgekehrten Beckett-Nach-
folge bekantgeworden. Nicht der endzeitliche, sondern der anfängliche
Mensch ist sein Thema, der Unberührte im tödlichen und unbegriffenen An-
sturm einer technisch wie moralisch gleichermaßen entfesselten Welt«:
Günter Blöcker. — »Ob Arrabal in die erste Garde der modernen Dramatiker
vorrücken wird, hängt davon ab, wieweit er zwei Komplexe überwindet, die
ganz offensichtlich in Repressalien seiner spanischen Kindheit ihren Ursprung haben. Das eine ist der Mutterkomplex, den abendfüllend zu gestalten
kaum noch lohnt, seit er wissenschaftlich durchleuchtet ist. Der zweite betrifft
die naiven Blasphemien, die General Franco erregen mögen, aber in Bochum
oder gar in Paris nicht von Interesse sind«: Marianne Kesting. — »Arrabal
hetzt vor dem Tode einher; um ihm zu entgehen, flüchtet er sich in ein
Purgatorium zu Lebzeiten, eine selbstgebaute Hölle, er wird sein eigener
Folterknecht. Die Geschmacklosigkeiten und Blasphemien haben den Charakter von Geißelungen, Arrabal peitscht das Ich aus, das er gerne *nicht* sein
würde, das er absolutiert hat, um seine Sünden, wenn ihnen schon nicht zu
entrinnen ist, zu heiligen, und um seinem Tod, wenn dem schon nicht zu entrinnen ist, in der Imagination zuvorzukommen«: Ernst Wendt.

Die Nacht der Puppen. (Le grand cérémonial). ›Schauspiel in zwei Akten und
einem Prolog‹. Uraufführung 16. März 1966, Théâtre des Mathurins, Paris.
Deutsche Erstaufführung am 2. Dezember 1966 im Studio der Bühnen der
Stadt Essen durch Dieter Reible. — Es beginnt mit dem jämmerlichen
»Mama«-Geschrei eines jungen Mannes; er hinkt, hat einen Buckel, heißt
beziehungsvoll Cavanosa und gibt sich in den Tiraden seines Selbstmitleids
den Namen des Glöckners von Notre Dame, Quasimodo. Er ist seelisch an
seine Mutter gekettet: sie hat ihn erzogen, den andern Kindern ferngehalten;
sie war ihm und ist ihm die ihn beherrschende Geliebte; sie will, daß er
jungfräulich bleibe, und wünscht sich, er sei homosexuell, um ihn nicht an
eine Frau zu verlieren. Er spielt mit lebensgroßen Puppen, und mit Hilfe der
Mädchen, die von ihm fasziniert sind, versucht er, seine Bindung an die
Mutter zu zerreißen, die Mutter zu »töten«; bisher aber waren es immer die
Mädchen, die er »getötet« hat. Das Mädchen Sil ist bereit, sich ihm zu
unterwerfen — sich von ihm peitschen zu lassen; die »Leiche« seiner Mutter
zu beseitigen; in einem Kinderwagen angekettet, mit ihm durch die Welt zu
ziehen und den Männern ihre Schenkel zu zeigen —, doch versagt sie: spon-
tan tut sie immer zuerst das Falsche und muß erst von ihm belehrt werden,
was er sich von ihr wünscht. So überläßt er sie, nachdem er sie verkleidet
und gewürgt hat, seiner keineswegs toten Mutter als Sklavin; während aus
dem Nebenzimmer die Schreie der von der Mutter gepeinigten Sil zu hören

sind, zieht er einer Puppe ein Brautkleid an, setzt einen Zylinder auf und führt die Puppe ins Bett. Das verzückt infantile Mädchen Lys dagegen braucht er nicht um seine Spezialitäten zu bitten: sie hat den Strick durchschnitten, mit dem ihre Mutter sie gefesselt hat; sie hat nicht wie Sil Blumen, sondern eine Peitsche mitgebracht und ist hingerissen von seiner Lieblingspuppe; sie will an den Kinderwagen gefesselt und von ihm durch die Welt gefahren werden. Mit ihr, die alle seine Wünsche erfüllt, bevor er sie noch ausgesprochen hat, zieht er davon, und seine Mutter schreit vergebens hinter ihm her. — »Ich will deinen Mythen entfliehen, all deinen schrecklichen Mythen«, hat er seiner Mutter zugerufen, und seiner Mutter entflieht er schließlich, wenn auch nicht ihren Mythen: daß das Mädchen, das ihn von der Mutter befreien kann, wie eine Puppe sein muß, beweist die ungebrochene Macht der Mutter. Obwohl dieser dramatisierte Mutterkomplex auf einer psychoanalytisch deutbaren Situation beruht, ist es kein psychologisches Drama mit naturalistischen Personen, sondern ein stilisiertes Spiel mit Figuren, die psychische Zwänge verbildlichen. Die tyrannische Mutter geht auf Kothurnen, der Sohn ist eine Art Puppe, die »Mama« schreit, und auch die beiden Mädchen sind nicht von dieser Welt, sondern fleischgewordene Wunschträume des auch psychisch verkrüppelten Cavanosa-Quasimodo. Die Unentrinnbarkeit dieser Zwänge gibt dem Ablauf — ähnlich wie bei Jean Genet — den Charakter eines festgelegten Rituals, einer »großen Zeremonie«. Für den Autor wird dieses Schauspiel ein Befreiungsakt gewesen sein; der Zuschauer mag sich so gepeinigt und hilflos fühlen wie Sils Verlobter, der die Machtlosigkeit der Vernunft und Toleranz vor dieser Eruption aus dem seelischen Untergrund demonstriert.

Der Architekt und der Kaiser von Assyrien. L'architecte et l'empereur d'Assyrie. Uraufführung 9. März 1967, Paris, Théâtre Montparnasse-Gaston-Baty, durch Jorge Lavelli. Deutsche Erstaufführung 18. Februar 1968, Schauspielhaus Bochum, Kammerspiele, durch Niels-Peter Rudolph. — Schauplatz ist eine unbekannte Insel, sie ist ein Bild für das Unterbewußtsein des Autors; Sprecher seines Unterbewußtseins sind zwei miteinander verkettete Figuren: der zunächst sprachlose Eingeborene, der die Naturkräfte der Insel geheimnisvoll beherrscht, und der Zivilisationsmensch, der als einziger Überlebender bei einem Flugzeugabsturz — in eleganter Kleidung, mit Koffer und Stock auf die Insel gelangt, sich als ›Kaiser von Assyrien‹ bezeichnet und den Eingeborenen zu seinem ›Architekten‹ ernennt. Nach diesem blitzartigen Prolog setzt das Stück zwei Jahre später ein, der ›Architekt‹ hat inzwischen fast perfekt sprechen gelernt und ist stolz darauf. Gedankenverbindungen zu Robinson und Freitag stellen sich ein, auch an Prospero und Caliban, vor allem aber an die Vagabunden Becketts, die miteinander spielen, um sich die Zeit zu vertreiben. So spielen ›Kaiser‹ und ›Architekt‹: Philosoph und Schüler; Pferd und Reiter; Geliebte und Bräutigam; feindliche Soldaten im Krieg; Beichtvater und Beichtmutter; Peitschender und nach der Peitsche Begieriger; Sterbender, der als ›Schokolade-Eskimo‹ verkleidet werden will, und Leidtragender, der ihn beerdigt; heiliger Elefant und auf ihm reitender Pilger; zwei Affen, die nach der Vernichtung der Menschheit durch die Bombe wieder wörtlich von vorn anfangen; meditierender Einsiedler und fleischliche Versucherin. Als der ›Architekt‹ den ›Kaiser‹ eine Zeitlang verläßt, fertigt sich der inzwischen fast nackte ›Kaiser‹ einen kaiserlichen Popanz an, den er verehrt und für den er sich als Frau anzieht, langsam Kleidungsstückchen für Kleidungsstückchen, ein Transvestiten-Strip-tease in umgekehrter Reihenfolge; dem einsamen ›Kaiser‹ bleibt nichts anderes übrig, als sich nun selbst in zwei Personen aufzuspalten, in Karmeliterin und Beichtvater, in Gebärende und Doktor, in Mutter und Doktor, und dazwischen schreit er nach seinem ›Architekten‹. — Während Arrabal in diesem ersten Teil immer wieder vorstößt in allgemeinere Bereiche, zieht er sich im zweiten Teil auf seinen privaten Mutterkomplex zurück. Nun ist der ›Architekt‹ als Richter verkleidet, und der ›Kaiser‹, des Muttermordes angeklagt, spielt vor diesem Gericht auch sämtliche Zeugen, während der ›Architekt‹ die Mutter darstellt; der ›Kaiser‹ verlangt, daß er zum Tode verurteilt wird: er will mit einem Hammer erschlagen und vom ›Architekten‹ aufgefressen werden. So geschieht's, und beim Fressen der Leiche, beim Aufsaugen des Gehirns, verwandelt sich der ›Architekt‹ in den ›Kaiser‹, doch während er sich — angesichts des abgenagten Gerippes — selber hochleben läßt, hört man wieder die Geräusche eines Flugzeugabsturzes, und der ehemalige ›Kaiser‹, der nun wie der ›Architekt‹ aussieht, stellt sich als einziger Überlebender vor — das Stück vom aufgespaltenen Ich, das sich wieder vereinigt und abermals aufspaltet, endet mit seinem Neubeginn. — Große Rollen und einigermaßen abstruse Sexualpartnerschaften; Rollen aus dem Repertoire der Menschheitsentwicklung und aus dem Katalog sado-masochistischer Möglichkeiten; Geistiges und Fleischliches innig verschmolzen, und immer wieder Kopfsprünge aus philosophischen Höhen in die Jauchegrube — ein Psycho-Schocker für geduldige Intellektuelle, die der Dauerprovokation nicht müde werden.

Garten der Lüste. Le jardin des délices. ›Zwei Akte‹. Uraufführung 31. Oktober 1969, Paris, Théâtre Antoine. Deutsche Erstaufführung 14. März 1970, Kammerspiele Schauspielhaus Bochum. — Der Titel bezieht sich auf das Triptychon von Hieronymus Bosch (das im Prado in Madrid richtiger El Jardin de la Delicias ›Der Garten der Freuden‹ genannt wird). Das

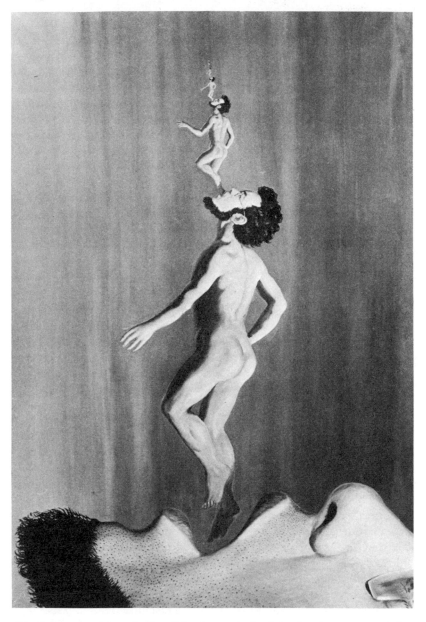

›Die Geburt Arrabals‹, ein Gemälde, das nach Arrabals Angaben von spanischen
akademischen Malern ausgeführt worden ist

Aufschweben in den ›Garten der Freuden‹ beendet diese Flucht halluzina-
torischer Bilder, eine Variante des Märchens vom Untier und der Schönen,
ein Erlösungsstück: erlöst worden ist Lais, die Schöne, aus den Sünden-
zwängen ihrer Kindheit, sie hat die christlichen Lämmer verlassen und die
Kraft gefunden, das Untier zu lieben: es wird zum Mann, und der Mann ist
für sie nicht länger ein Untier. Helfer bei ihrer Selbstbefreiung ist Teloc,
der Traumheld, ohne den sie sich von Miharca nicht hätte befreien können,
die sie als Nonne und als Freundin an ihre Kindheit gefesselt hat. Genuß
des Geschlagenwerdens und des Schlagens; Wollust des Büßens und des
Tötens; Fluchtwege in gleichgeschlechtliche Liebe und Geschlechtsvertau-
schung durch Kostümierung; Ausbruch des unterdrückten Körpers in fäka-
lische Exzesse; Liebe zum Häßlichen aus der Überzeugung, häßlich zu sein;
in Lästerung umgekippte Gebete – all diese Perversionen und Grausam-
keiten erscheinen wie verzweifelte Antworten auf grausam erzwungene
Keuschheit, Selbstverleugnungen, Opfer und Anbetungen.

Und sie legen den Blumen Handschellen an. Et ils passèrent des menottes
aux fleurs. Uraufführung September 1969, Paris, Théâtre de l'Epée de Bois;
Regie: Arrabal. Deutsche Erstaufführung 5. Dezember 1970, Berlin, Forum-
Theater; Regie: Klaus Hoser. – Der Titel zitiert den von Falangisten im
spanischen Bürgerkrieg ermordeten Dichter Federico Garcia Lorca. Im Stück
versammelt Arrabal wieder seine Lieblingsthemen, Obszönität und Blasphemie, Traumpoesie und Sadismus, diesmal jedoch politisch fixiert: in
einem Kerker Francos. In Spanien war Arrabal, der Vaterlands- und Gottes-
lästerung angeklagt, 1967 drei Wochen in Dunkelhaft. In seinem Stück
leben die Gefangenen zwischen der direkten politischen Empörung in der
Realität des Kerkers und der indirekten Anklage in ihren Traumvisionen.
Ein Gefangener wird bis zur Bewußtlosigkeit gefoltert; ein anderer auf der
Garotte langsam erwürgt. Sexualrausch und Rache im Traum: Verhöhnung
Christi und Kastration eines Anstaltspriesters mit bloßen Händen. – In
Berlin ließ »Forum«-Direktor und Regisseur Klaus Hoser die realen Szenen
auf einer Metallscheibe mitten im Publikum und die Traumräusche auf vie-
len Spielflächen zwischen den Zuschauern spielen, die er zu Beginn der Aufführung in den dunklen Saal führte – mit beruhigenden Worten. In Paris
stand Arrabal am Eingang zum dunklen und von wollüstigem Stöhnen erfüllten Zuschauerraum, biß die Zuschauerinnen – nicht immer nur in den
Arm – und flüsterte:»Dies ist die letzte Viertelstunde Ihres Lebens.«

Peter Handke: die Sprache der Sprache

> Man denkt über die Gegenstände nach, die man Wirklichkeit
> nennt, aber nicht über die Worte, die doch eigentlich die Wirk-
> lichkeit der Literatur sind.
>
> Handke in der Zeitschrift ›konkret‹, Juni 1966

Seine Biographie ist unsensationell; sie hatte nur einen sensationellen Augenblick, und den sollte man vergessen. Geboren am 6. Dezember 1942 in Kärn-
ten, in Griffen; humanistisches Gymnasium, zunächst als Internatsschüler,
dann die beiden letzten Jahre in Klagenfurt, dort 1961 Matura, anschließend
vier Jahre juristisches Studium in Graz, erste Veröffentlichungen in der Zeitschrift ›Manuskripte‹ des literaturträchtigen ›Forums Stadtpark‹ in Graz;
immer wußte er, daß er Schriftsteller werden wollte, auch dies ist nicht ungewöhnlich. Damit man den sensationellen Augenblick vergessen kann, sei
noch einmal an ihn erinnert: im April 1966 protestierte Peter Handke, noch
nicht vierundzwanzig Jahre alt, in Princeton öffentlich gegen die Sorte Literatur, die er dort bei der Tagung der Gruppe 47 gerade gehört hatte; sensationell
wurde dieser Augenblick nicht durch seinen Protest, der gar nicht einfach zu
verstehen und über den viel Ungenaues berichtet worden ist, sondern durch
Handkes Beatle-Frisur: das Haupthaar lang genug, um an ihm das Interesse auch der nichtliterarischen Öffentlichkeit herbeizuziehen. Seither hängen
um Handke der Geruch eines Provokateurs, aber auch rührende Klischees wie
»der zarte Beatle aus Graz«. Darüber kann sich Handke kaum mehr amüsieren; er meint: Sensationen sind langweilig.

Das einzige Möbelstück, mit dem Handke und Frau 1968 von Düsseldorf
nach Berlin umgezogen sind, ist ein Plattenspieler. Man könnte das kleine
Gerät übersehen in der wilhelminischen Etagenwohnung, in der alles groß
ist, der marmorne Treppenaufgang, die Räume mit den Stuckdecken, die
Fenster auf die Meinekestraße, stünde der Plattenspieler nicht im Zentrum
der Wohnung und der Sitzgelegenheiten, ein akustischer Springbrunnen, um
den sich Dürstende versammeln. »Davon kann ich nicht genug haben«, sagte
Handke, als sich die Rolling Stones gerade einer Orgie in Monotonie hin-
gaben, und als sie sich geringe Abwandlungen erlaubten, lachte er leicht
gequält und nicht ohne Selbstironie: »Diese Variationen sind mir schon zu
viel, sie gehen mir auf die Nerven.« Das erste, was er von den Sprechern
seiner Stücke verlangt, ist »eine akustische Ordnung«.

In Princeton protestierte er nicht, wie oft zitiert wird, gegen die »Beschrei-
bungsliteratur«, sondern gegen die »Beschreibungsimpotenz«. In der Zeitschrift »konkret« stellte er im Juni 1966 klar: »Ich bin *für* die Beschreibung,
aber nicht für die Art von Beschreibung, wie sie heutzutage in Deutschland

als ›Neuer Realismus‹ proklamiert wird. Es wird nämlich verkannt, daß die Literatur mit der Sprache gemacht wird und nicht mit den Dingen, die mit der Sprache beschrieben werden . . . Es wird vernachlässigt, daß die Welt nicht nur aus den Gegenständen besteht, sondern auch aus der Sprache für diese Gegenstände. Indem man die Sprache nur *benützt* und nicht *in* ihr und *mit* ihr beschreibt, zeigt man nicht auf die Fehlerquellen in der Sprache hin, sondern fällt ihnen selber zum Opfer.« Literatur mit der Sprache — das sind seine Romane ›Die Hornissen‹ (1966) und ›Der Hausierer‹ (1967), seine Prosatexte ›Begrüßung des Aufsichtsrats‹ (1967; darin ›Augenzeugenbericht‹, ein unheimlicher Vorläufer seines Stücks ›Das Mündel will Vormund sein‹), die Gedichte ›Die Innenwelt der Außenwelt der Innenwelt‹ (1969; der Titel ist die Variante eines Beatle-Songs) und seine Sprechstücke. Als er 1964 *Weissagung* schrieb, sein erstes Sprechstück, dachte er noch nicht an die Bühne; erst *Publikumsbeschimpfung* (1965) verlangte, um sich gegen das Theater zu stellen, das Theater. Literatur mit der Sprache, nicht »engagierte Literatur«, deren Existenz Handke bestreitet; in seiner Polemik ›Die Literatur ist romantisch‹ (Berlin, 1967) kommt er zu dem Schluß: »Eine engagierte Literatur, sollte es jemals eine solche geben, müßte jedes spielerische, formale Element aus der Literatur entfernen: sie müßte ohne Fiktion auskommen, ohne Wortspiel, ohne Rhythmus, ohne Stil.«

Literatur mit der Sprache bedeutet für Handke zugleich: Kritik an der Sprache. »Heraus mit der Sprache« bedrängen in Handkes Hörspiel ›Hörspiel‹ (zum erstenmal gesendet vom Hessischen Rundfunk, 31. Oktober 1968) die »Ausfrager« den »Ausgefragten«, und »Heraus mit der Sprache!« fordert Handke, der einmal Jus studiert hat, und macht in allen seinen literarischen Arbeiten der Sprache den Prozeß: er untersucht die Sprache der Sprache, er läßt die Sprache aussagen, soweit sie dies vermag, und er stellt ihre Grenzen fest — wie 1918 Ludwig Wittgenstein in seinem logisch-philosophischen Traktat dem Ausdruck der Gedanken eine Grenze gezogen hat: »Die Grenze wird also nur in der Sprache gezogen werden können und was jenseits der Grenze liegt, wird einfach Unsinn sein.« In Handkes Roman ›Der Hausierer‹, einer Mordgeschichte, ist nicht der Mörder, sondern die Sprache kriminell. In seinem Buch ›Theater unter 4 Augen, Gespräche mit Prominenten‹ versucht Artur Joseph dem *Kaspar* Handkes Gesellschaftskritik zu unterschieben, doch der Autor wehrt sich: »Es ist schwierig zu sagen, ob und daß dieses Stück die Gesellschaft oder überhaupt jede universalistische Gesellschaft kritisiert, weil es vor allem aus Satzspielen und Satzmodellen besteht, die von der Unmöglichkeit handeln, mit der Sprache etwas *aus*zusagen: also etwas zu sagen, was über den jeweiligen Satz hinausgeht ins Bedeutsame, ins Bedeutende.« Bei Wittgenstein steht der lapidare Satz: »Sätze können nichts Höheres ausdrücken.« Handke zu Artur Joseph:»Im *Kaspar* wird die Idiotie der Sprache gezeigt, die, indem sie vorgibt, dauernd etwas *aus*zusagen, nur ihre eigene Stumpfsinnigkeit aussagt.«

Es gehört zu den Vorzügen Peter Handkes, daß er sich genau ausdrückt. Für sein Publikum bringt dies den Nachteil mit sich, daß es genau zuhören muß. Wenn Handke einige seiner Produktionen für die Bühne »Sprechstücke« nennt, so mag das Publikum sie »Zuhörstücke« nennen. Die Sprecher in seinen Sprechstücken präsentieren nicht sich oder eine ihnen auferlegte Rolle, sondern Sprache; sie verwandeln den Bühnenraum in Sprechraum und Sprachraum: in einen Raum, in dem die Sprache spricht. »Die Sprechstücke«, so schrieb der 24 Jahre alte Handke, »sind Schauspiele ohne Bilder, insofern, als sie kein Bild von der Welt geben. Sie zeigen auf die Welt nicht in der Form von Bildern, sondern in der Form von Worten, und die Worte der Sprechstücke zeigen nicht auf die Welt als etwas außerhalb der Worte Liegendes, sondern auf die Welt in den Worten selber.«

Meinungen: »Denn es ist erstaunlich: mit diesen seinen Sprach-Partituren, Etüden, Exerzitien, mit diesen seinen durchsichtigen und durchrhythmisierten Sprach-Spielen schreitet er einen verblüffend großen, nahezu universalen Umkreis aus. Den Zipfel Land, auf welchem wir stehen; oder — besser noch — das Floß der Medusa, auf welchem wir uns zu halten versuchen. Er schreitet unsere Situation aus, indem er sich mit zielstrebiger Genauigkeit der Grundformen unserer Grammatik bemächtigt«: Albert Schulze Vellinghausen. — »So abstrahiert die Sprache auch ist, so sehr sie sich scheinbar mit realitätsentleerten Floskeln, mit ›Modellen‹ von Sätzen zufriedengibt — sie kommt immer wieder zu einem unsinnig-tiefsinnigen Wortwitz, der Handke als einen späten Erben Nestroys erscheinen läßt«: Hellmuth Karasek. — »Peter Handke hatte das Bread and Puppet Theatre in Paris gesehen. Er war beeindruckt, ich fragte ihn, weshalb. Wegen der Langsamkeit der Vorgänge, meinte er. Ich gab zu: langsam sei's. Aber sonst? Er wollte auch nicht streiten. — Handke sprach in Venedig davon, ob dies oder jenes Gebäude noch aus der Zeit der Monarchie stamme. Welche Monarchie sagte er nicht, aber er meinte die k. u. k. Monarchie. Er ist, dachte ich, denn doch wohl ein k. u. k. Autor, dieser Schüler Stifters, Kafkas, Wittgensteins . . .«: Henning Rischbieter in Tagebuch-Notizen vom Juni 1968.

Weissagung. 1964. Uraufführung, zusammen mit ›Selbstbezichtigung‹, 22. Oktober 1966, Theater Oberhausen, durch Günther Büch. — Vier Sprecher sagen teils einzeln, teils in Gruppen, teils gemeinsam Sätze auf wie »Die Fliegen werden sterben wie die Fliegen. Der Stier wird brüllen wie ein Stier.

Der Finger wird fingerdick sein. Der Stein wird steinhart sein«, lauter Metaphern, die nichts als sich selber aussagen, sinnlose Sätze in einer losen Reihung. Die Weissagung kann nichts weissagen, denn sie besteht aus in die Zukunft projizierten Tautologien, sie bleibt stecken in ihrer sprachlichen Voraussetzung. — Handke besteht darauf, daß dies kein »Sinnspiel«, sondern ein »Sprachspiel« sei: aus einem Vers seines Mottos von Osip Mandelstam, »die Erde dröhnt von Metaphern«, macht Handke die Forderung: »Die Erde soll dröhnen von Metaphern.« Im Dröhnen der nur sich selbst bestätigenden Metaphern Handkes wird ihre Leere laut, und insofern wird das Sprachspiel doch zum Sinnspiel: es gibt kein Sprachspiel, das den Zuschauer nicht provozierte, in ihm ein Sinnspiel zu entdecken.

Selbstbezichtigung. 1965. Uraufführung, zusammen mit ›Weissagung‹, 22. Oktober 1966. Theater Oberhausen, durch Günther Büch. — Ein Stück für einen Sprecher und eine Sprecherin, die einzeln und gemeinsam sprechen, ihr Part ist nicht voneinander abgetrennt, denn das ›Ich‹ dieser 22 Druckseiten Sätze, die fast alle mit »Ich« beginnen, ist — so Handke — »nicht das ›Ich‹ einer Erzählung, sondern nur das ›Ich‹ der Grammatik. Es ist kein persönliches Ich, sondern ein unpersönliches.« Dieses »Ich« beginnt mit Elementarsätzen wie »Ich bin geworden. Ich bin gezeugt worden. Ich bin entstanden. Ich bin gewachsen. Ich bin geboren worden«; es ergeben sich Lehrstrophen über elementare Dinge, die der Mensch lernt, Erlernen der Sprache, der Bewegung, der Zeit, vielerlei Abstraktionen, des Heraustretens aus der Natur, der Erkenntnis der eigenen Vernunft, des Sichbewußtwerdens als eines Einzelwesens und als eines Sozialwesens. Mit dem Bewußtsein des Sozialwesens beginnt das Bewußtsein, sich »vergangen« zu haben gegen Regeln, die von der Sozietät aufgestellt sind: »Ich habe getan. Ich habe unterlassen. Ich habe zugelassen.« Damit setzt die eigentliche »Selbstbezichtigung« ein: es werden Verstöße gegen sich widersprechende Regeln verschiedener Gesellschaftsformen gebeichtet, so daß die Verstöße, je nach der Regel, manchmal tatsächlich Verstöße, manchmal aber auch das Gegenteil, Erfüllungen von Forderungen, sind. Dies ergibt den vom Autor gewollten komischen Effekt, und angesichts dieses sich auf das komischste widersprechenden »Ichs« wird die Selbstsicherheit jedes Ichs im Zuschauerraum erschüttert und durch ein Gelächter über die eigene Selbst*un*sicherheit ersetzt. Das Arsenal der Verstöße reicht von Banalitäten wie »Ich habe Abfälle im Wald liegen lassen« bis zu religiösen Unheimlichkeiten wie »Ich habe nur an die drei Personen der Grammatik geglaubt«. Mit den letzten seiner Selbstbezichtigungen macht Handke die Zuschauer, die beiden Sprecher und sich selber vollends zu Komplizen in diesem Spiel der Selbstauflösung: »Ich habe dieses Stück gehört.«

Ich habe dieses Stück gesprochen. Ich habe dieses Stück geschrieben.« Und in der Tat kann jeder in diesem Stück, das kein Stück ist, ein Stück von sich selber entdecken und mit ihm das Stück weitersprechen und weiterschreiben. Das unpersönliche Ich der Grammatik hat Personen in sich eingefangen. Handke nennt sein Stück »das formale Plagiat« einer katholischen Beichte oder einer Selbstanklage unter einem autoritären Regime: »Die Assoziation in beiden Formen ist möglich.« Diese Assoziation und die eine halbe Stunde währende, variationsreiche, aber beharrliche Wiederholung einer einzigen, der allgemeinen grammatikalischen Grundfigur der Selbstanklage ziehen den Zuhörer in einen Prozeß der Selbsteinsichten und weisen ihm darin die Rolle des Nebenselbstanklägers zu.

Publikumsbeschimpfung. 1965. Uraufführung 8. Juni 1966, bei der »experimenta 1« in Frankfurt durch das Theater am Turm; Regie: Claus Peymann. – Ein Stück von fünfviertel Stunden Dauer für vier Sprecher, deren Part und Reihenfolge vom Autor nicht festgelegt sind. – Alle Sätze des Sprechstücks sind ans Publikum adressiert, dem mitgeteilt wird: »Wir stellen nichts dar. Wir machen Ihnen nichts vor. Wir sprechen nur.« Und so geschieht es: keine Handlung, sondern Sätze, Absätze, »Nummern« und Variationen dieser »Nummern« wie bei der Beat-Musik, deren formale Prinzipien bei der Taufe des Sprechstücks Pate gestanden haben. Die Sprecher reden dem Publikum aus, daß auf der Bühne Theater gespielt werde; sie reden ihm ein, das Publikum, dessen Theatererwartungen nicht erfüllt werden, sei das Thema des Abends: »Die Bühne ist keine Welt, so wie die Welt keine Bühne ist.« Die Sprecher heben alle Elemente des Theaters auf – Bühne, Publikum, Raum, Zeit, Übermittlung von Handlung und von Gedanken, Übertragung von Gefühlen –, indem sie dies alles als Theaterelemente bewußt machen und verleugnen. Wenn dabei die Sprecher dem Publikum klarmachen, daß an diesem Abend die Zeit im Zuschauerraum und auf der Bühne die gleiche ist, so machen sie dem Publikum – »jetzt, jetzt, jetzt« – den Ablauf der Zeit überhaupt bewußt, den Zeitverlust jetzt im Theater, den Sekundengalopp zum Tod. Ähnlich (wörtlich genommen:) atemraubend die Sekunden, in denen dem Zuschauer – »Sie atmen ja« – der Atem bewußt gemacht wird. In solchen Augenblicken ist das Theater tatsächlich erschreckend aufgehoben, und es beweist zugleich seine größte Überzeugungskraft, denn der Zuschauer ist jetzt – wie es die Sprecher auf der Bühne wollen – nur noch sich selbst bewußt. Im übrigen aber führt der Versuch, die Illusion des Theaters aufzuheben, keineswegs zum Nichttheater, er führt vielmehr zu einer Illusion des Nichttheaters, die durch Mittel des Theaters erzwungen wird. Handke weiß dies natürlich, einer seiner Sätze sagt: »Alles sagte aus. Auch was vorgab, nichts auszusagen, sagte aus, weil etwas, das auf dem Theater vor sich geht, etwas aussagt.« Bevor die Zuschauer entlassen werden, bevor sie »von einem Ort zu verschiedenen Orten gehen«, werden sie beschimpft. Das Schimpfen soll, abermals, »den Spielraum zerstören«, und gerade dies gelingt, abermals, nicht: Jeder Beschimpfte will die Beschimpfung nicht auf sich sitzenlassen, und dies erreicht er am einfachsten dadurch, daß er sie als Spielvorgang betrachtet und sich darüber amüsiert. Aber sein hochgestecktes, wenn auch bescheiden formuliertes Ziel hat Handke, abermals, erreicht: »aufmerksam machen«.

Hilferufe. Uraufführung am 12. September 1967 in Stockholm durch das Theater Oberhausen, Regie: Günther Büch. — Ein Sprechstück für beliebig viele (aber mindestens zwei) Sprecher, deren Aufgabe es ist — so Handke — »den Weg über viele Sätze und Wörter zu dem gesuchten Wort HILFE zu zeigen ... Die Sätze und Wörter werden dabei nicht in ihrer üblichen Bedeutung gesprochen, sondern mit der Bedeutung des Suchens nach Hilfe.« — Absätze, Sätze, Halbsätze, schließlich nur noch Wörter nähern sich mit steigernder Geschwindigkeit dem Wort HILFE und enden alle mit »Nein«, mit der Feststellung, daß sie es nicht erreicht haben, bis sie es endlich erreichen: »Das *Sprechen* des Wortes Hilfe«, so verlangt Handke, »wird zu einer Ovation, die dem *Wort* Hilfe gebracht wird« — es ist eine Art Happy-End, denn es wird ja keine Hilfe gebraucht, sondern, wie es sich für ein aus nichts als Sprache bestehendes Sprechstück gehört, nur das Wort Hilfe, das nun, nachdem es erreicht ist, seine Bedeutung verloren hat: niemand braucht, was es bedeutet — Hilfe ist nicht vonnöten. — Die Jagd nach dem Wort HILFE ist so abstrakt wie beim Fußballspiel ein Tor, das auch nichts außer sich selbst bedeutet.

Kaspar. Uraufführung 11. Mai 1968, Theater am Turm, Frankfurt, durch Claus Peymann. — Kaspars Name und Situation stammen von Kaspar Hauser, dem literarisch oft strapazierten Findling, der offenbar seine ersten sechzehn Lebensjahre in Einzelhaft verbracht hat und 1828 in Nürnberg mit dem Wunsch, ein Soldat wie sein Vater zu werden, aufgetaucht ist — das Opfer vieler experimentierfreudiger Erzieher und erstochen nach fünf Jahren. Aus dem von Kaspar Hauser ausgesprochenen Wunsch »A söchener Reiter möcht i wärn wie mei Voter aner gween is« hat Handke das Thema seines Sprechstücks und den ersten Satz seines Kaspar gewonnen: »Ich möcht ein solcher werden wie einmal ein andrer gewesen ist.« Wie wird er, wie wird man ein solcher? Handkes Sprechstück beantwortet diese Frage: durch Sprache. — Seinen einzigen Satz »Ich möcht ein solcher werden wie einmal

›Kaspar‹ von Peter Handke. Kaspar, gezeichnet von Moidele Bickel für die Uraufführung im Frankfurter Theater am Turm, Mai 1968

ein andrer gewesen ist« richtet Kaspar an das Mobiliar und dabei reden Stimmen auf ihn ein: diese über Lautsprecher redenden »Einsager« treiben ihm zunächst seinen einzigen Satz aus und bringen ihn dann »mit Sprechmaterial zum Sprechen«: sie sind nichts anderes als Sprache, die sich und ihre Gesetze mitteilt und den leeren Kaspar lehrt. Mit der Sprache lernt er Ordnung und er folgt dabei den Einsagern, die sich zunächst ihm angepaßt haben, damit er sich endlich ihnen anpaßt. Kaspar lernt, daß es in der Sprache viele Möglichkeiten der Darstellung von Verhältnissen gibt, und er wird — »Denk, was du sagst!« — durch die Sprache bestehenden Verhältnissen eingeordnet. Mehrere, ihm gleiche, doch stumme Kaspars treten auf und führen ihm vor, wie Kaspar sich bewegt, wie er zuhört, beobachtet und leidet, und er lernt von ihnen: ein Kaspar unter vielen Kaspars zu sein. — Im zweiten Teil belehren die Einsager über gewaltsame Methoden, die Welt in Ordnung zu bringen, über Folter und Prügel. Während die anderen Kaspar-Figuren unartikuliert lallen und grauenhafte Geräusche erzeugen — sie kratzen auf Glas und knautschen Luftballons —, legt Kaspar Rechenschaft ab und erweist sich als ein ausgelernter Eingesagter: »Ich bin zum Sprechen gebracht. Ich bin in die Wirklichkeit übergeführt.« Die Sprache hat ihn zu einem solchen gemacht, und während ihn die Welt dieser ekelhaften und gewalttätigen Kaspar-Figuren attackiert und vereinnahmt, sagt er seinen letzten Satz: »Ich bin nur zufällig ich.« Sein Ich ist ihm durch die Sprache zugefallen — es ist ihm eingeredet worden. — Dies ist vielleicht kein Theater, gewiß aber Dramatik. Im ersten Teil die Dramatik des Sprechenlernens, des Ordnens von Realität durch eingelernte Sprache; im zweiten Teil der dramatische Kampf zwischen Sprache und Realität. »Handlung« ist hier, überspitzt gesagt, ein Sprachkurs, der zugleich ein Kurs von Verhaltensweisen ist. Die Grammatik als Gesetzgeber — Konrad Duden in der Rolle des Moses.

Das Mündel will Vormund sein. Uraufführung 31. Januar 1969, Theater am
Turm, Frankfurt, durch Claus Peymann. — Ein Stück ohne ein gesprochenes
Wort, ein Schweigestück. Den Titel hat Handke von Shakespeares Prospero
(»My foot my tutor?«, übersetzt von Wolfgang Swaczynna). In diesem
wortlosen Gegenstück zum wortmächtigen ›Kaspar‹ möchte einer, möchte
das Mündel ein solcher werden wie ein andrer, wie sein Vormund ist. Was
der Vormund auch tut, Sitzen, Gehen, Stehen, Klettern, Schlafen, Lesen, das
Mündel folgt ihm mit geringer Verzögerung und immer ein wenig lang-
samer oder geduckter oder geschrumpfter. Als der Vormund zu einer Art
Priester wird, zum Vollstrecker irrealer Riten, »K+M+B«, die Heiligen
Drei Könige, an die Tür schreibt und dazu eine Bratpfanne mit Weihrauch
schwenkt, da muckt das Mündel, das sich langweilt, zum erstenmal ein wenig auf und wirft Kletten nach dem Vormund. Schon das Nasenbluten, das
offenbar Prügeln mit dem drohend an der Tür hängenden Ochsenziemer folgt,
erträgt er wieder geduldig. Das Mündel soll an einer altmodischen Rübenschneidmaschine lernen, wie man das Kraut von den Rüben hackt, doch dies
schafft er nicht, und der Vormund verliert endlich die Geduld und läßt ihn
allein. (In Handkes Erzählung »Augenzeugenbericht« guillotiniert das Mündel den Vormund mit der Rübenschneidmaschine.) Am Ende spielt das Mündel wie ein Kind mit Wasser und Sand: es hat sein wollen wie der Vormund,
aber es ist ihm nicht gelungen. — Anders als bei der Pantomime, die sich
erst in der Vorstellungskraft des Zuschauers vollendet, werden beim wortlosen Handke Vorgänge, die keiner Ergänzung bedürfen, vollständig vorgeführt; es sind — wie in der Pop-art von Claes Oldenburg — Montagen aus
naturalistischen Realitätselementen. Mit unendlicher Langsamkeit werden
Äpfel gegessen, Fußnägel geschnitten, wird Kaffee gekocht und auf das
Pfeifen des Wassertopfes gewartet. Durch das Verlangsamen der Bewegungen ist jeder Bruchteil einer Bewegungsphase außerordentlich wichtig geworden. In den simpelsten Abläufen hat Handke ein Minimal-Theater entdeckt,
das dramatischer ist als manche große Tragödie: das Drama eines stummen
Gesprächs zwischen Mündel und Vormund, zwischen Wachsendem und Er-
wachsenem, zwischen Lernendem und Lehrendem; ein Drama voll Trauer,
Schmerz und Melancholie, ein Drama voller Poesie.

Der Ritt über den Bodensee. Uraufführung 23. Januar 1971, Schaubühne am
Halleschen Ufer, Berlin; Regie: Claus Peymann, Wolfgang Wiens. — Um den
Typus seiner namenlosen Rollenträger zu umreißen, hat ihnen Handke im
gedruckten Text die Namen berühmter Komödianten gegeben. So werden
Machtkämpfe — Wer befiehlt, und wer gehorcht? — von »Emil Jannings« und
»Heinrich George« ausgetragen: zwei Verbal-Clowns, die sich gegenseitig in

ihre Sätze stolpern und ihre Mißverständnisse so logisch wie komisch aus-
spinnen. Zu ihnen stößt die Dreier-Gruppe »Elisabeth Bergner«, »Erich von
Stroheim«, »Henny Porten«. In einer überrumpelnd komischen Slapstick-
Nummer schreitet »Henny Porten« die Mitteltreppe herunter, während
»George« und »Jannings« laut die Stufen zählen. Als sie am Schluß eine
Stufe zu wenig zählen, strauchelt die Herabschreitende, weil sie keine Stufe
mehr erwartet. Als die beiden beim nächsten Versuch eine Stufe zu viel
zählen, strauchelt die Herabgeschrittene, weil sie nun noch eine Stufe erwartet. Solche Szenen erinnern an Handkes »Kaspar«, an die Unterwerfung
Kaspar Hausers durch die Sprache: dem Menschen werden die in der Sprache
formalisierten Verhaltensweisen aufgezwungen. – Ferner ergeben sich Szenen, in denen die Macht vorgeformter Haltungen und Gebärden demonstriert wird. Während beispielsweise »Jannings« und »George« ihre Macht-
fragen – Wer reicht wem die Zigarrenkiste? – durch Dialog auszutragen
versuchen, braucht »von Stroheim« nur Gebärden, um die »Porten« zu
kommandieren. Und »Jannings«, der dabei eine herrische Handbewegung
lernt, bringt nun »George« mühelos dazu, ihm die Zigarrenkiste zu reichen.
Solche Szenen erinnern an Handkes stummes Spiel »Das Mündel will Vormund sein«: dem Menschen werden die in den Gesten formalisierten Herr-
schaftsverhältnisse aufgezwungen. Im »Ritt über den Bodensee« sind die
Themen von »Kaspar« und »Mündel« vereint: Schauspieler werden – stellvertretend für jedermann – zu Gefangenen eines Sprach- und Gebärden-
kanons gemacht, der vor ihnen da war. – Während auf der Bühne die beiden Gruppen versuchen, das zu deuten, was sie einander vorführen, läßt sie
Handke die Eindeutigkeit des Vorgeführten zerstören. Jeder Halbsatz und
jeder Gebärdenansatz erweckt eine bestimmte Erwartung – Handke läßt vorführen, wie diese Erwartung getäuscht werden kann: es gibt viele Möglichkeiten, Halbsatz und Halbgebärde fortzuführen, Dialog und Situation zu
deuten. Durch diese Selbstbefragung des Theaters nach seiner Sprach- und
Gebärden-Ordnung zeigt Handke, daß es die »formulierte Ordnung« nur im
Bewußtsein gibt. Und indem er die fragwürdigen Mechanismen dieser formulierten Ordnung offenlegt, macht er auch das Bewußtsein fragwürdig. In
Gustav Schwabs Ballade »Der Reiter und der Bodensee« heißt es: »Es siehet
sein Blick nur den gräßlichen Schlund, sein Geist versinkt in den schwarzen
Grund«: das Bewußtsein des Ertrinkens bringt den Reiter am sicheren Ufer
ums Leben. Handkes Schauspieler reiten über das dünne Eis unsrer Sprach-
und Wahrnehmungs-Ordnung, am Ende aber, als ihnen der »schwarze
Grund« unter diesem Eis bewußt geworden ist, haben sie die Unbefangen-
heit ihrer Sprache und Gebärden verloren: sie bringen nur noch Bruchstücke
von Sätzen und Bewegungen hervor, sie verstummen und erstarren. Schnöde

ausgedrückt: es ergeht ihnen wie dem Manne, der, befragt, ob er beim Schlafen seinen Bart über oder unter der Bettdecke liegen habe, zum Bewußtsein
eines Bartproblems kam und nie mehr schlafen konnte. – Der Mensch als
Gefangener seiner Wahrnehmungsweisen und Bewußtseinsvorgänge – Handkes Beiträge zu diesem Thema sind nicht systematisch, sie sind szenische
Aperçus. Der Mensch als Handelnder ist ein Gehandelter – Handke trägt
seine Melancholie über diesen traurigen Befund komisch und geistreich vor.

Dieter Forte: das dämonisierte Portemonnaie

Dieter Forte, geboren 1935 in Düsseldorf, kommt aus der Schule der Wer-
bung, der Fernseh- und Hörspiele. Seine Stärken sind die bündige Formu-
lierung, der zynische Witz, die zugespitzte Mini-Szene, der Gag. Sein Dialog
ist so beißend amüsant, daß sich sein erstes Stück, obwohl dramaturgisch
ein Hörspiel, auf der Bühne glänzend behauptet:

Martin Luther & Thomas Münzer oder Die Einführung der Buchhaltung.
Uraufführung 4. Dezember 1970, Basler Theater; Regie: Kosta Spaic. – Im
Titel steckt das Programm: Der Reaktionär & der Revolutionär oder Der
Triumph des Kapitalismus. Zum Schluß singen die vom Kapitalisten Fugger
gekauften Fürsten mit dem Reaktionär Luther »Ein feste Burg ist unser
Gott« und verdecken mit ihren Leibern die Hinrichtung des Revolutionärs
Thomas Münzer. Sie singen Luthers Lied: »Nehmen sie den Leib, Gut, Ehre,
Kind und Weib, laß fahren dahin, sie habens kein Gewinn, das Reich muß
uns doch bleiben«. Es ist Fortes Saldo zuungunsten Luthers: er lehrt die
Verachtung der Welt, er überläßt sie den Herrschenden, und die ausgebeu-
teten Beherrschten tröstet er mit dem »Reich«, dem Jenseits Gottes. – Fortes
Luther wird ausgenutzt von den Fürsten: seine Reformation sorgt dafür,
daß die Enteignung der katholischen Kirche durch die Fürsten für gott-
wohlgefällig gehalten wird, und er verschafft den Fürsten ein gutes Gewissen, wenn sie die revolutionären Bauern abschlachten: »Weltliches Regiment ist Gottes Ordnung«. Der Papst, ein Freund der Künste und der
Wissenschaften, ist längst Atheist und wird durch Luther gezwungen, den
Glauben wie eine Mode von vorgestern wieder anzulegen. Aus allen religiösen Querelen zieht Fugger, der Erfinder der Buchhaltung und des Mono-
polkapitalismus, reichen Nutzen. – Wohin Forte seinen Leuten auch blickt,
in den Kopf, ins Herz oder in den Hosenlatz, überall sieht er ein Portemonnaie. Das Brett, das seine Personen vor dem Kopf haben, ist das Zahl-
brett einer Registrierkasse.

REGISTER

Zu den Registern

Das Register ›*Stücke*‹ enthält die Titel aller ausführlich behandelten und erwähnten Theaterstücke. Zur rascheren Orientierung sind die bestimmten und unbestimmten Artikel (der, die, das, ein, eine) am Anfang der Titel weggelassen.

Das Register ›*Autoren*‹ enthält die Verfasser der Theaterstücke (in Klammern: ihre Lebensdaten).

Stücke

A

B

Bildnachweis

Autor und Verlag sind folgenden Künstlern, Museen, Archiven und Verlagen für ihre verständnisvolle Unterstützung dankbar.

Die Arche, aus: Friedrich Dürrenmatt »Die Physiker«, eine Komödie in zwei Akten, erschienen im Verlag der Arche, Peter Schifferli, Zürich: 265. Moidele Bickel, Frankfurt: 359. Ilse Buhs, Berlin: 303, 326. Bulloz, Paris: 298. Georg D. W. Callwey, Verlag, aus: Ottmar Schuberth, Das Bühnenbild, München 1965: 68, 70, 197. Eberhard Dänzer, Karlsruhe: 107. Kurt Desch Verlag, München: 91. Deutsches Institut für Filmkunde, Wiesbaden-Biebrich: 306. Diogenes Verlag, Zürich: 268. Elsevier, Verlag, aus: Le Décor de Théâtre dans le Monde depuis 1935: 72, 215, 249, 250. S. Fischer Verlag, Frankfurt/M: 78, 239. Max Fritsche: 60. Institut für Theaterwissenschaften der Universität Köln: 35, 40, 47, 97, 130, 131, 171, 181, 189, 253, 262, 299, 302, 344. Mit Genehmigung der Kammerspiele München: 15. Pit Ludwig, Darmstadt: 100, 311, 343. Ita Maximovna, Berlin: 104. Josef Melzer Verlag, Darmstadt: 351. Stefan Moses: 22. Mit freundlicher Genehmigung der Neher-Erben: 110, 113. Teo Otto, Zürich: 114. Rowohlt Verlag, Reinbek: 179. Ursula Seitz-Gray, Frankfurt/M: 127, 218. Mit Genehmigung des Staatstheaters Kassel: 205. Stahlberg Verlag, Karlsruhe: 287. Hildegard Steinmetz, Gräfelfing: 62. Theatermuseum, Clara-Ziegler-Stiftung, München: 93, 95, 242. Ullstein-Bilderdienst, Berlin: 303. Verlag Klaus Wagenbach, aus: Günter Grass, Onkel, Onkel, Berlin 1965: 150. Lucie Weill, Paris: 316, 337. Harry Woeleke, Berlin: 229. Mit Genehmigung der Wuppertaler Bühnen: 174.

Redaktionelle Bemerkung

Diese Sonderausgabe für die ›Bücher der Neunzehn‹ enthält Kapitel aus ›Spielplan‹ von Georg Hensel, dem zweibändigen Schauspielführer von der Antike bis zur Gegenwart, erschienen 1966 im Propyläen-Verlag, Berlin. Der Autor hat diese Kapitel, die dem Titel der Sonderausgabe ›Theater der Zeitgenossen‹ entsprechen, bis in die Spielzeit 1971/72 fortgeführt und ergänzt um 20 neue Autoren und 125 neue Stücke.

Georg Hensel

SPIELPLAN

Ein Schauspielführer von der Antike bis zur Gegenwart

1296 Seiten Text und 360 Abbildungen
Zwei Bände in einer Kassette

Für dieses Werk wurde Georg Hensel von der Deutschen Akademie
für Sprache und Dichtung ausgezeichnet

»Ein Werk wie dies gab es so noch in keiner Sprache. Hensel, dieser Lessing
von Darmstadt, soll sehr gelobt — und soll ein bißchen beneidet sein. Seine
Bibel der Theaterlust und Theaterkenntnis wird zumindest für zwei Generationen das bleiben, was man ein Standardwerk nennen muß. Seit wir es
haben, ist es wieder ein bißchen notwendiger und lustiger, hierzulande ins
Theater zu gehen.« *Friedrich Luft*

»Nie läßt der Verfasser es damit genug sein, dem Leser nur die Knochen
theatergeschichtlicher Meldungen aufzutischen. Er umgibt sie mit erzählerischem
Fleisch, garniert sie mit soziologischen Erkenntnissen, mit Zitaten und Anek-
doten.« *Rolf Michaelis*

»Man meint bei der höchst unterhaltsamen und zugleich profund belehrenden
Lektüre dieser beiden Bände, Egon Friedell, der Wiener Conferencier, der Kul-
turgeschichte zu einem aufregenden geistigen Abenteuer zu machen verstand,
sei nach Darmstadt gekommen und habe dort den jungen Hensel seine an
Hexerei grenzenden Schreibkünste gelehrt.« *Kurt Lothar Tank*

»Die zwei handlichen Wälzer sind verteufelt gut, witzig, ja manchmal sogar
frech geschrieben. Die Inhaltsangaben sind mit der Spannung guter Kriminalromane geladen.« *Walter Karsch*

»Es gibt messerscharfe Formulierungen und geistreiche Pointen, aber nie als
Fangstricke oder Worttricks zur Vermeidung tauglicher Argumente.«
Wolfgang Kraus

»Ein gescheiter und urteilssicherer Mann, der mit Witz und Temperament ins
Schwarze zu treffen versteht.« *Rudolf Goldschmit*

Propyläen Verlag

DATE DUE